PATRICK O'BRIAN

Patrick O'Brian est né en Irlande en 1914. Romancier, traducteur (on lui doit notamment les traductions en anglais de Joseph Kessel, de Jean Lacouture et de Simone de Beauvoir), il est également auteur de biographies (Picasso, Joseph Banks) et d'essais linguistiques.

Il publie son premier roman, *Testimonies*, en 1952. Quelques années plus tard, il écrit en six semaines *The Golden Ocean*, un roman inspiré par l'expédition de l'amiral Anson dans le Pacifique en 1740. C'est en 1969, avec *Maître à bord*, qu'il inaugure les aventures maritimes du capitaine britannique Jack Aubrey et du médecin Stephen Maturin, sur fond de guerres napoléoniennes. Cette grande saga admirablement documentée, qui compte vingt volumes, l'a rendu célèbre dans le monde entier.

Passionné par l'histoire naturelle et la mer, Patrick O'Brian a appris à naviguer dans la tradition de la marine à voile des XVIIIe et XIXe siècles. Il a passé une grande partie de sa vie dans le sud de la France. Patrick O'Brian est décédé à Dublin en janvier 2000.

PATRICK O'BRIAN

Patrick O'Brian est né en Irlande en 1914. Romancier, traducteur, son œuvre abondante est inconnue en anglais qu'en français. Auteur d'une biographie de Picasso et d'une de Joseph Banks, le grand naturaliste, il est surtout l'auteur de vingt romans maritimes.

Il publie son premier roman, *Testimonies*, en 1952, puis des nouvelles plus tard. Il écrit un ouvrage, *Richard Temple*, et entre tout à fait dans l'univers de l'amiral Nelson avec *Maître à bord* en 1969, avec *Maître à bord* qu'il inaugure les aventures maritimes du capitaine Jack Aubrey et du chirurgien Stephen Maturin, qui font de grandes explorations. Cette œuvre sera chaudement recommandée aux lecteurs par Jünger, la revue *Lire*, etc. Les classiques de Patrick O'Brian ont un succès naturel et sans...

O'Brian a gagné à plusieurs titres de titres de maître à voile des XVIIIᵉ et XIXᵉ siècles. Son best-seller passe partie de sa vie dans le Sud de la France. Patrick O'Brian est décédé à l'hôpital en janvier 2000.

MAÎTRE À BORD

DU MÊME AUTEUR
CHEZ POCKET

PATRICK O'BRIAN

MAÎTRE
À BORD

PRESSES DE LA CITÉ

Titre original :
MASTER AND COMMANDER
Traduit par Jean Charles Provost

Le Code de la propriété intellectuelle n'autorisant, aux termes de l'article L. 122-5, (2° et 3° a), d'une part, que les « copies ou reproductions strictement réservées à l'usage privé du copiste et non destinées à une utilisation collective » et, d'autre part, que les analyses et les courtes citations dans un but d'exemple et d'illustration, « toute représentation ou reproduction intégrale ou partielle faite sans le consentement de l'auteur ou de ses ayants droit ou ayants cause est illicite » (art. L. 122-4).
Cette représentation ou reproduction, par quelque procédé que ce soit, constituerait donc une contrefaçon sanctionnée par les articles L. 335-2 et suivants du Code de la propriété intellectuelle.

© Patrick O'Brian, 1970
© Presses de la Cité, 1996, pour la traduction française
ISBN 2-266-08199-3

Mariae Lembi Nostri Duci et Magistra Do Dedico

Les voiles d'un brick

1. *Flying jib*
2. *Jib*
3. *Fore-topmast-staysail*
4. *Fore-sail*
5. *Lower-fore-topsail*
6. *Upper-fore-topsail*
7. *Fore-topgallant-sail*
8. *Fore-royal*
9. *Main-topmast-staysail*

Clin-foc
Foc
Petit foc
Misaine
Petit hunier fixe
Petit hunier volant
Petit perroquet
Petit cacatois
Voile d'étai de grand hunier

10. *Main-topgallant-staysail*
11. *Main-royal-staysail*
12. *Main-sail*
13. *Lower-main-topsail*
14. *Upper-main-topsail*
15. *Main-topgallant-sail*
16. *Main-royal*
17. *Main-trysail*

Voile d'étai de grand perroquet
Voile d'étai de grand cacatois
Grand-voile
Grand hunier fixe
Grand hunier volant
Grand perroquet
Grand cacatois
Brigantine

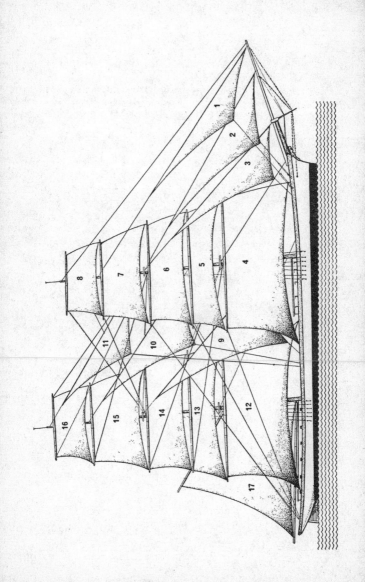

Note de l'auteur

Qui veut décrire la Royal Navy au XVIIIᵉ et au début du XIXᵉ siècle sera toujours en dessous de la vérité. Il est difficile de rendre totalement justice à son sujet, tant la réalité, si improbable, dépasse la fiction. L'imagination la plus débridée aurait du mal à inventer la silhouette frêle de l'amiral Nelson bondissant de son vaisseau de soixante-quatorze canons le *Captain* (abîmé par le combat), passant par le hublot de la coursive du quatre-vingts pièces le *San Nicolas*, s'en emparant et courant sur le pont pour prendre d'abordage le gigantesque *San Josef* (cent douze canons)... De sorte qu'« aussi extravagante que paraisse cette histoire, c'est sur le pont d'un navire espagnol de première catégorie que j'ai reçu les épées des Espagnols défaits. Je les ai aussitôt remises à un de mes matelots, William Fearney, qui les a glissées sous son bras avec le plus grand *sang-froid*. »

Les pages de Beaston et de James, la *Naval Chronicle,* les archives de l'Amirauté conservées au Public Record Office et les biographies de Marshall et O'Byrne sont pleines de récits de batailles sans doute un peu moins spectaculaires (il n'y eut qu'un Nelson), mais certainement aussi inspirées. Des combats que peu d'hommes pouvaient imaginer et que personne, sans doute, n'aurait pu retracer avec autant de conviction. C'est pourquoi, pour les combats navals décrits dans ce livre, je m'en suis tenu aux sources et aux faits réels. Aux récits de batailles aussi brillamment menées que crûment restituées par la chronique, j'ai emprunté quelques hauts faits que j'admire particulièrement. Et je n'ai jamais décrit une bataille sans consulter les journaux de bord, les lettres officielles, les comptes rendus de l'époque, voire les mémoires des participants eux-mêmes. Par ailleurs, je ne me suis jamais senti obligé de restituer servilement la chronologie. Les historiens navals remarqueront par exemple que la bataille menée par Sir James Saumarez dans le détroit de Gibraltar se trouve un peu différée, pour se dérouler après les vendanges. Ils verront aussi qu'au moins un des combats de ma *Sophie* a eu pour protagoniste un autre sloop, quoique exactement de la même force qu'elle. J'ai pris d'immenses libertés, en fait. Je me suis approprié des documents, des poèmes, des lettres. En un mot, *j'ai pris mon bien là où je l'ai trouvé*. Sans trahir la réalité historique générale, j'ai dû changer les noms des lieux et des événements mineurs où se déroule mon histoire.

Je tiens à affirmer que les hommes admirables de ce temps-là, les Cochrane, les Byron, les Falconer, les Seymour, les Boscawen et tous les marins moins célèbres dont je me suis servi peu ou prou pour construire mes personnages, trouvent justice dans leurs propres batailles beaucoup mieux que dans les surenchères imaginaires. Que cette authenticité est un vrai joyau. Et que l'écho de leurs paroles a une valeur inestimable.

Je veux exprimer ma gratitude, pour leurs conseils et leur aide, aux employés du Public Record Office et du National Maritime Museum de Greenwich, dont l'érudition n'a d'égal que la patience, ainsi qu'à l'officier commandant le HMS *Victory*. Leur amabilité et leur obligeance furent, elles aussi, inestimables.

Patrick O'BRIAN

Chapitre I

Le salon de musique de la résidence du gouverneur de Port Mahon — une belle pièce octogonale, haute de plafond et entourée de piliers — retentissait du premier mouvement triomphal du quatuor en ut majeur de Locatelli. Les musiciens italiens, coincés entre le mur du fond et les rangées de petits fauteuils ronds et dorés, jouaient avec conviction, passionnément. Ils attaquèrent l'avant-dernier crescendo, vers le formidable point d'orgue qui précède l'accord final libérateur. Sur les petits fauteuils dorés, deux auditeurs au moins suivaient cette progression musicale avec la même intensité. Ils étaient assis à main gauche, au troisième rang. Et il se trouve qu'ils occupaient des sièges voisins. Celui des deux placé le plus à gauche avait entre vingt et trente ans. Son corps massif débordait du siège, ne laissant apercevoir que çà et là une fine lueur de bois doré. Il portait son meilleur uniforme — la veste bleue à revers blancs et le gilet, les culottes et les bas blancs d'un lieutenant de vaisseau de la Royal Navy — et la médaille d'argent de la bataille d'Aboukir à la boutonnière. Sa manche ornée de boutons d'or battait la mesure tandis que ses yeux bleu clair (contrastant avec son visage tanné) fixaient l'archet du premier violon. Ce fut le point d'orgue, puis la pause, puis la fin du mouvement. Le marin frappa son genou d'un coup de poing sec. Il se laissa aller en arrière, émit un soupir de satisfaction et se tourna vers son voisin en souriant. Avant de prononcer la phrase qu'il avait préparée (« Très joliment exécuté, monsieur, il me semble ! »), il s'arrêta au regard froid et inamical de l'autre. Celui-ci murmura : « Si vous devez vraiment marquer le rythme, monsieur, je vous implore de le faire en mesure, pas avec un demi-temps d'avance. »

Sur le visage de Jack Aubrey, l'expression du plaisir communicatif, amical et ouvert, le céda à une hostilité un peu embarrassée. Il ne pouvait nier avoir battu la mesure. Et bien qu'il fût certain de l'avoir fait correctement, la chose en soi était une erreur. Son teint se colora. Il fixa un moment les yeux pâles de son voisin, et lui dit : « Je suis sûr que... » Il fut interrompu par l'ouverture du second mouvement.

Le violoncelle, pensif, émit deux ou trois phrases en solo avant d'entamer son dialogue avec l'alto. Jack avait du mal à se concentrer sur la musique. Son attention se fixait sur son voisin. Un regard en biais lui révéla que l'homme était petit, brun, le visage pâle, qu'il portait un manteau noir un peu râpé... Un civil. Il était difficile de lui donner un âge. D'une part, parce qu'il avait ce genre de visage qui ne laisse rien deviner, d'autre part parce qu'il portait une perruque. Une perruque grisonnante qu'on aurait dit de fil de fer, et tout à fait exempte de poudre. Il pouvait avoir n'importe quel âge, entre vingt et soixante ans. « En fait, se dit Jack, il a plus ou moins mon âge. Satané fils de pute, qui se donne des airs... » Il reporta son attention sur la musique. Il s'installa dans le thème, le suivit dans ses variations et ses charmantes arabesques jusqu'à sa conclusion, logique et satisfaisante. Jusqu'à la fin du mouvement, il ne pensa plus à son voisin. Mais après, il évita de regarder dans sa direction.

Pendant l'exécution du menuet, Jack marqua le rythme en secouant la tête, mais il en était absolument inconscient. Lorsqu'il sentit que sa main s'agitait, qu'elle menaçait de s'élever dans les airs, il la coinça brusquement sous le pli de son genou. Ce n'était qu'un menuet, agréable et léger. Mais il était suivi d'un mouvement curieusement difficile, presque dur, un fragment qui semblait vouloir exprimer quelque chose de la plus haute importance. Le volume sonore diminua, bientôt il n'y eut plus que le chuchotement d'un seul violon — le bourdonnement d'une conversation qui ne s'était jamais interrompue, au fond de la salle, menaçait de le noyer. Un soldat fit entendre un rire étouffé. Jack jeta autour de lui un regard mécontent. Les autres instruments se joignirent au violon, et le quatuor se retrouva au point où le thème pouvait être exposé à nouveau. Il fallait s'abandonner au courant. Lorsque le violoncelle fit entendre son battement, nécessaire et prévisible — *pom, pom-pom-pom, poum* —, le menton de Jack s'affaissa sur sa poitrine et il se mit à l'unisson de l'instrument — *pom, pom-pom-pom, poum.* Quelqu'un lui donna un coup de coude dans les côtes et fit : « Chut ! » à son oreille. Il découvrit que sa main était levée, qu'il battait encore la mesure. Il baissa le bras, serra les lèvres et garda les yeux baissés jusqu'à ce que la musique se taise enfin. Il entendit le splendide épilogue, reconnut que c'était beaucoup mieux que le simple dénouement auquel il s'était attendu, mais il n'y prit aucun plaisir. Au milieu des applaudissements et du brouhaha général, son voisin le regarda, d'un air qui exprimait moins le défi qu'une réprobation totale et bien sentie. Ils ne dirent pas un mot, chacun étant conscient de la présence de l'autre, pendant que Mme Harte, la femme du commandant militaire du port, exécutait à la harpe un morceau long et difficile. Jack Aubrey regarda la nuit, au-delà des longues et élégantes baies vitrées. Saturne se levait au sud-sud-est, boule éclatante dans le ciel de Minorque. Ce geste du coude, cette poussée violente, délibérée, cela ressemblait bien à un coup. Ni son caractère ni son code d'honneur professionnel ne pouvaient souffrir un tel affront sans réagir. Existe-t-il en effet un affront plus grave qu'un coup ?

Mais pour le moment, il lui était interdit de manifester sa colère. Il s'abandonna donc à la mélancolie. Il pensa à sa situation — pas de navire —, aux promesses et demi-promesses qu'on lui avait faites sans jamais les tenir, à tous ses châteaux en Espagne. Il avait un agent de prises, son homme d'affaires... Cent vingt livres, le paiement d'un intérêt de quinze pour cent qui allait venir à échéance. Et il touchait une solde mensuelle de cinq livres douze shillings. Il pensa à des hommes de sa connaissance, avec moins d'ancienneté mais plus de chance (ou plus d'influence), qui étaient lieutenants sur des bricks ou des cotres, parfois même qui commandaient un navire. Tous chassaient les trabaccolos dans l'Adriatique, les tartanes dans le Golfe du Lion, les chébecs et les scitias tout au long des côtes d'Espagne. Gloire, avancement, parts de prise.

Un tonnerre d'applaudissements lui signala que le récital était fini. Il se força à claquer des mains, grimaça une expression de plaisir béat. Molly Harte fit une révérence et sourit. Elle croisa son regard, et son sourire s'élargit. Il redoubla ses applaudissements. Mais elle comprit qu'il était déçu, ou qu'il n'avait pas bien écouté, et son plaisir s'en trouva sensiblement réduit. Elle n'en continua pas moins à recueillir les compliments de son auditoire avec un sourire radieux, très belle dans sa robe de satin bleu pâle, avec sa double rangée de perles... Des perles de la *Santa Brigida*.

Jack Aubrey et son voisin au manteau râpé se levèrent au même moment. Ils se regardèrent. Le visage de Jack exprima de nouveau une froide antipathie — les dernières traces de son feint enchantement étaient très déplaisantes. Il dit à voix basse :

« Je m'appelle Aubrey, monsieur, et je suis à la Couronne.

— Mon nom est Maturin, monsieur. On me trouve tous les matins au café de Joselito. Puis-je vous demander de me laisser passer ? »

Pendant un instant, Jack se retint de briser son petit fauteuil doré sur la tête de l'homme pâle. Mais il s'écarta avec un geste de courtoisie — il n'avait pas le choix, s'il voulait éviter que l'autre le tamponne. Quelques secondes plus tard, il se frayait un chemin à travers la foule d'uniformes bleu et rouge où surnageait çà et là l'habit noir d'un civil, et parvint au cercle qui entourait Mme Harte. Il s'exclama : « Charmant... Épatant... Joliment interprété ! » par-dessus une triple rangée de têtes, fit un geste de la main et sortit. Dans le hall, il échangea un salut avec deux officiers. Le premier, qui avait été son commensal dans le carré de l'*Agamemnon*, lâcha : « Vous semblez d'une sale humeur, Jack ! » L'autre, un grand aspirant que la solennité de l'événement rendait aussi raide que sa chemise à jabot, avait été le benjamin de son équipe de quart sur le *Thunderer*. Enfin, il s'inclina devant le secrétaire du commandant qui lui rendit son salut avec un sourire, un haussement de sourcils et un regard lourd de sens.

« Je me demande ce que cette brute est en train de manigancer », se dit-il en prenant la direction du port. Tout en marchant, il repensa à la duplicité du secrétaire, à la manière ignoble dont cet influent personnage l'avait humilié. On lui avait presque promis un joli petit corsaire français, tout récemment pris et retapé à neuf. Mais le frère du secrétaire avait surgi de Gibraltar... *Adieu !* Tu peux faire ton deuil de ce commandement. « Vous pouvez vous le mettre... » dit Jack à voix haute, en se rappelant la soumission très diplomatique avec laquelle il avait accueilli la nouvelle, et les promesses réitérées du secrétaire à propos de sa bonne volonté et des services qu'il lui rendrait à l'avenir (mais sans entrer dans le détail). Puis il pensa à son attitude, ce soir, à son mouvement de recul pour laisser passer le petit homme, à son incapacité à imaginer une réponse, une repartie qui eût été digne à la fois de son savoir-vivre et de son honneur. Il était profondément mécontent de lui-même, de cet homme en habit noir, et du service tout entier. Et aussi de la douceur veloutée de cette nuit d'avril, du chœur des rossignols dans les orangers et de l'armée d'étoiles si proches qu'elles semblaient toucher les palmiers.

La Couronne, où Jack avait sa chambre, montrait quelque ressemblance avec son homonyme de Portsmouth. La même enseigne gigantesque, or et écarlate, était suspendue à l'extérieur, vestige d'anciennes occupations britanniques. L'immeuble avait été construit dans les années 1750 dans le plus pur goût anglais, sans la moindre concession à la Méditerranée, à l'exception des tuiles. Mais l'analogie s'arrêtait là. Le propriétaire était de Gibraltar, le personnel espagnol — plus précisément minorquin. L'endroit sentait l'huile d'olive, les sardines et le vin. Et il était totalement exclu d'y trouver une tourte de Bakewell, un gâteau d'Eccles ni même un pudding à la graisse de rognon digne de ce nom. En revanche, aucune auberge anglaise n'aurait pu produire une femme de chambre qui rappelât autant que Mercedes la couleur et la douceur de la pêche-abricot. Elle bondit sur le palier obscur, illuminant l'endroit de sa présence, et cria du haut des marches : « Une lettre, *'tenante*. Je l'apporte ! » Une seconde plus tard, elle était là, à côté de lui, souriant avec innocence. Mais il ne savait que trop bien ce que contenaient les lettres qu'on lui envoyait. Il lui répondit avec un sourire machinal et un geste vague vers son corsage.

« Et le capitaine Allen est venu pour vous voir.

— Allen ? Que diable me veut-il ? » Le capitaine Allen était un homme tranquille, assez âgé. Tout ce que Jack en savait, c'est que cet Américain loyaliste était considéré comme quelqu'un de fort déterminé — il tirait ses bordées en envoyant la barre dessous le vent —, et qu'il portait un gilet à long pans. « Oh, dit-il, les funérailles, sans doute. Une souscription.

— Triste, *'tenante*, triste ? dit Mercedes en s'éloignant dans le couloir. Pauvre *'tenante* ! »

Jack prit une bougie sur la table et gagna directement sa chambre. Il ne s'occupa pas de la lettre avant d'avoir ôté son habit et dénoué sa cravate. Alors seulement, il l'examina avec méfiance. Il remarqua qu'elle était adressée, dans une écriture qu'il ne reconnaissait pas, au *Capitaine* Aubrey, Royal Navy. Il fronça les sourcils, dit : « Pauvre idiot ! » et retourna la lettre. Le sceau noir s'était écrasé après l'apposition : même en le tenant devant la bougie et en dirigeant la lumière en diagonale, il était incapable de l'identifier.

« Je ne peux pas l'identifier, dit-il. Mais au moins, ce n'est pas le vieux Hunks. Il ferme toujours ses plis avec un cachet de papier rouge. » Hunks était son agent, son vautour, son créancier.

Finalement, il se décida à ouvrir la lettre. Il y lut ceci :

> « Du Très Honorable Lord Keith, chevalier du Bain, amiral *of the blue* et commandant en chef des navires et bâtiments de Sa Majesté en service ou devant être en service en Méditerranée, etc., etc., etc.
>
> « Attendu que le capitaine Samuel Allen, du sloop de Sa Majesté la *Sophie*, est nommé sur le *Pallas*, après le décès de son capitaine James Bradby,
>
> « Par la présente, vous êtes requis et enjoint d'embarquer sur la *Sophie* pour y assumer la Charge et exercer l'Autorité d'Officier Commandant dudit bâtiment. Il est ordonné à tous les Officiers et Hommes d'équipage appartenant au dit sloop de se conduire, dans leurs fonctions respectives, avec tout le Respect et l'Obéissance dus à vous-même, leur Commandant. Et vous êtes pareillement requis d'appliquer les Instructions Générales en vigueur aussi bien que les Ordres et Directives que vous pourrez recevoir de tout officier qui vous est supérieur dans le Service de Sa Majesté. À ceci ni vous ni personne ne pourra manquer, au risque d'y répondre à ses Risques et Périls.
>
> « Ceci est votre Ordre, donné à bord du *Foudroyant*, en mer, le 1er avril 1800.
>
> « À John Aubrey, Esqr,
>
> « Nommé par la présente Commandant du sloop de Sa Majesté la *Sophie*,
>
> « Par ordre de l'amiral Thos Walker. »

Son regard embrassa tout cela d'un coup, mais son esprit refusa de le lire, refusa d'y croire. Son visage se colora, et d'un air dur, sévère, il se força à déchiffrer la lettre, ligne après ligne. À la deuxième lecture, il alla de plus en plus vite. Une joie immense lui gonfla la poitrine. Son visage devint encore plus rouge, sa bouche s'ouvrit. Il se mit à rire très haut, il tapota la lettre, la plia, la déplia et la relut avec la plus extrême attention : il avait déjà oublié le superbe phrasé du paragraphe central. Durant une seconde mortellement glacée, le nouveau monde qui venait de prendre forme s'ébranla : son regard était tombé sur la date. 1er avril... Il leva la lettre, la plaça devant la lumière. Aussi solide, inamovible et réconfortant que le rocher de Gibraltar, il vit le filigrane de l'Amirauté. La très respectable ancre de l'espoir.

Il était incapable de rester en place. Il se mit à marcher brusquement à travers la chambre, il endossa son manteau, l'ôta, lâcha des mots décousus en gloussant. « J'étais là, à m'inquiéter... Ha, ha... Un petit brick si bien tenu — le connais bien... Ha, ha... Aurais dû me croire le plus heureux des hommes, avec le commandement de la bigue, ou du navire-éboueur le *Vautour*... N'importe quel bâtiment... Admirable écriture, belle et ronde — papier d'une qualité remarquable... Quasiment le seul brick dans tout le service possédant un pont supérieur à l'arrière — une charmante cabine, sans aucun doute... Temps formidable... si chaud... Ha, ha... Si seulement je pouvais trouver un équipage... c'est le plus important... » Il avait effroyablement faim et soif. Il se jeta sur le cordon de la sonnette, mais avant qu'il ne soit retombé, il passait la tête dans le couloir et hélait la femme de chambre. « Mercy ! Mercy ! Vous voilà, ma chère. Que pouvez-vous m'apporter à manger, à *manger*, à *mangiare* ? Du *pollo* ? Du *pollo* rôti froid ? Et une bouteille de vin, de *vino* — deux bouteilles de *vino* ! Mercy, voulez-vous faire quelque chose pour moi ? Je voudrais, *désirer*, que vous fassiez quelque chose pour moi, hein ? Coudre, *cosare*, un bouton.

— Oui, *'tenante* ! » À la lueur de la bougie, les yeux de Mercedes roulaient, et ses dents jetaient des éclairs.

« Pas *'tenante* ! » cria Jack, serrant contre lui son corps souple et rond jusqu'à lui couper le souffle. « Capitaine ! *Capitano*, ha, ha, ha ! »

Le lendemain matin, il émergea directement des profondeurs du sommeil. Totalement éveillé avant même d'ouvrir les yeux, sa première pensée fut pour sa promotion.

« Bien sûr, se dit-il, ce n'est pas tout à fait un navire de première catégorie. Mais qui diable voudrait d'un gros et maladroit première catégorie, s'il n'a pas la moindre chance d'obtenir une croisière pour son compte ? Où est-il, au fait ? Après le quai de l'artillerie, à côté du *Rattler*. Je vais y jeter un coup d'œil sur-le-champ, sans perdre une minute. Non, non. Cela n'ira pas, je dois leur laisser le temps de se préparer. La première chose à faire, c'est remercier qui de droit et prendre rendez-vous avec Allen. Ce cher vieil Allen, je dois lui donner mes vœux. »

La première chose qu'il fit, à vrai dire, fut de traverser la route jusque chez le costumier naval, où il engagea son crédit désormais élargi pour une noble, grande et lourde épaulette — symbole de son nouveau rang — que le boutiquier fixa immédiatement sur son épaule gauche. Ils la contemplèrent avec satisfaction dans le long miroir, le marchand regardant par-dessus l'épaule de Jack.

En sortant de la boutique, Jack vit l'homme au manteau noir de l'autre côté de la rue, près du café. La soirée précédente lui revint en mémoire. Il se hâta de traverser, et appela : « M... Monsieur Maturin ! Vous voilà donc, monsieur. Je vous dois des milliers d'excuses, je le crains. Je vous ai sans doute fort importuné hier soir, j'espère que vous me pardonnerez. Dans la marine, nous écoutons si peu de musique, et nous sommes si peu habitués à une compagnie élégante... que nous nous emportons facilement. Je vous demande pardon.

— Mon cher monsieur », cria l'homme au manteau noir, son visage pâle comme la mort se colorant légèrement, « vous aviez toutes les raisons de vous emporter. De ma vie, je n'avais entendu meilleur *quartetto*. Quelle unité ! Quel feu ! Puis-je vous proposer une tasse de chocolat ou de café ? Cela me ferait le plus grand plaisir.

— Vous êtes très bon, monsieur. J'en serais ravi. À vrai dire, je suis parti dans une telle précipitation que j'ai oublié mon petit déjeuner. Je viens d'être promu, ajouta-t-il avec un rire désinvolte.

— Vraiment ? Je vous donne mes meilleurs vœux, de tout cœur. Entrez, je vous en prie. »

En voyant M. Maturin, le cafetier secoua l'index — dans ce geste de refus fréquent en Méditerranée, qui imite un mouvement de pendule inversé. Maturin haussa les épaules, s'adressa à Jack : « Les postes sont terriblement lentes, par les temps qui courent. » Puis il s'adressa au cafetier, en catalan : « Donnez-nous un pot de chocolat, Jep, fouetté avec énergie, et de la crème.

— Vous parlez espagnol, monsieur ? » demanda Jack. Il s'assit en déployant les basques de son manteau pour dégager son épée, d'un geste large qui emplit de bleu la pièce basse.

« Ce doit être splendide, de parler espagnol. J'ai souvent essayé, et aussi le français et l'italien. Mais ça ne marche pas. En général, on comprend ce que je dis, mais quand *ils* me parlent, ils sont si rapides que je suis largué. Le problème est là, si j'ose dire. » Il se frappa le front. « C'était la même chose avec le latin, quand j'étais enfant. Qu'est-ce que le vieux Pagan a pu me fouetter ! » Il riait de si bon cœur à ces souvenirs que le cafetier, qui apportait le chocolat, rit à son tour :

« Belle journée, capitaine, monsieur, belle journée !

— Une journée prodigieusement belle », lui dit Jack, très affable, en contemplant son visage en pointe. « *Bello soleil*, vraiment. » Il ajouta, en se penchant pour regarder le ciel par la fenêtre : « Je ne serais pas surpris que la tramontane se lève. » Se tournant vers Maturin :

« En me levant, j'ai remarqué cette couleur verdâtre au nord-nord-est, et je me suis dit : Si la brise de mer se couche, il ne serait pas surprenant que la tramontane se lève.

— Il est étonnant que vous trouviez difficiles les langues étrangères, monsieur », dit M. Maturin. Il n'avait, quant à lui, rien à dire sur le temps qu'il faisait. « Il semble raisonnable de penser qu'une oreille favorable à la musique va de pair avec le talent pour apprendre.

— D'un point de vue philosophique, vous avez certainement raison. Mais le fait est là. Et puis il se pourrait que mon oreille musicale ne soit pas si fameuse. Certes, j'aime infiniment la musique. Mais Dieu sait si j'ai du mal à jouer la note correcte, juste là où il faut.

— Vous êtes musicien, monsieur ?

— Je gratte un peu, monsieur. Je tourmente un violon, de temps à autre.

— Mais moi de même ! Moi de même ! Dès que j'en ai le loisir, je m'essaie au violoncelle.

— Un bien noble instrument », dit Jack. Ils parlèrent de Boccherini, d'archets et de colophane, des copistes et de l'entretien des cordes, très heureux de leur société mutuelle, jusqu'à ce qu'une horrible pendule, au balancier en forme de lyre, sonnât l'heure. Jack Aubrey vida sa tasse et repoussa sa chaise. « Je suis sûr que vous me pardonnerez. Je dois donner une série de visites officielles, et rencontrer mon prédécesseur. Mais j'espère pouvoir compter sur l'honneur, que dis-je, le plaisir — l'immense plaisir — de votre compagnie pour le dîner ?

— Très heureux », dit Maturin, en s'inclinant.

Ils étaient devant la porte. « Nous pouvons donc nous retrouver à trois heures, à la Couronne ? demanda Jack. Dans le service, nous n'avons pas l'habitude de nous soumettre à des horaires civilisés. À trois heures, la faim me rend déjà grognon. Je suis sûr que vous ne m'en voulez pas. Nous arroserons mon andouille, et lorsqu'elle sera convenablement trempée, peut-être pourrons-nous faire un peu de musique, si cela ne vous dérange pas.

— Vous avez vu cette huppe ? s'exclama l'homme au manteau noir.

— Une huppe ? Qu'est-ce donc ? » Jack regarda autour de lui.

« Un oiseau. Cet oiseau couleur de cannelle, avec des ailes rayées. *Upupa epops*. Là ! Là, au-dessus du toit ! Là ! Là !

— Où ? Où cela ? Comment est-ce possible ?

— Elle est partie, maintenant. Depuis mon arrivée, j'espérais en voir une. En plein cœur de la ville ! Heureux Mahon, qui abrite de telles créatures. Mais je vous demande pardon. Vous parliez d'arroser une andouille...

— Oh, oui. C'est du jargon de marin. L'andouille, c'est cela. » Il tapota son épaulette. « Lorsqu'on la porte à bord pour la première fois, on doit l'arroser. C'est-à-dire qu'on boit une ou deux bouteilles de vin.

— Vraiment ? dit Maturin en inclinant poliment la tête. Une décoration, un insigne de votre grade, sauf erreur ? Voilà un ornement diablement élégant, je vous l'assure sur mon âme. Mais mon cher monsieur, n'avez-vous pas oublié... l'autre ?

— Je crois que je porterai bientôt les deux, dit Jack en riant. Maintenant, je vous souhaite une bonne journée, et vous remercie pour cet excellent chocolat. Je suis ravi que vous ayez pu voir votre *epops*. »

La première visite de Jack fut pour l'officier supérieur qui commandait le port de Mahon. Le capitaine Harte occupait une grande maison pleine de coins et de recoins qui appartenait à un négociant espagnol, un certain Martinez. Ses bureaux se trouvaient au fond du patio. En traversant cet espace ouvert, Jack entendit une harpe. Les volets, qu'on avait déjà tirés pour se protéger du soleil montant, en étouffaient le son, pour ne laisser passer qu'un faible tintement. Déjà les geckos se pressaient sur les murs exposés à la chaleur.

Le capitaine Harte était de petite taille, et n'était pas sans ressembler à Lord St Vincent. Il faisait d'ailleurs de son mieux pour accentuer cette ressemblance en voûtant le dos, en se montrant brutal et grossier à l'égard de ses subordonnés, et en soutenant le parti whig. Soit qu'il détestât Jack à cause de leur différence de taille, soit qu'il le suspectât d'avoir une liaison avec sa femme, c'était du pareil au même : une forte antipathie les opposait, et cela ne datait pas d'hier.

« Eh bien, monsieur Aubrey, où diable étiez-vous donc ? Je vous attendais hier après-midi... Et Allen vous attendait hier après-midi. J'étais fort surpris d'apprendre qu'il ne vous avait jamais vu. Je vous donne tous mes vœux, bien sûr. Mais je vous jure que vous avez une curieuse façon de prendre un commandement. À l'heure qu'il est, Allen doit être à plus de vingt lieues d'ici — et avec lui tout ce que la *Sophie* comptait de vrais marins, sans parler des officiers. Et pour ce qui concerne les livres, les quittances, les registres et le reste, nous avons dû faire de notre mieux pour tout arranger. Joliment irrégulier. Fichtrement irrégulier.

— Le *Pallas* a levé l'ancre, monsieur ? s'exclama Jack, atterré.

— Il a levé l'ancre à minuit, monsieur, dit le capitaine Harte avec une satisfaction évidente. Les exigences du service ne sont pas soumises à votre bon plaisir, monsieur Aubrey. Et je me suis vu contraint de réquisitionner, pour la garnison du port, les hommes qui restaient.

— Je n'ai été informé qu'hier soir... Ce matin, en fait, entre une heure et deux heures.

— Vraiment ? Vous m'étonnez ! Je suis surpris. La lettre a sûrement été expédiée en temps utile. C'est la faute des gens de votre auberge, sans aucun doute. Il n'y a pas moyen de se fier à des étrangers. Je vous félicite pour votre commandement, mais j'ignore comment vous lui ferez prendre la mer sans un équipage capable de le sortir du port. Allen a emmené son lieutenant, son médecin de bord, et tous les aspirants prometteurs. Et je ne dispose pas, pour vous, d'un seul homme capable de mettre un pied devant l'autre.

— Eh bien, monsieur, dit Jack, je suppose que je

vais devoir faire de mon mieux avec ce dont je dispose. » C'était compréhensible, bien sûr. Aucun officier n'aurait manqué l'occasion de quitter un petit brick, vieux et lent, pour une frégate aussi avantageuse que le *Pallas*. La coutume autorisait un capitaine qui change de navire à emmener avec lui son timonier, l'équipage de son canot et quelques-uns de ses marins préférés. Et si l'on n'y prenait pas garde, il pouvait provoquer un désastre en trichant sur la définition de ces groupes.

« Je peux vous trouver un aumônier, dit le commandant, décidé à retourner le fer dans la plaie.

— Est-ce qu'il sait naviguer ? demanda Jack, déterminé à n'en rien montrer. Si ce n'est pas le cas, je vous prie de m'excuser.

— Je vous souhaite donc une bonne journée, monsieur Aubrey. Je vous enverrai vos ordres dans l'après-midi.

— Bonne journée, monsieur. J'espère que Mme Harte est chez elle. Je dois lui présenter mes respects et la féliciter... La remercier pour le plaisir qu'elle nous a donné hier soir.

— Vous étiez donc chez le gouverneur ? » demanda le capitaine Harte, qui était parfaitement au courant. S'il ne l'avait pas su, il n'aurait pu lui jouer le sale tour qu'il venait de lui jouer. « Si vous vous étiez dispensé de cette cacophonie, vous seriez à bord de votre propre sloop, comme un officier digne de ce nom. Que Dieu me damne s'il n'est pas extraordinaire de voir un jeune garçon préférer la compagnie de violonistes italiens et d'eunuques à la prise de son premier commandement ! »

Quand Jack traversa le patio en oblique pour se rendre chez Mme Harte, le soleil semblait un peu moins éclatant. Mais la chaleur traversait tout de même son habit, et il monta les marches quatre à quatre. Sur son épaule gauche, il sentait bringuebaler le poids inhabituel et charmant de l'épaulette. Deux hommes l'avaient précédé : un lieutenant qu'il ne connaissait pas, et l'aspirant pompeux de la veille au soir. À Port Mahon, il était dans l'ordre des choses de rendre une visite matinale à Mme Harte. Elle était assise à côté de sa harpe, l'air plutôt décoratif, et parlait au lieutenant. Mais lorsque Jack pénétra dans la pièce, elle sauta sur ses pieds, lui prit les mains et s'exclama : « Capitaine Aubrey, comme je suis heureuse de vous voir ! Toutes mes félicitations, vraiment ! Venez, nous devons arroser votre andouille ! Monsieur Parker, veuillez tirer la sonnette, je vous prie !

— Tous mes vœux, monsieur », dit le lieutenant, heureux de voir quelqu'un recevoir ce dont il avait lui-même envie. L'aspirant hésita, se demandant s'il pouvait prendre la parole en si auguste compagnie, puis, au moment précis où Mme Harte allait faire les présentations, il beugla : « Tous mes vœux, monsieur ! » d'une voix tremblante, et il rougit.

« M. Stapleton, troisième officier sur le *Guerrier*, dit Mme Harte avec un geste de la main. Et M. Burnet, de l'*Isis*. Carmen, apportez-nous un peu de madère. » Elle avait du chien. Bien qu'elle ne fût ni très belle ni très jolie, elle donnait l'impression d'être les deux, grâce à son splendide port de tête. Elle méprisait son pleutre de mari, qui s'humiliait devant elle. Elle s'était mise à la musique en guise de compensation. Mais il semblait que cela ne suffisait pas. Pour l'heure, elle se versait un grand verre de madère et l'avalait promptement, l'air d'en avoir l'habitude.

Un peu plus tard, M. Stapleton prit congé, et après cinq minutes consacrées au temps (« délicieux mais pas trop chaud, même à midi — la brise adoucit la chaleur — le vent du nord est un peu timide — très sain, pourtant — déjà l'été — c'est mieux que le froid et la pluie de l'avril anglais — la chaleur généralement est plus agréable que le froid »), Mme Harte déclara : « Monsieur Burnet, oserais-je vous demander de me faire un plaisir ? J'ai oublié mon réticule chez le gouverneur.

— Votre récital était tout à fait charmant, Molly, dit Jack dès que la porte se ferma.

— Jack, je suis si heureuse que vous ayez enfin un navire !

— Et moi donc ! Je crois que je n'ai jamais été aussi heureux de ma vie. J'étais si maussade, hier soir, si déprimé, que j'aurais pu aller me pendre. Mais j'ai trouvé cette lettre en arrivant à la Couronne. N'est-ce pas épatant ? » Ils la lurent dans un silence religieux.

« *Au risque d'y répondre à ses risques et périls,* répéta Mme Harte. Jack, je vous en supplie, n'essayez pas de vous emparer de navires neutres. Ce trois-mâts ragusain que le pauvre Willoughby nous a envoyé n'a pas été condamné, et ses propriétaires lui font un procès.

— Ne vous tracassez pas, chère Molly. Je ne ferai pas de prise de si tôt, je vous l'assure. Cette lettre a été retardée — un curieux fichu retard —, et Allen est parti avec le meilleur de mon équipage. On lui a ordonné de lever l'ancre, comme s'il avait le feu aux trousses, avant que je puisse le voir. Et le commandant a réquisitionné pour la garnison tous ceux qu'il a laissés. Il n'y a pas un seul homme disponible. Il semble bien que nous ne puissions pas sortir du port. Je crois que nous allons rester échoués ici pas mal de temps, avant de voir la couleur d'une prise.

— Oh, vraiment ? » s'exclama Mme Harte. Ses joues se colorèrent. Lady Warren entra à cet instant précis, accompagnée de son frère, un capitaine de fusiliers marins.

« Anne, ma chérie, dit Molly Harte, aidez-moi à corriger une injustice tout à fait scandaleuse. Voici le capitaine Aubrey. Vous vous connaissez ?

— Mes hommages, madame. » Jack la salua fort respectueusement. Son mari était amiral.

« ... le plus galant, le plus méritant des officiers, un véritable tory, le fils du général Aubrey... et voici qu'on le manipule d'une manière des plus abominable... »

Pendant qu'il était dans la maison, la chaleur avait augmenté. Lorsqu'il se retrouva dans la rue, il sentit l'air brûlant sur son visage — presque solide, mais pas suffocant, ni étouffant ; l'atmosphère avait cet éclat qui éloigne les risques d'oppression. Après avoir tourné plusieurs fois, il atteignit l'avenue bordée d'arbres qui prolongeait la route de Ciudadela jusqu'au square haut perché — une terrasse, plutôt — qui dominait les quais. Il traversa vers le côté ombragé, là où les maisons anglaises avec leurs fenêtres à guillotine, leurs impostes et leurs avant-cours pavées entretenaient des relations étonnamment paisibles avec leurs voisines, l'église jésuite baroque et les manoirs espagnols situés en retrait, avec leurs grands blasons de pierre au-dessus des portes d'entrée.

De l'autre côté, il vit passer un groupe de matelots. Les uns portaient des pantalons à larges bandes, d'autres de la simple toile à voile ; les uns avaient de beaux gilets rouges, d'autres des vestes ordinaires bleues ; les uns portaient des chapeaux de prélart, malgré la chaleur, d'autres des grands chapeaux de paille, d'autres encore des mouchoirs tachés noués au-dessus de leur tête ; mais tous avaient de longues nattes qui se balançaient, tous avaient cet air indéfinissable qui caractérise les hommes d'équipage des navires de guerre. C'étaient des vrais Bellérophons. Jack les suivit des yeux avec convoitise tandis qu'ils s'éloignaient, riant et braillant avec leurs amis anglais et espagnols. Il approchait du square, et à travers le vert frais des jeunes feuilles, il pouvait apercevoir les cacatois et les perroquets du *Généreux*, qu'on avait déployés pour les sécher, scintillant au soleil, de l'autre côté du port. L'animation de la rue, le vert et le ciel bleu au-dessus de tout cela devraient suffire à rendre le cœur de l'homme gai comme une alouette. Mais l'exaltation n'atteignait qu'à demi le cœur de Jack. Pour le reste, il restait les pieds sur terre, car la question de l'équipage le préoccupait. Le cauchemar du recrutement lui était familier depuis ses débuts dans la marine : sa première blessure sérieuse lui avait été infligée par une femme de Deal armée d'un fer à repasser, qui pensait que son mari ne serait pas engagé. Mais il ne s'était pas attendu à y être confronté si tôt après sa nomination, ni de cette manière, ni en Méditerranée.

Il avait atteint le square, avec ses nobles arbres et ses grands escaliers jumeaux qui descendaient vers le quai. Ces escaliers, que les marins britanniques connaissaient depuis un siècle sous le nom de Pigtail Steps, étaient responsables de maints membres brisés et crânes bosselés. Jack traversa le square, s'approcha du muret qui séparait le haut des deux escaliers, et contempla l'immense étendue d'eau fermée qui s'étalait devant lui. À main gauche, elle s'étirait jusqu'au bout le plus éloigné du port, à main droite au-delà de l'île-hôpital, à des miles de là, jusqu'à l'entrée, étroite et surveillée par une tour. À sa gauche, se trouvaient les bateaux de commerce. Des nuées, littéralement, des centaines de felouques, de tartanes, de chébecs, de pinquets, de polacres, de houaris et de barcalongas — tous les gréements de Méditerranée, mais aussi des tas d'autres venus des mers septentrionales — chats, morutiers, harenguiers... À l'opposé, sur sa droite, c'étaient les navires de guerre. Deux vaisseaux de ligne, des soixante-quatorze pièces ; une jolie frégate de vingt-huit pièces, le *Niobe*, dont les gens étaient occupés à peindre une bande vermillon entre la ligne de ses sabords et sa délicate imposte, en imitation d'un navire espagnol que son capitaine avait jadis fort admiré ; nombre de navires de transport et autres bâtiments. Et enfin, d'innombrables embarcations faisaient la navette entre tous ces bâtiments et les escaliers qui menaient au quai — grandes chaloupes, vedettes des vaisseaux de ligne, chaloupes, cotres, yoles et youyous, toutes les sortes jusqu'à la yole malhabile de la galiote à bombes le *Tartarus*, que le poids de son énorme commissaire de bord maintenait à peine trois pouces au-dessus de l'eau. Encore plus loin, sur la droite, ce quai splendide tournait vers l'arsenal, les quais de l'artillerie et du ravitaillement et l'île de quarantaine, cachant à la vue un grand nombre de navires. Jack chercha dans cette direction, tendit le cou, un pied sur le parapet, dans l'espoir d'apercevoir l'objet de son bonheur. Mais il restait invisible. À contrecœur, il se tourna vers la gauche. C'était là que se trouvait le bureau de M. Williams. M. Williams était le correspondant à Mahon de son agent de prises de Gibraltar, la firme éminemment respectable Johnstone & Graham, et son bureau devait être l'objet de sa prochaine visite. Non seulement il avait le sentiment qu'il est ridicule d'avoir de l'or sur l'épaule mais les poches vides de toute espèce sonnante, mais Jack avait besoin d'argent frais pour faire face à une série de dépenses importantes et inévitables : cadeaux de routine, *douceurs*, etc. — rien qui puisse se faire à crédit.

Il entra, aussi sûr de lui que s'il avait livré tout seul la bataille d'Aboukir, et il fut parfaitement bien reçu. Quand ils eurent fini, l'agent lui demanda : « Je suppose que vous avez vu M. Baldick ?

— Le lieutenant de la *Sophie* ?

— Précisément.

— Il est parti avec le capitaine Allen. Il se trouve à bord du *Pallas*.

— Vous vous trompez, monsieur, si je puis me permettre. Il est à l'hôpital.

— Vous m'étonnez. »

L'agent sourit, haussa les épaules et écarta les mains dans un geste désolé. Il savait ce qu'il disait, tant pis si Jack était étonné. Mais il s'excusa de son arrogance. « Il est venu à terre hier en fin d'après-midi et on l'a conduit à l'hôpital avec une fièvre bénigne. Le petit hôpital devant les Capucins, pas celui de l'île. » Il baissa le ton, tint sa main ouverte devant sa bouche comme s'il parlait sous le sceau de la confidence. « À vrai dire, le médecin de la *Sophie* et lui ne voyaient pas les choses du même œil, et M. Baldick n'a pas supporté la perspective de faire tout le voyage entre ses mains. Il rejoindra le navire à Gib, sans doute, dès qu'il ira mieux. » Il continua, avec un sourire forcé et un regard fuyant : « Et maintenant, capitaine, je vais prendre la liberté de vous demander une faveur, si vous permettez. Mme Williams a un cousin... un jeune homme qui rêve de partir en mer... il veut être commissaire de bord, plus tard. Le garçon est prompt à l'ouvrage, il possède une belle écriture. Il travaille dans ce bureau depuis Noël, et je sais que les chiffres ne lui font pas peur. Alors voilà, monsieur, si vous n'avez personne d'autre en tête pour être votre secrétaire, vous nous obligeriez infiniment... » Le sourire de l'agent s'effaça, revint, s'effaça et revint encore. Il n'avait pas l'habitude d'être celui qui demande une faveur, surtout à un officier de marine, et l'éventualité d'un refus le mettait fort mal à l'aise.

« À vrai dire, répondit Jack en soupesant la question, je n'ai personne en vue. Vous répondrez de lui, bien entendu ? Alors voici ma proposition, monsieur Williams : trouvez-moi un matelot de deuxième classe qui accepte de venir avec lui, et je prends ce garçon.

— Vous parlez sérieusement, monsieur ?

— Oui... oui, je suppose. Oui, certainement.

— Affaire conclue, dit l'agent en lui tendant la main. Vous ne le regretterez pas, monsieur, je vous en donne ma parole.

— J'en suis sûr, monsieur Williams. Mais je ferais peut-être mieux de voir à quoi il ressemble. »

David Richards était un jeune homme ordinaire, incolore (au sens littéral, n'étaient quelques boutons mauves sur son visage), mais son exaltation discrète et son besoin désespéré de plaire avaient quelque chose de touchant. Jack le regarda aimablement.

« M. Williams me dit que vous avez une belle écriture, monsieur. Voulez-vous prendre un message pour moi, je vous prie ? Il est adressé au quartier-maître de la *Sophie*. Comment s'appelle-t-il, monsieur Williams ?

— Marshall, monsieur, William Marshall. Un navigateur de premier plan, je crois bien.

— Tant mieux », dit Jack. Il pensa à ses propres démêlés avec les tables et les résultats bizarres auxquels il parvenait parfois. « À Monsieur William Marshall, donc, quartier-maître du sloop de Sa Majesté la *Sophie*. Le capitaine Aubrey présente ses compliments à Monsieur Marshall. Il l'avise qu'il sera à bord vers une heure de l'après-midi. Très bien, cela leur donne un délai raisonnable. Très joliment écrit, de surcroît. Vous veillerez à ce que cela lui parvienne ?

— Je vais le porter moi-même sur-le-champ, monsieur ! » s'écria le garçon à qui le plaisir donnait une rougeur malsaine.

« Mon Dieu ! » se dit Jack sur le chemin de l'hôpital, contemplant autour de lui la vaste étendue de terre stérile et désolée, de part et d'autre de l'agitation du port, « Mon Dieu, que cela fait du bien de jouer de temps en temps au grand homme ! »

« Monsieur Baldick ? Je m'appelle Aubrey. Puisque nous avons failli être camarades de bord, je suis venu prendre de vos nouvelles. J'espère que vous êtes sur la voie de la guérison, monsieur ?

— Très aimable à vous, monsieur, plus qu'aimable », dit le lieutenant. Il avait une cinquantaine d'années, et son visage rougeaud se couvrait d'une barbe de plusieurs jours, gris argenté, bien que ses cheveux fussent noirs. « Merci, merci, capitaine. Je vais beaucoup mieux, j'ai le plaisir de vous le dire, depuis que je suis sorti des griffes de ces salauds de charcutiers. Le croiriez-vous, monsieur ? Trente-sept ans dans le service dont vingt-neuf comme officier, et ils veulent me soigner au régime et à l'eau. Sirops et pilules ne valent rien, paraît-il. C'est ce qu'on aurait découvert. On en a pourtant vu, aux Antilles, durant la dernière guerre, quand la fièvre jaune nous a enlevé, en dix jours, les deux tiers de nos bâbordais. Ils m'en ont préservé, monsieur, sans parler du scorbut, de la sciatique, des rhumatismes et de cette damnée fluxion ! Et on prétend qu'ils ne servent à rien ! Ces jeunes arrivistes de l'Hôpital général peuvent dire ce qu'ils veulent... Alors que l'encre, sur leurs diplômes, n'est même pas sèche ! Je continue à me fier aux sirops. »

« Et aux Frères de la Cantine », se dit Jack, car l'endroit sentait aussi fort que la cave à liqueurs d'un vaisseau de première catégorie. « La *Sophie* a donc perdu son médecin, dit-il à voix haute, et ses meilleurs hommes ?

— Ce n'est pas une grande perte, je vous assure, monsieur. Pourtant, les hommes faisaient grand cas de lui — ils ne juraient que par lui et ses remèdes de charlatan, ces sacrés bavassons. Ils sont fort affligés par son départ. J'ignore comment vous lui trouverez un remplaçant en Méditerranée, soit dit en passant, car ce sont des oiseaux rares. Mais ce n'est pas une grande perte, quoi qu'ils disent. Une caisse de sirop fera aussi bien l'affaire. En fait, cela vaudrait mieux... Et le charpentier pour les amputations. Puis-je vous offrir un verre, monsieur ? » Jack secoua la tête. « Pour le reste, poursuivit le lieutenant, nous avons été très raisonnables. Le *Pallas* a gardé son effectif presque au complet. Le capitaine A n'a pris avec lui que son neveu, le fils d'un de ses amis et les autres Américains, sans compter son timonier et son maître d'hôtel. Et son secrétaire.

— Beaucoup d'Américains ?

— Non, une demi-douzaine. Rien que des gens de chez lui, le pays au-dessus d'Halifax.

— Eh bien, je préfère cela, croyez-moi. On m'avait dit que le brick avait été totalement déserté.

— Qui vous a dit cela, monsieur ?

— Le capitaine Harte. »

M. Baldick serra les lèvres et renifla. Il hésita, puis but une autre gorgée de son gobelet. Il dit seulement : « Je le croise de temps à autre, depuis trente ans. Il aime beaucoup s'amuser aux dépens des gens. Sa façon de faire de l'humour, sans doute. » Tandis qu'ils songeaient au tortueux sens de l'humour du capitaine Harte, M. Baldick vida lentement son gobelet. « En fait, dit-il en le posant de côté, nous vous avons laissé un très bel équipage. Une vingtaine de marins de premier ordre, et une bonne moitié de vrais matelots de navire de guerre — de nos jours, on ne peut pas en dire autant de la plupart des vaisseaux de combat. L'autre moitié comprend quelques fâcheux salopards, mais pas plus que sur n'importe quel navire... À propos, le capitaine A vous a laissé une note à propos de l'un d'eux, le breveté Isaac Wilson... Au moins, vous n'avez pas à bord de ces satanés avocats navals. Puis il y a vos officiers permanents. La plupart sont des marins bien entraînés, à l'ancienne. Watt, le maître d'équipage, connaît son affaire mieux que personne. Et Lamb, le charpentier, est un type bien, stable, quoique peut-être un peu lent et timide. George Day, le canonnier... c'est un brave homme, lui aussi, quand il va bien, mais il a la fâcheuse habitude de se bourrer de médicaments. Le commissaire, Ricketts... Il n'est pas mal, pour un commissaire. Les seconds du bosco, Pullings et le jeune Mowett, vous pouvez leur faire confiance pour les quarts. Il y a des années que Pullings est passé lieutenant, mais on ne lui a jamais donné de poste. Pour ce qui est des jeunes, on ne vous en a laissé que deux — le garçon de Ricketts, et Babbington. Aussi crétins l'un que l'autre. Mais ce ne sont pas des canailles.

— Et le quartier-maître ? On m'a dit que c'était un excellent navigateur.

— Marshall ? Oui, c'est vrai. » Derechef, M. Baldick serra les lèvres et renifla. Mais il avait bu une pinte de grog de plus. Cette fois, il parla : « Je ne sais ce que vous, vous pensez de cette histoire de pédérastie, monsieur. Moi, je pense que c'est contre nature.

— Eh bien, il y a quelque chose dans ce que vous dites, monsieur Baldick », répondit Jack. Sentant la curiosité de l'autre, il ajouta : « Je n'aime pas cela, ce n'est pas du tout mon genre. Mais j'avoue que je n'aime pas voir un homme pendu pour ça. Les mousses, je suppose ? »

M. Baldick secoua lentement la tête. « Non, dit-il enfin. Non. Je ne dis pas qu'il *fasse* quelque chose. Pas maintenant. Allons, je n'aime pas médire de quelqu'un derrière son dos.

— Le bien du service... » dit Jack, avec un geste vague de la main. Quelques minutes plus tard, il prit congé du lieutenant, car celui-ci commençait à avoir des suées. Il était lugubre, malade... et ivre.

La tramontane avait fraîchi, et une brise pour huniers à deux ris agitait les palmiers. D'un bout à l'autre de l'horizon, le ciel était clair. Une mer courte, un peu agitée, se levait à l'extérieur du port. Il enfonça fermement son chapeau sur son crâne, inspira à fond et s'exclama : « Mon Dieu, comme il fait bon vivre ! »

Il avait tout le temps nécessaire. Il allait passer à la Couronne, s'assurer que le dîner serait aussi splendide qu'il convenait, brosser son manteau et peut-être boire un verre de vin. Il n'avait pas besoin de prendre sa lettre : elle ne l'avait pas quitté. Elle était là, sur sa poitrine, craquant doucement au rythme de sa respiration.

À une heure moins le quart, il se dirigeait vers le bord de l'eau, laissant la Couronne derrière lui. Il était un peu oppressé. En embarquant sur le canot du passeur, il ne put lâcher qu'un mot : *Sophie*, car son cœur battait la chamade, et il avait du mal à avaler sa salive. « Est-ce que j'ai peur ? » se demanda-t-il. Il contempla gravement le pommeau de son épée, à peine conscient du voyage paisible de la barque à travers le port, au milieu de la multitude de navires et de vaisseaux, jusqu'au moment où le flanc de la *Sophie* apparut devant lui, et que le passeur fit cogner sa gaffe.

D'un regard vif, machinal, il engloba les vergues parfaitement brassées, le flanc décoré, les mousses en gants blancs courant avec des cordes doublées de reps, le fifre du bosco en équilibre, l'argent luisant au soleil. La barque s'immobilisa, il y eut un léger crissement quand elle toucha le sloop, et Jack escalada la muraille, accompagné par le cri étrange du fifre. Au moment où son pied touchait le passavant, une voix rauque donna un ordre, on entendit le fracas des fusiliers présentant les armes, et les officiers se découvrirent. En arrivant sur la plage arrière du pont supérieur, Jack lui-même leva son chapeau.

Les officiers auxiliaires et les aspirants étaient alignés sur le pont éclatant de propreté, dans leurs meilleurs uniformes, bleu et blanc, en un groupe moins rigide que le rectangle écarlate des fusiliers. Tous regardaient fixement leur nouveau commandant. Il avait l'air grave et, de fait, plutôt sévère. Après un silence (on entendit la voix du passeur qui soliloquait), il déclara : « Monsieur Marshall, veuillez me présenter les officiers, je vous prie. »

Ils s'avancèrent l'un après l'autre, le commissaire de bord, les seconds maîtres, les aspirants, le canonnier, le charpentier et le maître d'équipage, et chacun fit son salut sous le regard attentif de l'équipage. « Messieurs, dit Jack, je suis heureux de faire votre connaissance. Monsieur Marshall, tous les hommes à l'arrière, s'il vous plaît. En l'absence d'un lieutenant, je ferai moi-même lecture de mon mandat à la compagnie. »

Il ne fut pas nécessaire d'attendre, ni d'aller chercher les retardataires : chacun des hommes était déjà là, propre et pimpant, et curieux. Les sifflements du bosco et de ses seconds, *« Tous les hommes à l'arrière ! »*, résonnèrent tout de même dans les écoutilles pendant une bonne demi-minute. Puis le silence se fit. Jack s'avança jusqu'au bord de la plage arrière et sortit son mandat. Immédiatement, un ordre retentit (« Chapeau bas ! ») et il commença sa lecture, d'une voix ferme mais un peu forcée et mécanique :

— « Du très Honorable Lord Keith...

Tandis qu'il parcourait ces lignes devenues familières, infiniment plus concrètes maintenant, il fut à nouveau envahi par un sentiment de bonheur, accentué par la gravité de la circonstance. Il débita avec délectation la phrase finale, « À ceci ni vous ni personne ne pourra manquer, au risque d'y répondre à ses risques et périls », puis il replia le document, fit un signe de tête en direction de l'équipage, et le glissa dans sa poche. « Très bien, dit-il. Que les hommes rompent les rangs. Nous allons jeter un coup d'œil à ce brick. »

Au cours de la visite qui suivit, calme et rituelle, Jack vit exactement ce qu'il s'attendait à voir : un vaisseau paré pour l'inspection, qui retenait son souffle pour le cas où le moindre détail de son gréement, à la géométrie parfaite et aux lignes perpendiculaires, vînt à être déplacé.

Ce jour-là, la *Sophie* était aussi étrangère à elle-même que le bosco (raide, suant dans son manteau d'uniforme qu'on avait dû mettre en forme avec une herminette), comparé à ce qu'il était lorsqu'il renforçait une vergue de hunier, en manches de chemise, par forte houle. Mais l'équipage et son nouveau capitaine devaient établir des relations saines. Le pont blanc comme neige, l'éclat presque douloureux des deux canons de cuivre (des quatre-livres) de la plage arrière, la précision dans l'alignement des rouleaux de la soute aux câbles et la propreté, digne de la parade, des casseroles et baquets de la coquerie, tout cela avait un sens. Jack le savait, et il était difficile de l'abuser. Mais ce qu'il voyait lui plaisait. Il voyait et il appréciait tout ce qu'il devait voir. Et il fermait les yeux devant ce qu'il devait ignorer — le morceau de jambon qu'un chat du gaillard d'avant tirait de derrière un seau, les filles que les seconds maîtres avaient cachées dans la soute aux voiles et qui continuaient à pointer le nez derrière les monceaux de toile. Il ne prêta pas attention à la chèvre derrière la mangeoire, qui le fixait grossièrement de son œil satanique à la pupille ouverte — et déféquait ostensiblement. Ni à l'objet équivoque, peut-être un pudding, que quelqu'un avait glissé, dans la panique de dernière minute, sous la liure du beaupré.

Mais il jetait sur les choses un regard éminemment professionnel — officiellement, il était en mer depuis l'âge de neuf ans, de fait depuis l'âge de douze ans —, et il recueillit bien d'autres impressions. Le quartier-maître n'était pas du tout ce à quoi il s'attendait, mais un gros homme dans la cinquantaine, compétent et présentant bien. Abruti par l'alcool, M. Baldick s'était sans doute totalement fourvoyé. Quant au bosco, sa personnalité se reflétait dans son apparence : soigneux, solide, consciencieux, traditionnel. Pour le commissaire et le canonnier, la question ne se posait pas, quoique le second fût de toute évidence trop malade pour se montrer à sa juste valeur. À mi-chemin, il disparut tranquillement. Les aspirants étaient plus présentables que prévu : sur les bricks et les cotres, c'était souvent un ramassis de coquins. Mais celui-là — le jeune Babbington —, on ne pourrait pas l'autoriser à descendre à terre dans un tel costume : sa mère avait sans doute compté sur une croissance qui ne s'était pas poursuivie, et il nageait tellement dans son chapeau (sans parler du reste) qu'il aurait déshonoré le sloop.

Mais surtout, la *Sophie* lui donnait l'impression d'appartenir à une autre époque : elle avait quelque chose d'archaïque, comme si elle avait le fond clouté plutôt que doublé de cuivre et du goudron sur les flancs en guise de peinture... Les hommes d'équipage eux-mêmes, sans être particulièrement âgés (la plupart avaient moins de trente ans) semblaient démodés. Certains, par exemple, portaient des pantalons et des chaussures de ciré — un accoutrement déjà inhabituel à l'époque où Jack était un petit aspirant de l'âge de Babbington. Il les trouva naturels et spontanés. Ils semblaient normalement curieux, mais pas du tout insolents, ni maussades ni timides.

C'est cela : passé de mode. Il aimait chèrement ce navire — il l'avait aimé dès l'instant où son regard avait balayé pour la première fois le pont si joliment cintré — mais la raison lui disait que c'était un brick lent et vieux, un brick qui avait bien peu de chances de faire sa fortune. Sous son prédécesseur, la *Sophie* avait livré deux combats honorables : le premier, contre un corsaire français de vingt pièces, venu de Toulon ; l'autre dans le détroit de Gibraltar, pour protéger son convoi d'une nuée de canonnières venues d'Algésiras un jour d'accalmie. Mais pour autant qu'il s'en souvienne, la *Sophie* n'avait jamais conquis la moindre prise de valeur.

Ils étaient revenus au bord de l'étrange petite plage arrière — c'était plutôt une dunette —, et il se baissa pour pénétrer dans la cabine. Presque accroupi, il se dirigea vers les caissons placés sous les fenêtres de tableau qui couvraient la totalité de la face arrière — un cadre élégant, incurvé, pour une vue extraordinairement brillante de Port Mahon, à la manière de Canaletto. Toute lumineuse dans le soleil silencieux de midi, vue de cette pénombre relative, la ville semblait appartenir à un autre monde. Jack s'assit avec un prudent mouvement de côté, et réalisa qu'il pouvait sans difficulté garder la tête levée — il disposait d'un bon dix-huit pouces... « Eh bien, nous y voilà, monsieur Marshall. Je dois vous féliciter pour la tenue de la *Sophie*. Très soignée. Très ordonnée. » Il pensait qu'il pouvait au moins aller jusque-là, à condition que sa voix garde un ton officiel. Mais il n'en dirait pas plus. Il ne s'adresserait pas à l'équipage, et n'offrirait pas d'indulgence pour célébrer son arrivée. Il détestait l'idée d'être un capitaine populaire.

« Merci, monsieur, dit le quartier-maître.

— Je redescends à terre. Mais je dormirai à bord, bien sûr. Veuillez donc avoir la bonté d'envoyer un canot et faire prendre mon coffre et mes effets personnels. Je suis à la Couronne. »

Il resta silencieux quelques instants, savourant la gloire de sa cabine. Il n'y avait pas de canons : si cela avait été le cas, la construction particulière de la *Sophie* aurait amené leurs gueules à moins de six pouces de la surface de l'eau. Par ailleurs, les deux pièces de quatre livres, qui en d'autres circonstances auraient été si encombrantes, se trouvaient juste au-dessus de sa tête. Malgré tout, il n'y avait pas beaucoup de place. Outre les caissons, la cabine ne pouvait accueillir qu'une table, placée en travers. Mais c'était beaucoup plus que tout ce qu'il avait jamais possédé en mer. Il contempla la cabine avec une satisfaction radieuse, s'attardant avec un délice particulier sur les élégantes fenêtres inclinées, aussi lumineuses que pouvait l'être le verre — sept jeux de carreaux formant un arc majestueux qui suffisait à meubler la pièce.

C'était plus qu'il avait jamais eu, et plus qu'il espérait tenir, à ce stade de sa carrière. Pourquoi donc ressentait-il, derrière l'exaltation, quelque chose qu'il ne parvenait pas encore à définir, le *aliquid amari* qui lui rappelait ses années d'école ?

Durant le trajet de retour à terre, conduit par des hommes de son propre navire (pantalons de coutil bleu et chapeaux de paille avec « Sophie » brodé sur le ruban), un aspirant solennel à ses côtés au fond du canot, il comprit la nature de ce sentiment. Il n'était plus l'un de « nous ». Il était devenu l'un d'« eux ». De fait, il était l'incarnation immanente d'« eux ». Durant la visite du brick, chacun avait manifesté de la déférence à son égard. C'était autre chose que le respect qu'on réserve à un lieutenant, à un être humain ordinaire. Il semblait qu'on l'avait placé dans une cloche de verre, l'isolant de la compagnie du navire. À son départ, la *Sophie* avait laissé échapper un soupir de soulagement, ce soupir qu'il connaissait si bien : « Jehovah est parti. » « C'est le prix à payer ! » se dit-il.

« Merci, monsieur Babbington », dit-il au jeune homme. Il se tint sur les marches pendant que le canot faisait chemin arrière pour retraverser le port, aux cris de M. Babbington : « Laissez passer, voulez-vous ? Ne vous endormez pas, Simmons, espèce de vilaine tête de singe ! »

« C'est le prix à payer, se dit-il. Mais par Dieu, cela le vaut bien. » Au moment où ces mots se formaient, son visage rayonna à nouveau d'un bonheur total et parfaitement contrôlé. Tandis qu'il se dirigeait vers son rendez-vous à la Couronne — un rendez-vous avec un de ses pairs —, son pas était un tout petit peu plus empressé que celui du simple lieutenant Aubrey.

Chapitre II

Ils occupaient une table ronde dans un *bow-window* faisant saillie à l'arrière de l'auberge, loin au-dessus de l'eau, mais placée de telle sorte qu'il suffisait d'un mouvement du poignet pour renvoyer les coquilles d'huîtres à leur élément d'origine. Des odeurs de toutes sortes montaient d'une tartane qu'on déchargeait, cent cinquante pieds au-dessous d'eux — goudron de Stockholm, cordages, toile à voile et térébenthine de Chio.

« Prenez encore un peu de ce ragoût de mouton, monsieur, dit Jack.

— D'accord, si vous insistez, dit Stephen Maturin. Il est remarquable.

— C'est une des choses que la Couronne réussit le mieux. Mais je suis mal placé pour en parler. J'avais pourtant commandé du pâté de canard, du bœuf mode et du museau de porc mariné, en plus des *kickshaws*. Il est évident que ce type a mal compris. Dieu sait ce que contient ce plat, mais ce n'est sûrement pas du museau. Je lui ai bien répété *visage de porco* et il a opiné du chef comme un mandarin chinois. C'est très agaçant. Vous commandez cinq plats, *cinco platos*, vous vous expliquez soigneusement en espagnol, et l'on vous en apporte trois dont deux que vous n'avez pas demandés. J'ai honte de n'avoir rien de mieux à vous offrir, mais ce n'est pas faute d'avoir essayé, je vous assure.

— Je n'avais pas aussi bien mangé depuis des semaines, ni en aussi agréable compagnie, dit Stephen Maturin en inclinant la tête. Mais vous parlez espagnol — je veux dire castillan. N'est-ce pas là le problème ? »

Jack remplit leurs verres, et sourit au soleil à travers son vin. « Il me semble raisonnable, dit-il, pour m'adresser à des Espagnols, d'utiliser le peu d'espagnol que je peux rassembler.

— Vous oubliez, bien sûr, que dans ces îles, on parle catalan.

— Catalan ?

— La langue de la Catalogne — la langue des îles, de la côte méditerranéenne jusqu'à Alicante et au-delà. De Barcelone. De Lerida. De la région la plus riche de la péninsule.

— Vous m'étonnez. Je n'en savais rien. Une autre langue, monsieur ? Mais n'est-ce pas la même chose ? Ce que les Français appellent *putain* ?

— Non, pas du tout, rien de ce genre. Une langue beaucoup plus belle. Plus savante, plus littéraire. Beaucoup plus proche du latin. Et je crois que vous voulez dire *patois*, monsieur, si je puis me permettre, pas *putain*...

— *Patois*... Oui, tout juste. Je jurerais pourtant que l'autre mot existe aussi. Je l'ai entendu quelque part. Mais je n'ai pas intérêt à jouer les lettrés avec vous, semble-t-il. Dites-moi, est-ce vraiment différent à l'oreille, à une oreille profane ?

— Aussi différent que l'italien et le portugais. Les deux langues sont mutuellement incompréhensibles. Elles ont des sonorités totalement distinctes et s'inscrivent dans des tonalités différentes. Comme Gluck et Mozart. Ce mets excellent devant moi, par exemple — je vois qu'on a fait du mieux pour suivre vos instructions —, s'appelle *jabali* en espagnol, mais en catalan c'est du *senglar*.

— C'est du porc ?

— Du sanglier. Permettez-moi...

— Vous êtes trop bon. Puis-je vous demander de

me passer le sel ? C'est succulent, à vrai dire. Mais je n'aurais jamais pensé que c'était du porc. Quelles sont ces choses noires et molles, et si savoureuses ?

— Là, vous me mettez en difficulté. En catalan, ce sont des *bolets*. J'ignore quel est le mot anglais. Elles n'ont probablement pas de nom, pas de nom local, je veux dire, mais un naturaliste pourra les identifier au *boletus edulis* de Linné.

— Comment... » commença Jack, en regardant Stephen Maturin avec une réelle affection. Il avait avalé deux ou trois livres de mouton, et le sanglier, là-dessus, l'avait mis d'excellente humeur. « Comment... » Il réalisa qu'il était sur le point d'interroger son invité. Il toussota, sonna le serveur, et rassembla les carafes vides de son côté de la table.

Mais la question était dans l'air. Seules une réserve excessive ou une mauvaise humeur particulière auraient pu forcer Maturin à l'ignorer. « J'ai été élevé dans cette région, dit-il. J'ai passé une bonne partie de mon enfance avec mon oncle à Barcelone, et avec ma grand-mère à la campagne, au-delà de Lerida. En fait, je dois avoir vécu plus longtemps en Catalogne qu'en Irlande. Lorsque je suis rentré chez moi pour poursuivre mes études à l'Université, je faisais mes exercices de mathématiques en catalan, car les figures me venaient plus facilement à l'esprit.

— Vous parlez donc aussi bien qu'un indigène, monsieur, j'en suis sûr. Voilà qui est d'une importance capitale ! C'est ce que j'appelle tirer profit de son enfance ! Je voudrais pouvoir en dire autant.

— Non, non, dit Stephen en secouant la tête. En fait, j'ai très mal utilisé mon temps. J'ai acquis une assez bonne connaissance des oiseaux — ce pays est très riche en rapaces — et des reptiles. Mais pour les plantes et les insectes — sauf les lépidoptères... Quel désert de grossière et stérile ignorance ! Ce n'est qu'après avoir passé plusieurs années en Irlande et rédigé mon petit ouvrage sur les phanérogames du Roscommon que j'ai compris que j'avais monstrueusement perdu mon temps. Des étendues immenses sont restées inexplorées, depuis que Willughby et Ray les ont traversées à la fin du siècle dernier. Comme vous vous en souvenez, le roi d'Espagne a invité Linné à venir ici, en toute liberté de conscience. Mais il a refusé. J'avais eu à ma disposition toutes ces richesses inconnues, et je les avais ignorées ! Pensez à ce que Pallas, pensez à ce que l'érudit Solander, ou les Gmelin, le vieux et le jeune, auraient accompli ! C'est pourquoi j'ai saisi la première occasion, et j'ai accepté d'accompagner le vieux M. Browne. Minorque n'est pas le continent, c'est vrai. Mais d'un autre côté, une surface de roche calcaire aussi importante possède sa flore spécifique, et tout ce qui découle de cette intéressante situation.

— M. Brown, de l'arsenal ? L'officier naval ? Je le connais bien, s'exclama Jack. Un excellent compagnon. Il aime chanter, et il compose de charmants petits airs.

— Non. Mon patient est mort en mer, et nous l'avons enterré ici, à St Philip. Pauvre type, il était phtisique au dernier degré. J'espérais pouvoir l'amener jusqu'ici : dans un cas semblable, un changement d'air et de régime peut faire des miracles. Mais quand M. Florey et moi l'avons ouvert, nous avons trouvé une telle... Bref, nous avons découvert que ses conseillers — les meilleurs de Dublin, pourtant — avaient été beaucoup trop optimistes.

— Vous l'avez découpé ? s'exclama Jack, en repoussant son assiette.

— Oui, nous avons pensé que cela serait plus correct, pour satisfaire ses amis. Mais en vérité, ils semblent peu inquiets. Il y a des semaines que j'ai écrit au seul parent que je lui connaisse — un gentilhomme qui demeure dans le comté de Fermanagh. Il ne m'a pas répondu un seul mot. »

Il y eut un silence. Jack emplit leurs verres.

« Si j'avais su que vous étiez chirurgien, monsieur, je crois que je n'aurais pas résisté à la tentation de vous presser.

— Les chirurgiens sont d'excellentes gens, dit Stephen Maturin avec une pointe d'amertume. Où serions-nous sans eux, que Dieu me pardonne. En fait, M. Florey, à l'hôpital, a éversé la bronche épartériale de M. Browne avec un talent, une habileté et une promptitude qui vous auraient étonné et ravi. Mais je n'ai pas l'honneur de me compter dans leurs rangs, monsieur. Je suis médecin.

— Je vous demande pardon. Dieu, que je suis maladroit ! Mais même ainsi, docteur, je crois que je vous aurais fait tenir à bord et garder dans la cale jusqu'à ce que nous soyons au large. La pauvre *Sophie* n'a pas de médecin de bord, et il y a peu de chances que j'en trouve un. Allons, monsieur, ne puis-je vous persuader d'embarquer avec nous ? Un navire de guerre est l'endroit rêvé pour un philosophe. Surtout en Méditerranée. Il y a les oiseaux, les poissons (je peux vous promettre des poissons étranges et monstrueux), les phénomènes naturels, les météores, et le risque de parts de prise. Aristote lui-même aurait été motivé par les parts de prise. Les doublons, monsieur. On les met dans des sacs de cuir, vous savez, gros comme ça, merveilleusement lourds à votre bras. Un homme ne peut en porter plus de deux. »

Il avait parlé d'un ton badin, sans même espérer une réaction sérieuse. Il fut donc stupéfait d'entendre la réponse de Stephen : « Je ne suis aucunement qualifié pour être chirurgien naval. Il est vrai que j'ai procédé à de nombreuses dissections anatomiques, et la plupart des opérations chirurgicales courantes me sont familières. Mais j'ignore tout de l'hygiène navale, des maladies spécifiques aux marins...

— Soyez béni ! s'exclama Jack. Il ne faut pas s'arrêter à des détails de ce genre. Pensez à ce qu'on nous envoie d'habitude — des assistants, de minables apprentis rachitiques qui ont paressé dans une boutique d'apothicaire en attendant que le ministère de la Marine leur accorde un brevet. Ils ne connaissent rien à la chirurgie, sans parler de la médecine. Ils s'instruisent sur le tas aux dépens des marins, en souhaitant qu'il se trouve dans l'équipage un infirmier expérimenté, un vétérinaire, un guérisseur, voire un boucher... Nous avons toutes sortes de gens. Et lorsqu'ils ont quelques vagues connaissances de leur métier, ils se font engager sur une frégate ou un vaisseau de ligne. Non, non ! Nous serions ravis de vous avoir parmi nous. Plus que ravis ! Pensez-y, je vous en prie, ne serait-ce qu'un instant.

— Je n'ai pas besoin de préciser, ajouta-t-il avec ferveur, quel plaisir ce sera pour moi de vous avoir comme compagnon de bord. »

Le serveur ouvrit la porte, prononça un seul mot : « Marine ! » Un manteau rouge se matérialisa derrière lui, porteur d'un paquet. « Capitaine Aubrey, monsieur ? cria-t-il d'une voix puissante. Avec les compliments du capitaine Harte ! » Il disparut dans un bruit de bottes.

« Il doit s'agir de mes ordres, dit Jack.

— Ne vous occupez pas de moi, je vous en prie, dit Stephen. Vous devez les lire sur-le-champ. » Il saisit le violon de Jack, s'installa à l'autre bout de la pièce et se mit à jouer une gamme, très bas, lentement, *ad libitum*.

Rien d'inattendu. On enjoignait Jack Aubrey de constituer au plus vite ses réserves et provisions, et d'escorter jusqu'à Cagliari douze navires de commerce et de transport, dont le nom figurait en marge. Il devait naviguer à vive allure, mais en aucun cas prendre le risque d'endommager ses gréements. Il ne devait pas craindre le danger, mais ne prendre aucun risque... Puis, sous le sceau « Secret », il trouva les instructions pour le « signal convenu » — celui qui fait la différence entre un ami et un ennemi, entre le bien et le mal : « Le navire qui se signale le premier doit hisser un pavillon rouge au ton du petit mât de hune et un pavillon blanc avec une flamme par-dessus le drapeau au grand mât. On y répondra en arborant un pavillon blanc avec une flamme au-dessus le drapeau au ton du grand mât de hune, et un pavillon bleu au petit mât de hune. Le navire qui se signale le premier doit faire feu d'un canon contre le vent, et les autres y répondent en tirant trois coups espacés sous le vent. » Et enfin, une note l'informait que le lieutenant Dillon, affecté sur la *Sophie* en remplacement de M. Baldick, arriverait incessamment sur le *Burford*.

« Voici de bonnes nouvelles, dit Jack. On me donne comme lieutenant un homme exceptionnel. On ne nous en accorde qu'un sur la *Sophie*, vous savez, c'est donc très important... Je ne le connais pas personnellement, mais c'est un excellent officier, je le sais. Il s'est fort distingué sur le *Dart*, un cotre affrété, dans la mer de Sicile : il a attaqué trois corsaires français, en a coulé un et s'est emparé d'un second. Dans la flotte, à l'époque, tout le monde en a parlé. Mais *la Gazette* n'a jamais publié sa lettre de créance, et il n'a pas été promu. Le signe d'une malchance infernale. Je me demande ce qui s'est passé, car ce n'était pas un homme sans influence. Fitzgerald, qui est au courant de toutes ces choses, m'a dit qu'il était le neveu (ou était-ce le cousin ?) d'un lord dont j'ai oublié le nom. En tout cas, ce fut un événement considérable. Des dizaines d'hommes ont monté en grade pour beaucoup moins que cela. Moi le premier.

— Puis-je vous demander ce que vous avez fait ? Je connais très mal les questions navales.

— Oh, j'ai simplement reçu un coup sur la tête, d'abord à Aboukir, puis lorsque le *Généreux* a pris le vieux *Leander*. Il fallait bien distribuer les récompenses, et comme j'étais le dernier lieutenant en lice, mon tour a fini par venir. Cela a pris du temps, je vous jure, mais quand c'est arrivé, c'était bien venu, même si je ne le méritais pas. Que diriez-vous d'un thé ? Et d'un morceau de muffin ? Mais vous préférez peut-être rester sur le porto ?

— Du thé me ferait le plus grand plaisir », dit Stephen. Il retourna vers le violon, et le cala sous son menton. « Dites-moi, vos affectations navales n'entraî-nent-elles pas des dépenses importantes — les voyages à Londres, les uniformes, les serments, les réceptions, etc. ?

— Les serments ? Oh, vous voulez parler du serment d'entrée en service. Non. Cela ne s'applique qu'aux lieutenants. Vous allez à l'Amirauté, et on vous lit un passage où il est question d'allégeance, de suprématie et de rejet du pape. Vous prenez un air solennel pour proclamer : « Je le jure ! », et le type sur l'estrade vous dit : « C'est une demi-guinée ! » Ce qui en réduit l'impact, vous en conviendrez. Mais cela ne concerne que les officiers — les médecins sont nommés par brevet. De toute façon, vous ne refuseriez pas de prêter serment ! » ajouta-t-il en souriant. Il sentit que sa remarque était un peu indélicate, un peu trop personnelle. « J'ai eu pour camarade un pauvre type qui refusait de prêter serment. Par principe. N'importe quel serment. Je ne l'ai jamais aimé. Il était toujours en train de se tripoter le visage. Il était nerveux, j'imagine, et cela lui donnait une contenance. À chaque fois que vous le regardiez, il avait un doigt devant la bouche, ou il se pressait la joue, ou bien il se tirait le menton de travers. Rien de grave, bien entendu. Mais quand vous êtes enfermé avec ça, un jour après l'autre, pour la durée d'un mandat, ça peut devenir assommant. Dans le poste, ou sur la dunette, vous pouvez lui dire : « Pour l'amour de Dieu, laissez votre visage tranquille ! », mais au carré il faut le supporter. En tout cas, il a commencé à lire la Bible, et il s'est mis dans la tête qu'il ne pouvait pas prêter serment. Puis il y a eu ce stupide procès en cour martiale contre le pauvre Bentham, et il a été appelé comme témoin. Il a obstinément refusé de prêter serment. Il a déclaré au vieux Jarvie que c'était contraire à je ne sais quoi dans les Évangiles. Cela aurait peut-être marché avec Gambier ou Saumarez, ou quiconque ayant l'habitude de la polémique — mais pas avec le vieux Jarvie, bon Dieu. On lui a cassé les reins, j'ai le regret de vous le dire. Je ne l'ai jamais aimé — à vrai dire, il sentait trop mauvais — mais c'était un assez bon marin, et il n'avait aucun vice. Quand je disais que vous ne refuseriez pas de prêter serment, je voulais dire que vous, vous n'êtes pas un fanatique.

— Certainement pas, dit Stephen. Je ne suis pas un

fanatique. J'ai été élevé par un amoureux de la philosophie — peut-être devrais-je dire un *philosophe* — et un peu de sa philosophie m'a marqué. Il aurait sans doute considéré un serment comme un enfantillage — oiseux s'il est volontaire, méritant d'être ignoré ou trahi, à juste titre, s'il est imposé. Peu de gens en effet, aujourd'hui, même chez vos loups de mer, ont la faiblesse de croire à toutes ces histoires. »

Il y eut un long silence, pendant qu'on apportait le thé. « Vous prendrez du lait, docteur ? demanda Jack.

— Oui, s'il vous plaît », dit Stephen. Il était plongé dans ses pensées. Son regard était fixé dans le vide, et il serrait les lèvres comme s'il sifflait.

« J'aimerais... dit Jack.

— On considère toujours comme une preuve de faiblesse et de maladresse le fait de se montrer à son désavantage, dit Stephen. Mais vous m'avez parlé avec une telle franchise qu'il m'est impossible de ne pas faire de même. Je suis extrêmement tenté par votre offre. Mais sans entrer dans les considérations que vous venez d'exprimer si aimablement, et que je vous retourne chaleureusement, je suis bloqué, en quelque sorte, à Minorque. Le patient dont je devais m'occuper jusqu'à l'automne est mort. Je croyais qu'il était riche — il possédait un maison à Merrion Square — mais lorsque M. Florey et moi avons fouillé ses effets avant de les placer sous scellés, nous n'avons rien trouvé du tout, ni argent ni lettres de crédit. Son domestique a décampé, et ceci pourrait expliquer cela. Mais ses amis ne répondent pas à mes lettres. La guerre m'a dépossédé du petit patrimoine que j'avais en Espagne. Et lorsque je vous ai dit, tantôt, que je n'avais pas fait un si bon repas depuis longtemps, il ne s'agissait pas d'une périphrase.

— Mais c'est une honte, s'écria Jack. Je suis très sincèrement désolé de vous voir dans la gêne. Si le... la *res angusta* est pressante, j'espère que vous me permettrez... » Il mit la main à sa poche, mais Maturin l'arrêta :

« Non, non, non !, répéta-t-il une dizaine de fois en souriant et secouant la tête. Vous êtes trop bon.

— Je suis sincèrement désolé de vous voir dans la gêne, docteur, répéta Jack, et j'ai presque honte d'en profiter. Mais la *Sophie* a besoin d'un médecin — et sans parler du reste, vous ne pouvez imaginer à quel point les marins sont hypocondriaques. Ils adorent être dorlotés, et un équipage qui ne compte pas un homme capable de s'occuper d'eux — même le plus grossier des aides-soignants — n'est pas un bon équipage. Je vous offre une solution à vos difficultés immédiates. La solde est indigne d'un homme cultivé, j'ai honte de l'avouer : cinq livres par mois. Mais il y a toujours la possibilité des parts de prises, et je crois qu'il y a des à-côtés. Le Prix de la reine Anne, par exemple, et une prime supplémentaire pour chaque marin qui attrape la vérole. Elle est déduite de sa paie.

— Oh, je ne suis pas vraiment inquiet à ce sujet. Si l'immortel Linné a pu parcourir cinq mille milles en Laponie et survivre avec vingt-cinq livres, j'en suis capable, moi aussi... Mais la chose en elle-même est-elle réalisable ? Il doit sûrement y avoir un ordre officiel d'affectation ? Un uniforme ? Des instruments ? Des remèdes, des produits de première nécessité ?

— Puisque vous abordez ces points aussi précisément, je m'étonne de ma propre ignorance, dit Jack en souriant. Mais bon Dieu, docteur, nous ne devons nous inquiéter de tels détails. Le ministère de la Marine doit vous délivrer un brevet, j'en suis sûr. Mais l'amiral sera ravi de vous donner un ordre de mission quand je lui en ferai la demande... Pour l'uniforme, les médecins ne sont soumis à aucune obligation, mais ils portent généralement un manteau bleu. Pour les instruments et le reste... Je m'en charge. Je crois que la Chambre des Apothicaires fait envoyer un coffre à bord. Florey est certainement au courant, ou n'importe quel autre chirurgien. En tout cas, embarquez immédiatement. Venez dès que vous pouvez. Venez demain, et nous dînerons ensemble. Même l'ordre de mission exige un délai, alors vous ferez cette traversée en qualité d'invité. Ce ne sera pas confortable — on est plutôt à l'étroit sur un brick, vous savez. Mais vous pourrez vous initier à la vie à bord. Et si votre propriétaire s'impatiente, ça le calmera immédiatement. Laissez-moi remplir votre tasse. Je suis sûr que vous aimerez cela, car c'est du plus haut intérêt philosophique.

— Certainement, dit Stephen. Un philosophe, étudiant la nature humaine, pourrait-il trouver mieux ? Les sujets de son enquête enfermés dans un huis clos, incapables d'échapper à son regard, leurs passions accentuées par les dangers de la guerre, les risques de leur métier, leur éloignement des femmes et leur alimentation, bizarre mais monotone. Mais aussi par l'éclat de leur ferveur patriotique, sans aucun doute. » Il s'inclina vers Jack. « Il est vrai que depuis quelque temps, je me suis plus occupé de cryptogrammes que de mes frères humains. Mais même ainsi, un navire doit être un théâtre beaucoup plus instructif pour un esprit curieux.

— Prodigieusement instructif, je vous assure, docteur. Si vous saviez quel plaisir vous me faites ! Dillon comme lieutenant de la *Sophie*, et un médecin de Dublin comme chirurgien de bord... Mais vous devez être compatriotes, bien sûr ! Peut-être connaissez-vous M. Dillon ?

— Il y a tant de Dillon, dit Stephen, dont le cœur se serra brusquement. Comment se prénomme-t-il ?

— James, dit Jack, en jetant un coup d'œil sur le message.

— Non, dit Stephen posément. Je ne me rappelle pas avoir jamais rencontré de James Dillon.

« Monsieur Marshall, dit Jack, qu'on fasse venir le charpentier, s'il vous plaît. J'aurai un invité à bord. Et il devra être à l'aise. C'est un médecin, un grand homme dans le domaine de la philosophie.

— Un astronome, monsieur ? demanda le quartier-maître avec empressement.

— Plutôt un botaniste, je dirais. Mais j'ai bon espoir, si nous parvenons à l'installer comme il faut, qu'il reste sur la *Sophie* en qualité de chirurgien de bord. Pensez quel avantage ce serait pour l'équipage !

— En effet, monsieur. Ils étaient fort contrariés quand M. Jackson est parti sur le *Pallas*. Cela ferait grand effet de le remplacer par un vrai médecin. Il y en a un à bord du vaisseau-amiral et un autre à Gibraltar, et à ma connaissance ce sont les seuls dans toute la flotte. À terre, la visite coûte une guinée, à ce que j'ai entendu.

— Plus que cela, monsieur Marshall, plus que cela. Est-ce que l'eau douce est embarquée ?

— Embarquée et arrimée, monsieur, il ne reste que les deux dernières barriques.

— Vous voilà, monsieur Lamb. Je veux que vous examiniez la cloison de ma cabine, et que vous fassiez ce qui est en votre pouvoir pour la rendre un peu plus spacieuse. C'est pour un ami. Vous devriez pouvoir déplacer cette cloison d'au moins six pouces. Oui, monsieur Babbington, qu'y a-t-il ?

— S'il vous plaît, monsieur. Le *Burford* nous envoie son signal, de l'autre côté du cap.

— Très bien. Faites savoir au commissaire, au canonnier et au bosco que je veux les voir. »

À partir de ce moment, le capitaine de la *Sophie* se trouva plongé dans la comptabilité du navire — livre des effectifs, registre du linge, bulletins de solde, registre de l'infirmerie, livre des réparations, dépenses du canonnier, du maître d'équipage et du charpentier, commandes et retours, comptabilité générale des provisions reçues et retournées avec leurs comptes trimestriels, certificats mentionnant les quantités d'alcool, de vin, de cacao et de thé distribuées, plus le journal de bord, le livre de correspondance et le livre de commandes... Jack n'avait jamais beaucoup aimé les chiffres, et il venait de surcroît de faire un excellent dîner. Il ne tarda pas à perdre pied. Son principal interlocuteur était Ricketts, le commissaire de bord. Jack, que son incompétence rendait de mauvaise humeur, le trouva un peu mielleux dans sa façon de lui présenter ses additions et ses bilans interminables. Le capitaine dut signer quantité de documents, de quittances et de récépissés, et il avait parfaitement conscience de ne pas tout comprendre.

« Monsieur Ricketts, dit-il, à la fin d'une longue explication qui n'avait servi à rien, dans le livre des effectifs, au numéro 178, je vois un certain Charles Stephen Ricketts.

— Oui, monsieur. C'est mon fils.

— Tout juste. Je vois qu'il apparaît le 30 novembre 1797. Du *Tonnant,* ex-*Princess Royal.* Son âge n'est pas mentionné.

— Laissez-moi voir, monsieur. Charlie devait aller sur ses douze ans, à l'époque.

— Il est classé « matelot de deuxième classe ».

— Oui, monsieur. Ha, ha, ha ! »

Ce n'était qu'une petite fraude de routine. Mais c'était illégal. Jack ne sourit pas. Il continua : « Deuxième classe jusqu'au 10 septembre 1798, puis classé secrétaire. Puis le 10 novembre 1799, classé aspirant.

— Oui, monsieur », dit le commissaire. Il y avait autre chose que cette petite maladresse à transformer en matelot de deuxième classe un garçon de onze ans. M. Ricketts remarqua la légère insistance sur le mot « classé » et sa répétition inhabituelle. Le message était clair : « Il se peut que je sois un homme d'affaires médiocre. Mais si vous essayez de me jouer des tours, je vous préviens que je serai en travers de votre route, et que je peux vous être fort préjudiciable. Par ailleurs, le classement établi par un capitaine peut être modifié par son successeur. Si vous m'empêchez de dormir, je vous jure que je ligote votre fils au grand mât et je lui arrache la peau du dos à coups de fouet, chaque jour que durera mon mandat. » Jack avait mal à la tête. Le porto lui donnait les yeux rouges, et il avait l'air si féroce que le commissaire prit la chose très au sérieux. « Oui, monsieur, répéta-t-il. Voici la liste des comptes de l'arsenal. Voulez-vous que je vous en explique en détail les différentes rubriques, monsieur ?

— Je vous en prie, monsieur Ricketts. »

C'était sa première expérience directe, pleinement responsable, avec la comptabilité, et cela ne lui plaisait pas beaucoup. Même un petit vaisseau (la *Sophie* jaugeait à peine cent cinquante tonneaux) a besoin de réserves considérables : tonneaux de bœuf, de porc et de beurre, tous numérotés et enregistrés, poinçons, barriques de vin et demi-pièces de rhum, biscuit à la tonne de chez Charançon et Cie, soupe séchée avec sceau de garantie, sans parler de la poudre du canonnier (moulue ou en grains, mais toujours de la meilleure marque), ou des éponges, serpentins, allumettes, amorces, bourre et projectiles — barres, chaînes, shrapnells, mitraille, raisins et boulets ronds — et des objets innombrables dont le bosco a tant besoin (et qui sont si souvent détournés) — poulies de tailles et de fonctions innombrables dont l'énumération constituait à elle seule une litanie de Carême. Mais là, Jack était dans son élément : il était capable de distinguer une poulie-baraquette d'une poulie à talon double aussi facilement qu'il distinguait le jour de la nuit, ou le bien du mal — parfois même plus facilement. Mais son esprit, habitué à affronter des problèmes physiques concrets, était pour l'heure tout à fait épuisé. Il regarda d'un air rêveur par-dessus les livres écornés et froissés qui s'entassaient sur le bord des caissons — son regard erra par les fenêtres de la cabine, vers l'air lumineux et le flot dansant. Il se passa la main sur le front : « Nous nous occuperons du reste une autre fois, monsieur Ricketts. Quel satané tas de papiers ! Je comprends pourquoi il faut un secrétaire. À propos, j'ai engagé un jeune homme à cet effet. Il embarquera dans la journée. Je suis sûr que vous lui faciliterez la tâche, monsieur Ricketts. Il a l'air compétent, de bonne volonté, et c'est le neveu de M. Williams, l'agent de prises. Je pense que c'est tout à l'avantage de la *Sophie*, que nous soyons au mieux avec l'agent de prises, n'est-ce pas, monsieur Ricketts ?

— Oui, vraiment, monsieur, dit le commissaire avec conviction.

— Il faut que je retourne à terre avec le maître

d'équipage, à l'arsenal, avant le couvre-feu. » Jack s'enfuit vers l'air libre. Au moment où il mettait le pied sur le pont, le jeune Richards apparut sur le flanc bâbord. Il était accompagné d'un Noir de près de deux mètres. « Voici le jeune homme dont je vous ai parlé, monsieur Ricketts. C'est le matelot que vous m'amenez, monsieur Richards ? Il a l'air d'un brave type. Comment s'appelle-t-il ?

— Alfred King, monsieur.

— Vous connaissez la manœuvre, King ? »

Le Noir acquiesça d'un signe de tête. Un reflet blanc éclaira son visage, et il grogna vivement. Jack fronça les sourcils. Ce n'était pas une manière convenable de s'adresser à un capitaine sur son propre pont. « Dites-moi, monsieur, dit-il brusquement, n'avez-vous point de langue, pour être poli ? » L'autre eut l'air inquiet. Il secoua la tête.

« Je vous demande pardon, monsieur, dit le secrétaire. Il n'a point de langue, en effet. Les Maures la lui ont coupée.

— Oh, dit Jack, interdit. Eh bien, qu'on l'emmène à l'avant. Je le verrai un peu plus tard. Monsieur Babbington, veuillez conduire M. Richards en bas, et lui montrer la cabine des aspirants. Allons, monsieur Watt, nous devons arriver à l'arsenal avant que ces paresseux n'arrêtent tout à fait le travail.

— Voilà un homme pour vous réjouir le cœur, monsieur Watt », dit Jack, tandis que le cotre filait à travers le port. « J'aimerais pouvoir en trouver encore une vingtaine comme lui. Mais cela ne semble pas beaucoup vous impressionner, monsieur Watt ?

— Je ne refuserai jamais un matelot de premier ordre, bien sûr, monsieur. Nous pourrions échanger quelques-uns de nos terriens — non qu'il nous en reste beaucoup, car nous avons navigué si longtemps que la plupart d'entre eux se sont démenés et ont appris la manœuvre au point d'être classés "matelots brevetés", sinon "deuxième classe"... »

Le bosco s'empêtrait dans sa digression. Il s'interrompit, réfléchit quelques secondes et conclut : « Mais

56

pour ce qui est du nombre des effectifs, vaut mieux pas, monsieur.

— Pas même les réquisitionnés pour la garnison du port ?

— Pardonnez-moi, monsieur, mais cela ne représente pas plus d'une demi-douzaine, et nous avons veillé à ce qu'ils prennent bien toutes les mauvaises graines et les connards les plus incapables... Je vous demande pardon, monsieur : je voulais dire les tire-au-flanc. Pour ce qui est des effectifs, vaut mieux pas, monsieur. Dans un brick à trois équipes de quart comme la *Sophie*, c'est un vrai casse-tête de caser tout le monde à l'entrepont. C'est un coquet petit vaisseau, plutôt confortable et accueillant, mais on ne peut pas dire qu'il soit spacieux. »

Jack ne répondit pas. Mais cela confirmait son impression, et cela occupa ses pensées jusqu'à ce que le canot arrive à l'arsenal.

« Capitaine Aubrey ! s'exclama M. Brown, l'officier responsable de l'endroit. Laissez-moi vous serrer la main, monsieur. Avec tous mes vœux ! Je suis très heureux de vous voir.

— Merci, monsieur. Merci beaucoup, vraiment. » Ils se serrèrent la main. « C'est la première fois que je vous vois en votre royaume.»

— Immense, n'est-ce pas ? dit l'officier naval. Là-bas, c'est l'allée des cordages. Le grenier aux voiles est derrière votre vieux *Généreux*. J'aimerais seulement que le chantier de bois soit protégé par un mur plus élevé. Vous ne croiriez jamais le nombre de voleurs, sur cette île, qui se glissent par-dessus le mur pendant la nuit pour s'emparer de mes espars. Ou qui essaient, en tout cas. Je me demande parfois s'ils ne sont pas envoyés par leurs capitaines. Mais capitaines ou non, je crucifie le prochain fils de pute que je vois... ne serait-ce que regarder un chevron du coin de l'œil.

— Je crois que vous ne serez heureux, cher monsieur, que le jour où il n'y aura plus un seul navire du roi en Méditerranée, et que vous pourrez parcourir votre entrepôt et compter vos pots de peinture chaque jour de la semaine, sans devoir distribuer la moindre gournable.

— Écoutez-moi bien, jeune homme, dit M. Brown en posant sa main sur le bras de Jack. Écoutez la voix de l'âge et de l'expérience. Un *bon* capitaine ne demande rien à l'arsenal. Il doit s'en sortir avec ce qu'il possède. Il prend grand soin des entrepôts de Sa Majesté. Il ne faut rien gaspiller. Si nécessaire, il paie avec ses propres fonds. Il graisse ses câbles plutôt deux fois qu'une et veille à ce qu'il n'y ait pas la moindre friction dans l'écubier. Il s'inquiète plus de ses voiles que de sa propre peau, et il ne sort jamais ses cacatois — ces machins de pacotille, obscènes, inutiles et décoratifs. Le résultat, monsieur Aubrey, c'est l'avancement. Comme vous le savez, nous faisons notre rapport à l'Amirauté, et il exerce une énorme influence. Pourquoi Trotter est-il passé capitaine de vaisseau ? Parce qu'il était l'officier le plus économe de la place. Certains abattent leurs mâts de hune deux ou trois fois par an. Trotter, jamais. Prenez le cas de votre bon capitaine Allen. Jamais il n'est venu me voir avec une de ces terribles listes, longues comme un fanion. Et voyez où il est maintenant : aux commandes de la plus jolie frégate que vous pourriez espérer. Mais pourquoi est-ce que je vous raconte tout cela, capitaine Aubrey ? Je sais très bien, vu votre zèle à ramener le *Généreux*, que vous n'êtes pas de ces paniers percés, de ces jeunes officiers qui jettent l'argent par les fenêtres. En outre, la *Sophie* est en parfait état, à tous points de vue. Sauf peut-être pour la peinture, mais c'est normal. Au détriment d'autres capitaines, je pourrais vous trouver de la peinture jaune... Un tout petit peu de peinture jaune.

— Eh bien, monsieur, je vous serais obligé pour un ou deux pots, dit Jack, le regard errant négligemment au-delà des espars. Mais ceci n'était pas le véritable objet de ma visite. Je voulais vous demander de me prêter les partitions de vos duos. Un ami m'accompagne pour cette croisière, et il a grande envie d'écouter votre duo en si mineur.

— Vous les aurez, capitaine Aubrey. Vous les aurez

très certainement. Mme Harte est en train d'en retranscrire un pour la harpe, mais je le récupérerai tout à l'heure. Quand levez-vous l'ancre ?

— Dès que j'aurai fait mes réserves d'eau douce, et que le convoi sera prêt.

— Ce sera demain soir, si la *Fanny* rentre. Pour l'eau, cela ne prendra pas longtemps. La *Sophie* ne peut en transporter que dix tonnes. Vous aurez le livret demain à midi, c'est promis.

— Je vous suis infiniment obligé, monsieur Brown. Je vous souhaite une bonne nuit. Veuillez présenter mes respects à Mme Brown et Mlle Fanny. »

« Bon Dieu », dit Jack. Le vacarme du marteau du charpentier l'arracha au sommeil. Il se cramponna autant qu'il put à la douce pénombre, enfonçant son visage dans son oreiller. Il était si exalté, la veille, qu'il n'avait pu s'écrouler avant six heures du matin. C'est en le voyant apparaître sur le pont aux premières lueurs du jour, en fait, pour examiner les vergues et les gréements, qu'on avait pensé qu'il était à pied d'œuvre. C'était la raison du zèle inopportun du charpentier. C'était la raison de la présence nerveuse du maître d'hôtel du carré (celui du capitaine était parti sur le *Pallas*), qui lui apportait l'immuable petit déjeuner du capitaine Allen — une chope de bière légère, du maïs bouilli et du bœuf froid.

Mais il était trop tard pour le sommeil. Le fracas du marteau à deux doigts de son oreille, auquel succédaient bizarrement les murmures du charpentier et de ses aides, y avait mis fin, une fois pour toutes. Ils étaient dans la cabine-chambre à coucher, bien sûr. Des élancements douloureux lui perçaient le crâne. « Foin de ces satanés coups de marteau ! » cria-t-il. Juste derrière son épaule, il entendit la réponse, accablée : « À vos ordres, monsieur ! », et on s'éloigna sur la pointe des pieds.

Il était enroué. « Qu'est-ce qui diable m'a rendu si bavard, hier ? » se dit-il, toujours allongé sur son lit de camp. « D'avoir tant parlé, j'ai la voix aussi rauque qu'un corbeau. Quelle idée de lancer une invitation aussi folle ? Un invité dont je ne sais rien, dans un tout petit brick que j'ai à peine entrevu. » Il médita sombrement sur les précautions qu'il faut prendre avec les compagnons de bord... Côte à côte... Tout à fait comme le mariage... Les désagréments qu'amènent des compagnons autoritaires, susceptibles, sûrs d'eux... Des personnalités incompatibles, confinées dans une boîte hermétique. Dans une boîte... Comme son manuel de navigation... Il se rappelait, petit garçon, comment il s'était concentré sur les équations impossibles.

« Soit l'angle YCB, auquel la vergue est brassée sous le vent. Il représente l'orientation des voiles. On le désignera par le symbole b. Il est complémentaire de l'angle DCI. Maintenant, CI:ID = rad.:tg.DCI = I:tg.DCI = |: cotg.b. Nous avons donc finalement |: cotg.b = A^1:B^1:tg.^{2}x, et A^1 cotg.b = B tangent^2, et tg.^{1}x = A/B cotg. Cette équation montre clairement la relation entre l'orientation des voiles et la dérive...

— C'est tout à fait évident, n'est-ce pas, Jacky chéri ? » fit une voix encourageante. Une jeune femme plutôt corpulente se pencha gentiment sur lui. À ce point de ses souvenirs, il n'avait que douze ans — un petit garçon trapu — et la grande et nubile Queeney le surplombait de très haut.

« Non, Queeney, dit le petit Jack. À dire vrai, ce n'est pas évident.

— Bien, dit-elle avec une patience inépuisable. Essayez de vous rappeler ce qu'est une cotangente, et reprenons depuis le début. Supposons que le navire est une boîte oblongue... »

Durant un moment, il imagina la *Sophie* comme une boîte oblongue. Il ne l'avait pas encore bien examinée, mais il était certain d'au moins deux ou trois choses capitales. Primo, elle était insuffisamment gréée : elle pouvait être bonne au plus près, mais par vent arrière ce serait une limace. Secundo, son prédécesseur était un homme d'un tempérament totalement différent du sien. Tertio, les gens de la *Sophie* s'étaient mis à ressembler à leur capitaine — un bon officier, tranquille et solide, soigneux et paisible, qui ne sortait jamais ses cacatois, ne manquait pas de courage lorsqu'on l'attaquait, mais se révélait l'exact contraire d'un Rôdeur de Salé. « Avec une bonne discipline et l'âme d'un Rôdeur de Salé, se dit Jack, on pourrait nettoyer les mers. » Puis il revint sur terre, et rêva aux parts de prises que lui vaudrait un nettoyage — même partiel — des océans.

« Quelle horrible vergue de grand mât, dit-il. Et par Dieu, je devrais obtenir deux pièces de douze livres pour en faire mes canons de chasse. Mais ses membrures tiendraient-elles le coup ? En tout cas, il faut que la boîte ressemble un peu plus à un vaisseau de combat... À un vrai navire de guerre. »

Tandis que Jack laissait ses pensées divaguer, la chambre s'éclaira peu à peu. Un bateau de pêche chargé de thon passa sous la poupe de la *Sophie*. Il fit entendre la plainte aiguë d'une conque. Presque au même instant, le soleil fit son apparition derrière le fort de St Philip — il surgit littéralement, aplati comme un citron dans la brume matinale, et décolla de l'horizon avec un à-coup perceptible. En un peu plus d'une minute, la pénombre de la chambre se dissipa totalement. Le plafond s'anima, sous la lumière étincelante de la houle. Un rayon solitaire, reflété par une surface immobile, au loin sur le quai, pointa à travers les fenêtres de la chambre. Il éclaira le manteau de Jack et son épaulette flamboyante. Dans son cœur, le soleil se leva aussi. Un large sourire effaça son air maussade, et il sauta de sa couche.

Le soleil avait atteint le docteur Maturin dix minutes plus tôt, car il se trouvait en un lieu plus élevé que Jack. Lui aussi s'était agité, s'était retourné en tous sens. Lui aussi avait eu beaucoup de mal à trouver le sommeil. Mais la lumière eut le dessus. Il ouvrit les yeux et regarda autour de lui, hébété. Une seconde plus tôt, il se trouvait en Irlande, une fille à son bras, si heureux, dans un monde solide et affectueux, et son esprit à demi éveillé était incapable de saisir ce qu'il voyait. Il sentait encore le contact sur son bras, et même son parfum était là. Il distingua vaguement les feuilles écrasées sous son pied. *Dianthus perfragrans.* Il identifia l'odeur. Une fleur, rien de plus. Le contact spectral, la ferme pression des doigts s'évanouit. Il ressentit une profonde détresse, ses yeux s'embuèrent. Il avait été si amoureux, et son souvenir d'elle était si étroitement lié à cette heure du jour...

Il ne s'était pas attendu à subir un tel choc, capable de percer n'importe quelle carapace. Pendant plusieurs minutes, la douleur fut presque insupportable. Stephen restait là, à cligner des yeux vers le soleil.

« Mon Dieu, dit-il enfin, une nouvelle journée commence. » Il se détendit. Il se leva, ôta la poussière blanche de sa culotte et défit son manteau pour le secouer. Il découvrit avec consternation que la graisse du morceau de viande qu'il avait caché au dîner avait suinté à travers son mouchoir et sa poche. « Il est stupéfiant, pensa-t-il, que je puisse attacher de l'importance à de tels détails. Et pourtant, je suis contrarié. » Il s'assit et mangea la viande. C'était l'œil d'une côtelette de mouton. Son esprit s'arrêta un moment sur la théorie des anti-irritants. Paracelse, Cardan, Rhazes. Il se trouvait dans l'abside en ruines de la chapelle St Damian, loin au-dessus de Port Mahon, au nord de la ville. Son regard balayait le grand bassin du port et, au-delà, l'immense étendue océane, d'un bleu zébré de lignes mouvantes. Le soleil sans défaut, déjà à une main de l'horizon, se levait du côté de l'Afrique. Maturin s'était réfugié là quelques jours plus tôt, quand son propriétaire avait commencé à se montrer impoli. Il n'avait pas attendu qu'éclate une dispute que son épuisement émotionnel ne lui aurait pas permis de supporter.

Il observa les fourmis qui emportaient ses miettes. *Tapinoma erraticum.* Elles formaient un courant régulier, à double sens, dans le creux (le vallon) de sa perruque renversée, semblable à un nid d'oiseau abandonné (elle avait pourtant été, jadis, le postiche le plus soigné qu'on ait vu à Stephen's Green). Elles se hâtaient, l'abdomen très haut, non sans se bousculer. Il suivit du regard ces épuisantes petites créatures. Il les observait, et un crapaud l'épiait. Leurs regards se croisèrent. Il sourit. Un crapaud magnifique. Deux livres, des yeux fauves brillants. Comment diable pouvait-il survivre, dans l'herbe rare de cet endroit rocailleux et battu par le soleil, rude et desséché, sans d'autre protection que quelques tas de pierres, des câpriers épineux rampants, et un ciste dont Stephen ignorait le nom ? D'autant plus rude et desséché que l'hiver 1799-1800 avait été exceptionnellement sec, que les pluies de mars n'avaient pas eu lieu, et que les grandes chaleurs venaient plus tôt que d'ordinaire. Il avança doucement le doigt et caressa la gorge du crapaud. Ce dernier se gonfla un peu, bougea ses pattes croisées. Puis il s'assit tranquillement et lui rendit son regard.

Le soleil continuait de s'élever. La nuit n'avait pas été froide, mais la chaleur était tout de même réconfortante. Il vit des traquets noirs, dont le nid ne devait pas être très loin : un jeune passa dans le ciel. Dans le buisson où il alla se soulager, il vit une mue de serpent. Ses paupières étaient parfaites, cristallines de façon saisissante.

« Que dois-je penser de l'invitation du capitaine Aubrey ? » se demanda-t-il à voix haute. Il était seul dans ce grand espace vide, d'air et de lumière — espace qui s'élargissait encore avec les champs en damier s'effaçant au loin dans les informes collines gris pâle. « Était-ce une promesse en l'air ? Jack avait pourtant été un compagnon agréable et sincère. » Ce souvenir le fit sourire. « Quelle importance, finalement, faut-il accorder à... ? Nous avions extrêmement bien dîné. Quatre bouteilles, peut-être cinq. Je ne dois pas prendre le risque de subir un affront. » Il tourna le problème en tous sens, interminablement, avançant les arguments qui détruisaient ses espoirs. Il en vint à la conclusion que s'il parvenait à rendre son manteau à peu près présentable (« La poussière fait disparaître les taches, ou du moins les camoufle. »), il rendrait visite à M. Florey à l'hôpital pour lui parler du métier de médecin naval, en termes généraux. Il brossa les fourmis de sa perruque et l'arrangea sur sa tête. Mais au moment de rejoindre le bord de la route — épis magenta des glaïeuls dans l'herbe plus haute —, le souvenir d'un nom funeste cassa son élan. Comment avait-il pu l'oublier ainsi pendant son sommeil ? Comment se pouvait-il que le nom de James Dillon ne se soit pas imposé à son esprit dès le réveil ?

« Il est vrai qu'il y a des centaines de Dillon, se dit-il. Et nombre d'entre eux se prénomment James, évidemment. »

« *Christe eleison. Kyrie...* » fredonnait doucement James Dillon en se rasant dans la lumière qui se glissait par le sabord numéro douze du *Burford*. C'était moins de la piété qu'une manière de se protéger contre les coupures du rasoir. Car Dillon, comme tant de papistes, était enclin à blasphémer. Il dut se taire pour raser sa lèvre supérieure. Mais quand elle fut bien nette, il ne put retrouver le ton juste. Il était trop préoccupé pour chercher un neume insaisissable. Il devait se présenter à son nouveau capitaine — l'homme dont dépendrait son confort et sa sérénité, sans parler de sa réputation, de sa carrière et de ses perspectives d'avancement.

Caressant sa peau douce et luisante, il se hâta de rejoindre le carré et appela un fusilier.

« Brossez le dos de mon manteau, voulez-vous, Curtis ? Mon coffre est prêt, et le havresac de livres doit le suivre. Le capitaine est sur le pont ?

— Non, monsieur. On vient seulement de lui apporter son petit déjeuner. Deux œufs durs et un à la coque... »

L'œuf à la coque était destiné à Mlle Smith, pour la récompenser de ses efforts de la nuit, M. Dillon et le fusilier le savaient parfaitement. Mais le regard entendu du fusilier ne suscita aucune réaction. James Dillon serra les lèvres, et pendant quelques instants, alors qu'il montait quatre à quatre l'échelle qui menait à la lumière soudaine de la plage arrière, il sembla de mauvaise humeur. Il salua l'officier de quart et le premier lieutenant. « Bonjour ! Bonjour à vous ! Ma

parole, vous êtes très beau, lui dirent-ils. La voilà :
juste au-delà du *Généreux*. »

Il balaya du regard le port déjà très animé. La
lumière était presque parfaitement horizontale, ce qui
donnait aux mâts et aux vergues une importance
étrange, et les petites vagues renvoyaient un scintille-
ment aveuglant.

« Non, dirent-ils. Là-bas, de l'autre côté de la bigue.
La felouque vient de la masquer. Là-bas... Vous la
voyez, maintenant ? »

Oui, en effet. Il avait regardé beaucoup trop haut, et
son regard allait plus loin que la *Sophie*. Elle était là,
à un peu plus d'une encablure, très basse sur l'eau. En
s'appuyant des deux mains sur le bastingage, il la
regarda avec une extrême attention, sans ciller. Un instant plus tard, il emprunta la lunette à l'officier de quart
et se livra à un examen encore plus minutieux. Il aperçut le reflet d'une épaulette. Ce ne pouvait être que le
capitaine. Et l'équipage était aussi affairé qu'une colo-
nie d'abeilles sur le point d'essaimer. Il s'attendait à
un petit brick, mais tout de même pas à un bâtiment
aussi ridicule. La plupart des sloops de quatorze pièces
jaugeaient deux cents, voire deux cent cinquante tonneaux. La *Sophie* dépassait à peine les cent cinquante.

« J'aime bien sa petite plage arrière, dit l'officier de
quart. C'est l'ancien navire espagnol *Vencejo*, non ? Et
pour être basse, eh bien... Tout ce que vous regardez
de près depuis le pont d'un soixante-quatorze semble
bas ! »

Chacun savait au moins trois choses de la *Sophie*.
Contrairement à la plupart des bricks, elle possédait
une plage arrière ; c'était un ancien navire espagnol ;
et enfin, elle disposait d'une pompe en orme sur son
gaillard d'avant. Elle était munie d'un tambour extérieur qui communiquait directement avec la mer, et on
l'utilisait pour laver le pont : une machine peu extraordinaire en soi, mais d'un niveau si élevé pour son rang
qu'un marin qui l'avait vue (ou qui en avait entendu
parler) ne pouvait l'oublier.

« Vous serez peut-être un peu à l'étroit dans vos

quartiers, dit le premier lieutenant. Mais je suis sûr que vous mènerez une vie parfaitement tranquille et reposante, à escorter des navires de commerce à travers la Méditerranée.

— Eh bien... » commença James Dillon.

Il était incapable de trouver la réponse adéquate à ces amabilités — peut-être bien intentionnées, finalement. « C'est parfait, dit-il avec un haussement d'épaules résigné. Me donnerez-vous un canot, monsieur ? J'aimerais me présenter dès que possible.

— Un canot ? Que le diable m'emporte, s'exclama le premier lieutenant. On va me réclamer une vedette, si cela continue. Les passagers du *Burford* attendent qu'un canot d'approvisionnement vienne de la terre, monsieur Dillon. Sans quoi ils devront nager jusqu'au quai. » Il fixa James d'un air sévère, glacial, jusqu'à ce qu'un gloussement du quartier-maître le trahisse. Car M. Coffin était un grand farceur. Même avant le petit déjeuner.

« Dillon, au rapport, monsieur. Je suis à vos ordres. » James ôta son chapeau, découvrant un flamboiement de cheveux rouge foncé.

« Bienvenue à bord, monsieur Dillon », dit Jack. Il toucha son propre chapeau et tendit la main. Son désir de savoir à qui il avait à faire était si fort que son visage avait l'air presque menaçant. « Vous seriez le bienvenu à tout moment, mais surtout ce matin. Nous avons devant nous une journée chargée. Holà, du ton de mât ! Aucun signe de vie sur le quai ?

— Toujours rien, monsieur.

— Le vent est exactement là où je veux qu'il soit », dit Jack, regardant pour la énième fois les quelques nuages blancs qui glissaient doucement dans le ciel parfait. « Mais le baromètre est à la hausse, et l'on ne sait jamais.

— Votre café est servi, dit le maître d'hôtel.

— Merci, Killick. Qu'y a-t-il, monsieur Lamb ?

— Je n'ai pas d'anneaux d'amarrage assez gros, il s'en faut, monsieur, dit le charpentier. Mais je sais qu'il y en a des tas à l'arsenal. Puis-je y envoyer quelqu'un ?

— Non, monsieur Lamb. N'approchez pas de cet arsenal, au risque de votre vie. Doublez les anneaux rivés dont vous disposez. Allumez la forge et fabriquez des anneaux utilisables. Vous en avez pour moins d'une demi-heure. Maintenant, monsieur Dillon, lorsque vous aurez pris vos aises en bas, peut-être viendrez-vous boire une tasse de café en ma compagnie. Je pourrais vous dire ce que j'ai en tête. »

James se précipita dans la petite cabine triangulaire où il logerait désormais, se débarrassa de l'uniforme dans lequel il s'était présenté, enfila des pantalons et un vieux manteau bleu. Quand il réapparut, Jack soufflait sur sa tasse d'un air pensif. « Asseyez-vous, monsieur Dillon, asseyez-vous ! Poussez ces papiers un peu plus loin. C'est un horrible brouet, j'en ai peur, mais au moins il est liquide. Je vous le promets. Du sucre ?

— Capitaine, dit le jeune Ricketts, le cotre du *Généreux* vient de nous accoster. Il nous amène les hommes qui avaient été réquisitionnés.

— Ils sont tous là ?

— Sauf deux, monsieur, qui ont été remplacés. »

Sa tasse de café à la main, Jack contourna la table en se contorsionnant, puis franchit la porte avec un curieux mouvement du corps. Le canot du *Généreux* était amarré aux chaînes de bâbord. Les hommes qui l'occupaient levaient la tête vers la *Sophie*, riant et échangeant des bons mots, des cris et des sifflements avec leurs anciens camarades. L'aspirant du *Généreux* salua. « Avec les compliments du capitaine Harte, dit-il à Jack. Il a pensé que la réquisition était inutile. »

« Que Dieu vous bénisse, ma chère Molly ! » pensa Jack. Puis à voix haute : « Mes compliments au capitaine Harte, et tous mes remerciements. Soyez aimable de faire embarquer ces hommes. »

« Ils ne paient pas de mine », pensa-t-il, tandis que le cartahu de bout de vergue hissait leurs maigres effets. Trois ou quatre d'entre eux étaient visiblement des simples d'esprit, deux autres avaient cet air indéfinissable des hommes doués d'un talent qui les rend supérieurs (mais beaucoup moins qu'ils le pensent). Deux de ces idiots étaient horriblement sales, et l'un était parvenu à échanger ses habits contre un vêtement rouge orné d'un reste de guirlande. Mais chacun avait deux bras valides. Chacun pouvait haler un cordage. Et il serait étonnant que le bosco et ses aides ne les persuadent pas de souquer.

« Holà, du pont, cria l'aspirant en haut du mât. Du pont ! On s'agite, sur le quai.

— Très bien, monsieur Babbington. Vous pouvez descendre, et prendre votre petit déjeuner. Voilà six hommes que je croyais perdus pour de bon, dit-il à James Dillon avec satisfaction, en retournant dans la cabine. Bien sûr, ils ne paient pas de mine... Je pense qu'il va falloir installer un baquet si nous ne voulons pas que dans une heure tout le navire se gratte... Mais ils nous aideront à lever l'ancre. J'espère appareiller à neuf heures et demie au plus tard. » Jack frappa un coup sec sur le bois cerclé de cuivre du caisson. « Nous embarquerons deux longues pièces de douze en guise de canons de chasse, si l'Artillerie peut nous les fournir. Quoi qu'il en soit, je veux sortir ce sloop avant que la brise se calme, pour tester son allure. Nous allons escorter une douzaine de marchands jusqu'à Cagliari — départ ce soir s'ils sont tous là —, et je dois savoir comment marche la *Sophie*. Oui, monsieur... Monsieur... ?

— Pullings, monsieur, second maître. La grande chaloupe du *Burford* vient de nous accoster, avec un contingent d'hommes.

— Un contingent pour nous ? Combien ?

— Dix-huit hommes, monsieur. » Il n'osa pas ajouter : « *Et certains ont l'air plutôt bizarre.* »

« Que savez-vous à ce sujet, monsieur Dillon ? demanda Jack.

— Je savais que le *Burford* portait bon nombre des hommes de la *Charlotte* et quelques-uns des navires d'accueil pour le contingent de Mahon, monsieur. Mais j'ignorais que certains d'entre eux étaient destinés à la *Sophie*. »

Jack fut sur le point de lui dire : « Et moi qui m'inquiétais de me retrouver totalement dépouillé... » Mais il se contenta de glousser, en se demandant pourquoi cette corne d'abondance se déversait ainsi sur lui. Puis il comprit brusquement. Lady Warren ! Il rit à nouveau. « Je dois me rendre sur le quai, monsieur Dillon. M. Head est efficace. Il me dira s'il est possible d'avoir les canons dans la demi-heure. Si c'est le cas, j'agiterai mon foulard, et vous commencerez immédiatement à sortir les grelins. Quoi encore, monsieur Richards ?

— Capitaine, dit le pâle secrétaire, M. le commissaire dit que je dois vous apporter chaque jour à cette heure-ci les reçus et les lettres à signer, ainsi que le livre mis au net.

— C'est parfait. Chaque jour ordinaire. Vous apprendrez d'ici peu ce qui est ordinaire et ce qui ne l'est pas. » Il regarda sa montre. « Voici les reçus pour les hommes. Vous me montrerez le reste une autre fois. »

Sur le pont, la scène n'était pas sans rappeler Cheapside un jour de travaux. Sous les ordres du charpentier et de ses aides, deux équipes préparaient l'emplacement de futurs canons de chasse de proue et de poupe. D'autres groupes, composés de terriens et de demeurés, restaient là avec leur bagage. Certains observaient le travail d'un air intéressé, en y allant de leurs commentaires, d'autres bayant aux corneilles en fixant le ciel comme s'ils le voyaient pour la première fois. Un ou deux s'étaient même approchés de la sacro-sainte plage arrière.

« Bon Dieu, mais quel est donc ce désordre ? cria Jack. Ceci est un vaisseau du roi, monsieur Watt — pas la foire de Margate. Vous, monsieur, retournez à l'avant. »

Pendant quelques secondes — il fallait que sa colère les incite à se mettre au travail — les officiers auxiliaires le regardèrent, consternés. Il surprit ces mots : « Tous ces gens... »

« Je dois aller à terre, dit-il. Je veux qu'à mon retour, le pont ait changé d'aspect. »

Lorsqu'il descendit dans le canot derrière l'aspirant, il était toujours rouge de colère. « Est-ce qu'ils s'imaginent que je vais laisser à terre un seul homme en bonne condition physique, si je peux l'embarquer ? Bien entendu, il va falloir maintenant leur précieux roulement des trois quarts. Et dans ce cas, les quatorze pouces ne seront pas faciles à trouver. »

Le système des trois quarts était un arrangement qui permettait aux hommes de dormir de temps en temps une nuit complète. Avec les deux quarts, il était impossible de dormir plus de quatre heures d'affilée, mais cela signifiait que la moitié des hommes disposaient de la totalité de l'espace pour accrocher leurs hamacs pendant que l'autre moitié se trouvait sur le pont. « Dix-huit et six, vingt-quatre, se dit Jack. Plus une cinquantaine, disons soixante-quinze. Combien vais-je en garder ? » Il s'efforçait de multiplier ce chiffre par quatorze pouces, soit la largeur que le règlement prévoyait pour un hamac. Mais quelles que soient les règles en vigueur, il lui semblait fort douteux que la *Sophie* disposât d'un tel espace. Il y pensait toujours, quand l'aspirant s'écria : « Relâchez ! Embarquez les avirons ! » Ils touchèrent le quai sans heurt.

« Retournez au navire, monsieur Ricketts, dit Jack sur un coup de tête. Je ne pense pas en avoir pour longtemps, et cela pourrait nous faire gagner quelques minutes. »

Mais le contingent du *Burford* lui avait fait perdre son tour. D'autres capitaines l'avaient précédé. Il devait attendre. Il fit les cent pas dans l'éclatante lumière de matin, en compagnie d'un officier dont l'épaulette égalait la sienne : Middleton, à qui son influence avait valu le commandement de la *Vertueuse*, ce charmant corsaire français qui aurait dû être à Jack s'il y avait quelque justice dans ce monde. Quand ils eurent échangé quelques banalités propres aux marins de la Méditerranée, Jack lui confia qu'il venait chercher une paire de douze-livres.

« Vous pensez que la *Sophie* les supportera ? demanda Middleton.

— Je l'espère bien. Nos quatre-livres sont minables. Mais j'avoue que je suis inquiet pour ses membrures.

— Eh bien, je suis de cœur avec vous, dit Middleton en secouant la tête. En tout cas, vous êtes venu le bon jour. Il semble que Head doive passer sous les ordres de Brown, et il est si vexé qu'il liquide son stock comme une harengère à la fin de la foire. »

Jack connaissait la querelle interminable qui opposait les gens du Matériel à ceux de la Navy, et il lui tardait d'en savoir plus. Mais ils virent sortir le capitaine Hallivell, un large sourire aux lèvres. Middleton, qui avait peut-être quelque remords de conscience, dit à Jack : « Prenez mon tour. Avec mes caronades, j'en ai pour une éternité.

— Bonjour, monsieur, dit Jack. Je suis Aubrey, de la *Sophie*. J'aimerais essayer une paire de douze-livres longs, s'il vous plaît. »

M. Head ne se dépara de son air mélancolique. « Vous savez ce qu'ils pèsent ?

— Quelque chose comme vingt-trois *hundredweights*, je pense.

— Trente-trois *hundredweights*, trois livres et trois *pennyweights*. Une tonne six cents. Prenez-en une douzaine, capitaine, si vous pensez que votre navire est capable de les supporter.

— Merci bien. Deux suffiront », dit Jack en le dévisageant. Se moquait-on de lui ?

« Ils sont donc à vous, à vos risques et périls », dit M. Head en soupirant. Il traça des signes mystérieux sur une feuille de parchemin usée et tout enroulée. « Donnez ceci au chef de dépôt. Il vous fournira la plus jolie paire de canons que le cœur d'un homme ait jamais désirée. J'ai aussi quelques beaux mortiers, s'il vous reste de la place.

— Je vous suis extrêmement obligé, monsieur Head, dit Jack en riant de bon cœur. J'aimerais que tout le service soit aussi bien organisé.

— Moi aussi, capitaine, moi aussi », s'exclama

M. Head. Son visage s'assombrit soudain sous l'effet de la colère. « Il y a des types butés, des mollassons — des joueurs de flûte, des gratteurs de violon, des corrompus, des faiseurs d'histoires, des canailles vérolées — qui vous feraient attendre un mois. Mais je n'en suis pas... Capitaine Middleton ! Pour vous, ce sera des caronades, je suppose ? »

De retour dans la lumière du soleil, Jack lança le signal convenu. Il fouilla du regard la forêt de mâts et de vergues entrecroisés. Il vit une silhouette penchée en avant, au ton de mât de la *Sophie*, comme si elle hélait le pont. Puis elle disparut le long d'un galhauban, telle une perle glissant sur un fil.

Si la promptitude était le mot d'ordre de M. Head, le chef de dépôt de l'artillerie ne semblait pas le savoir. Il montra les deux douze-livres à Jack avec beaucoup de bonne volonté. « La plus jolie paire que le cœur d'un homme ait jamais désirée », dit-il. Il caressait leur pommeau tandis que Jack signait le reçu. Puis son humeur changea... Plusieurs capitaines attendaient avant Jack... Ce qui était juste était juste... Il fallait faire demi-tour... Ces pièces de trente-six étaient dans le chemin et il fallait d'abord les ôter de là... Il manquait cruellement de main-d'œuvre...

La *Sophie* avait déhalé depuis belle lurette. Elle était proprement amarrée contre le dock, sous les mâts de charge. Il y avait encore plus de bruit à bord que précédemment, beaucoup trop de bruit — même en admettant le relâchement de discipline qu'on tolérait au port. Jack était certain que quelques-uns de ses hommes s'étaient déjà saoulés. Des regards qui semblaient attendre quelque chose — mais avec de moins en moins d'espoir — observaient le capitaine par-dessus le bord tandis qu'il faisait nerveusement les cent pas, regardant tour à tour sa montre et le ciel.

« Bon Dieu, cria-t-il en se frappant le front. Quel imbécile je fais ! J'ai oublié l'onction. » Il mit un terme à ses allées et venues et se précipita vers l'entrepôt : des grincements violents lui firent comprendre que le chef de dépôt et ses hommes traînaient les glissières des caronades de Middleton vers la rangée impeccable de leurs canons. « Monsieur le chef de dépôt, venez voir mes douze-livres, s'exclama Jack. J'étais trop pressé, ce matin, et je crois bien avoir oublié de les consacrer. » Il posa discrètement une pièce d'or sur chacune des lumières. Le sourire de l'homme se fit approbateur. « Si mon canonnier n'avait pas été malade, il me l'aurait rappelé.

— Merci, monsieur. Cela a toujours été la coutume, et je n'aime pas voir mourir le bon vieux temps, je l'avoue », dit le chef de dépôt, encore un peu renfrogné tout de même. Mais il s'éclaira. « Pressé, vous disiez, capitaine ? Je vais voir ce que nous pouvons faire. »

Cinq minutes plus tard, le chasseur de proue, suspendu par une série d'élingues, flottait doucement au-dessus du gaillard d'avant de la *Sophie*, à moins d'un demi-pouce de son emplacement. Jack et le charpentier se tenaient à quatre pattes l'un à côté de l'autre, un peu comme s'ils jouaient à l'ours : ils voulaient entendre le son que feraient les barrots et membrures lorsque le mât de charge relâcherait sa tension. Jack fit un signe de la main, cria : « Allez-y franchement ! » La *Sophie* était silencieuse. Toute la compagnie observait la manœuvre avec une vive attention. Y compris l'équipe du baquet, les seaux posés en équilibre. Y compris les hommes en chaîne qui se lançaient les boulets de douze livres du quai au flanc du navire, puis vers le fond de la *Sophie*, jusqu'à l'aide-canonnier dans le magasin. Le canon toucha le pont, s'immobilisa. Il y eut un craquement profond mais peu inquiétant. La *Sophie* piqua un peu du nez. « Épatant ! » dit Jack. Il examina la pièce qui se trouvait exactement à l'emplacement marqué à la craie. « Et il y a de l'espace tout autour ! C'est immense, ma parole ! » Jack recula d'un pas. Puis l'aide-canonnier recula, pour ne pas qu'il lui écrase les pieds. Il tamponna son voisin, qui heurta quelqu'un, entraînant une réaction en chaîne dans cet espace triangulaire et fort encombré qui se trouve entre la proue et le mât de misaine. Un mousse en resta estropié à vie, un autre fut à deux doigts de périr noyé.

« Où est le bosco ? Allons, monsieur Watt, faites-moi voir les palans gréés. Il vous faut une poignée rigide sur cette poulie. Où est la haussière ?

— Elle est presque prête, monsieur, dit le maître d'équipage, épuisé et en sueur. Je me charge moi-même de l'épissure. »

Jack se dirigea en hâte vers l'arrière. Le chasseur de poupe pendait en équilibre au-dessus de la plage arrière, prêt à plonger et à fracasser le fond du navire si la pesanteur retrouvait seulement ses droits. « J'imagine qu'une simple épissure ne posera pas de problèmes au maître d'équipage d'un navire de guerre, dit-il. Monsieur Lamb, je vous prie, renvoyez ces hommes à leur travail. Nous ne sommes pas sur un terrain de golf. » Une fois de plus, il regarda sa montre. « Monsieur Mowett ! » dit-il, en regardant le jeune second du bosco. La gaieté de M. Mowett laissa place à une extrême gravité.

« Monsieur Mowett, connaissez-vous le café de Joselito ?

— Oui, monsieur.

— Ayez la bonté de vous y rendre. Vous demanderez le docteur Maturin. Présentez-lui mes hommages. J'ai le regret de lui faire savoir que nous ne serons pas de retour au port pour le dîner. Mais je lui enverrai un canot ce soir, à l'heure qu'il lui plaira de fixer. »

Non, ils ne rentreraient pas au port pour le dîner. C'était rigoureusement impossible, puisqu'ils n'en étaient pas encore sortis. Pour l'instant, la *Sophie* traçait son chemin vers le chenal aux avirons, dans la foule des embarcations de toutes sortes. Un des avantages d'un petit bâtiment avec un équipage nombreux était de pouvoir exécuter des manœuvres interdites à un vaisseau de ligne. Et Jack préférait avancer péniblement plutôt que d'être remorqué ou de se faufiler sous voiles avec un équipage mal à l'aise, dérangé dans ses habitudes, et de bousculer des tas d'étrangers.

Dans le passage dégagé, il fit lui-même le tour de la *Sophie* en canot. Il l'examina sous tous les angles, en pesant les avantages et les inconvénients qu'il y aurait à débarquer les femmes qui se trouvaient à bord. Il serait facile de mettre la main sur la plupart d'entre elles pendant que les hommes prendraient leur dîner : il y avait des filles du cru, en quête de plaisirs et d'argent de poche, mais aussi des compagnes à demi permanentes. S'il donnait sur-le-champ un premier coup de balai, un second suffirait, juste avant d'appareiller pour de bon, pour nettoyer totalement le sloop. Il ne voulait pas de femmes à bord. Elles ne causaient que des ennuis, et avec l'arrivée de nouveaux effectifs, elles en feraient encore plus. Par ailleurs, l'équipage péchait par un certain manque de zèle, l'absence de véritable énergie. Jack ne tenait pas à ce que cela se transforme en mauvaise humeur, surtout cet après-midi. Les marins étaient aussi conservateurs que des chats, il le savait parfaitement. Ils pouvaient encaisser un travail difficile et des privations, ils pouvaient affronter des dangers épouvantables. Mais il fallait respecter leurs habitudes, sans quoi ils devenaient agressifs... Elle était très basse sur l'eau, évidemment... Un peu trop chargée sur l'avant, et donnant très légèrement de la bande sur bâbord. Tout ce poids supplémentaire aurait été beaucoup mieux sous la ligne de flottaison. Mais il devait savoir comment elle se comportait.

« Puis-je autoriser les hommes à dîner, monsieur ? demanda James Dillon quand Jack eut rembarqué.

— Non, monsieur Dillon. Nous devons tirer avantage de ce vent. Lorsque nous aurons passé le cap, les hommes pourront descendre. Ces pièces sont-elles arrimées comme elles le méritent ?

— Oui, monsieur.

— Alors nous allons mettre à la voile. Embarquez les avirons ! Tous les hommes pour mettre à la voile ! »

Le bosco lança son appel et fonça vers le gaillard d'avant, au milieu du vacarme de la course et de pas mal de beuglements.

« Les nouveaux venus, en bas ! Silence, là-bas ! » Une autre ruée, assourdissante. Les hommes de l'équipage régulier de la *Sophie* occupaient leurs postes habituels, dans un silence de mort. On entendit une voix, à bord du *Généreux*, à une encablure de là, parfaitement claire et nette : « La *Sophie* met à la voile. »

Elle se balançait doucement, à la limite du port de Mahon, le shipping sur ses travers et hanche tribord, la ville étincelante au-delà. La brise du nord, un peu en arrière de son travers bâbord, fit très lentement pivoter sa poupe. Jack attendit. Lorsqu'elle fut dans la bonne position, il cria : « Hissez tout ! » Les sifflets firent passer son ordre. Les haubans se couvrirent de marins qui se précipitaient vers le haut des mâts, aussi facilement que s'ils empruntaient un escalier.

« Relevez ! Abattez ! » Encore le sifflet, et les hommes des manœuvres hautes se jetèrent sur les vergues. Ils dénouèrent les rabans de chanvre, ces cordages qui maintiennent les voiles serrées aux vergues Ils retinrent la toile sous leurs bras, et attendirent.

L'ordre vint enfin — « Lâchez tout ! » —, suivi des coups de sifflet stridents du maître d'équipage et de ses aides.

« Bordez à joindre ! Bordez à joindre ! Hissez ! Hisse ! Allons, du cœur, à la misaine, remuez-vous un peu ! Bordez les écoutes de perroquets ! Aux amarres ! »

La *Sophie* reçut une légère impulsion qui lui fit donner de la bande, suivie d'une autre puis encore d'une autre, chacune plus délicieusement impérieuse que la précédente. Ce fut bientôt une poussée régulière. Elle était en route. Sous son flanc retentit le chant de l'eau vive. Jack et son lieutenant échangèrent un regard. Ce n'était pas trop mal... Le petit perroquet avait pris son temps. On n'avait pas très bien compris qui étaient les *nouveaux venus*, et les six Sophies qu'on avait récupérés ne toléraient pas l'offense d'être placés dans cette catégorie... Cela avait provoqué une querelle silencieuse, mais fort violente, sur la vergue. Et puis la manœuvre border à joindre avait été quelque peu irrégulière. Mais cela n'avait pas été déshonorant, et ils ne subiraient pas les moqueries des autres vaisseaux de guerre présents dans le port. Vu la confusion qui s'était prolongée toute la matinée, on avait pu le craindre.

La *Sophie* avait donc déployé ses ailes, plutôt comme une sage colombe que comme un faucon impatient. Mais pas au point de s'attirer la réprobation d'un regard connaisseur qui, de la côte, aurait tout vu. Quant aux simples rampants, ils étaient si blasés par les allées et venues des bâtiments de toutes sortes, que le départ de la *Sophie* ne suscita qu'une froide indifférence.

« Pardonnez-moi, monsieur », dit Stephen Maturin, en touchant son chapeau. Il s'adressait à un monsieur en uniforme d'officier de marine, sur le quai. « Puis-je vous demander si vous connaissez un navire baptisé la *Sophia* ?

— Un vaisseau du roi, monsieur ? demanda l'officier en lui retournant son salut. Un navire de guerre ? Aucun bâtiment ne porte ce nom. Mais peut-être voulez-vous parler du sloop, monsieur ? La *Sophie* ?

— Peut-être bien, monsieur. Personne n'ignore autant que moi les termes de la marine. Le vaisseau auquel je pense est commandé par le capitaine Aubrey.

— C'est cela. Le sloop, le sloop de quatorze pièces. Il est presque directement en face de vous, monsieur, dans le prolongement de la petite maison blanche.

— Celui avec les voiles triangulaires ?

— Non. C'est une polacre. Un peu sur la gauche, plus loin...

— Ce petit navire marchand, courtaud, avec ses deux mâts ? »

L'homme se mit à rire. « Eh bien... C'est vrai qu'il est un peu bas sur l'eau. Mais je vous assure que c'est un navire de guerre. Et je crois bien qu'il s'apprête à mettre à la voile. Oui. Ça y est. Ils ont bordé les écoutes de huniers. Ils hissent la vergue. Les perroquets, maintenant. Qu'est-ce qui cloche ? Nous y voilà... La manœuvre n'était pas très élégante, mais finalement tout va bien... La *Sophie* n'a jamais été très vive. Voyez, elle prend de l'erre. Elle va passer l'entrée du port avec ce vent, sans toucher un bras.

— Vous voulez dire qu'elle prend le large ?

— En effet. Elle doit déjà filer trois nœuds... Quatre, peut-être.

— Je vous suis très obligé, monsieur, dit Stephen en levant son chapeau.

— Serviteur, monsieur ! » dit l'officier en l'imitant. Pendant un moment, il suivit Stephen des yeux. « Devrais-je m'assurer qu'il va bien ? J'y ai pensé trop tard... Sa démarche semble plus assurée, maintenant. »

Stephen avait marché jusqu'au quai pour savoir s'il pouvait atteindre la *Sophie* à pied sec ou s'il avait besoin, pour répondre à l'invitation de Jack, d'emprunter un canot. Sa conversation avec M. Florey l'avait convaincu que non seulement l'invitation devait être honorée, mais que la proposition qu'on lui avait faite était tout aussi sérieuse. Une suggestion des plus réalisable, qu'il ne fallait certainement pas négliger. Comme Florey avait été courtois, et même bien plus que cela ! Il lui avait décrit le service médical dans la Royal Navy, il l'avait emmené voir M. Edwardes (du *Centaur*) effectuer une amputation tout à fait intéressante, il avait balayé ses scrupules quant à son manque d'expérience en chirurgie, il lui avait prêté le livre de Blane sur les maladies particulières aux marins, le *Libellus de Natura Scorbuti* de Hulme, le *Effectual Means* de Lind et la *Marine Practice* de Northcote, et il avait promis de lui procurer au moins les instruments de base jusqu'à ce qu'il touche ses appointements et son coffre officiel de médecin — « Vous trouverez à l'hôpital des trocarts, des tenailles et des curettes par dizaines, sans parler des scies et des limes à os. »

Stephen s'était laissé convaincre. Son émotion en voyant la *Sophie* disparaître à sa vue, sur la mer étincelante, lui avait fait réaliser à quel point il goûtait la perspective d'une nouvelle situation et de nouveaux horizons — d'une nouvelle vie —, et d'une connaissance plus intime de cet ami qui faisait route, toutes voiles dehors, vers l'île de quarantaine derrière laquelle il allait bientôt disparaître.

Il remonta à travers la ville, en proie à un curieux état d'esprit. Il avait subi tant de déceptions, récemment, qu'il ne lui semblait pas possible d'en supporter encore une. De plus, il avait laissé tomber ses défenses — il était désarmé. Tandis qu'il s'efforçait de se remonter, ses pas le menèrent machinalement devant le café de Joselito. Là, des voix disaient : « Le voilà ! — Appelez-le ! — Poursuivez-le ! — En courant, vous le rattraperez ! »

Il n'était pas entré au café ce matin, car l'achat d'une tasse de café l'aurait empêché de payer un canot pour l'emmener jusqu'à la *Sophie*. Il avait donc manqué l'aspirant, qui courait maintenant sur ses talons.

« Docteur Maturin ? » demanda le jeune Mowett. Il s'immobilisa, choqué par le pâle coup d'œil reptilien. Colère et antipathie. Il transmit pourtant son message, qu'il fut soulagé de voir accueilli avec une réaction humaine.

« Très aimable, dit Stephen. Quelle heure pourrait convenir, selon vous, monsieur ?

— Aux environs de six heures, je suppose.

— Eh bien, je serai à six heures devant la Couronne, dit Stephen. Je vous suis très obligé, monsieur, pour votre zèle à me retrouver. »

Ils se séparèrent, après avoir échangé un salut. « Je vais me rendre à l'hôpital et offrir mon aide à M. Florey », se dit Stephen. Puis il sourit à l'idée de ce qui l'attendait : « Il a cette fracture complexe au-dessus du coude, qui exige une résection primaire de l'articulation. Il y a fort longtemps que je n'ai senti le crissement de l'os sous ma scie. »

Ils avaient laissé le Cap Mola par leur hanche bâbord, et n'étaient plus perturbés par l'alternance de coups de vent et d'accalmies qu'ils devaient au relief accidenté de la côte au nord de Mahon. Poussée par une tramontane presque régulière de nord-nord-est, la

Sophie filait vers l'Italie sous ses basses voiles, huniers et perroquets à un ris.

« Menez-la aussi près du vent que possible, dit Jack. Jusqu'où peut-elle aller, monsieur Marshall ? Six points ?

— Je doute qu'elle en soit capable, monsieur, répondit le quartier-maître en secouant la tête. Elle est un peu maussade, aujourd'hui, avec ce poids excessif à l'avant. »

Jack prit la barre. Une dernière rafale venue de l'île secoua le sloop, projetant de l'écume le long de sa lisse sous le vent, et fit voler le chapeau de Jack dont les cheveux dorés flottèrent en direction du sud-sud-ouest. Le quartier-maître bondit pour rattraper le chapeau, et le prit des mains du matelot qui l'avait récupéré dans le filet aux hamacs. Tout en essuyant soigneusement la cocarde avec son mouchoir, il retourna aux côtés de Jack. Il resta là, tenant le chapeau des deux mains.

« Le vieux Sodome et Gomorrhe a le béguin pour Boucles d'Or ! » murmura John Lane, un des hommes des manœuvres hautes, à son ami Thomas Gross. Ce dernier fit un clin d'œil et secoua la tête, mais sans aucune intention critique. Ils s'inquiétaient des faits, sans porter de jugement moral. « Tout ce que je demande, compagnon, c'est qu'il ne nous en demande pas trop », répondit-il.

Jack laissa filer la *Sophie* jusqu'à ce que la bourrasque soit passée. Puis il entreprit de la ramener, les mains collées aux rayons de la barre. Il fut bientôt en contact direct avec l'essence vitale du sloop — cette vibration sous ses paumes, à la fois son et courant, qui remontait directement du gouvernail pour se joindre aux rythmes innombrables, au craquement et au grondement de la coque et des gréements. Le vent clair et cinglant frappait sa joue gauche. Quand il poussa sur la barre, la *Sophie* réagit, plus rapide et plus nerveuse qu'il avait cru. De plus en plus près du vent. Les regards passaient des voiles à l'avant. Enfin, malgré la bouline tendue comme une chanterelle, le petit perroquet frissonna. Jack relâcha la pression. « Est quart nord-est », dit-il avec satisfaction, avant d'ordonner au timonier : « Gardez le cap. » Enfin il donna l'ordre — tant attendu — de siffler le dîner.

Le repas fut servi tandis que la *Sophie*, au plus près du vent sur bâbord, croisait au large, dans l'eau solitaire où les boulets de douze livres sont inoffensifs et où un désastre peut passer inaperçu. Elle déroulait les milles derrière elle, en un sillage blanc rectiligne et continu, légèrement au sud-ouest. Jack le contempla avec satisfaction par la fenêtre de tableau : remarquablement peu de dérive. Il fallait qu'un bon et solide marin soit à la barre, pour produire un sillage aussi parfait. Jack dînait seul, à la spartiate, d'un ragoût de chevreau au chou... Puis il réalisa qu'il n'avait personne à qui faire part des innombrables observations qui bouillonnaient en lui. Alors il se souvint. C'était son premier véritable repas en qualité de capitaine. Il se retint de faire une remarque joviale au maître d'hôtel à ce sujet (car il était d'excellente humeur, de surcroît). Cela n'eût pas été convenable. « Je m'y habituerai », se dit-il. Il se tourna à nouveau vers la mer, et savoura le spectacle.

Pour les canons, ce ne fut pas un succès. Avec une seule demi-gargousse, le chasseur de proue avait un recul si violent qu'à la troisième décharge le charpentier fit irruption sur le pont, si pâle et si agité que toute discipline avait disparu. « Arrêtez cela, monsieur ! » cria-t-il, en couvrant la lumière de la main. « Si vous pouviez voir ses pauvres courbes... Et la virure a pris du jeu en cinq endroits différents... Oh, mon Dieu, mon Dieu ! » Le pauvre homme se rua vers les anneaux d'amarrage de la brague. « Voilà ! Je le savais bien ! Mon rivetage est à moitié arraché, car cette fichue planche est bien trop mince. Pourquoi ne m'avez-vous rien dit, Tom ? s'exclama-t-il en jetant à son aide un regard de reproche.

— Je n'ai pas osé, dit Tom en baissant la tête.

— Cela ne va pas, monsieur, dit le charpentier. Pas

avec ces membrures-là, sûrement pas. Pas avec ce pont-là. »

Jack sentit monter sa colère. La scène était ridicule, sur ce gaillard d'avant surpeuplé, avec ce charpentier qui examinait les coutures du navire et se traînait à ses pieds dans un geste de supplication évidente. Et ce n'était certes pas une manière de s'adresser à un capitaine. Mais il ne pouvait résister à la sincérité de M. Lamb, d'autant qu'il était secrètement de son avis. La violence du recul, cette masse de métal projetée en arrière puis ramenée en claquant par la brague, c'était trop, beaucoup trop pour la *Sophie*. De plus, il y avait vraiment trop peu de place sur ce navire pour accueillir les deux pièces de douze livres et leurs accessoires encombrants. Mais il était cruellement déçu : un boulet de douze livres pouvait ouvrir une brèche à cinq cents mètres, il pouvait projeter une pluie d'éclats mortels, emporter une vergue, faire beaucoup de dégâts. Jack joua machinalement avec un boulet. Il réfléchissait. Tandis qu'un quatre-livres, quelle que soit la distance...

« Et si vous voulez tirer avec l'autre, dit M. Lamb avec le courage du désespoir, toujours à quatre pattes, votre passager sera trempé jusqu'aux os, car les coutures se sont ouvertes, que c'en est cruel à regarder... »

William Jevons, de l'équipe du charpentier, fit son apparition. Il murmura à l'oreille du charpentier : « Un pied d'eau dans le puisard ! » dans un grondement qu'on dut entendre jusqu'au ton de mât. Le charpentier se releva, mit son chapeau, le toucha du doigt, et rapporta au capitaine : « Il y a un pied d'eau dans le puisard, monsieur.

— Très bien, monsieur Lamb, dit Jack calmement. Nous allons pomper. » Il se tourna vers le canonnier, qui s'était glissé sur le pont pour voir tirer les douze-livres (pour ne pas manquer cela, il se serait glissé hors de la tombe) : « Monsieur Day, faites reloger ces pièces, je vous prie. Et vous, bosco, veuillez faire armer la pompe à chapelet. »

À regret, il caressa le canon encore brûlant et se rendit à l'arrière. L'eau ne l'inquiétait pas particulièrement : la *Sophie*, durant cette brève croisière, avait démontré sa vivacité, et tant qu'on ne lui en demandait pas trop, elle était parfaite. Mais il était vexé — profondément — par cette histoire de chasseurs. Il regarda la vergue de grand mât, de plus mauvaise humeur encore.

« Nous allons devoir retirer les perroquets, monsieur Dillon », dit-il en prenant le renard. Il ne le consultait que pour la forme, car il savait parfaitement où ils se trouvaient. Grâce à ce sixième sens si particulier que développent les vrais marins, il savait que la terre était là, sombre présence au-delà de l'horizon, derrière lui — derrière son omoplate droite. Ils avaient louvoyé régulièrement, et les petites épingles dessinaient des segments presque égaux. Est-nord-est, puis ouest-nord-ouest. Ils avaient tiré cinq bordées (vent debout, la *Sophie* était moins rapide qu'il l'aurait voulu) et viré une fois lof pour lof. Ils filaient sept nœuds. Il fit mentalement quelques calculs, et il eut la réponse, toute prête. « Maintenez le cap pendant une demi-heure, puis placez-la presque vent arrière — à deux points. Cela nous ramènera à la maison. »

« Il serait aussi bien de réduire les voiles maintenant, remarqua-t-il. Maintenons le cap une demi-heure. » Puis il descendit, avec l'intention de s'occuper de la masse de documents qui exigeaient son attention. En plus des facturiers et autres livres comptables, il y avait le journal de bord de la *Sophie*, qui lui apprendrait l'histoire du vaisseau, et son livre des effectifs, qui lui apprendrait l'histoire de l'équipage. Il parcourut les pages :

> « *Dimanche 22 septembre 1799, vents NO, O, S. cap N-40-O, distance 49 milles, latitude 37°59' N longitude 9°38' O, Cap St Vincent S-27-E 64 milles. Après-midi bon brise et rafales avec pluie, mis et diminué voiles de temps à autre. Matin forte brise et hissé la grand-voile carrée, à six heures aperçu voile inconnue au sud, à huit heures plus modéré, pris un ris et déployé la*

grand-voile carrée, à neuf heures lui avons parlé.
C'était un brick suédois sur lest en route à Barce-
lone. À midi accalmie, tourné en rond. »

Des dizaines d'entrées de même genre. Le règlement. Ou le travail d'escorte. La routine quotidienne et peu spectaculaire qui constitue 90 % de la vie du service. Sinon plus.

« Employé les hommes à des tâches variées, lu
les Articles du Code (...) Convoi en escorte, sous
perroquets et huniers à deux ris. À six heures,
donné signal privé à deux navires de ligne qui ont
répondu. Toutes voiles dehors, les hommes tra-
vaillent sur les vieux filins (...) Tiré des bordées
de temps à autre, sous grand hunier à trois ris
(...) Presque calme tendant vers calme (...) Récu-
rage des hamacs. Rassemblés par divisions, lu
Articles du Code et puni Joseph Wood, Jno.
Lakey, Matt. Johnson et Wm Musgrave de douze
coups de fouet pour ivrognerie (...) Après-midi
calme et temps brumeux, à cinq heures sorti avi-
rons et débarqué canots pour nous haler au
large ; à six heures et demie mouillé ancre de
touée, Cap Mola S-6-W distance 5 lieues. À huit
heures et demie, contraints par coup de vent sou-
dain de couper l'aussière et de mettre à la voile
(...) Lu Articles du Code et célébré Service divin
(...) Puni Geo. Sennet de vingt-quatre coups de
fouet pour insolence (...) Fra. Bechell, Robt. Wil-
kinson et Joseph Wood pour ivrognerie (..) »

Beaucoup d'entrées du même genre. Pas mal de fouet, mais rien de bien lourd, aucune de ces condamnations à cent coups ou plus. Cela contredisait sa première impression sur le relâchement. Il faudrait qu'il y regarde de plus près. Les effectifs, ensuite.

« Geo. Williams, matelot breveté, né Bengale,
engagé Lisbonne 24-8-1797, enfui 27-3-1798, Lis-

bonne. Fortunato Carneglia, aspirant, 21 ans, né Gênes, débarqué 1-6-1797 sur ordre vice-amiral Nelson pour promotion. Saml. Willsea, matelot de deuxième classe, né Long Island, engagé Porto 10-10-1797, enfui 8-2-1799 Lisbonne du navire. Patrick Wade, fantassin, 21 ans, né County Fermanagh, emb. 20-11-1796 Porto Ferraio, transféré 11-11-1799 Bulldog, sur ordre du capitaine Darley. Richard Sutton, lieutenant, embarqué 31-12-1796 sur ordre du contre-amiral Nelson, débarqué mort 2-2-1798, tué au combat contre un corsaire français. Richard William Baldick, lieutenant, embarqué 28-2-1798 sur mandat du comte de St Vincent, débarqué 18-4-1800 pour rejoindre Pallas sur ordre de Lord Keith. »

Dans la colonne « Effets des hommes décédés », la somme de 8 livres 10 shillings & 6 pence était inscrite en face de son nom. Sans doute les biens du pauvre Sutton, vendus aux enchères au pied du grand mât.

Mais Jack était incapable de se concentrer sur ces colonnes de noms et de chiffres. La mer étincelante, d'un bleu plus foncé que le ciel, et le sillage blanc qui la traversait attiraient irrésistiblement son regard vers la fenêtre de poupe. Il finit par fermer les livres, et s'offrit le luxe de contempler le spectacle. Il se dit que s'il en avait envie, il pourrait dormir. Il regarda autour de lui, savourant cette merveilleuse intimité qui constituait, en mer, le plus rare des privilèges. Lorsqu'il était lieutenant sur le *Leander* et autres navires de bonne taille, bien sûr, il pouvait contempler la mer par les fenêtres du carré. Mais jamais seul. Maintenant, c'était prodigieux. Mais cela arrivait toujours au moment où il avait envie de présence et d'activité humaines — il était trop excité, trop agité, pour jouir totalement du charme de la solitude — même s'il savait pouvoir en disposer. Dès que retentirent les quatre coups de cloche, il se rua sur le pont.

Dillon et le quartier-maître se tenaient près du quatre-livres de cuivre, à tribord. Il était clair qu'ils parlaient d'une pièce de gréement visible de là où ils se trouvaient. Dès que Jack apparut, ils se retirèrent sur bâbord comme le voulait la tradition, libérant l'espace qui lui était réservé sur la plage arrière. C'était la première fois que cela lui arrivait. Il ne s'y attendait pas — il n'y avait pas pensé — et cela lui donna un ridicule frisson de plaisir. Mais cela le privait aussi de compagnie, jusqu'à ce qu'il appelle James Dillon à ses côtés. Il fit deux ou trois tours, leva les yeux vers les vergues : elles étaient brassées aussi loin que le permettaient les haubans du grand mât et du mât de misaine, mais pas autant qu'elles pouvaient l'être dans un monde idéal. Il se promit de dire au bosco de faire poser du trélingage croisé — cela pourrait leur faire gagner deux ou trois degrés.

« Monsieur Dillon, dit-il, ayez la bonté de monter contre le vent et de border la grand-voile carrée. Sud quart sud-ouest.

— À vos ordres, monsieur. Deux ris ?

— Non, monsieur Dillon, pas de ris », dit Jack en souriant. Il se remit à déambuler. Il entendait les ordres retentir autour de lui, le vacarme des hommes qui couraient, les appels du bosco. Il considérait toute l'opération avec un curieux détachement... C'était très curieux, car son cœur battait la chamade.

La *Sophie* se mit en mouvement, sans heurts. « C'est bien, c'est bien ! » cria le quartier-maître du poste de commandement. Le timonier stabilisa. Tandis que le navire venait au vent arrière, la grand-voile aurique s'affala dans un nuage gonflant dont il ne resta bientôt qu'un gros amas de toile grisâtre et inerte. Immédiatement, la grand-voile carrée apparut. Ballonnant et voltigeant pendant quelques secondes, elle fut bientôt maîtrisée, disciplinée et bien en place, ses écoutes bordées. La *Sophie* fit un bond en avant, et avant même que Dillon n'ait crié : « Aux amarres ! », elle avait pris au moins deux nœuds, plongeant sa proue et soulevant sa poupe comme si elle voulait expulser son cavalier... Dillon plaça un second homme à la barre pour le cas où une chute de vent viendrait à la faire virer brutalement. La grand-voile carrée était aussi tendue qu'un tambour.

« Faites venir le voilier, dit Jack. Monsieur Henry, pouvez-vous m'ajouter une laize à cette voile, en pointe si nécessaire ?

— Non, monsieur, répondit le voilier, catégorique. Même pas en pointe. Pas avec cette vergue, monsieur. Regardez dans quel état est ce fond de voile — on dirait plutôt une vessie de porc, si vous me permettez. »

Jack gagna la lisse. Il regarda la mer qui filait, la longue courbe qu'elle dessinait en frappant le bossoir sous le vent. Il grogna, et revint examiner la vergue de grand mât : une pièce de bois effilée d'un peu plus de trente pieds de long, sept pouces au milieu, trois pouces aux extrémités, les fusées de vergue.

« Ça ressemble plus à un nid de corbeau qu'à une vergue de grand mât », se dit-il pour la vingtième fois au moins. Il l'observa avec attention, qui résistait à la force du vent.

La *Sophie* filait moins vite maintenant, il n'y avait plus de moment de soulagement. La vergue cédait au vent, et Jack crut bien l'entendre gémir. Les bras de la *Sophie* étaient surtendus, bien sûr (c'était un brick !), la tension était plus grande aux fusées de vergue, et cela le contrariait. Mais la vergue fléchissait un peu tout du long. Il resta là, les mains derrière le dos, les yeux fixés dessus. Les autres officiers, sur la plage arrière, Dillon, Marshall, Pullings et le jeune Ricketts, étaient attentifs et silencieux, regardant tour à tour la voile et leur nouveau capitaine. Ils n'étaient pas seuls à s'interroger. Au gaillard d'avant, la plupart des hommes les plus chevronnés faisaient de même — un regard vers le haut, un coup d'œil latéral vers Jack. L'atmosphère était bizarre. Ils avaient vent arrière, maintenant, ou à peu près — c'est-à-dire qu'ils allaient dans la même direction que le vent — et le chant du gréement s'était presque totalement tu. Le long et lent tangage de la *Sophie* (aucune mer contraire ne venait la secouer) était presque silencieux. De plus, les hommes étaient discrets, se forçant à murmurer pour ne pas être entendus. Mais malgré leurs précautions, une voix porta jusqu'à la plage arrière. « Il va tout casser, s'il force l'allure comme ca. »

Jack ne l'entendit point. Perdu dans ses calculs des forces opposées, il était parfaitement inconscient de la tension qui régnait autour de lui. Nullement des calculs mathématiques, d'ailleurs : plutôt ceux, moins abstraits, d'un cavalier qui essaie une nouvelle monture et voit approcher une haie.

Il retourna à la cabine. Après avoir regardé quelques instants par la fenêtre de poupe, il examina la carte. Le Cap Mola se trouvait à tribord — ils n'allaient pas tarder à l'approcher — et ils prendraient un surcroît de vent en contournant le long de la côte. Il siffla doucement *Deh vieni* et pensa : « Si je mène cela à bien, et si je gagne assez d'argent, disons quelques centaines de guinées, la première chose que je ferai après la paie sera d'aller à Vienne, à l'opéra. »

James Dillon frappa à la porte. « Le vent forcit, monsieur. Puis-je soulager la grand-voile, ou au moins y prendre un ris ?

— Non, non, monsieur Dillon », dit Jack en souriant. Puis il pensa qu'il était injuste de laisser cela sur les épaules de ses lieutenants. Il ajouta : « Je serai sur le pont dans deux minutes. »

Il y fut en moins d'une minute, juste pour entendre un craquement aigu qui ne présageait rien de bon. « Aux écoutes ! s'écria-t-il. Aux drisses ! Cargues-points de hunier ! Aux balancines ! Amenez-la gaiement ! Allons, remuez-vous ! »

Ils se remuèrent. La vergue était petite. Elle fut bientôt sur le pont, dégarnie, la voile désenverguée et toutes les manœuvres lovées.

« C'est sans espoir, monsieur, elle est fendue en son centre », dit tristement le charpentier. Il se faisait du mauvais sang. « Je peux essayer de la jumeler, mais j'ai bien peur que ce ne soit inutile. »

Jack acquiesça, le visage sans expression. Il se dirigea vers la lisse, monta dessus et se hissa dans les premières enfléchures. La *Sophie* s'éleva sur la houle : le Cap Mola était là, en effet, barre sombre à trois points sur tribord. « Je crois que nous devrions corriger la vigie, observa-t-il. Cap sur le port, s'il vous plaît, monsieur Dillon. Déployez la grand-voile, et toute la toile que la *Sophie* peut porter. Il n'y a pas une minute à perdre. »

Quarante-cinq minutes plus tard, la *Sophie* mettait en panne. Avant même qu'elle s'immobilisât, le cotre était mis à l'eau. La vergue écliée était déjà débarquée. Le cotre fila dare-dare vers les quais, en la remorquant comme une queue ruisselante.

« Eh bien, voilà donc le plus impudent renard de toute la flotte, remarqua le chef de rame tandis que Jack s'élançait dans l'escalier. La première fois qu'il met le pied dessus, il lance la pauvre vieille *Sophie*, avec une vergue qui tient à peine, les membrures en furie et la moitié de l'équipage pompant comme si leur vie en dépendait, et tous les hommes sur le pont toute la sainte journée, Seigneur, pas même une pause pour fumer une pipe. Et le voilà qui se précipite sur ces marches en rigolant, comme si le roi George l'attendait là-haut pour le faire chevalier.

— Et peu de temps pour dîner, comme d'habitude », chuchota quelqu'un au milieu du canot.

« Silence ! s'écria M. Babbington, en prenant l'air indigné. »

« Monsieur Brown, dit Jack avec un regard pressant, vous pouvez me rendre un service capital. Ma vergue de grand mât est très gravement fendue, j'ai le regret de vous le dire. Et si la *Fanny* est arrivée, je dois lever l'ancre ce soir. Je vous supplie de la réformer et de me la faire remplacer. Je vous en prie, cher monsieur, n'ayez pas l'air si catastrophé ! » Il prit M. Brown par le bras et l'amena vers le cotre. « Je vous rapporte les douze-livres — je crois savoir que le Matériel relève désormais de votre compétence — car je crains que le sloop ne soit trop chargé.

— J'en serais ravi », dit M. Brown en regardant

l'horrible fêlure dans la vergue. Les hommes du cotre la soulevaient sans mot dire, pour faciliter son examen. « Mais il n'y a pas dans ce dépôt d'espar de cette taille.

— Allons, monsieur, vous oubliez le *Généreux*. Il avait en réserve trois vergues de petit perroquet, et un tas d'autres espars. Vous devriez être le premier à admettre que j'ai là-dessus un droit moral.

— Vous pouvez essayer, si vous en avez envie. Sortez-en une, nous verrons à quoi elle ressemble. Mais je ne vous promets rien.

— Laissez mes hommes la sortir, monsieur. Je me souviens exactement de l'endroit où elles sont stockées. Prenez quatre hommes avec vous, monsieur Babbington. Allons-y ! Remuez-vous !

— Ce n'est qu'un essai, capitaine Aubrey, dit M. Brown. Je vous regarderai la hisser.

— Voilà ce que j'appelle un vrai espar, dit M. Lamb, en regardant amoureusement la vergue pardessus bord. Pas un seul nœud, pas une seule courbe. Un espar français, je suppose. Quarante-trois pieds, net comme torchette. Avec ça, monsieur, une grand-voile pourra se déployer comme une grand-voile.

— Oui, oui, dit Jack avec impatience. Est-ce que cette haussière est déjà fixée au cabestan ?

— Haussière en place, monsieur, lui dit-on un instant plus tard.

— Alors, tirez donc ! »

La haussière avait été amarrée au centre de la vergue et la longeait presque jusqu'à sa fusée de tribord, retenue à l'aide de bosses (des bandes de bitord) en une demi-douzaine de points. La haussière courait de la fusée de vergue à la poulie de guinderesse placée sur le ton de mât, à une autre poulie sur le pont, et de là au cabestan. On actionna ce dernier : la vergue s'éleva de l'eau, s'inclina de plus en plus pour être bientôt à la verticale, jusqu'à ce qu'elle soit à bord, tout à fait droite. On la guida avec précaution à travers les gréements.

« Tranchez la bosse extérieure », dit Jack. Le bitord tomba, et la vergue s'inclina un peu, retenue par la bosse suivante. Le mouvement de levée se poursuivit, les autres bosses furent tranchées de même. Quand la dernière tomba, la vergue se balançait, d'équerre, juste sous la hune.

« Cela n'ira jamais, capitaine Aubrey ! » M. Brown criait dans son porte-voix, faisant frémir l'air calme du soir. « Elle est beaucoup trop grande, et va certainement tout emporter. Il faut couper les fusées de vergue et la moitié du troisième quart. »

Suspendue ainsi, raide et nue, tel le double fléau d'une balance géante, la vergue semblait en effet un peu trop large.

« Fixez les itagues, dit Jack. Non, plus à l'extérieur. À mi-chemin du deuxième quart. Choquez la haussière et amenez la vergue. » On la posa sur le pont, et le charpentier courut chercher ses outils. « Monsieur Watt, montez-moi juste les pantoires de bras, voulez-vous ? » Le bosco ouvrit la bouche, la referma et se pencha sur son travail. Nulle part ailleurs que dans les asiles de fous, on ne plaçait les pantoires de bras après les montures, après les étriers de marchepied, après les pantoires de bout de vergue. Le charpentier réapparut, muni d'une scie et d'une règle. « Avez-vous un rabot, monsieur Lamb ? demanda Jack. Que votre aide aille en chercher un. Démontez le blin de bout-dehors de bonnette et retouchez les extrémités des taquets, monsieur Lamb, s'il vous plaît. » Lamb, surpris, finit par comprendre où il voulait en venir. Il rabota soigneusement les pointes de la vergue, ponçant jusqu'à ce qu'elles soient comme neuves, avec un pommeau de la taille d'un petit pain d'un penny. « Cela ira, dit Jack. Hissez-la à nouveau, brassez-la de sorte qu'elle reste perpendiculaire au quai. Monsieur Dillon, je dois me rendre à terre. Rapportez les canons au Matériel et attendez-moi dans le chenal. Nous devons appareiller avant le couvre-feu. Oh, monsieur Dillon, j'allais oublier. Toutes les femmes doivent débarquer.

— Toutes les femmes sans exception, monsieur ?

— Toutes les putains. Les putains jouent un rôle essentiel dans les ports, mais leur présence à bord ne convient pas. » Il s'interrompit, courut à sa cabine et remonta deux minutes plus tard en glissant une enveloppe dans sa poche. « On retourne à l'arsenal ! » criat-il en sautant dans le canot.

« Vous ne regretterez pas d'avoir suivi mes conseils, dit M. Brown en l'accueillant en haut des marches. Au premier coup de vent, cette vergue aurait sans doute tout emporté avec elle.

— Pouvez-vous me donner les duos maintenant, monsieur ? lui demanda Jack, avec un léger pincement de cœur. Je vais de ce pas chercher l'ami dont je vous ai parlé. Un grand musicien ! Lors de notre prochaine escale ici, vous devrez faire sa connaissance. Et vous devrez m'autoriser à le présenter à Mme Brown.

— J'en serai honoré. Très heureux, dit M. Brown.

— À la Couronne, maintenant, et aussi vite que possible », dit Jack, revenant avec le livre en traînant des pieds. Comme beaucoup de marins, il était plutôt gras, et à terre il transpirait facilement. « Six minutes d'avance », dit-il en consultant sa montre dans la lumière déclinante, quand ils furent à l'appontement. « Eh bien, vous voilà, docteur ! J'espère que vous me pardonnerez de vous avoir lâché, cet après-midi. Shannahan, Bussell, suivez-moi ! Que les autres restent dans le canot. Monsieur Ricketts, vous devriez vous éloigner du quai d'une vingtaine de mètres, pour les délivrer de la tentation. Vous ne m'en voudrez pas, monsieur, si je fais quelques achats ? Je n'ai pas eu le temps de faire chercher quoi que ce soit, pas même un mouton ou un jambon, ni une bouteille de vin. J'ai peur qu'on doive se contenter de restes, de bœuf salé et de gâteaux aux charançons durant la plus grande partie du voyage, avec du grog quatre fois dilué. Mais nous pourrons refaire nos provisions à Cagliari. Voulez-vous que mes hommes portent votre bagage jusqu'au canot ? » Ils marchèrent, les matelots à quelques pas derrière eux. Jack ajouta soudain : « À propos, avant d'oublier... Dans le service, il est d'usage de payer une avance sur solde au moment de l'affectation.

Ne soyez donc pas étonné si j'ai glissé quelques guinées dans cette enveloppe.

— Voilà un règlement fort bienveillant, dit Stephen avec satisfaction. Est-ce qu'on l'applique fréquemment ?

— Toujours, dit Jack. C'est une règle d'or.

— Dans ce cas, dit Stephen en prenant l'enveloppe, je m'y soumettrai. Et je n'ai certes pas l'intention de m'en étonner. Je vous suis très obligé. Pourrai-je en effet disposer de l'un de vos hommes ? Mon violoncelle est encombrant. À part cela, je n'ai qu'un petit coffre et quelques livres.

— Alors retrouvons-nous aux marches, un quart après l'heure, dit Jack. Ne perdez pas un instant, je vous prie, docteur. Nous sommes extrêmement pressés. Shannahan, occupez-vous du docteur et descendez promptement son bagage. Bussell, suivez-moi. »

Au moment précis où l'horloge sonnait le quart, Jack ordonna : « Mettez ce coffre à l'avant. Monsieur Ricketts, asseyez-vous dessus. Docteur, asseyez-vous là et veillez sur votre violoncelle. C'est l'essentiel. Poussons au large. Allons-y, prenez de l'erre ! Souquez ferme ! »

Ils rallièrent la *Sophie*, poussèrent Stephen et ses effets par-dessus le bastingage — à bâbord, pour éviter tout rituel inutile et pour être sûr qu'il serait bien à bord. Ils avaient une trop piètre opinion des fantassins pour le laisser prendre le risque d'escalader seul le flanc du navire. Jack le conduisit à la cabine. « Attention à votre tête, dit-il. Cette tanière est petite, mais elle vous appartient. Mettez-vous à l'aise, je vous en prie, et pardonnez-moi mon manque de cérémonie. Je dois monter sur le pont.

— Tout va bien, monsieur Dillon ? demanda-t-il.

— Tout va bien, monsieur. Les douze marchands ont donné leur signal.

— Très bien. Tirez une bordée à leur attention et levez les voiles, s'il vous plaît. Je crois que nous pourrons sortir du port avec les perroquets, si cette brise mourante se maintient. Et si le cap ne coupe pas notre vent, nous pouvons faire une sortie respectable. Mettez à la voile ! Après cela, il sera temps de s'occuper des quarts. La journée a été longue, n'est-ce pas, monsieur Dillon ?

— Très longue, monsieur.

— Je pensais que nous n'en viendrions jamais à bout. »

Chapitre III

Quand la cloche piqua les deux coups du quart de jour, la *Sophie* filait vers l'est, le long du 39e parallèle, le vent sur l'arrière du travers. Sous ses perroquets, elle ne plongeait que de deux virures, et elle aurait pu border ses cacatois — mais le groupe informe des navires marchands placés sous sa protection avait décidé de naviguer très lentement jusqu'au plein jour... sans doute par crainte de trébucher sur les méridiens.

Le ciel était encore gris : il était trop tôt pour savoir s'il était dégagé, ou nuageux à haute altitude. Mais la mer répandait déjà une lumière nacrée qui signifiait la victoire du jour sur la nuit et se reflétait sur les larges convexités des huniers, leur donnant l'éclat de perles grises.

« Bonjour, dit Jack au fusilier placé en sentinelle devant la porte.

— Bonjour, monsieur, lui dit la sentinelle, bondissant au garde-à-vous.

— Bonjour, monsieur Dillon.

— Bonjour, monsieur, répondit le lieutenant en touchant son chapeau. »

Jack apprécia le temps, l'orientation des voiles et la perspective d'une belle matinée. Il inspira longuement l'air pur, après l'atmosphère confinée de sa chambre. Il se tourna vers la lisse, que n'encombraient pas encore les tas de hamacs, et contempla les marchands. Ils étaient disséminés sur une étendue raisonnable. Et ce qu'il avait pris pour une lanterne de poupe éloignée ou un feu de hune exceptionnellement gros n'était que la vieille Saturne, basse sur l'horizon au point d'avoir l'air emprisonnée dans leurs gréements. Il se tourna de l'autre côté, contre le vent. Des mouettes endormies se chamaillaient sans conviction au-dessus d'une surface d'eau ridée — des sardines ou des anchois, peut-être ces petits maquereaux couverts d'épines. Le grincement des poulies, les cordages et la toile à voile forçant doucement, l'inclinaison du pont et la ligne courbe des canons à l'avant, tout cela lui procura un tel bonheur qu'il dut se retenir de sauter sur place.

« Monsieur Dillon, dit-il, en surmontant son désir de serrer la main du lieutenant, il faudra rassembler l'équipage après le petit déjeuner, et décider de la manière dont nous allons régler les quarts.

— Bien, monsieur. Pour l'heure, les choses vont à vau-l'eau, et le problème du nouveau contingent n'est pas réglé.

— Au moins, nous ne manquons pas d'hommes. Nous pourrions facilement tirer les deux bordées en même temps. Bien des vaisseaux de ligne ne peuvent pas en dire autant. Il me semblait pourtant que nous avions récupéré la lie du contingent du *Burford*. Il me semblait qu'il y avait parmi eux une proportion anormalement élevée d'hommes du Lord-Maire. Pas d'anciens de la *Charlotte*, je suppose ?

— Si, monsieur, nous en avons un. Le type sans cheveux, qui porte un mouchoir rouge autour du cou. Il était aux manœuvres hautes. Mais il semble encore sous le choc — complètement stupide et hébété.

— Une triste affaire, dit Jack en secouant la tête. »

James Dillon semblait regarder dans le vide. Il voyait un jaillissement de feu dans l'air tranquille — un navire de première catégorie emportant huit cents hommes, et brûlant de la pomme de mât à la ligne de flottaison.

« Oui, dit-il. On pouvait voir les flammes à plus d'un mille. Parfois, une langue de feu s'élevait dans l'air, flottant et claquant comme un énorme pavillon. C'était un matin comme celui-ci. Peut-être était-il un peu plus tard.

— Vous y étiez, je crois ? Avez-vous une idée de ce qui s'est passé ? On a parlé d'une machine infernale, embarquée par un Italien à la solde des papistes.

— D'après ce que j'ai entendu, un imbécile aura permis qu'on entrepose de la paille sur le demi-pont, tout près des mèches lentes des canons de signalisation. Elle a pris feu, et a enflammé la grand-voile d'un seul coup. Cela a été si soudain qu'ils n'ont pas eu le temps d'atteindre les cargues-points.

— Vous avez pu en sauver quelques-uns ?

— Nous avons récupéré deux fusiliers et un canonnier, mais il était horriblement brûlé. Il y a eu très peu de rescapés, un peu plus d'une centaine, je crois. Ça n'a pas été une affaire très honorable... On aurait pu en sauver beaucoup plus, mais les canots sont restés à distance.

— Ils pensaient au *Boyne*, sans doute.

— Oui. La chaleur faisait tirer les canons de la *Charlotte*, et chacun savait que la poudrière pouvait sauter d'une minute à l'autre. Mais même... Tous les officiers à qui j'ai parlé m'ont dit la même chose : impossible d'approcher les canots. Même situation de mon côté. Je me trouvais dans un cotre affrété, le *Dart*...

— Oui, je sais... dit Jack avec un sourire entendu.

— ... à trois ou quatre milles sous le vent, et il a fallu ramer pour y arriver. Mais même la menace du fouet ne pouvait les faire souquer de bon cœur. On ne pouvait soupçonner un seul de ces hommes et de ces garçons d'avoir peur du canon... Ils étaient capables d'aborder un navire, de prendre d'assaut une batterie côtière, de tout ce que vous pourriez imaginer. Les canons de la *Charlotte* n'étaient pas dirigés vers nous, bien sûr — ils partaient au hasard, simplement... Mais le sentiment général, à bord du cotre, était fort différent. Rien à voir avec une bataille, ou une nuit de gros temps sur une côte sous le vent... Il n'y a pas grand-chose à faire d'un équipage récalcitrant.

— Non, dit Jack. Il est impossible de contraindre un esprit résolu. » Il se rappela sa conversation avec Stephen Maturin, et ajouta : « C'est une *contradiction dans les termes.* » Il aurait pu dire aussi qu'un équipage de mauvaise humeur, souffrant du manque de sommeil et privé de ses putains, n'était certes pas la meilleure des armées. Mais il savait que tout ce qui se disait sur le pont d'un vaisseau de soixante-dix-huit pieds trois pouces avait valeur de déclaration officielle. Sans parler du reste, le quartier-maître et le timonier, à la barre, se trouvaient à portée d'oreille. Le quartier-maître retourna le sablier. Dès que les premiers grains de sable eurent fait un tour, il appela : « George ! » d'une voix basse, fatiguée par le quart de nuit. Le fusilier en faction se rendit à l'avant d'un pas lourd, frappa les trois coups de cloche.

Pour ce qui était du ciel, il n'y avait désormais aucun doute : il était d'un bleu limpide, du nord au sud. Seul un peu de violet foncé s'attardait à l'ouest.

Jack enjamba la lisse sous le vent, se balança aux haubans et grimpa dans les enfléchures. « Ceci n'est peut-être pas digne d'un capitaine », se dit-il. Il s'arrêta sous la forme indistincte de la hune, et tenta de calculer combien la vergue pourrait gagner avec un trélingage bien palanqué. « J'aurais peut-être dû monter par le trou du chat. » Depuis qu'on avait inventé ces plates-formes, placées en hauteur sur les mâts, qu'on appelle les hunes, les marins mettaient un point d'honneur à s'y rendre par un chemin difficile et détourné — s'accrochant aux haubans de revers qui relient le trélingage au sommet du mât, au bord extérieur de la hune. Ils s'y cramponnaient et progressaient comme des mouches, la tête en bas, à vingt-cinq degrés de la verticale. Lorsqu'ils atteignaient la guérite de la hune, ils pouvaient s'y hisser. Ils ignoraient délibérément le passage plus commode ménagé le long du mât, point culminant auquel les haubans menaient directement — un chemin sûr avec des étapes faciles, du pont jusqu'à la hune. Ce passage, le « trou du chat », n'était pour ainsi dire pas utilisé, sauf par ceux qui n'avaient jamais navigué, ou par des personnages voulant préserver leur dignité. Quand Jack en surgit brusquement, le matelot de deuxième classe Jan Jackruski eut si peur qu'il poussa un faible cri. « J'ai cru que c'était le diable ! s'exclama-t-il en polonais.

— Comment vous appelez-vous ? demanda Jack.

— Jackruski, monsieur... Je vous en prie... Merci !

— Ouvrez l'œil, Jackruski », dit Jack. Il se hissa sans difficulté vers les haubans de hune. Il s'arrêta au ton de mât, passa un bras dans les haubans de perroquet et s'installa confortablement sur les barres traversières. Lorsqu'il était jeune, il avait passé là quantité d'heures de punition. Quand il y était monté pour la première fois, en fait, il était si petit qu'il pouvait s'asseoir sur la barre centrale, les jambes pendantes, appuyé en avant sur ses bras croisés derrière le montant... Et s'endormir, calé fermement en dépit des girations violentes de son siège. Comme il avait bien dormi, à l'époque ! Il était toujours fatigué, ou affamé, ou les deux à la fois. Et comme cela lui avait semblé dangereusement haut ! C'était plus haut, bien sûr, bien plus haut, sur le vieux *Theseus* — quelque chose comme cent cinquante pieds. Et comme cela balançait dans le ciel ! Une fois, alors qu'il était puni sur le ton de mât, il avait été malade : il avait vomi son dîner dans le vide... Mais même ici, c'était une hauteur confortable. Quatre-vingt-sept pieds moins la profondeur de la carlingue — disons soixante-quinze pieds. Cela lui permettait de voir l'horizon jusqu'à dix ou onze milles. Il parcourut du regard cette étendue marine, contre le vent. Parfaitement claire. Pas la moindre voile, pas la plus infime rupture sur la ligne tendue de l'horizon. Le perroquet, au-dessus de lui, prit soudain une teinte dorée. Puis, à deux points de la proue à bâbord, dans un feu montant de lumière, le soleil poussa son bord, tout de suite aveuglant. Pendant quelques instants, seul Jack fut éclairé, comme s'il était désigné par un doigt de lumière. Puis la lumière atteignit le hunier, descendit de son long, recouvrit le sommet de la grand-voile, et toucha finalement le pont, l'inondant de bout en bout. Les yeux de Jack s'emplirent de larmes qui troublèrent sa vue, coulèrent le long de ses joues. Elles coulèrent vraiment — deux, quatre, six, huit gouttes rondes qui traversèrent l'air doré et chaud, sous le vent.

Jack se pencha pour regarder sous le perroquet. Il contempla les navires marchands, ses protégés : deux pinquets, deux senaux, un chat de la Baltique, des barca-longas pour le reste. Tous présents, jusqu'au dernier qui mettait à la voile. Le soleil offrait déjà une vive chaleur. Une délicieuse sensation de paresse envahit les membres de Jack. « Non, ça ne va pas ! » se dit-il. Il avait un nombre incalculable de choses à voir en bas. Il se moucha et, les yeux toujours fixés sur le chat chargé de bois, il saisit le galhauban au vent et s'y accrocha machinalement, comme s'il s'agissait de la poignée de sa porte d'entrée. Il se laissa glisser jusqu'au pont. « Un de ces nouveaux venus par peloton de pièce, se dit-il. Cela devrait résoudre le problème. »

Quatre coups de cloche. Mowett leva le loch, attendit que la houache soit à l'arrière, et ordonna : « Tournez ! »

« Stop ! » cria le quartier-maître vingt-huit secondes plus tard, le regard fixé sur le petit sablier. Mowett fit une boucle dans la ligne, presque exactement au troisième nœud, tira un coup sec et alla inscrire « Trois nœuds » à la craie sur le tableau. Le quartier-maître se rendit en hâte au grand sablier, le retourna et cria « George ! », d'une voix ferme. Le fusilier courut vers l'avant et frappa les quatre coups de cloche avec conviction. Quelques instants plus tard, le vacarme se déchaîna. Ce qui ressemblait bien à un vacarme, en tout cas, aux oreilles de Stephen Maturin qui se réveillait. Pour la première fois de sa vie, il entendait les cris peu naturels du maître d'équipage et de ses seconds, sifflant : « Pliez tous les hamacs ! » Il entendit des bruits de pas, et une voix terrible qui appelait : « Tous les hommes, holà, les hommes ! Debout, ou par terre !

Secouez-vous ! Debout ! Pied à terre ! Me voilà, avec une bonne lame, la conscience tranquille ! » Il entendit des bruits de chute étouffés — on avait coupé le hamac de trois terriens abrutis de sommeil. Il entendit des jurons, des rires, le coup que fit le bout de cordage quand un second du bosco s'en prit à un homme encore endormi, puis une véritable cavalcade lorsque cinquante ou soixante hommes surgirent des écoutilles avec leurs hamacs, pour les entasser dans les filets.

Sur le pont, l'équipe du mât de misaine avait mis en marche la pompe d'orme asthmatique. Les hommes du gaillard d'avant nettoyaient leur zone avec l'eau de mer fraîchement pompée, l'équipe du grand mât nettoyait le tribord de la plage arrière, et ceux du pont supérieur nettoyaient le reste — chacun s'escrimant avec la brique à pont jusqu'à ce que le mélange de déchets de bois et de calfat transforme l'eau en une sorte de lait clairet. Les mousses et les hommes de jour actionnaient les pompes à chapelet pour évacuer des fonds de cale l'eau de la nuit, et l'équipe du canonnier dorlotait les quatorze pièces de quatre livres. Mais rien de tout cela n'avait l'effet galvanisant de la cavalcade.

« Y aurait-il un imprévu ? » se demanda Stephen, en s'efforçant de descendre promptement de son lit suspendu. « Une bataille ? Un incendie ? Une brèche irréparable ? Seraient-ils trop occupés pour me prévenir — ou peut-être a-t-on oublié que je suis ici ? » Il enfila ses pantalons et se redressa brusquement. Il se cogna la tête contre une poutre, et la violence du coup le fit chanceler. Il s'affaissa sur un caisson et s'y tint des deux mains.

Il entendit une voix. « Que dites-vous ? demanda-t-il, essayant d'ajuster son regard à travers la brume de douleur.

— Je disais : « Vous vous êtes cogné la tête, monsieur ? »

— Oui, répondit Stephen en regardant sa main. Il fut surpris de découvrir qu'elle n'était pas couverte de sang — pas même une trace.

— Ce sont ces vieilles poutres, monsieur... »

L'homme avait pris ce ton exagérément clair et didactique qu'on réserve en mer pour les terriens et à terre pour les simples d'esprit. « ... Il faut faire très attention. Car — elles — sont — très — basses. » Stephen jeta au maître d'hôtel un regard méchant qui lui rappela ses devoirs. « Voulez-vous une ou deux côtelettes pour votre petit déjeuner, monsieur ? Un beau bifteck ? Nous avons tué un bœuf, à Mahon, et nous avons quelques morceaux de premier choix.

— Vous voilà, docteur, s'exclama Jack. Bonjour ! Je suppose que vous avez dormi ?

— Très bien, en effet, je vous remercie. Ces lits suspendus sont une invention extraordinaire.

— Que voulez-vous pour déjeuner ? Sur le pont, j'ai senti le lard grillé du carré. Je crois que c'est l'odeur la plus agréable que je connaisse. L'Arabie exceptée. Que diriez-vous de lard fumé aux œufs, et peut-être un bifteck ? Et du café ?

— Vous allez tout à fait dans mon sens ! » s'écria Stephen, qui avait beaucoup de retard à rattraper en matière de nourriture.

« Et pourquoi pas avec des oignons, c'est excellent contre le scorbut. » Cette simple allusion amena à ses narines l'odeur des oignons en friture, et sur sa langue leur goût tenace et pourtant si onctueux. Il déglutit douloureusement. « Que se passe-t-il ? » s'écria-t-il. Les hurlements et les cavalcades avaient repris : on aurait dit une horde de bêtes sauvages.

« On vient de siffler le petit déjeuner de l'équipage, dit Jack avec insouciance. Apportez-nous ce lard, Killick ! Et le café ! Je crève de faim.

— J'ai parfaitement bien dormi, dit Stephen. D'un sommeil profond... Profond, régénérateur et roboratif... Cela vaut bien plus que tous les hypnogogues et les teintures de laudanum. Mais j'ai honte d'apparaître ainsi devant vous. J'ai dormi si tard que je suis comme un sauvage, pas rasé, bien peu avenant, alors que vous êtes aussi fringant qu'un jeune marié. Excusez-moi un instant... »

« C'est un chirurgien naval, dit-il en revenant propre et net, quelqu'un de Haslar, qui a inventé les ligatures artérielles modernes. Je pensais à lui en me rasant, au moment où mon rasoir passait à un doigt de ma carotide. Dites-moi... Quand les choses se gâtent, vos hommes doivent sûrement avoir nombre de ces horribles plaies ouvertes ?

— Non, en fait. Pas du tout. Une question d'habitude, je suppose. Du café ? Ce que nous avons, c'est pour l'essentiel une moisson de ventres éclatés. Quel est le mot savant ?... Et la vérole.

— Des hernies ? Vous me surprenez.

— Des hernies. C'est cela, exactement. C'est très courant. Je dirais que la moitié des hommes de jour souffrent d'une hernie. C'est pourquoi nous leur confions les tâches les plus légères.

— Eh bien, ce n'est pas si étonnant, finalement, vu la nature du travail du marin. Et leur manière de se divertir explique la vérole, bien entendu. Je me rappelle avoir vu à Mahon des groupes de matelots transportés d'enthousiasme, dansant et chantant avec de tristes femmes de petite vertu. Des hommes de l'*Audacious*, je me rappelle, et du *Phaëton*. Mais pas de la *Sophie*.

— Non. Les Sophies ont passé quelque temps à terre. Mais ils n'avaient rien, en tout cas, qui pût les transporter d'enthousiasme. Pas de prises et, par conséquent, pas de parts de prise. Seule la part de prise permet à un marin de faire du foin, lorsqu'il est en bordée, car il touche fort peu de sa solde. Que diriez-vous d'un bifteck, maintenant, et d'un autre pot de café ?

— De tout cœur !

— J'espère avoir le plaisir, au dîner, de vous présenter mon lieutenant. Il se révèle un excellent marin et un gentleman. Ce matin, lui et moi avons du pain sur la planche. Nous devons trier l'équipage, et distribuer les tâches — nous devons l'organiser en quarts et en sections, comme nous disons. Et puis je dois vous trouver un serviteur, un pour moi-même, et aussi un bosco. Le cuisinier du carré fera parfaitement l'affaire. »

« Nous allons rassembler l'équipage, monsieur Dillon, s'il vous plaît, dit Jack.

— Monsieur Watt, dit James Dillon. Rassemblement de tous les hommes ! »

Le maître d'équipage donna ses ordres. Ses seconds se ruèrent en bas en hurlant : « Rassemblement ! » Du grand mât au gaillard d'avant, le pont de la *Sophie* fut bientôt noir de monde. Tous ses gens étaient là, y compris le cuistot, qui s'essuyait les mains sur son tablier (il en fit une boule qu'il fourra sous sa chemise). Ils semblaient plutôt indécis, rassemblés à bâbord, en deux groupes, les nouveaux venus plus ou moins ensemble, l'air misérable et désespéré.

« Tous les hommes à l'appel, monsieur, dit James Dillon en levant son chapeau.

— Très bien, monsieur Dillon. Allez-y ! »

À la demande du commissaire, le secrétaire alla chercher le livre des effectifs, et le lieutenant fit l'appel des noms. « Charles Stallard !

— Présent ! » s'écria Stallard, deuxième classe, volontaire venu du *St Fiorenzo*, embarqué sur la *Sophie* le 6 mai 1795, à l'âge de vingt ans. Rien à signaler dans les rubriques Assiduité, Maladies vénériennes, Vêtements à l'infirmerie : il avait versé dix livres de l'étranger. Un homme valable, de toute évidence. Il se déplaça à tribord.

« Thomas Murphy !

— Présent », dit Murphy. Il mit son index à son front et alla rejoindre Stallard. Chacun fit de même à l'appel de son nom, jusqu'à ce que Dillon arrive à Assei et Assou. Des marins de deuxième classe, sans prénom, nés au Bengale — amenés là par quels vents étranges ? Malgré toutes les années passées dans la Royal Navy, ils mirent les mains au front, puis au cœur, en s'inclinant vivement.

« John Codlin. William Witsover. Thomas Jones. Francis Lacanfra. Joseph Bussell. Abraham Vilheim.

James Courser. Peter Peterssen. John Smith. Giuseppe Laleso. William Cozens. Lewis Dupont. Andrew Karouski. Richard Henry... » La liste alla jusqu'à son terme (seuls manquaient à l'appel le canonnier malade et un certain Isaac Wilson), s'achevant sur les mousses et les nouveaux venus. Quatre-vingt-neuf âmes en comptant les officiers, les hommes, les mousses et les fusiliers marins.

Le moment était venu de lire les Articles du Code. Cette cérémonie accompagnait souvent le service divin. Elle y était si étroitement associée, dans l'esprit de l'équipage, que les visages n'exprimèrent qu'une sorte de piété passive, lorsque retentirent les premiers mots : « Pour un meilleur règlement des marines de Sa Majesté, de ses navires de guerre et de toutes ses forces navales. Sur quoi reposent au premier chef, grâce à la divine Providence, la richesse, la sécurité et la force de son royaume. Il est décrété par sa très excellente royale Majesté, sur le conseil et avec le consentement des lords spirituels et temporels et du peuple tout entier, dans le Parlement réuni ici et sous l'autorité des mêmes, qu'à dater du vingt-cinq décembre de l'an de grâce mil sept cent quarante-neuf, les articles et ordres ci-après devront être dûment observés et appliqués, en temps de paix comme en temps de guerre, et dans les formes définies comme suit. » Les hommes gardèrent leur expression neutre, que la suite ne parvint pas à modifier. « Tout officier supérieur ou toute autre personne relevant d'un vaisseau ou navire de guerre de Sa Majesté, reconnu coupable de blasphème, juron, imprécation, ivrognerie, malpropreté ou de tout autre acte scandaleux, encourra le châtiment qu'une cour martiale décidera de lui infliger. » Ni d'ailleurs l'allusion répétée à la peine capitale. « Tout officier supérieur, capitaine ou commandant de bord, qui faillira (...) à encourager ses officiers subordonnés et ses hommes à combattre avec bravoure, sera puni de mort (...) Quiconque dans la flotte, par traîtrise ou par lâcheté, se rendra à l'ennemi ou lui demandera quartier — et en sera reconnu coupable par une cour martiale —, sera puni de mort (...) Quiconque par lâcheté se retirera ou reculera durant le combat (...) sera puni de mort (...) Quiconque par lâcheté, négligence ou insouciance s'abstiendra de poursuivre tout ennemi, pirate, ou rebelle, battu ou s'enfuyant (...) sera puni de mort (...) Tout officier, marin, soldat, ou tout autre membre de la flotte qui frappera un officier supérieur, fera feu, proposera de faire feu, ou lèvera une arme contre lui (...) sera puni de mort (...) Quiconque dans la flotte commettra le péché haïssable et contre nature de pédérastie ou de sodomie avec un homme ou un animal sera puni de mort. » Tout au long des Articles, la mort était omniprésente. Même lorsque les mots étaient difficiles à comprendre, l'évocation de la mort rendait un son agréablement menaçant, auquel l'équipage prenait un plaisir solennel. Les hommes en avaient l'habitude. On leur faisait cette lecture le premier dimanche de chaque mois, et lors de quelques occasions extraordinaires semblables à celle-ci. Leur âme y trouvait un certain réconfort. Lorsqu'ils rompirent les rangs, ils semblaient beaucoup plus sereins.

« Très bien, dit Jack en regardant autour de lui. Donnez le signal vingt-trois, deux canons sous le vent. Monsieur Marshall, nous allons déployer la grand-voile d'étai et le tourmentin. Dès que ce pinquet rejoindra le reste du convoi, hissez les cacatois. Monsieur Watt, que le voilier et ses hommes se mettent immédiatement au travail sur la grand-voile carrée. Faites venir les nouveaux à l'arrière, un par un. Où est mon secrétaire ? Monsieur Dillon, allons donner la forme qui convient à ces tableaux des quarts. Docteur Maturin, j'aimerais vous présenter mes officiers... » C'était la première fois que Stephen et James se trouvaient face à face sur la *Sophie*. Mais Stephen avait vu de loin la natte rousse flamboyante et le ruban noir du lieutenant, et il s'y était préparé. Le choc des retrouvailles, toutefois, fut si grand qu'il ne put éviter d'exprimer une agressivité discrète et une réserve glacée. Pour James Dillon, le choc fut encore plus violent : dans la précipitation et l'activité des dernières vingt-quatre heures, il n'avait pas eu l'occasion d'entendre le nom du nouveau médecin. Son teint se colora, mais son visage ne trahit aucune émotion. « Je me demande, dit Jack après les présentations, s'il vous plairait de visiter le brick pendant que M. Dillon et moi vaquons à nos affaires ? Ou peut-être préférez-vous vous tenir dans la cabine ?

— Rien ne me ferait plus plaisir que de visiter le navire, répondit Stephen. Une combinaison complexe et très élégante de... » Sa voix s'évanouit.

« Monsieur Mowett, soyez aimable de montrer au docteur Maturin tout ce qu'il désire voir. Emmenez-le dans la grande hune... Le panorama en vaut la peine. Un peu de hauteur ne vous dérange pas, cher monsieur ?

— Oh non, dit Stephen, en regardant autour de lui d'un air distrait. Cela ne me dérange pas. »

James Mowett était un jeune homme maigre qui allait sur ses vingt ans. Il portait des pantalons de vieille toile à voile, une chemise à rayures en jersey, et un tricot qui lui donnait l'air d'une chenille. Une épissoire lui pendait au cou, car il devait travailler à la confection de la nouvelle grand-voile carrée. Il observa attentivement Stephen, curieux de savoir à quel homme il avait affaire, le salua et déclara, avec ce mélange de distinction et de familiarité respectueuse qui vient si naturellement aux marins : « Eh bien, monsieur, par quoi voulez-vous commencer ? Voulez-vous que nous allions tout de suite à la hune ? Vous aurez une vue d'ensemble sur le pont. »

Une vue d'ensemble... Cela voulait dire dix mètres vers l'arrière et seize vers l'avant, parfaitement visibles de là où ils étaient. Mais Stephen répondit : « Mais certainement, allons-y donc ! Passez devant. Je ferai de mon mieux pour vous suivre. »

Il regarda pensivement Mowett qui s'élançait dans les enfléchures, et se hissa à sa suite. Mais son esprit était ailleurs. James Dillon et lui avaient appartenu aux United Irishmen, un groupe qui, ces neuf dernières années, avait été tour à tour une association publique et ouverte militant pour l'émancipation des presbytériens, des dissidents et des catholiques, et pour l'établissement d'un gouvernement légitime irlandais ; une société secrète proscrite ; un groupe armé en rébellion ouverte ; et enfin un vestige du passé, vaincu et hanté. L'insurrection avait été réprimée avec les horreurs habituelles, et en dépit d'une amnistie générale, la vie de ses membres les plus importants était menacée. Nombre d'entre eux avaient été trahis — à commencer par Lord Edward Fitzgerald lui-même — et beaucoup d'autres s'étaient enfuis, se méfiant même de leurs propres familles, car les événements avaient provoqué une terrible fracture dans la société et la nation. Stephen Maturin ne craignait pas une vulgaire trahison. Il n'avait pas peur, non plus, pour sa peau, dont il faisait bien peu de cas. Mais il avait tant souffert des innombrables haines, tensions et rancunes qui s'étaient développées (comme c'est toujours le cas après l'échec d'une révolte), qu'il ne pouvait risquer aucune déception supplémentaire, aucune confrontation inamicale et récriminatrice, aucune nouvelle preuve qu'un ami était devenu indifférent à son sort... Ou pire que cela. Des désaccords importants existaient depuis toujours au sein du mouvement. Maintenant qu'il n'était plus que ruines, les liens entre ses membres s'étaient distendus, et il était devenu impossible de savoir où en était tel ou tel ancien camarade.

Il ne craignait pas pour sa peau, il n'avait peur de rien... Sauf qu'à mi-chemin seulement des haubans, son corps lui fit comprendre qu'il était bel et bien prêt à s'abandonner à la terreur pure. Quarante pieds ne font pas une hauteur extraordinaire, mais la situation paraît toujours plus élevée, instable et précaire, lorsqu'on n'a sous les pieds qu'une échelle de corde battant au vent. Quand Stephen fut aux trois quarts du chemin, il entendit crier sur le pont : « Assurez ! » Il comprit que les voiles d'étai étaient déployées, écoutes bordées. Elles se gonflèrent, et la *Sophie* pencha encore d'une ou deux virures. Cela coïncida avec un mouvement de roulis sous le vent. Stephen, le regard vers le bas, vit la lisse passer lentement sous ses yeux, et laisser place à la mer... Une vaste étendue étincelante, très loin, juste au-dessous de lui. Avec la force du désespoir, il resserra son emprise sur les enfléchures, et renonça à tout effort pour progresser vers le haut. Il resta là, bras et jambes écartés, tandis que les forces variables de la pesanteur, du mouvement centrifuge, de la panique irrationnelle et d'une terreur raisonnable agissaient sur son pauvre corps cramponné et sans volonté — l'écrasant au point que le damier des haubans et des enfléchures croisées laissa son empreinte sur son torse, puis le tirant vers l'arrière assez fort pour qu'il se gonfle comme une chemise qu'on aurait mise là à sécher.

Sur sa gauche, une forme glissa le long du galhauban. Des mains empoignèrent ses chevilles et il entendit une voix juvénile et gaie, celle de Mowett : « Maintenant, monsieur, avec le roulis ! Accrochez-vous aux haubans... Ceux qui montent ! Et regardez vers le haut. Allons-y ! » Son pied droit fut soulevé avec fermeté jusqu'à l'enfléchure suivante, et le gauche suivit. Après un nouveau mouvement de balancier vers l'arrière, atroce — Stephen ferma les yeux et retint son souffle —, le trou du chat accueillit son deuxième visiteur du jour. Mowett s'était élancé par les haubans de revers et se trouvait déjà dans la hune, prêt à y tirer le docteur.

« Voilà la grande hune, monsieur, dit-il, feignant de ne pas remarquer l'air hagard de Stephen. L'autre là-bas, c'est la hune de misaine, bien sûr.

— Je suis très sensible à vos efforts pour m'aider à monter jusqu'ici, dit Stephen. Je vous remercie.

— Oh, monsieur, s'écria Mowett, je vous en prie... Au-dessous de nous, voilà la grand-voile d'étai, la pouillouse, celle qu'on vient de border. Devant, c'est la petite voile d'étai, le tourmentin. Vous n'en verrez que sur les navires de guerre.

— Ces voiles triangulaires ? Pourquoi appelle-t-on cela des voiles d'étai ? demanda Stephen, le questionnant un peu au hasard.

— Eh bien, monsieur, parce qu'elles sont gréées sur

des étais sur lesquels elles glissent comme des rideaux, grâce à ces bagues. Nous avions des erseaux, mais nous avons installé ces anneaux lorsque nous relâchions au large de Cadix, l'an dernier. Ils font bien mieux l'affaire. Les étais sont ces gros cordages qui tombent tout droit, jusqu'en bas.

— Et ils servent à tendre ces voiles. Je vois.

— Oui... Oui, en effet. Mais ils servent surtout à retenir les mâts. De les empêcher de tomber en arrière lorsque le navire tangue.

— Les mâts ont donc besoin de soutien ? » demanda Stephen. Il traversa la plate-forme avec précaution, et frappa un coup léger sur la tête du bas mât et le talon arrondi du mât de hune — deux épaisses colonnes parallèles séparées par trois pieds de bois et un espace vide. « Je n'aurais jamais cru cela.

— Mon Dieu, monsieur, sans cela ils basculeraient par-dessus bord. Les haubans les soutiennent latéralement, et les galhaubans — que voici — les soutiennent à l'arrière.

— Je vois, je vois. Mais dites-moi... » Stephen voulait à tout prix que le jeune homme continue de parler. « À quoi sert cette plate-forme, et pourquoi le mât est-il doublé à cet endroit ? Et à quoi donc sert ce marteau ?

— La hune, monsieur ? À part le gréement et la possibilité de s'en servir pour hisser des objets, elle est très commode pour les hommes munis d'armes de poing, lors des combats rapprochés. D'en haut, ils peuvent tirer vers le pont ennemi, et jeter des bombes fumigènes et des grenades. Et puis, ces allonges sur la guérite permettent d'accrocher les caps de mouton des haubans. La hune leur fournit un point d'appui assez large : elle mesure un peu plus de dix pieds. Au-dessus, c'est la même chose. Les barres traversières tendent les haubans de perroquet. Vous les voyez, monsieur ? Là-haut, où la vigie est perchée, au-dessus de la vergue de hunier.

— Je suppose que vous seriez incapable de décrire ce labyrinthe de cordes, de bois et de toile sans utiliser des termes marins. Bien sûr... Ce serait sans doute impossible.

— Ne pas utiliser les mots des marins ? J'aurais beaucoup de mal, monsieur. Mais je peux essayer.

— Non, non. J'imagine que dans la plupart des cas, c'est la seule manière de désigner toutes ces choses... »

Les hunes de la *Sophie* étaient équipées de barreaux métalliques qui en protégeaient les occupants pendant les combats : Stephen s'assit entre deux de ces barreaux, chaque bras passé autour d'une colonne, les jambes pendantes. Il trouva quelque réconfort à l'idée d'être fermement ancré à du métal, et de sentir que ses fesses reposaient sur du bois massif. Le soleil était haut dans le ciel, maintenant. Il dessinait sur le pont blanc, tout en bas, des motifs contrastés d'ombre et de lumière — des droites rectilignes et des courbes brisées seulement par la masse informe de la grand-voile carrée, que le voilier et ses hommes avaient étalée sur le gaillard d'avant.

« Parlez-moi de ce mât, dit Stephen, en agitant le menton vers l'avant. »

Mowett semblait craindre de parler trop, de l'ennuyer et de montrer une prétention qui excédât sa condition. « Et essayez de m'en décrire les principaux éléments, de bas en haut.

— C'est le mât de misaine, monsieur. La partie inférieure, c'est ce qu'on appelle le bas mât, ou simplement... le mât de misaine. Il est planté sur la carlingue et mesure quarante-neuf pieds. Il est retenu des deux côtés par des haubans, trois paires de chaque côté, et à l'avant par l'étai de misaine, qui descend jusqu'au beaupré. L'autre cordage, parallèle à l'étai de misaine, c'est le faux-étai, très utile quand l'autre casse. Puis à environ un tiers de la hauteur du mât de misaine, vous voyez le collet du grand étai. Le grand étai part de là, et soutient le grand mât qui est au-dessous de nous.

— C'est donc cela, un grand étai, dit Stephen, le regard vague. J'ai souvent entendu ce mot. Cette corde a l'air robuste, vraiment.

— Elle fait dix pouces, monsieur, dit fièrement

Mowett. Et le faux-étai, sept pouces. Vient ensuite la vergue de misaine... Mais il vaut peut-être mieux que j'en finisse avec les mâts avant de passer aux vergues. Est-ce que vous voyez la hune de misaine, tout à fait semblable à celle où nous nous trouvons ? Elle est placée sur les élongis et les barres traversières, à cinq segments environ du haut du mât de misaine. La partie restante du bas mât est doublée par le mât de hune, exactement comme ces deux-là, au-dessus de vous. Le mât de hune, c'est ce morceau ajouté qui monte plus haut encore — le segment plus fin qui s'élève au-dessus de la hune. On le hisse et on l'attache au bas mât, un peu comme un fusilier fixe la baïonnette sur son mousquet. On le passe à travers les élongis, et quand il est assez haut, que la mortaise percée dans le bas est en place, on y enfonce une clef de mât, que l'on fait entrer en force à l'aide d'une masse... Précisément ce marteau qui vous intriguait tout à l'heure... Nous chantons : "Hisse et ho !", et... »

Les explications allaient bon train. « Castlereagh se balance à un ton de mât, Fitzgibbon à un autre », pensa Stephen, sans être sûr que son humour fût de très bon goût.

« ... Et il s'appuie au beaupré, lui aussi. Si vous vous penchez de ce côté, vous apercevrez un coin de la voile d'étai du petit mât de hune... Le petit foc. »

La voix de Mowett formait un fond sonore agréable. Stephen en profitait pour essayer de mettre de l'ordre dans ses pensées. Il eut conscience d'un silence, d'une attente. Juste avant, il y avait eu « si vous vous penchez », « petit foc »...

« C'est vrai, déclara-t-il. Et que peut bien mesurer ce mât de hune ?

— Trente et un pieds, monsieur, exactement comme celui-ci. Maintenant, juste au-dessus de la hune de misaine, vous voyez le collet de l'étai de grand mât de hune, qui soutient ce mât de hune, juste au-dessus de nous. Puis les élongis et barres traversières du mât de hune, où se tient l'autre vigie. Et puis le mât de perroquet. Pour le mettre en place, on procède comme pour le mât de hune, sauf naturellement que ses haubans sont moins épais. Il s'appuie sur le bâton de foc — vous voyez, cet espar qui s'éloigne au-delà du beaupré ? C'est le mât de hune du beaupré, en quelque sorte. Sa longueur est de vingt-trois pieds six pouces. Le mât de perroquet, je veux dire, pas le bâton de foc. Lui, il mesure vingt-quatre pieds.

— Écouter un homme qui prend autant son métier au sérieux, c'est un véritable plaisir. Vous êtes très précis, monsieur.

— J'espère que les capitaines seront de cet avis, s'exclama Mowett. À notre prochaine escale à Gibraltar, je me présenterai de nouveau à l'examen de lieutenant. On passe devant trois officiers supérieurs. La dernière fois, l'un d'eux m'a demandé combien il faut de brasses de corde pour confectionner une grande araignée, et quelle est la longueur de la poulie *ad hoc* ! Aujourd'hui, je suis capable de répondre. Cinquante brasses d'une ligne de trois quarts de pouce, même si ça semble incroyable, et la poulie mesure quatorze pouces. Je crois bien connaître les dimensions de tout ce qu'on a jamais mesuré sur un navire... Sauf peut-être notre nouvelle vergue de grand mât. Mais je le ferai avant le dîner, avec mon ruban. Voulez-vous que je vous donne d'autres dimensions, monsieur ?

— Je ne demande que cela.

— Eh bien, monsieur, la quille de la *Sophie* est longue de cinquante-neuf pieds. Le *gundeck*, de soixante-dix-huit pieds trois pouces. Elle a dix pieds dix pouces de profondeur. Son beaupré mesure trente-quatre pieds. Je vous ai déjà tout dit des autres mâts, sauf le grand mât : cinquante-six pieds. La vergue de grand hunier (celle qui est juste au-dessus de nous) mesure trente et un pieds six pouces. La vergue de grand perroquet, encore au-dessus, vingt-trois pieds six pouces. Et la vergue de cacatois, tout en haut, quinze pieds neuf pouces. Et les bout-dehors de bonnette... Peut-être devrais-je d'abord vous expliquer les vergues, non ?

— Peut-être bien...

— C'est très simple.

— J'en suis ravi.

— Sur le beaupré, il y a une vergue, où est serrée la voile à baleston. C'est la vergue de civadière. Voici le mât de misaine. En bas, c'est la vergue de misaine, et la grande voile carrée bordée dessus, c'est la misaine. Au-dessus, c'est la vergue de petit hunier ; puis la vergue de petit perroquet, et enfin la vergue de petit cacatois, avec sa voile serrée. Même chose pour le grand mât, sauf que la vergue de grand mât ne porte pas de voile enverguée — si c'était le cas, ce serait une grand-voile *carrée*. Avec ce gréement, en effet, on peut avoir deux grand-voiles : une voile basse carrée sur la vergue, et la grand-voile goélette, là, derrière nous, une voile aurique fixée en haut et en bas, respectivement sur une corne et sur un gui. Le gui a quarante-deux pieds neuf pouces de long, monsieur, et dix pouces et demi de diamètre.

— Dix pouces et demi, vraiment ? »

Feindre de ne pas connaître James Dillon avait été absurde. Une réaction infantile. La réaction la plus fréquente, et la plus dangereuse.

« Pour en finir avec les voiles carrées, monsieur, il y a les bonnettes. On ne les déploie que lorsque le vent est sur l'arrière du travers. Elles se trouvent à l'extérieur des côtés de chute (c'est ainsi qu'on appelle les bords des voiles carrées), tendues par les guis qui courent le long de la vergue. On peut les voir aussi nettement que...

— Que se passe-t-il ?

— C'est le coup de sifflet du maître d'équipage pour mettre à la voile. Ils vont sortir les cacatois. Venez par ici, je vous en prie, sans quoi les hommes des manœuvres hautes vont vous piétiner. »

À peine Stephen s'était-il écarté, qu'une nuée de jeunes marins et de mousses se précipitaient par-dessus le bord de la hune et se lançaient à toute allure vers les haubans de hune.

« Quand on leur en donnera l'ordre, vous allez voir, ils laisseront choir la voile. Puis ceux du pont vont border en premier l'écoute sous le vent. La brise la pousse dans le bon sens, c'est donc plus facile. Puis l'écoute contre le vent. Dès que les autres auront quitté la vergue, ils vont la hisser aux drisses... Voici les écoutes... Et voilà les drisses. »

Quelques instants plus tard, les cacatois prenaient le vent. La *Sophie* bascula encore d'une virure, et le murmure du vent dans les gréements monta d'un demi-ton. Les hommes redescendirent, moins pressés qu'à l'aller, et la cloche de la *Sophie* retentit cinq fois.

Stephen se prépara à les suivre. Il demanda : « Qu'est-ce qu'un brick ? »

— Ce navire est un brick, monsieur, même si parfois nous l'appelons un sloop.

— Merci. Et qu'est-ce qu'un... Qu'est-ce encore que ce hurlement ?

— Ce n'est que le bosco, monsieur. La grand-voile carrée doit être prête, il veut que les hommes l'enverguent.

> « *À bord le vaillant bosco court en tous les sens*
> *Comme un mastiff enragé il hurle dans l'orage*
> *Toujours prêt, toujours prompt à corriger le maladroit*
> *Complimente le bon marin et cajole le timide.* »

— Il me semble bien prodige de sa canne... Je suis étonné que les hommes ne l'assomment pas. Ainsi, vous êtes poète, monsieur ? » demanda Stephen en souriant. Il commençait à penser qu'il pourrait se faire à sa nouvelle situation.

Mowett fit entendre un rire joyeux. « Ce serait beaucoup plus facile de ce côté-ci, à cause de la gîte. Je m'arrange pour rester un peu plus bas que vous. On dit que c'est une excellente idée de ne pas regarder vers le bas, monsieur. Doucement, maintenant. Doucement ! *Chi va piano va sano !* Vous y voilà, monsieur, sain et sauf.

— Bon Dieu, dit Stephen, en se frottant les mains. Je me réjouis d'être en bas. » Il regarda la hune, puis de nouveau en bas. « Je ne pensais pas être à ce point timoré », se dit-il. Puis, à voix haute : « Et maintenant, si nous allions voir dans les étages inférieurs ? »

« Nous trouverons peut-être un cuisinier dans le nouveau contingent, dit Jack. À propos... J'espère avoir au dîner le plaisir de votre compagnie ?

— J'en serais très heureux », dit James Dillon en s'inclinant. Ils étaient assis autour de la table de la chambre, en compagnie du secrétaire. Les livres des effectifs, des réparations, de l'inventaire et divers documents de la *Sophie* étaient étalés devant eux.

« Prenez garde à ce pot, monsieur Richards ! », s'écria Jack. Sous le vent fraîchissant, la *Sophie* venait de faire une embardée inattendue. « Vous auriez dû le boucher et garder à la main la corne à encre. Monsieur Ricketts, veuillez nous présenter ces hommes. »

Comparés aux autres Sophies, ils composaient un groupe peu reluisant. Mais les Sophies étaient chez eux. Ils étaient tous vêtus des effets de M. Ricketts père, ce qui leur donnait une apparence à peu près uniforme. Et ils avaient été convenablement bien nourris, ces dernières années — c'est-à-dire que leur nourriture avait été correcte. Les nouveaux venus, à trois exceptions près, étaient des hommes du Lord-Maire venus des comtés intérieurs, pour la plupart fournis par la Justice. Il y avait sept fortes têtes de Westmeath, arrêtés à Liverpool pour avoir provoqué une bagarre. Ils connaissaient si mal le monde (ils étaient simplement venus pour la moisson) que lorsqu'on leur offrit le choix entre la Royal Navy et les cellules humides d'une prison ordinaire, ils optèrent pour la première parce qu'il y faisait plus sec. Il y avait un apiculteur au visage sinistre et à la longue barbe en pointe, dont toutes les abeilles étaient mortes. Un couvreur sans emploi. Quelques pères célibataires. Deux tailleurs faméliques. Un fou inoffensif. Les plus déguenillés avaient reçu des habits sur leurs navires d'accueil respectifs, mais les autres portaient encore leurs pantalons de velours côtelé, ou leurs vieux manteaux de seconde main. Un paysan avait encore sa veste de sarrau. Les exceptions étaient trois marins entre deux âges : un Danois nommé Christian Pram, second maître en Méditerranée orientale, et deux Grecs, des pêcheurs d'éponge dont les noms semblaient être Apollon et Turbid, pressés par des circonstances obscures.

« Épatant, épatant, dit Jack en se frottant les mains. Je crois que nous pouvons nommer Pram quartier-maître sur-le-champ — il nous en manque un —, et les frères Sponge passeront deuxième classe dès qu'ils comprendront un peu l'anglais. Tous les autres seront matelots. Maintenant, monsieur Richards, dès que vous aurez fini d'enregistrer leur signalement, vous ferez savoir à M. Marshall que je veux le voir.

— Je crois que nous sommes presque exactement à cinquante hommes, monsieur, dit James en levant les yeux de ses calculs.

— Huit au gaillard d'avant, huit à la hune de misaine... Monsieur Marshall, venez vous asseoir, et faites-nous profiter de vos lumières. Nous devons établir ce tableau des quarts et organiser les sections avant le dîner. Nous n'avons pas une minute à perdre. »

« Voici l'endroit où nous vivons, dit Mowett, en avançant sa lanterne dans la cabine des aspirants. Attention à la poutre. Je dois vous demander de nous excuser pour l'odeur... C'est probablement le jeune Babbington.

— Non, ce n'est pas moi ! s'écria Babbington en se levant précipitamment de son livre. Vous êtes *vraiment* cruel, Mowett, murmura-t-il avec une bouillante indignation.

— Tout compte fait, cette chambre est plutôt luxueuse, monsieur, continua Mowett. Le caillebotis laisse passer un peu de lumière, comme vous voyez, et un peu d'air descend lorsque les panneaux d'écoutilles sont levés. Je me souviens que dans le cockpit arrière du vieux *Namur*, on devait sortir les bougies sous le moindre prétexte, et nous n'avions rien d'aussi odorant que le jeune Babbington.

— Je m'en doute bien », dit Stephen. Il s'assit et

regarda autour de lui, dans le noir. « Combien de personnes vivent ici ?

— Nous ne sommes que trois pour le moment, monsieur. Il nous manque deux aspirants. Les mousses suspendent leur hamac près de la soute à pain, et ils mangeaient avec le canonnier... Mais celui-ci est tombé malade. Maintenant, ils viennent ici, prennent notre nourriture et esquintent nos livres avec leurs gros doigts graisseux.

— Vous étudiez la trigonométrie, monsieur ? » demanda Stephen. Ses yeux, s'habituant à l'obscurité, distinguaient un triangle barbouillé à l'encre.

« Oui, monsieur, merci, répondit Babbington. Et je crois que j'ai presque trouvé la réponse. ("Je l'aurais déjà trouvée, se dit-il, si ce gros balourd ne venait m'empoisonner !")

« Dans la cabine de toile, laborieux, concentré,
L'esprit se débattant en sinus et tangentes
L'aspirant repose ! Mais il perd son calcul,
L'effort anéanti par le cri d'un intrus !

déclama Mowett. Ma parole, monsieur, je suis très fier de celui-là !

— Il y a de quoi ! » dit Stephen. Son regard s'arrêta sur les embarcations dessinées tout autour du triangle. « Mais dites-moi... Pouvez-vous m'expliquer ce qu'on entend par *navire*, dans la langue des marins ?

— Un navire doit avoir trois mâts gréés au carré, monsieur, et un beaupré. Et ses mâts doivent être en trois parties — bas mât, mât de hune et mât de perroquet... C'est pourquoi, par exemple, une polacre n'est pas considérée comme un navire.

— Mais on le dit pourtant, non ?

— Oh non, monsieur, s'exclamèrent-ils. Ni un chat. Ni un chébec. On peut croire que les chébecs ont un beaupré, mais ce n'est qu'une espèce de porte-lof bon à porter une cargaison de laine !

— J'y ferai très attention, désormais », dit Stephen. Il se leva avec précaution, et ajouta : « Je suppose qu'on s'habitue à vivre ici. Au début, on doit se sentir un peu à l'étroit.

— Oh, dit Mowett,

> *« Soyez plus indulgent avec l'humble foyer*
> *D'où surgissent les gardiens de la Flotte britannique !*
> *Vénérez ce lieu sacré, pourtant abominable,*
> *Qui forgea l'héroïsme des amiraux d'Empire !*

— Ne faites pas attention à lui, monsieur, s'écria Babbington, inquiet. Il ne veut pas manquer de respect, je vous assure. C'est juste sa manière horrible de s'exprimer.

— Bah ! dit Stephen. Allons voir le reste du... du vaisseau. »

Ils allèrent vers l'avant, et passèrent devant un fusilier en sentinelle. Alors qu'il cherchait son chemin dans l'obscurité, entre deux caillebotis, Stephen trébucha sur quelque chose de mou qui fit entendre un bruit métallique et l'interpella violemment : « Regardez donc où vous mettez les pieds, espèce de sale vieux pédéraste !

— Allons, Wilson, économisez votre salive, cria Mowett. Cet homme est puni. Il est aux fers, dit-il à Stephen. Ne vous en faites pas pour lui, monsieur.

— Pourquoi l'a-t-on mis aux fers ?

— Pour indécence, monsieur, dit Mowett, un peu hautain.

— Cette salle est de belles dimensions, quoiqu'un peu basse... Pour les officiers subalternes, sans doute ?

— Non, monsieur. C'est ici que les hommes mangent et dorment.

— Les autres sont en bas, je suppose.

— Il n'y a pas d'étage plus bas que celui-ci, monsieur. En dessous, il n'y a que la cale, avec une plate-forme qui fait office de barre sèche.

— Combien y a-t-il d'hommes en tout ?

— Soixante-dix-sept, en comptant les fusiliers, monsieur.

— Ils ne peuvent pas dormir tous ici ! C'est matériellement impossible !

— Je vous demande pardon, monsieur, mais c'est ainsi. Chaque homme dispose de quatorze pouces pour suspendre son hamac, et ils les placent dans le sens de la longueur. Le barrot central mesure vingt-cinq pieds dix pouces, ce qui nous donne vingt-deux places. Les chiffres sont inscrits ici.

— Mais un homme ne peut tenir dans un espace de quatorze pouces.

— Certes, ce n'est pas très confortable... Mais c'est parfaitement possible dans vingt-huit pouces. À tout moment, sur un navire à deux quarts, environ la moitié des hommes se trouvent sur le pont : leurs places sont donc libres.

— Même avec vingt-huit pouces — deux pieds quatre pouces ! — chaque homme doit toucher son voisin.

— Il est vrai que c'est bien près. Mais cela leur permet d'avoir moins froid. Il y a quatre rangées, vous voyez. De la cloison jusqu'à cette poutre. Puis jusqu'à celle-ci. Puis jusqu'à la poutre avec la lanterne en face. Et la dernière, jusqu'à la cloison avant, près de la coquerie. Là-haut, ce sont les cabines du charpentier et du bosco. La première rangée et une partie de la suivante sont réservées aux fusiliers. Puis ce sont les marins, trois rangées et demie. Ce qui signifie qu'à raison d'une vingtaine de hamacs en moyenne par rangée, on peut tous les caser ici, malgré le mât.

— Mais ce doit être un tapis ininterrompu de corps, même s'il n'y a que la moitié des hommes.

— Eh bien, oui, monsieur.

— Où sont les fenêtres ?

— Nous n'avons rien qui mérite ce nom, dit Mowett en secouant la tête. Il y a les écoutilles et le caillebotis, au-dessus, mais bien entendu elles sont recouvertes la plupart du temps, quand ça souffle.

— Et l'infirmerie ?

— Nous n'en avons pas non plus, pour ainsi dire. Mais les malades disposent de lits suspendus contre la cloison avant, à tribord, près de la coquerie. Et ils sont autorisés à se servir du rouffle.

— Qu'est-ce que c'est ?

— En fait, ce n'est pas vraiment un rouffle. C'est plutôt comme un petit sabord d'aviron. Rien à voir avec une frégate ou un navire de ligne. Mais c'est bien utile.

— Utile à quoi ?

— J'ai du mal à expliquer, monsieur, dit Mowett en rougissant. Pour les commodités.

— Des cabinets ? Des gogues ?

— Oui, monsieur.

— Et comment font les autres ? Ils ont des pots de chambre ?

— Oh non, monsieur, Dieu soit loué ! Ils montent par l'écoutille, et vont aux latrines — il y a des petits endroits, de part et d'autre de la proue.

— En plein air !

— Oui, monsieur.

— Et comment font-ils quand le temps est mauvais ?

— Ils vont tout de même aux latrines, monsieur.

— Et ils dorment là-dessous, à quarante ou cinquante, sans fenêtres ? Si d'aventure un homme malade du typhus, ou de la peste, ou du choléra, met les pieds dans ce dortoir, que Dieu vous vienne en aide.

— Amen ! » s'exclama Mowett, horrifié par l'assurance de Stephen.

« Voilà un garçon fort sympathique, dit Stephen en entrant dans la cabine.

— Le jeune Mowett ? J'en suis très heureux, dit Jack, qui semblait fourbu et anxieux. Rien n'est plus précieux que de bons camarades de bord. Puis-je vous offrir un remontant ? Notre breuvage de marin. Nous appelons ça du grog — vous en avez déjà bu ? En mer, ça fait le plus grand bien. Simpkin, apportez-nous du grog ! Que le diable emporte ce type, il est aussi lent que... Simpkin ! Où est donc ce grog ? Que ce fils de pute aille se faire pendre... Ah, vous voilà ! »

« J'en avais bien besoin, dit-il un peu plus tard, en reposant son verre. Quelle matinée assommante ! Chaque quart doit compter la même proportion d'hommes compétents aux différents postes, et tout à l'avenant. Des discussions interminables. » Il se déplaça, s'approcha de l'oreille de Stephen. « Et puis j'ai commis une bévue, tout à fait idiote... Savez-vous que je jette un coup d'œil sur la liste, et je vois les noms de Flaherty, Lynch, Sullivan, Michael Kelly, Joseph Kelly, Sheridan et Aloysius Burke. Ce sont tous ces types qui ont touché leur prime d'embarquement à Liverpool. Et je remarque : « Encore ces damnés papistes irlandais ! À ce rythme, ils vont constituer la moitié des tribordais, et ce ne sont pas des chapelets qui nous tireront d'affaire ! » — en manière de plaisanterie, vous voyez... Mais j'ai senti que j'avais jeté un froid, et je me suis dit : « Jack, espèce d'imbécile, Dillon est irlandais, et il a pris cela pour une insulte à l'égard de ses compatriotes. » Je ne suis pas assez borné pour dire du mal des Irlandais, bien entendu. C'est seulement que je hais les papistes. Alors j'ai essayé d'arranger cela avec quelques méchancetés bien tournées contre le pape... Mais ils étaient peut-être moins malins que je ne pensais, car ils n'ont pas eu l'air de réagir.

— Ainsi, vous haïssez les papistes.

— Et comment ! Tout comme je déteste le travail d'écriture. Mais les papistes sont vraiment une sale engeance, avec la confession et tout ce qui s'ensuit. Et ils ont essayé de faire sauter le Parlement ! Une de mes meilleures amies — vous n'imaginez pas combien elle était gentille — a été si contrariée quand sa mère a épousé un protestant, qu'elle s'est mise sur-le-champ aux mathématiques et à l'hébreu. Aleph, beth... C'était pourtant la plus jolie fille à des lieues à la ronde. C'est elle qui m'a enseigné la navigation — splendide intelligence, Dieu la bénisse. Elle m'a raconté des tas de choses sur les papistes. J'ai tout oublié, mais il est certain que c'est une sale engeance. On ne peut leur faire confiance. Voyez cette rébellion qu'ils viennent encore de fomenter...

— Mais mon cher monsieur, à l'origine, les United Irishmen étaient protestants ! Leurs chefs étaient protestants. Wolfe Tone et Napper Tandy étaient protestants. Les Emmet, les O'Connor, Simon Butler, Hamilton Rowan, Lord Edward Fitzgerald étaient protestants. Et le but de l'organisation était d'unir les Irlandais, qu'ils soient protestants, catholiques ou presbytériens... Ce sont les protestants qui en ont pris l'initiative.

— Ah bon ? Comme vous voyez, je n'y connais pas grand-chose. Je croyais que c'étaient les papistes. À l'époque, j'étais en poste aux Antilles. Mais après tout ce damné travail d'écriture, je suis parfaitement disposé à haïr les papistes et les protestants, et les anabaptistes, et les méthodistes. Et les juifs. Non... Je m'en moque totalement. Je suis surtout vexé d'avoir vexé Dillon. Je vous l'ai dit, rien n'est plus précieux que de bons camarades de bord. Il a eu beaucoup de mal à faire fonction de premier lieutenant en étant chef de quart — nouveau navire, nouvel équipage, nouveau capitaine — et j'avais vraiment envie de lui simplifier les choses. Sans une bonne compréhension entre les officiers, il n'est point de navire heureux. Et sans navire heureux — vous devriez entendre Nelson là-dessus ! —, pas de bon navire de combat. Je vous assure que c'est vrai... Mais il doit dîner avec nous, et je serais très heureux si vous vouliez bien, autant que possible... Ah, monsieur Dillon, vous voilà ! Venez vous joindre à nous et prendre un verre de grog. »

Pour des raisons qui tenaient autant à son métier qu'à sa distraction naturelle, Stephen appréciait le privilège de pouvoir se taire à table. Aujourd'hui, protégé par son silence, il observait James Dillon avec une attention particulière. C'était la même tête, un peu petite, mais haute et fière. Les mêmes cheveux roux, bien sûr, et les mêmes yeux verts. La même peau fine et les mêmes mauvaises dents — elles continuaient de se gâter. La même allure de fils de bonne famille. Et, bien qu'il fût mince et d'un poids dans la moyenne, il semblait occuper plus de place que Jack Aubrey et ses deux cents livres. Il y avait un changement, pourtant : cet air qu'il avait, d'être toujours prêt à rire, l'air de quelqu'un qui vient de penser à une bonne blague, avait totalement disparu. Proprement effacé. Une expression caractéristique, celle de l'Irlandais grave et sans humour, s'y était substituée. Dillon était réservé, mais parfaitement attentif et civil, sans montrer le moindre signe de rancœur ou de mauvaise humeur.

Ils mangèrent un turbot à peu près convenable (mais seulement après l'avoir gratté de sa purée de farine et d'eau), puis le maître d'hôtel apporta un jambon. Celui-ci ne pouvait provenir que d'un porc atteint d'une infirmité congénitale. C'était le genre de jambon réservé aux officiers qui font leurs propres provisions. Seul un spécialiste en anatomie pathologique aurait pu le découper proprement. Tandis que Jack tentait de se montrer à la hauteur de ses devoirs d'hôte et adjurait le maître d'hôtel de « tenir le col » et de « se remuer », James se tourna vers Stephen avec un sourire bien élevé. « N'ai-je pas déjà eu le plaisir de votre compagnie, monsieur ? À Dublin, ou peut-être à Naas ?

— Je ne pense pas avoir eu cet honneur, monsieur. On me prend souvent pour un de mes cousins, qui porte le même nom que moi. Il paraît qu'il y a entre nous une ressemblance frappante, ce qui me met mal à l'aise, je l'avoue. Car c'est un homme inquiétant, sournois, une tête à moucharder au Château. Et rien n'est plus méprisable que les mouchards, dans notre pays, n'est-ce pas ? À juste titre, selon moi. Et pourtant, ces salopards pullulent, là-bas. » Tout ceci était dit du ton le plus naturel, assez fort pour être entendu de son voisin au-dessus des remarques de Jack : « Doucement, maintenant... J'espérais qu'il ne serait pas trop coriace... Prenez appui sur l'os, Killick. Tant pis pour les doigts... »

« Je suis entièrement de votre avis, dit James, avec un air parfaitement entendu. Prendrez-vous un verre de vin avec moi, monsieur ?

— Avec plaisir. »

Ils se portèrent un toast mutuel avec le mélange de jus de prunelle, de vinaigre et de sucre qu'on avait vendu à Jack pour du vin, avant de se consacrer (l'un avec un intérêt professionnel, l'autre avec un stoïcisme non moins professionnel) au jambon démembré du capitaine.

Le porto, lui, était respectable. L'atmosphère de la cabine, après qu'on eut desservi la table, se fit plus détendue, plus confortable.

« Voudriez-vous nous parler de la bataille que vous avez livrée avec le *Dart* ? » demanda Jack. Il emplit le verre de Dillon. « J'en ai entendu tellement de versions différentes...

— Oui, s'il vous plaît, dit Stephen. Cela me ferait un immense plaisir.

— Oh, ce n'était pas une affaire bien extraordinaire, dit James Dillon. Rien qu'un méprisable ramassis de corsaires — une querelle de marins d'eau douce. On m'avait confié le commandement d'un cotre affrété — un vaisseau à un mât en aurique, monsieur, pas de très grande taille... » Stephen hocha la tête. « ... le *Dart*. Nous avions huit pièces de quatre livres, ce qui était parfait. Mais je ne disposais pour les servir que de treize hommes et un mousse. Quoi qu'il en soit, j'avais reçu l'ordre d'embarquer une estafette royale et dix mille livres en espèces à destination de Malte. Et le capitaine Dockray m'avait demandé d'emmener sa femme et sa sœur.

— Je me souviens de lui, à l'époque où il était premier lieutenant sur le *Thunderer*, dit Jack. Un très cher homme, aimable et bon.

— C'est exact. Par une brise régulière de sud-ouest, nous avons pris le large sous huniers, tirant des bordées sur trois ou quatre lieues à l'ouest d'Egadi et nous avons mis le cap un peu à l'ouest du sud... Après le coucher du soleil, le vent s'est levé. À cause de la présence des femmes, et de l'équipage réduit, j'ai pensé qu'il valait mieux me placer sous le vent de Pantelleria. Le vent s'est calmé durant la nuit, et la mer s'est apaisée. À quatre heures et demie du matin, j'étais debout. Je me rasais — je m'en souviens parfaitement, car je me suis entaillé le menton...

— Ah, dit Stephen avec satisfaction.

— ... quand la vigie a crié que des voiles étaient en vue. Je me suis précipité sur le pont...

— J'en suis sûr, dit Jack en riant.

— ... Il y avait là trois corsaires français, gréés en latine. La lumière était à peine suffisante pour qu'on les distingue, au-dessus de l'horizon. Mais au bout de quelques instants, à la lunette, j'ai reconnu les deux plus proches de nous. Chacun était armé d'une pièce longue en cuivre de six livres et de quatre canons à pivot d'une livre. Nous avions eu un accrochage avec eux, sur l'*Euryalus*, et nous les avions mis en fuite, bien sûr.

— Combien d'hommes ?

— Entre quarante et cinquante chacun, monsieur. Chacun d'eux avait, sur ses flancs, peut-être une douzaine de mousquets et de catapultes. J'étais certain que le troisième était du même acabit. Ils hantaient le détroit de Sicile depuis quelque temps, rôdant au large de Lampione et de Lampedusa pour refaire leurs provisions. Et ils se trouvaient sous mon vent, comme ceci — en supposant que le vent souffle de la carafe. » Il fit un croquis dans un peu de vin renversé sur la table. « En naviguant au plus près, ils pouvaient me rattraper. Il était clair que le mieux, pour eux, c'était de m'attaquer en me prenant en tenaille.

— Exactement, dit Jack.

— Tout bien considéré — mes passagères, l'estafette, les espèces et la Côte barbare devant moi (si je devais m'y laisser porter) —, j'ai pensé que la meilleure chose à faire était de les attaquer séparément tant que j'étais au vent, sans attendre que les deux navires les plus proches de moi unissent leurs forces. Le troisième se trouvait encore trois ou quatre milles plus loin, tirant des bords toutes voiles dehors. Huit des hommes du cotre étaient des marins de premier ordre, et le capitaine Dockray avait fait accompagner les femmes par son timonier, un homme fort et compétent du nom de William Brown. Sans tarder, nous nous sommes préparés au combat. Nous avons préparé les canons avec une triple charge. Je dois dire que ces dames se sont conduites avec beaucoup de classe. Beaucoup plus que je ne le souhaitais. J'ai essayé de leur faire comprendre que leur place était au fond du navire... dans la cale. Mais Mme Dockray n'avait pas l'intention de se laisser dicter son devoir par un jeune chiot sans même une épaulette à son nom. Est-ce que je croyais que l'épouse d'un capitaine de neuf ans d'ancienneté allait demeurer dans les bouchains, au risque de massacrer sa mousseline frangée... Dans les fonds de cale de ma coque de noix ? Elle me promettait de convaincre sa tante — ou son cousin Ellis, ou le premier lord de l'Amirauté, que sais-je — de me faire traduire en cour martiale pour lâcheté, pour témérité, pour incompétence. Elle savait aussi bien que n'importe quelle femme l'importance de la discipline et de la subordination. Peut-être mieux... « Allons, ma chère, dit-elle à Miss Jones, vous verserez la poudre et vous remplirez les cartouches, et je les leur apporterai dans mon tablier. » Entre-temps, notre position avait changé... »

Il modifia le schéma, sur la table. « Le corsaire le plus proche de nous était à deux encablures, sous le vent de l'autre. Depuis dix minutes, ils nous tiraient dessus tous les deux, avec leurs chasseurs de proue.

— Combien mesure une encablure ? demanda Stephen.

— Près de deux cents mètres, monsieur, dit James. J'ai mis la barre dessous — le *Dart* était merveilleusement rapide vent debout — et gouverné pour éperonner le Français par le milieu. Avec le vent sur la hanche, le *Dart* a couvert la distance en un peu plus d'une minute, ce qui n'était pas mal, attendu qu'ils nous assaisonnaient sans relâche. J'ai moi-même barré jusqu'à ce qu'on soit à portée de pistolet, puis j'ai couru à l'avant pour diriger les hommes d'abordage. J'ai confié la barre au mousse. Malheureusement, il a mal compris mes instructions, et il a laissé le corsaire s'avancer beaucoup trop loin. Nous l'avons percuté derrière sa brigantine, notre beaupré emportant ses haubans d'artimon de bâbord et une bonne partie de sa lisse de dunette et de son arrière. Dès lors, au lieu de l'aborder, nous sommes passés sous sa poupe. Le choc a flanqué sa brigantine par-dessus bord. Nous nous sommes précipités à nos pièces et avons lâché une furieuse bordée. Nous étions juste assez nombreux pour servir quatre canons. L'estafette et moi en avons pris un, et Brown nous aidait à le mettre en batterie lorsque le sien avait fait feu. J'ai lofé pour me placer sous le vent du Français et l'empêcher de manœuvrer. Mais il avait une immense surface de voile... Le *Dart* s'est trouvé momentanément déventé, et nous avons échangé des tirs aussi fournis que nous pouvions. Nous avons fini par gagner sur lui et retrouver notre vent, et nous avons viré de bord aussi vite que possible, en plein par le travers de la proue du Français — trop vite, en fait, car je ne pouvais consacrer que deux hommes à la manœuvre. Notre gui est allé fracasser sa vergue de misaine. La voile, dans sa chute, a entraîné son chasseur de proue et ses canons à pivot. Et lorsque nous avons tourné, notre bordée de tribord était prête. Nous avons tiré de si près que le feu des étoupilles éclairait sa misaine et l'épave de sa brigantine, qu'on voyait là, couchée par-dessus le pont. Ils ont demandé grâce et amené leur pavillon.

— Admirable, admirable ! s'exclama Jack.

— Il était temps, dit James, car l'autre corsaire s'était vite approché. C'était un vrai miracle, mais notre beaupré et notre gui étaient toujours solides. J'ai fait savoir au capitaine du corsaire que s'il faisait mine de mettre à la voile pour rallier son complice, je le coulais. En fait, je ne disposais pas d'un seul homme pour m'en emparer... Et encore moins du temps nécessaire.

— Bien sûr.

— Nous nous sommes donc approchés de l'autre, par bords opposés, et il nous a tiré farouchement dessus — il nous envoyait tout ce qu'il avait ! Lorsque nous fûmes à cinquante mètres, j'ai allégé mes voiles de quatre points pour pouvoir pointer nos pièces de tribord. J'ai lâché une salve, lofé immédiatement, puis lâché une seconde salve, peut-être à vingt mètres. La seconde fut remarquable, monsieur. Je n'aurais pas cru que les quatre-livres puissent être aussi efficaces. Nous avons fait feu au moment où il était au creux de son roulis... Un tout petit peu plus tard que j'aurais voulu, et nos quatre boulets l'ont frappé sur la ligne de flottaison... Je les ai vus percer la coque, parfaitement alignés ! Une minute plus tard, ses hommes abandonnaient leurs pièces. Ils se sont mis à courir en tous sens en hurlant. Malheureusement, Brown avait trébuché sous le recul de notre canon, et l'affût lui avait gravement écrasé le pied. Je lui ai conseillé de descendre, mais il n'a rien voulu entendre... Il allait rester là, se servir d'un mousquet... Soudain, il a crié que le Français était en train de sombrer ! C'était vrai ! Il s'est retrouvé à fleur d'eau puis il a coulé, à la verticale, les voiles déployées...

— Par Dieu ! s'écria Jack.

— Nous sommes restés quittes du troisième. Tous les hommes se sont mis aux nœuds et aux épissures, car notre gréement était en charpie. Mais le mât et le gui étaient si abîmés — un boulet de six livres était passé à travers le mât, et il y avait beaucoup de profondes éraflures — que je n'osais pas mettre la moindre pression sur la voile. Alors, je le regrette, le dernier a décampé, et nous n'avions plus qu'à rejoindre le premier corsaire. Il est heureux que l'incendie les ait occupés durant tout ce temps, sans quoi ils auraient parfaitement pu s'esquiver à leur tour. Nous avons embarqué six de leurs hommes pour actionner nos pompes, nous avons jeté leurs morts par-dessus bord et mis les autres aux fers. Puis nous avons pris leur navire en remorque et mis le cap sur Malte. Nous y sommes arrivés deux jours plus tard — à mon grand étonnement, car nos voiles n'étaient plus qu'une collection de déchirures tenues ensemble par des bouts de fil, et notre coque ne valait guère mieux.

— Avez-vous récupéré les hommes du navire qui a sombré ? demanda Stephen.

— Non, monsieur, dit James.

— Pas des corsaires, dit Jack. Et certes pas avec seulement treize hommes et un mousse pour tout équipage. Quelles ont été vos pertes ?

— Mis à part le pied de Brown et quelques égratignures, nous n'avons déploré aucun blessé, monsieur. Et aucun mort. C'est très étonnant. Mais nous avons eu chaud.

— Et de l'autre côté ?

— Treize morts, monsieur. Vingt-neuf prisonniers.

— Celui que vous avez coulé ?

— Cinquante-six hommes, monsieur.

— Et celui qui a pris le large ?

— Quarante-huit, c'est ce que les autres nous ont dit, monsieur. Mais ça ne compte pas, car nous n'avons reçu que quelques coups à l'aveuglette, avant qu'il ne prenne peur.

— Eh bien, monsieur, dit Jack, je vous félicite bien volontiers. C'était du beau travail.

— Moi de même, renchérit Stephen. Moi de même ! Buvons un verre de vin ensemble, monsieur Dillon, dit-il en s'inclinant et en levant son verre.

— Allons, s'écria Jack, pris d'une brusque inspiration. Buvons au succès renouvelé des armes irlandaises, et malheur au pape !

— Votre premier vœu est dix fois réalisé, dit Stephen en riant. Mais je ne boirai pas une goutte au second, tout voltairien que je sois. Le pauvre monsieur a Boney sur le dos, et c'est assez de malheur, en conscience. De plus, c'est un bénédictin très cultivé.

— Malheur à Boney, alors !

— Malheur à Boney ! » Ils vidèrent leurs verres.

« Veuillez m'excuser, monsieur, dit Dillon. Je prends mon poste sur le pont dans une demi-heure, et j'aimerais vérifier d'abord le tableau des quarts. Je vous remercie pour cet excellent dîner.

— Dieu, quelle belle bataille ! dit Jack quand Dillon eut fermé la porte. Cent quarante-six contre quatorze, quinze si vous comptez Mme Dockray. C'est le genre de choses que Nelson aurait pu faire... Vite ! Droit dessus !

— Vous connaissez Lord Nelson, monsieur ?

— J'ai eu l'honneur de servir sous ses ordres à Aboukir, dit Jack. Et de dîner en sa compagnie. Deux fois. » À ce souvenir, son visage s'éclaira d'un large sourire.

« Puis-je vous demander quel genre d'homme c'était ?

— Oh, je suis sûr qu'il vous plairait immédiatement. Il est très mince, fragile, au point que je pourrais le soulever d'une seule main. Sauf le respect que je lui dois. Mais vous savez tout de suite que vous avez affaire à un grand homme. Il y a quelque chose, en philosophie, qu'on appelle les particules électriques, n'est-ce pas ? Un atome chargé, si vous voyez ce que je veux dire. Les deux fois, il m'a parlé. La première fois, il m'a dit : « Puis-je vous prier de me donner le sel, monsieur ? » Depuis, j'ai toujours essayé de dire cette phrase avec la même intonation que lui, vous l'avez peut-être remarqué. La seconde fois, je tentais de faire comprendre des éléments de la stratégie navale à mon voisin de table, un soldat. Position au vent, art de briser la ligne, etc. Il a profité d'un silence pour se pencher soudain en souriant. Il m'a déclaré : « Ne vous préoccupez pas des manœuvres ! Foncez-leur dessus ! » Je n'oublierai jamais ça. Ne vous préoccupez pas des manœuvres. Foncez-leur dessus. Un peu plus tard, durant le même repas, il a raconté que quelqu'un, par une nuit froide, lui offrit sa pèlerine. Il avait refusé, disait-il, car il avait bien assez chaud. Son dévouement pour son roi et son pays lui tenaient chaud. Cela semble absurde, comme je le raconte, n'est-ce pas ? S'il s'agissait de quelqu'un d'autre, de n'importe qui d'autre, on s'écrierait : « Comme c'est touchant ! », et on mettrait cela sur le compte de l'enthousiasme. Mais avec lui, vous sentez votre poitrine se gonfler, et... Par l'enfer, monsieur Richards, que se passe-t-il donc ?

Soyez aimable, entrez ou sortez. Mais ne restez pas ainsi devant la porte comme un satané poulet.

— Monsieur, dit le pauvre secrétaire, vous m'avez dit de vous apporter le reste des papiers avant l'heure du thé. Et votre thé arrive justement.

— Bien, bien, c'est juste, dit Jack. Mon Dieu, quel monceau de paperasses ! Posez-les ici, monsieur Richards. J'en prendrai connaissance avant que nous touchions Cagliari.

— Ceux du dessus ont été préparés par le capitaine Allen, il suffisait de les écrire au propre. Ils ont juste besoin d'une signature », dit le secrétaire en sortant.

Jack jeta un coup d'œil au sommet de la pile, marqua une pause et s'exclama : « Voilà ! Et voilà ! C'est cela ! Voilà bien le service... La Royal Navy, des pieds à la tête. Vous croyez vous abandonner au flot de la ferveur patriotique — vous êtes prêt à plonger au cœur de la bataille — et l'on vous demande de signer ce genre de choses... » Il tendit à Stephen la feuille de papier soigneusement manuscrite.

« HMS *Sophie*, en mer

« Votre Honneur,

« Je sollicite de Votre Honneur qu'il daigne ordonner qu'une cour martiale juge Isaac Wilson, matelot sur le Sloop que j'ai l'honneur de Commander, pour avoir commis le Crime contre-nature de Sodomie sur une chèvre, dans la bergerie, dans la nuit du 16 mars.

« J'ai l'honneur de demeurer, Votre Honneur,

« Le plus humble et le plus obéissant serviteur de Votre Seigneurie

« À : le Rév. Hon. Lord Keith, K.B., etc., etc.

« Amiral de la flotte. »

« Il est étrange que la loi continue de radoter sur l'aspect contre-nature de la sodomie, remarqua Stephen. Pourtant, je connais au moins deux juges pédérastes. Et bien sûr, des avocats... Que va-t-il arriver à cet homme ?

« — Oh, il sera pendu. Accroché à une fusée de vergue, devant des canots dépêchés par tous les navires de la flotte.

— Cela me semble un peu excessif...

— Bien sûr. Oh, quel ennui ! Les témoins qui devront se rendre au vaisseau-amiral, par dizaines, des journées de perdues... La *Sophie* qui sera l'objet de la risée générale... Pourquoi doivent-ils rapporter ces choses-là ? La chèvre devrait être abattue — ce ne serait que justice — et servie aux mouchards qui ont dénoncé cet homme.

— Ne pourriez-vous pas les débarquer tous les deux — sur des terres différentes, si vous attachez de l'importance à l'aspect moral de la question — et prendre tranquillement le large ?

— Tiens, tiens, dit Jack, dont la colère s'était dissipée. Il y a peut-être quelque chose à retenir de votre idée. Un pot de thé ? Prenez-vous du lait, monsieur ?

— Du lait de chèvre ?

— Oui, je suppose...

— Je le prendrai donc sans lait, s'il vous plaît. Vous m'avez dit que le canonnier était souffrant. N'est-ce pas le moment d'aller voir ce que je peux faire pour lui ? Où se trouve le *gun-room* ?

— Il y a belle lurette que le canonnier n'y dort plus. Il a une cabine. Killick va vous montrer. Le *gun-room*, sur un sloop, c'est l'endroit où les officiers prennent leurs repas. Le carré. »

Au carré, le quartier-maître s'étira et dit au commissaire de bord : « On n'a plus beaucoup de place pour se retourner, monsieur Ricketts.

— Parfaitement vrai, monsieur Marshall. Voilà bien des changements importants. J'ignore où ça va nous mener.

— Oh, je pense que tout ira bien, dit M. Marshall en épousetant les miettes de son gilet.

— Toutes ces histoires ! poursuivit le commissaire d'une voix basse, méfiante. La vergue de grand mât. Les canons. Le contingent, dont il prétendait ne rien savoir. Tous ces nouveaux pour qui nous manquons de place. Les deux quarts. Charlie me dit qu'on commence à murmurer pas mal... » Il eut un mouvement du menton vers les quartiers de l'équipage.

« Sans doute, sans doute. On modifie les bonnes vieilles habitudes, on abandonne tous les vieux trucs. Peut-être aussi est-on trop frivole, si jeune et si beau, avec son épaulette toute neuve... Mais si ses officiers le soutiennent... Eh bien, je crois que tout se passera bien. Le charpentier l'aime bien. Watt aussi, parce que c'est indiscutablement un bon marin. Et M. Dillon semble connaître son métier, lui aussi.

— Peut-être, dit le commissaire, habitué depuis longtemps aux enthousiasmes du quartier-maître.

— Et puis, continua M. Marshall, les choses pourraient s'animer quelque peu, avec le nouveau patron. Quand ils s'y seront habitués, les hommes aimeront ça. Les officiers aussi, j'en suis sûr. Il suffit que les officiers le soutiennent, et ce sera du gâteau.

— Comment ? »

Le commissaire dut tendre l'oreille. M. Dillon faisait déplacer les canons et, au milieu du vacarme général, un fracas venait de temps en temps étouffer leurs paroles. C'était d'ailleurs le vacarme qui rendait possible leur entretien. En temps ordinaire, on ne pouvait tenir une conversation discrète sur ce navire de vingt-six mètres occupé par quatre-vingt-onze hommes. Le carré lui-même donnait sur des pièces plus petites, séparées de lui par une mince cloison de bois, voire par de la simple toile.

« Du gâteau. Je disais que si les officiers le soutiennent, ce sera du gâteau.

— Peut-être, dit M. Ricketts. Mais si ce n'est pas le cas, et s'il continue ses manigances — je crois que c'est dans sa nature... Sans doute devra-t-il quitter la vieille *Sophie* aussi vite que M. Harvey. Un brick n'est pas une frégate, et encore moins un navire de ligne. Vous êtes en contact direct avec vos hommes, et ils peuvent vous rendre la vie infernale, ou vous briser, aussi facilement que vous baiser la main.

— Vous n'avez pas besoin de me dire, *à moi*, qu'un brick n'est pas une frégate, et encore moins un navire de ligne, monsieur Ricketts, dit le maître.

— Je n'ai peut-être pas besoin de vous dire qu'un brick n'est pas une frégate, et encore moins un navire de ligne, monsieur Marshall, dit le commissaire en s'emportant. Mais quand vous aurez navigué autant que moi, monsieur Marshall, vous saurez que de simples compétences navales ne suffisent pas pour faire un bon capitaine. N'importe quel satané matelot peut manœuvrer un navire par gros temps, poursuivit-il plus calmement, et n'importe quelle femme à poigne peut maintenir les ponts et les amures en bon état de propreté. Mais pour commander un navire de guerre, il faut de la matière grise — il frappa son propre front —, les épaules solides et de la fermeté, et une conduite irréprochable... Toutes qualités qu'on ne trouve pas chez le premier novice venu — ni chez n'importe quel Jack-ceci-ou-cela, ajouta-t-il, plus ou moins pour lui-même. J'en suis bien convaincu. »

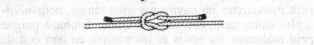

Chapitre IV

Le tambour roulait et tonnait à l'écoutille de la *Sophie*. On entendit la cavalcade, du bas vers le haut du navire — une ruée désespérée qui semblait donner au battement du tambour une tonalité encore plus pressante. Mais à l'exception des terriens du dernier contingent, les hommes affichaient un visage serein. C'était la revue des quartiers, un rituel d'après-midi que la plupart d'entre eux avaient accompli deux ou trois milliers de fois. Chacun courait vers un endroit déterminé — le canon, le jeu de cordages qui lui était attribué — qu'il connaissait par cœur.

Personne, pourtant, n'aurait osé prétendre que la représentation était réussie. Beaucoup de choses avaient changé, dans la vieille routine confortable de la *Sophie*. La distribution des canons avait été modifiée. Une vingtaine de terriens inquiets et hésitants devaient être tirés, poussés, aiguillés vers le bon endroit. Et comme la plupart des nouveaux venus n'étaient pas encore autorisés à faire autre chose que haler sous surveillance, le parc du sloop était bondé au point que les hommes se marchaient sur les pieds.

Dix minutes passèrent. Les gens de la *Sophie* envahirent le pont supérieur et les postes de combat. Jack se tenait derrière la barre, observant calmement. Dillon aboyait des ordres, officiers et aspirants couraient furieusement en tous sens, conscients du regard du capitaine et du fait que leur propre nervosité ne faisait rien pour arranger les choses. Jack s'était attendu à une certaine pagaille, mais tout de même pas à ce point. Mais sa bonne humeur naturelle et le plaisir de sentir que le désordre lui-même relevait de sa responsabilité l'emportaient sur toute autre émotion, même plus honorable.

« Pourquoi font-ils cela ? demanda Stephen à ses côtés. Pourquoi courent-ils avec une telle fièvre ?

— Le but, c'est que chaque homme, dans une situation d'urgence, sache précisément où se trouve son poste. Cela ne marcherait jamais s'ils devaient réfléchir ou hésiter. Les équipes attachées aux canons sont déjà à leur poste, vous voyez. Et puis les fusiliers du sergent Quinn, là-bas. Les hommes du gaillard d'avant sont tous là, pour autant que je puisse voir. Et les hommes du parc seront sans doute en place d'un moment à l'autre. Un capitaine pour chaque pièce, vous voyez. Un épongeur et un bordeur à ses côtés — avec la ceinture et le coutelas. Ils se joignent à l'équipe d'abordage. Et un homme des gréements, qui abandonnera la pièce si nous devons brasser les vergues, par exemple, durant le combat. Et un pompier : c'est celui qui est muni d'un seau. Il a pour mission d'éteindre tout début d'incendie. Voici Pullings : il vient annoncer à Dillon que sa division est prête. Nous n'en avons plus pour longtemps. »

Il y avait beaucoup de monde sur la petite plage arrière : le maître d'équipage au poste de commandement, le quartier-maître à la barre, le sergent et son détachement de fusiliers armés, l'aspirant responsable des signaux, une partie de l'équipe des voiles de l'arrière, les pelotons de pièces, James Dillon, le secrétaire et bien d'autres. Mais Jack et Stephen faisaient calmement les cent pas comme s'ils étaient seuls au monde — le premier enveloppé dans la majesté olympienne attachée à son titre de commandant, le second prisonnier de l'aura de Jack. Tout cela était parfaitement naturel pour ce dernier, qui connaissait cette scène depuis son enfance. Mais Stephen la voyait pour la première fois, et cela lui donnait un sentiment — pas tout à fait désagréable — de mort vivante. Ou bien ces hommes absorbés, attentifs, de l'autre côté de cette cloison de verre, étaient morts, réduits à l'état de simples fantômes, ou bien c'était lui — mais dans ce cas cette mort était étrange. Car bien qu'il fût habitué à ce sentiment de solitude, à cette impression d'être une ombre incolore dans un monde souterrain, silencieux et privé, il avait cette fois un compagnon — un compagnon dont il percevait les propos.

« ... Votre poste, par exemple, se trouve en bas, dans ce que nous appelons le cockpit. Ce n'est pas plus un vrai cockpit que le gaillard d'avant n'est un vrai gaillard d'avant, d'ailleurs, puisqu'il ne surplombe pas le pont. Mais nous l'appelons ainsi. C'est là que vous travaillerez, les coffres des aspirants en guise de table d'opération, vos instruments prêts à l'usage.

— C'est là que je logerai ?

— Non, non. Nous vous aménagerons quelque chose de mieux que cela. Même si vous êtes soumis aux Articles du Code, fit Jack en souriant, vous verrez que nous respectons encore le savoir. Au moins au point de vous concéder dix pieds carrés d'intimité, et autant d'air frais sur la plage arrière que vous pouvez en respirer. »

Stephen hocha la tête. Un peu plus tard, il demanda à voix basse : « Si je devais subir une sanction relevant de la discipline navale, est-ce que ce type devrait me fouetter ? » Il fit un geste du menton en direction de M. Marshall.

« Le quartier-maître ? s'exclama Jack avec un étonnement exagéré.

— Oui, dit Stephen en le regardant avec attention, la tête légèrement inclinée.

— Mais c'est le *quartier-maître*... » Si Stephen avait pris la proue de la *Sophie* pour sa poupe, ou la quille pour la pomme de mât, Jack aurait compris sur-le-champ. Mais qu'il puisse méconnaître ainsi la hiérarchie, confondre les statuts d'un capitaine et d'un quartier-maître, d'un officier sous commission et d'un officier auxiliaire, sapait l'ordre naturel et intangible du monde au point que son esprit refusa de l'admettre. Mais même s'il n'était pas un érudit, s'il ne connaissait rien aux hexamètres, Jack était assez vif. Il reprit son souffle. « Mon cher monsieur, je crois que *quartier-maître* et *maître à bord* vous ont égaré... Ces mots sont illogiques, j'en conviens. Le premier est le subalterne du deuxième. J'espère que vous me permettrez, à l'occasion, de vous expliquer notre hiérarchie navale. Mais en tout cas, vous ne recevrez jamais le fouet. Non, vous ne serez pas fouetté ! » Il le regarda avec une véritable affection, considérant avec un respect effaré ce prodige aussi magnifique — cette ignorance si renversante que sa propre largesse d'esprit avait du mal à la concevoir.

James Dillon franchit la cloison de verre. « Tous les hommes sont à leurs postes, monsieur, s'il vous plaît !, dit-il en soulevant son tricorne.

— Très bien monsieur Dillon, dit Jack. Nous allons faire un exercice avec les pièces. »

Bien sûr, une pièce de quatre livres ne peut pas projeter une énorme quantité de métal, ni percer deux pieds de chêne massif à un mille de distance, contrairement aux trente-deux livres. Mais elle peut propulser un boulet de fonte de trois pouces à la vitesse de mille pieds par seconde, ce qui provoque tout de même des dégâts. Et la pièce est elle-même une machine formidable. Avec son canon de six pieds de long, elle pèse plus de mille trois cents livres et repose sur un affût de chêne massif. Lorsqu'on fait feu, elle bondit en arrière comme si elle était animée d'une vie et d'une violence propres.

La *Sophie* en possédait quatorze semblables : sept sur chaque bord. Et les deux pièces de la plage arrière du pont supérieur étaient de cuivre étincelant. Chaque pièce était servie par un peloton de quatre hommes, plus un cinquième (parfois un mousse) chargé d'apporter la poudre du magasin. Chaque groupe de canons était placé sous l'autorité d'un aspirant ou d'un second

139

maître. Pullings avait les six pièces de l'avant, Ricketts les quatre du parc et Babbington les quatre de l'arrière.

« Monsieur Babbington, où est la corne à poudre de cette pièce ? dit froidement Jack.

— Je l'ignore, monsieur, balbutia Babbington en rougissant. Elle a dû s'égarer.

— Canonnier, dit Jack, allez voir M. Day... Non, il est malade, voyez son second... et qu'il vous en donne une autre. » Son inspection ne révéla plus de manquements aussi évidents. Mais quand il eut fait sortir et remettre en batterie une demi-douzaine de fois les deux bordées — c'est-à-dire, lorsque les hommes eurent effectué tous les gestes à l'exception de la mise à feu — son visage se fit grave. Ils étaient extraordinairement lents. De toute évidence, ils n'avaient été entraînés qu'à tirer une bordée à la fois. Ils semblaient se satisfaire d'amener gentiment leurs canons jusqu'aux sabords, au rythme du plus lent d'entre eux. Dans l'ensemble, l'exercice donnait l'impression d'être artificiel et gauche. Il est vrai que la mission classique d'escorte était peu propice à susciter chez l'équipage du sloop une passion pour la réalité essentielle des canons, mais tout de même... « Comme j'aimerais pouvoir m'offrir quelques barils de poudre », se dit Jack. Il avait clairement en tête les comptes du canonnier. Quarante-neuf demi-barils en tout, sept en allocation totale à la *Sophie*. Quarante et un de gros grain rouge, sept de gros grain blanc — de la poudre reconstituée, d'une qualité incertaine — et un baril de poudre fine pour amorcer. Chaque baril contenait quarante-cinq livres, et suffirait à peine pour tirer une double bordée. « Et pourtant, je pense que nous devrions tirer quelques salves. Dieu sait depuis combien de temps ces charges se trouvent dans les canons. » Jack entendit une petite voix, venue des tréfonds de sa conscience. « De plus, pense à cette merveilleuse odeur... »

« Très bien, dit-il à voix haute. Monsieur Mowett, ayez la bonté de vous rendre dans ma chambre. Asseyez-vous devant l'horloge, et mesurez précisément l'intervalle entre le premier et le deuxième tir de chaque pièce. Monsieur Pullings, nous allons commencer par votre unité. Numéro un ! Silence, à l'avant et à l'arrière ! »

Un silence de mort envahit la *Sophie*. Le vent, régulier, à deux points sur l'arrière du travers, chantait uniment dans les gréements parfaitement tendus. Les hommes de la première pièce se frottaient les mains nerveusement. Leur canon se trouvait dans sa position normale de repos, palanqué contre le sabord et amarré — bien rangé, pour ainsi dire.

« Détachez la pièce ! »

Ils relâchèrent les palans qui la maintenaient contre le flanc du navire et sectionnèrent la courroie de bitord qui rivait la brague pour la tenir encore plus solidement. Les essieux émirent un léger grincement : le canon était libéré. Deux hommes s'emparèrent des palans latéraux, pour éviter que la gîte (qui rendait inutile le palan arrière) ne précipite instantanément la pièce à l'intérieur du navire.

« Relevez ! »

L'épongeur poussa son anspect sous la lourde culasse et la souleva d'un prompt mouvement de levier, tandis que le capitaine du numéro un engageait la cale de bois un peu plus qu'à mi-chemin, amenant le canon à la position du bout portant horizontal.

« Ôtez le tampon ! »

Ils reculèrent promptement la pièce. La brague bloqua le mouvement lorsque la gueule du canon fut à un pied du bord du navire. Un des servants arracha le tampon de bois peint qui l'obturait.

« En batterie ! »

Ils s'agrippèrent aux palans latéraux, et la levèrent à la force des bras, traînant l'affût tout contre le flanc du navire, lovant les garants en de petits plets merveilleusement nets.

« Amorcez ! »

Le capitaine du canon saisit sa fusée d'amorce, la poussa vers la lumière et transperça la charge de flanelle placée à l'intérieur du tube. Il versa la poudre fine de la corne dans l'évent et autour, en l'écrasant adroitement avec la lance. L'épongeur posa sa main à plat sur la poudre pour l'empêcher de s'envoler, et le pompier tint la corne derrière son dos.

« Pointez ! »

Jack ajouta : « Comme il est là !», car il ne souhaitait pas, à cette étape, ajouter des complications en essayant de modifier la hausse ou la traverse de la pièce. Deux servants tenaient les palans latéraux. L'épongeur mit un genou sur le pont, garda sa tête éloignée du canon, souffla doucement sur la mèche fumante qu'il venait de sortir de son petit tube (les canons de la *Sophie* n'avaient pas de percuteur). Le petit poudrier attendait à tribord, juste derrière le canon, tenant la charge suivante dans sa boîte de cuir. Le capitaine, la mèche d'évent à la main, abritant l'amorce, se pencha au-dessus de la pièce, le regard fixé sur le tube.

« Feu ! »

La mèche fila. Le capitaine l'écrasa contre l'amorce. En une fraction de seconde, il y eut un sifflement, puis un éclair. La pièce cracha le feu, dans le fracas net et satisfaisant de l'explosion d'une livre de poudre bien tassée dans un espace réduit. Une flamme écarlate dans la fumée, des fragments de bourre volant en tous sens, le canon sautant de huit pieds en arrière sous le corps arqué de son capitaine, au milieu du peloton, le claquement sec de la brague lorsqu'elle freina le recul... Tout cela fut quasiment instantané. Et avant même que cela soit fini, Jack avait lancé un nouvel ordre.

« Fermez l'évent ! » cria-t-il, sans quitter des yeux la trajectoire du boulet, tandis que de la fumée blanche se répandait déjà sous le vent. Le capitaine frappa la lumière de sa mèche d'évent. Le boulet fit courir un panache fugitif sur la mer un peu agitée, quatre cents mètres contre le vent, ricocha encore sur cinquante mètres, et sombra définitivement. Les hommes s'agrippaient au palan arrière pour retenir la pièce contre l'effet du roulis.

« Épongez ! »

L'épongeur plongea le faubert en peau de mouton

dans le seau du pompier. Il glissa la tête dans l'espace exigu entre la bouche et le flanc du navire, glissa le manche par le sabord et introduisit le faubert dans le tube du canon. Il le tortilla consciencieusement et finit par l'en sortir noirci, encrassé par la suie et la fumée.

« Chargez ! »

Le poudrier se tenait prêt avec le raide sac de toile. L'épongeur le mit en place, et le tassa énergiquement. Le capitaine, la fusée d'amorce dans l'évent pour vérifier la mise en place, s'écria : « Charge en place ! — Tirez ! »

Le boulet était à portée de la main, sur son support, et la bourre dans sa « meule ». Mais un faux mouvement malencontreux envoya le boulet rouler bruyamment sur le pont, vers l'écoutille d'avant. Nerveux, le chef de peloton, l'épongeur et le poudrier le poursuivirent dans sa course erratique. Il finit tout de même par rejoindre sa charge, on refoula la bourre par-dessus, et Jack put crier : « En batterie ! — Amorcez ! — Pointez ! — Feu ! »

« Monsieur Mowett, appela-t-il à travers la lucarne de la cabine, quel est le délai ?

— Trois minutes trois quarts, monsieur.

— Mon Dieu ! » dit Jack, presque pour lui-même. Il ne trouvait pas les mots pour exprimer son affliction. Le groupe de Pullings semblait inquiet et honteux. Les hommes du canon numéro trois s'étaient mis torse nu, et ils avaient serré leur mouchoir autour de leur front pour se protéger de l'éclair et du grondement. Ils crachèrent dans leurs mains, et M. Pullings lui-même s'affairait nerveusement autour des leviers, des anspects et des fauberts.

« Silence ! Détachez ! Relevez ! Ôtez le tampon ! En batterie... »

Ce fut plutôt mieux. Juste un peu plus de trois minutes. Mais ceux-là n'avaient pas laissé échapper leur boulet, et M. Pullings les avait aidés à ramener la pièce et à haler le palan arrière, tout en levant les yeux au ciel d'un air absent, comme pour détourner l'attention.

Tandis que l'exercice progressait, une pièce après l'autre, vers l'arrière du navire, Jack était de plus en plus maussade. Les servants du un et du trois n'étaient ni idiots ni malchanceux. C'était le temps moyen de mise à feu qui posait un problème. Archaïque. Antédiluvien. Et s'il avait fallu viser, régler le balayage des canons, en modifier la hausse avec leviers et anspects, cela aurait été encore plus long. Le cinq refusa de faire feu, car sa poudre était humide : il fallut débourrer et sécher le canon. Certes, cela arrivait sur n'importe quel navire. Mais Jack était consterné. Cela se produisit encore deux fois sur la bordée tribord.

La *Sophie* s'était mise sous le vent pour décharger ses pièces de tribord, dans le souci délicat de ne pas tirer à l'aveuglette vers le convoi. Elle était presque immobile, tanguant calmement, tandis qu'on extrayait la dernière charge humide. Stephen sentit que l'accalmie lui permettait de s'adresser au capitaine sans paraître inconvenant. « Dites-moi, pourquoi ces deux navires sont-ils si proches l'un de l'autre ? Sont-ils en train de communiquer... Ou se rendent-ils quelque service ? » Il désigna un point, par-dessus la muraille bien nette de hamacs qui s'entassaient dans les filets de hanche. Jack suivit son mouvement. Pendant une seconde de totale incrédulité, son regard resta rivé sur le vaisseau de queue du convoi, le *Dorthe Engelbrechtsdatter* — le chat norvégien.

« Tous aux bras ! hurla-t-il. Bâbord ! Bâbord la barre ! En avant ! Sautez dessus ! Carguez la grand-voile ! »

Lentement tout d'abord, puis de plus en plus vite, le vent gonflant ses voiles de l'avant brassées au maximum, la *Sophie* se mit en mouvement. Elle avait vent de travers bâbord. Quelques instants plus tard, elle fut tout à fait vent arrière, puis elle stabilisa son cap, le vent à trois points sur sa hanche tribord. Il y avait eu pas mal de remue-ménage, et M. Watt et ses seconds avaient dû hurler et siffler comme des forcenés. Mais les Sophies connaissaient mieux les voiles que les canons... Bientôt, Jack put crier : « Grand-voile au carré ! Bonnettes de mât de hune ! Monsieur Watt, les chaînes aux vergues et les bourrelets de protection... Mais je vois que je n'ai pas besoin de vous le dire.

— Oui, monsieur ! » lui dit le bosco. Dans un cliquetis métallique, il se dépêchait déjà vers les hauteurs, emportant les chaînes qui devaient empêcher les vergues de se détacher pendant le combat.

« Mowett, allez là-haut avec une longue-vue, et dites-moi ce que vous voyez. Monsieur Dillon, vous n'oublierez pas cette vigie ? Nous lui infligerons une bonne correction, demain, s'il vit jusque-là. Monsieur Lamb, vos bondes sont-elles prêtes ?

— Toutes prêtes, monsieur ! », dit le charpentier en souriant : la question n'était pas très sérieuse.

« Holà, du pont ! héla Mowett, très haut dans les voiles tendues à craquer. Holà ! C'est un Algérien ! Une galère à deux ponts ! Elle a abordé le chat. Mais elle ne l'a pas encore enlevé. Il me semble que les Norvégiens tiennent bon.

— Rien contre le vent ? » demanda Jack.

Dans l'attente qui suivit, le claquement hargneux des coups de pistolet sur le bâtiment norvégien leur parvint faiblement, à travers le souffle du vent.

« Si, monsieur. Une voile. Latine. Coque sous l'horizon, dans l'œil du vent. Je ne peux pas l'identifier à coup sûr. Cap à l'est... Droit vers l'est, je crois. »

Jack hocha la tête. Il balaya du regard les deux bordées de la *Sophie*. Il était naturellement grand, mais en cet instant il semblait accuser au moins deux fois sa taille réelle. Ses yeux brillaient, aussi bleus que la mer, et un large sourire ne quittait plus son visage écarlate. Le navire tout entier subissait la même métamorphose. À l'instar de son commandant, la *Sophie* — avec sa belle grand-voile toute neuve au carré et ses huniers élargis de part et d'autre par les bonnettes — semblait avoir doublé de taille, et elle filait en brisant vaillamment le flot. « Eh bien, monsieur Dillon ! s'exclamat-il. N'est-ce pas là un véritable coup de chance ? »

Stephen les observait avec curiosité. Il découvrit que la même animation extravagante s'était emparée de James Dillon. De fait, tout l'équipage était en ébullition. Tout près de lui, les fusiliers marins vérifiaient le chien de leurs mousquets. L'un d'eux polissait la boucle de son ceinturon, soufflant dessus et riant de bonheur.

« Oui, monsieur, dit James Dillon. Cela n'aurait pu tomber mieux à propos.

— Faites signe au convoi. Qu'ils montent à deux points sur bâbord et qu'ils réduisent leur voile. Monsieur Richards, avez-vous bien noté l'heure ? Vous devez soigneusement prendre note de l'heure de tout ce qui se passe. Dites-moi, Dillon, à quoi pouvait bien penser ce type ? Est-ce qu'il a cru que nous étions occupés ? Ou aveugles ? Mais ce n'est pas le moment de... Nous les aborderons, bien sûr, en espérant que les Norvégiens tiendront assez longtemps. En tout cas, je déteste tirer sur une galère. Je crois que vous pouvez faire distribuer tous les pistolets et tous les coutelas dont nous disposons. » Il se tourna vers le quartier-maître. Celui-ci, à son poste de combat derrière la barre, était désormais responsable de la bonne marche de la *Sophie*. « Monsieur Marshall, je veux que vous nous ameniez le long de ce satané Maure. Vous pouvez hisser les bonnettes basses, si la *Sophie* le supporte. » Au même moment, le canonnier apparut en haut de l'échelle. « Eh bien, monsieur Day, lui dit Jack, je suis heureux de vous voir de retour sur le pont. Allez-vous un peu mieux ?

— Beaucoup mieux, monsieur, je vous remercie. Grâce à ce monsieur !, dit-il en faisant un signe en direction de Stephen. Cela a fait de l'effet, dit-il en dirigeant sa voix vers la lisse de couronnement. Je pensais que je devais me présenter à mon poste, monsieur.

— Très heureux. J'en suis très heureux. Un vrai coup de chance, maître canonnier, non ? demanda Jack

— Eh bien oui, monsieur... Cela a fait de l'effet, docteur. Comme un rêve de jeune fille. Oui, vous avez raison », continua-t-il en jetant un regard satisfait au-delà du mille d'océan qui les séparait du *Dorthe Engel-brechtsdatter* et du pirate, puis sur la *Sophie* — les pièces encore chaudes, fraîchement rechargées et mises en batterie, tout à fait parées, l'équipage marchant sur la pointe des pieds et les ponts dégagés pour le combat.

« Nous faisions des manœuvres aux pièces, continua Jack, presque à voix basse. Et ce chien impudent s'est approché contre le vent, à force rames, de l'autre côté, pour frapper le chat par surprise — pour qui se prend-il ?... Sans doute l'aurait-il emporté si cet excellent docteur ne nous avait ramenés à la raison.

— Nous n'avons jamais eu un tel docteur, je crois bien, dit le canonnier. Mais je ferais mieux de descendre dans mon magasin, monsieur. Toute la poudre n'est pas encore préparée, et je suis sûr que vous allez en avoir besoin jusqu'au dernier grain, ha, ha, ha !

— Cher monsieur », dit Jack à Stephen, tout en mesurant l'accélération de la *Sophie* et la distance qui la séparait du chat (dans l'état d'intense excitation où il se trouvait, il pouvait converser, faire des calculs et examiner tout à la fois mille paramètres différents), « préférez-vous être en bas, cher monsieur, ou rester sur le pont ? Peut-être aimeriez-vous monter sur la grande hune avec un mousquet, aux côtés de nos tireurs d'élite, et faire le coup de feu contre les méchants ?

— Certes non. Je désapprouve l'usage de la violence. Mon rôle est de soigner, pas de tuer. Pas délibérément, en tout cas. Permettez-moi de rejoindre ma place — mon poste dans le cockpit.

— J'avais envie de vous l'entendre dire. » Jack lui serra la main. « Mais je n'osais vous le suggérer, car vous êtes mon invité. Ce sera d'un immense réconfort pour les hommes. Cela nous réconfortera tous, vraiment. Monsieur Ricketts, veuillez montrer le cockpit au docteur Maturin. Et donnez un coup de main à l'infirmier pour les coffres. »

Profond d'à peine dix pieds dix pouces, en principe, un sloop ne pouvait rivaliser avec un navire de ligne pour ce qui est de l'obscurité et de l'atmosphère humide, froide et confinée de son niveau inférieur. Mais la *Sophie* se montrait à la hauteur : Stephen dut réclamer une lanterne supplémentaire pour vérifier et disposer ses instruments et son maigre stock de bandages, compresses, pansements et tourniquets. Lorsque Jack le rejoignit en bas, il le trouva assis, le *Marine Practice* de Northcote en main, au plus près de la lumière. Il lisait avec attention — « ... après avoir découpé la peau, ordonnez à votre assistant de l'écarter autant que possible. Puis tranchez la chair et les os d'un mouvement circulaire... » Jack avait ses bottes en toile de jute et son épée, et il tenait une paire de pistolets.

« Puis-je utiliser la cabine d'à côté ? » demanda Stephen. Il ajouta en latin, pour ne pas être compris de l'infirmier : « Mes patients pourraient s'inquiéter de me voir chercher l'inspiration dans les livres.

— Certes, certes, s'exclama Jack, en se passant allégrement du latin. Tout ce que vous voudrez. Je vous laisse ces pistolets. Nous allons les aborder, pour autant que nous puissions arriver jusqu'à eux. Ils pourraient d'ailleurs essayer de nous aborder les premiers... Qui sait ? Ces damnés Algériens ont généralement des hommes en quantité. Des chiens criminels, tous autant qu'ils sont ! » ajouta-t-il en riant de bon cœur, avant de disparaître dans les ténèbres.

Jack était resté en bas très peu de temps. Mais lorsqu'il remonta sur le pont, la situation avait changé. Les Algériens avaient pris le contrôle du chat, qui abattait pour se placer sous le vent du nord. Ils hissaient sa grand-voile arrière : il était évident qu'ils espéraient prendre la fuite. La galère se tenait un peu à l'écart, sur sa hanche de tribord. Elle était en panne, rames levées — quatorze grands avirons par bord —, la proue franchement dirigée vers la *Sophie*, ses immenses voiles latines carguées lâches aux vergues. C'était un vaisseau long, mince et bas, — plus long que la *Sophie*, mais beaucoup plus léger et plus fin... De toute évidence très rapide, et entre des mains décidées. Elle avait un air singulièrement reptilien, dangereux et mortel. Il était clair qu'elle avait l'intention d'engager le combat avec la *Sophie,* ou du moins de la retarder jusqu'à ce que les hommes qu'elle avait mis sur le chat aient éloigné sa prise d'un mille ou deux sous le vent, vers la sécurité de la nuit tombante.

Un peu plus d'un quart de mille séparait maintenant les deux navires, et le courant modifiait sans cesse leurs positions relatives. Le chat prenait de la vitesse : quatre ou cinq minutes plus tard, il se trouverait à une encablure sous le vent de la galère qui ne bougeait toujours pas, les rames en l'air.

Il y eut un nuage de fumée, fugitif, à l'avant de la galère, puis le vrombissement d'un boulet au-dessus des têtes — plus ou moins à la hauteur des traversières du mât de hune. Un demi-battement de cœur plus tard, ils entendirent le grondement du canon. « Notez l'heure, monsieur Richards », dit Jack au pâle secrétaire (sa pâleur avait changé de nature, et les yeux lui sortaient de la tête). Jack se précipita vers l'avant, juste pour voir l'éclair du deuxième canon de la galère. Dans un grand fracas métallique, le boulet frappa l'oreille de la grosse ancre de bossoir de la *Sophie*, la pliant à moitié, et dévia dans la mer, loin derrière.

« C'est une pièce de dix-huit livres. Peut-être de vingt-quatre », dit Jack à l'intention du bosco, à son poste sur le gaillard d'avant. Il ajouta, pour lui-même : « Ah, si j'avais mes longues pièces de douze ! » La galère n'ayant pas de bord, naturellement, ses pièces étaient placées à l'avant et à l'arrière. Dans sa lunette, Jack vit que la batterie d'avant consistait en deux canons lourds, un autre plus petit et quelques canons à pivot. La *Sophie* serait exposée à leurs salves si elle continuait de s'approcher. C'étaient les pivots qui tiraient maintenant — avec un bruit proche du craquement aigu.

Jack revint à la plage arrière. « Silence, à l'avant et à l'arrière ! cria-t-il en entendant les murmures excités. Silence ! Détachez les pièces ! Relevez ! Ôtez les tampons ! Pièces en batterie ! Monsieur Dillon, il faut les pointer le plus possible vers l'avant. Monsieur Bab-

bington, dites au canonnier qu'il faudra charger la prochaine salve avec des chaînes. » Un boulet de dix-huit
livres heurta la *Sophie* à bâbord, entre ses pièces un et
trois, projetant une pluie d'éclats de bois pointus, durs,
jusqu'à deux pieds de long. Il continua sa course le
long du pont couvert de monde, assomma un fusilier
et, désormais sans force, frappa le grand mât. Hurlements. Les éclats de bois avaient fait des victimes.
Deux hommes descendirent en toute hâte le corps d'un
de leurs camarades, laissant derrière eux une traînée
sanguinolente.

« Est-ce que ces pièces sont parées ? cria Jack.

— Parées, monsieur, lui répondit-on après une
seconde d'attente.

— Commencez par la bordée de tribord. Tirez sans
désemparer, tant que les canons pourront cracher le
feu. Visez haut. Visez les mâts. Bien, monsieur Marshall, allons-y ! »

La *Sophie* fit une embardée de quarante-cinq degrés
par rapport à son cap, et présenta à la galère sa hanche
tribord. Celle-ci lui décocha sur-le-champ un autre
boulet de dix-huit livres, par le milieu, juste au-dessus
de la ligne de flottaison. La brutalité de l'impact fit
sursauter Stephen Maturin alors qu'il ligaturait l'artère
fémorale ruisselante de William Musgrave, au point
qu'il faillit rater le nœud. Mais les pièces de la *Sophie*
étaient en position, maintenant. La bordée tribord lâcha
deux salves coup sur coup. Au-delà de la galère, la mer
cracha des panaches d'écume, et le pont de la *Sophie*
fut noyé sous la fumée. Âcre, pénétrante : la fumée de
la poudre à canon. Quand la septième pièce tira, Jack
cria : « Virez ! », et la proue de la *Sophie* pivota afin
de lâcher la bordée de bâbord. Sous le vent du navire,
le nuage tourbillonnant s'éclaircit : Jack vit la galère
faire feu de sa batterie de proue, puis se mettre en mouvement, de toute la force de ses rames, pour échapper
au feu du sloop. Le pirate avait tiré haut, en profitant
du roulis. Un de ses boulets trancha l'étai de grande
hune avant et arracha un gros morceau de bois du
chouquet. Le bout de madrier rebondit sur la hune et

tomba sur le crâne du canonnier, au moment précis où il passait la tête dans la grande écoutille.

« Allons-y vivement, avec ces pièces de tribord, cria Jack. Barre par le milieu. » Il voulait ramener le sloop sur sa bordée de bâbord. S'il parvenait à lâcher une autre salve de tribord, en effet, il toucherait la galère au moment où elle se déplacerait de gauche à droite. Il entendit tout à coup le rugissement assourdi de la pièce numéro quatre, suivi d'un formidable hurlement. Dans sa hâte, l'épongeur n'avait pas correctement purgé le canon, et la nouvelle charge lui avait éclaté au visage alors qu'il était en train de la tasser. On le tira à l'écart, on éponge convenablement la pièce, avant de la recharger et de la remettre en batterie. Mais la manœuvre avait retardé la salve tout entière. La galère était à nouveau au vent — sa multitude de rames lui permettait de prendre de l'erre. Elle filait maintenant sud-ouest, vent sur la hanche tribord, ses grandes voiles latines déployées de part et d'autre — en oreilles de lièvre, comme on dit. Le chat, lui, faisait route au sud-est. Il se trouvait déjà à un demi-mille, et leurs caps divergeaient rapidement. L'embardée avait pris beaucoup de temps — et avait fait perdre à la *Sophie* une distance non moins surprenante.

« À bâbord, un demi-point ! » Debout sur la lisse, sous le vent, Jack observait attentivement la galère. Elle se trouvait devant la *Sophie*, presque dans son axe, à un peu plus de cent mètres, et elle gagnait sur elle. « Bonnettes de perroquet ! Monsieur Dillon, je vous prie, faites amener une pièce à la proue. Nous avons toujours les anneaux d'amarrage du douze-livres. »

Pour autant qu'il sache, ils n'avaient provoqué aucun dommage sur la galère. Pointer bas signifiait tirer droit sur les bancs où s'alignaient les prisonniers chrétiens enchaînés aux avirons. Pointer haut... Sa tête fit un mouvement brusque de côté, son chapeau vola à travers le pont. Venue du corsaire, une balle de mousquet lui avait entaillé l'oreille. Il se tâta : elle était totalement engourdie et saignait abondamment. Jack descendit de la lisse, penchant la tête pour que le sang s'écoule contre le vent — tandis que de la main droite, il protégeait de l'hémorragie sa précieuse épaulette. « Killick ! cria-t-il sans quitter la galère des yeux, sous l'arche tendue de la grand-voile carrée. Apportez-moi un vieux manteau, et un autre mouchoir. » Tout en se changeant, il observa la galère avec une attention accrue. Par deux fois, elle avait fait feu de son unique canon de l'arrière — deux coups à intervalle très rapproché. « Mon Dieu, ils déplacent ce douze-livres bien vivement », se dit-il. Les écoutes des bonnettes de perroquet étaient bordées à joindre. La *Sophie* fit un bond en avant. Elle se rapprochait de la galère, maintenant, c'était perceptible. Jack ne fut pas le seul à le remarquer. Des acclamations montèrent du gaillard d'avant, et coururent vers bâbord lorsque les pelotons de pièces comprirent ce qui se passait.

« Le chasseur de proue est paré, monsieur », dit James Dillon en souriant. Il vit le sang, sur la main et le cou de Jack. « Vous allez bien, monsieur ?

— Une égratignure... Ce n'est rien. Où en sommes-nous, avec cette galère ?

— Nous gagnons sur elle, monsieur. » Bien que Dillon s'efforçât de parler calmement, sa voix laissait passer son exaltation. La soudaine apparition de Stephen l'avait bouleversé, et malgré les innombrables devoirs qui l'empêchaient d'y réfléchir plus avant, son esprit tout entier était envahi d'une sourde inquiétude, d'un sentiment de détresse, et des ombres venues de cauchemars incohérents. Il regarda vers l'avant, vers l'agitation qui régnait sur le pont de la galère, avec une insondable tristesse.

« Elle gaspille son vent, dit Jack. Regardez ce sournois vaurien, sur l'écoute de grand-voile. Prenez ma lunette.

— Non, monsieur. Sûrement pas, dit Dillon en fermant la longue-vue d'un coup sec.

— Eh bien », dit Jack... Un boulet de douze-livres traversa les bonnettes basses de tribord du sloop — deux déchirures dans l'alignement — et vrombit à quatre ou cinq pieds d'eux, tache indistincte qui effleura l'entassement de hamacs. « Nous pourrions nous entendre avec un ou deux de leurs canonniers, remarqua Jack. Holà ! Du ton de mât !

— Oui, monsieur ? répondit une voix lointaine.

— Que savez-vous de cette voile ?

— Elle se place contre le vent, pour la tête du convoi. »

Jack acquiesça. « Que le capitaine de canons de proue et ses canonniers préparent le chasseur. Je ferai moi-même la mise à feu.

— Pring est mort, monsieur. Un autre chef de peloton ?

— Faites le nécessaire, monsieur Dillon. »

Il se rendit à l'avant. « Allons-nous l'attraper, monsieur ? » lui demanda un homme grisonnant, un de la grande équipe d'abordage, avec la familiarité réservée aux moments difficiles.

« Je l'espère, Cundall, je l'espère vivement, dit Jack. Mais nous allons au moins lui chauffer les oreilles, j'en suis sûr. »

« Ce chien ! » se dit-il, en suivant des yeux le pont de l'Algérien. Il sentit le début de la vague montante du roulis sous la proue de la *Sophie*, claqua la mèche contre la lumière, entendit le sifflement et l'explosion, puis le hurlement des essieux lorsque la pièce recula.

« Hourrah ! » s'exclamèrent les hommes du gaillard d'avant. Rien qu'une brèche à mi-hauteur, dans la grand-voile de la galère... Mais c'était la première fois qu'un de leurs tirs touchait au but. Trois autres coups. Ils entendirent le bruit : Un d'eux avait touché du métal, dans la poupe de la galère.

Jack se redressa. « Continuez, monsieur Dillon, dit-il. Donnez-moi ma lunette, là. »

Le soleil était si bas, maintenant, qu'il lui était difficile de voir — il était en équilibre face à la mer, protégeant des reflets l'objectif de sa longue-vue, et il concentrait toute son énergie sur les deux silhouettes à turban rouge qui se tenaient derrière le chasseur de poupe de la galère. Une balle de mousquet frappa l'apôtre de tribord de la *Sophie*, et un marin lança un chapelet de furieuses obscénités. « John Lakey a écopé... C'est assez cruel... dit quelqu'un à voix basse, près de Jack. Dans les bourses... » À côté de lui, le canon tonna. Mais avant même que la fumée atteigne la galère, il prit sa décision. L'Algérien gaspillait son vent — il choquait ses écoutes pour que ses voiles (qui semblaient pourtant gonflées) ne tirent pas au maximum de leurs capacités. C'était pour cela que la pauvre vieille et lourde *Sophie*, s'épuisant furieusement, toujours à la limite de la rupture, gagnait légèrement sur cette galère implacable, fine et bien coupée. L'Algérien le faisait courir en pure perte... Car il pouvait le distancer à tout moment. Mais pourquoi ? Pour l'éloigner du chat, voilà pourquoi ! Et se garder la possibilité de démâter la *Sophie*, de la balayer à loisir (car la galère ne dépendait pas du vent) et de s'en emparer, pourquoi pas. Mais aussi pour l'attirer sous le vent du convoi, de sorte que l'autre navire, contre le vent, puisse se saisir d'une demi-douzaine d'entre eux. Il jeta un coup d'œil par-dessus son épaule gauche — vers le chat. Même s'il virait de bord, il pouvait le rattraper en une seule bordée, au plus près, car le pauvre était très lent (il n'avait ni perroquets ni cacatois, bien sûr), beaucoup plus lent que la *Sophie*. Mais d'ici très peu de temps, vu son cap et son erre, il serait impossible de le rattraper, sauf en forçant l'allure, en tirant bord sur bord. Et la nuit approchait... Il n'y parviendrait pas. Dès lors, il savait où était son devoir. Le choix le moins agréable, comme toujours. Mais le moment était venu de se décider.

« Tir d'envergure, dit-il, quand la pièce fut remise en place. Bordée de tribord. Prêt, maintenant. Sergent Quinn, vous vous chargez des hommes armés. Quand nous l'aurons juste sur le travers, visez la cabine, à l'arrière des bancs de rame, assez bas... Ne tirez que lorsque vous en recevrez l'ordre. » Il se retourna pour courir à la plage arrière, et croisa le regard de James Dillon, dont le visage était noirci par la poudre. Ce n'était peut-être pas de la colère (ou pire que cela), mais ce regard exprimait pour le moins une amère contrarié... « Aux bras ! cria-t-il, et il se promit de revenir plus tard sur la question. Monsieur Marshall, cap sur le chat ! » Il entendit le grognement de l'équipage — l'expression de la déception générale — et dit : « Prêt à virer ! »

« Nous allons lui faire une surprise, et lui offrir un souvenir de la *Sophie* », se dit-il, debout derrière son quatre-livres de cuivre de tribord. Vu son allure, le sloop fut très vite prêt à virer. Jack s'accroupit, à demi replié, retenant son souffle. Il se concentrait de tout son être sur le miroitement de cuivre devant lui, et sur le paysage, au-delà, qui semblait tourner sur lui-même. La *Sophie* virait, virait... Les rames de la galère se mirent furieusement en mouvement, faisant bouillonner la mer, mais c'était trop tard. Un dixième de seconde plus tôt, il avait eu la galère juste sur le travers, et avant que la *Sophie* ne soit au milieu de son roulis descendant, il avait hurlé : « Feu ! » Le sloop lâcha une bordée qui n'avait rien à envier à un navire de ligne, accompagnée par le feu de tous ses mousquets. La fumée s'éclaircit, et les acclamations fusèrent. Le flanc de la galère présentait un trou béant, et les Maures couraient en tous sens, dans le désordre et la consternation. Jack vit à la lunette que le chasseur de poupe était en pièces et que des cadavres jonchaient le pont. Mais le miracle n'avait pas eu lieu — il n'avait pas pu arracher son gouvernail, ni déchirer sa coque au-dessous de la ligne de flottaison, une fois pour toutes. En tout cas, il n'avait plus rien à craindre de la galère. Il pouvait concentrer son attention sur le chat.

« Eh bien, docteur, dit-il en faisant irruption dans le cockpit, comment vous en sortez-vous ?

— Pas trop mal, je vous remercie. La bataille a repris ?

— Oh, non. Ce n'était qu'une salve à la proue du chat. La galère est hors de vue au sud-sud-ouest, et Dillon vient de mettre un canot à la mer pour libérer les Norvégiens — les Maures ont hissé une chemise blanche et demandé merci. Les fieffés coquins !

« — J'en suis heureux. Avec ces coups de canons, il est impossible de recoudre une plaie proprement. Pouvez-vous me montrer votre oreille ?

— Une simple égratignure. Comment vont vos patients ?

— Je peux vous répondre pour quatre sur cinq. L'homme avec cette terrible entaille à la cuisse... est-il possible que la cause en soit un éclat de bois ?...

— Oui, en effet. Un gros morceau de chêne dur et pointu peut provoquer des blessures étonnantes quand il est projeté violemment dans les airs. Cela arrive souvent.

— ... il a remarquablement bien réagi. J'ai aussi rafistolé le pauvre type qui s'est brûlé... Savez-vous que le refouloir est allé se loger juste à la naissance du biceps, en manquant de peu le nerf ulnaire ? En revanche, je ne peux pas opérer le canonnier ici, en bas. Je n'ai pas assez de lumière.

— Le canonnier ? Qu'est-ce qui ne va pas avec le canonnier ? Je croyais que vous l'aviez déjà soigné.

— C'est exact. Je l'ai guéri de la constipation la plus écœurante que j'ai vue de ma vie, et provoquée par une complaisance frénétique pour le quinquina... Du quinquina auto-administré. Mais il s'agit maintenant de tout autre chose. D'une fracture du crâne avec enfoncement. Je vais devoir me servir de mon trépan. Le voici, regardez. Remarquez-vous ce stertor caractéristique ? Je pense qu'il peut tenir jusqu'au matin. Mais dès que le soleil sera haut, je devrai ôter le sommet de son crâne à l'aide de ma petite scie. Vous pourrez voir la cervelle de votre canonnier, cher monsieur, conclut-il en souriant. Ou du moins sa dure-mère.

— Oh, mon Dieu ! » murmura Jack. Il ressentit une forte dépression... Une chute de tension. L'engagement avait été sanglant, et pour si peu de chose... Il avait perdu deux bons marins... Le canonnier, presque certainement, allait mourir aussi... Un homme à qui l'on ouvre le crâne ne pouvait survivre, c'était évident... Et les autres pourraient mourir... C'est si souvent le cas. Sans ce damné convoi, il aurait pu avoir la galère...

Mais il faut être deux pour jouer à ce jeu. « Que se passe-t-il encore ? s'exclama-t-il, en entendant une clameur sur le pont.

— Ils continuent à se battre sur le chat, monsieur », lui dit le quartier-maître lorsqu'il monta sur la plage arrière, dans la lumière déclinante du soir. Que ce fût son origine septentrionale (il venait de Orkney, Shetland) ou une anomalie physiologique, l'homme montrait un défaut de prononciation qui s'aggravait aux heures de grande nervosité. « On dirait que ces salopards n'ont pas fini leurs méchants tours, monsieur.

— Approchez la *Sophie*, monsieur Marshall. Que quelques hommes de l'équipe d'abordage viennent avec moi. »

La *Sophie* brassa ses vergues pour s'épargner des dommages supplémentaires, coiffa son petit hunier, et glissa d'un mouvement régulier vers le flanc du chat. Jack agrippa les grands porte-haubans sur le haut bord du Norvégien et se lança dans les filets d'abordage dévastés, suivi de sa troupe à l'air menaçant, brutal. Du sang sur le pont. Trois cadavres. Cinq Maures au visage terreux écrasés contre la cloison du rouffle, sous la protection de James Dillon. Le Noir muet, Alfred King, une hache d'abordage à la main.

« Qu'on les emmène sur la *Sophie*, dit Jack. Enfermez-les dans la cale d'avant. Que se passe-t-il, monsieur Dillon ?

— Je ne suis pas sûr d'avoir bien compris, monsieur. Il me semble que les prisonniers ont attaqué King dans l'entrepont.

« C'est cela qui s'est passé, King ? »

Le Noir avait toujours l'air aussi furieux — ses camarades lui tenaient les bras —, et sa réponse pouvait signifier n'importe quoi.

« C'est cela qui s'est passé, Williams ? demanda Jack.

— Sais pas, monsieur, dit Williams, touchant son chapeau d'un air vague.

— C'est cela qui s'est passé, Kelly ?

— Sais pas, monsieur, dit Kelly, un doigt vers le front, avec le même air absent.

— Où est le capitaine du chat, monsieur Dillon ?

— Il semble que les Maures les ont tous jetés par-dessus bord, monsieur.

— Bonté divine ! » s'écria Jack. La chose, pourtant, n'était pas rare. Un grondement furieux, derrière lui, lui signifia que la nouvelle s'était répandue sur la *Sophie*. « Monsieur Marshall, dit-il en s'approchant de la lisse, occupez-vous de ces prisonniers, voulez-vous ? Je ne tolérerai aucune idiotie. » Du regard, il passa en revue le pont, puis les gréements. Très peu de dégâts. « Vous mènerez ce navire à Cagliari, monsieur Dillon, dit-il d'une voix faible, bouleversé par la sauvagerie des événements. Prenez les hommes dont vous avez besoin. »

Il revint sur la *Sophie*, l'air grave, très grave. Mais il eut à peine rejoint son pont arrière, qu'une toute petite voix lui glissa, à sa grande honte : « Dans ce cas-là, tu sais, tu peux le considérer comme une prise — pas seulement comme un navire en détresse. » Il fronça les sourcils, fit venir le bosco, et inspecta le brick pour décider des réparations à effectuer en priorité. Le navire avait étonnamment souffert, vu la brièveté de l'engagement : on avait échangé à peine cinquante coups de canon. Il constituait une preuve tangible de ce qu'on pouvait tirer d'une bonne artillerie. Le charpentier et deux de ses hommes se trouvaient par-dessus bord, suspendus dans des nacelles. Ils essayaient de colmater une brèche, à deux doigts du niveau de l'eau.

« Je ne peux pas y arriver correctement, monsieur, répondit M. Lamb à la question de Jack. Nous sommes à moitié noyés, mais nous ne pouvons pas cogner assez fort, pas sur ce bord.

— Nous allons donc virer de bord pour vous, monsieur Lamb. Mais dès que vous aurez fini, faites-le-moi savoir. » Au-dessus du flot qui se faisait de plus en plus sombre, il regarda le chat, qui reprenait sa place dans le convoi. Changer de cap signifiait s'éloigner du chat — et le chat était devenu étrangement cher à son cœur... « Cargaison d'espars, chêne de Stettin, câbles, goudron de Stockholm, cordages... continuait la voix intérieure, impatiente. Cela pourrait monter à deux ou trois mille... voire quatre... »

« Oui, monsieur Watt, certainement ! » dit-il à voix haute. Ils montèrent à la grande hune et examinèrent le chouquet défoncé.

« C'est là qu'était le bout de bois qui a fait son affaire au pauvre M. Day, dit le bosco.

— Ah bon ? Un fichu gros morceau, en effet. Mais il ne faut pas désespérer. Le docteur Maturin va... Il va faire quelque chose de prodigieux avec sa scie, dès qu'il aura assez de lumière. Il a besoin de lumière pour... Une opération qui exige un talent rare, je dirais.

— Oh, j'en suis certain, monsieur, s'exclama le bosco avec chaleur. Ce doit être un monsieur très intelligent, sûrement. Les hommes sont très satisfaits. « Comme c'est bien, ils disent, de découper si soigneusement la jambe de Ned Evans, et de recoudre si proprement les parties intimes de John Lakey. Sans parler du reste. Il a l'air, pour ainsi dire, en permission... Un visiteur, dirait-on. »

— C'est splendide, dit Jack. Tout à fait splendide, je suis bien d'accord. Ici, nous aurons besoin d'une sorte de liure, monsieur Watt, en attendant que le charpentier puisse s'occuper du chouquet. Les haussières palanquées, aussi tendues que possible, et que Dieu nous vienne en aide s'il nous fallait dépasser les mâts de hune. »

Ils inspectèrent encore une demi-douzaine de points, et Jack regagna le pont. Il s'assura que tout son convoi était bien là — très rapproché et bien en ordre désormais, après la peur. Puis il descendit. Au moment où il s'allongeait, s'abandonnant sur le long caisson matelassé, il se surprit à murmurer : « Je retiens trois... » Il essayait de calculer combien font trois huitièmes de trois mille cinq cents livres sterling — la valeur qu'il accordait finalement à la *Dorthe Engelbrechtsdatter*. Trois huitièmes (moins un pour l'amiral) : la part qui lui revenait sur les recettes. En fait, il n'était pas le seul à se préoccuper des chiffres. Tous les hommes inscrits sur les registres de la *Sophie* avaient droit à leur part. Dillon et le quartier-maître, un huitième pour deux — le médecin (lorsqu'il y en avait un, engagé officiellement), le bosco, le charpentier et les seconds maîtres, un huitième — les aspirants, les officiers subalternes et le sergent de fusiliers, encore un — et le reste de la compagnie se partageait le quart restant. Il était merveilleux de voir à quelle vitesse ces esprits peu portés sur l'abstraction brassaient chiffres et symboles, de bas en haut et de haut en bas, pour trouver à combien s'élevait, au sou près, la part du simple matelot. Jack prit un crayon pour faire correctement son total. Il eut honte, le reposa, hésita, reprit le crayon et traça des chiffres tout petits, en diagonale, dans le coin d'une feuille qu'il éloigna précipitamment de lui lorsqu'on frappa à la porte. Le charpentier, trempé, venait au rapport. Les brèches étaient colmatées, et il n'y avait que dix-huit pouces d'eau dans le puisard : « Moitié moins que ce que je pensais, à cause de ce coup horrible que la galère nous a porté, avec son tir bas. » Il se tut, et jeta à Jack un drôle de regard en coin.

« Parfait, monsieur Lamb, lui dit ce dernier au bout d'un moment. »

Mais le charpentier ne bougeait pas. Il restait là, dégouttant sur les carreaux de toile peinte — une petite mare se formait peu à peu sous ses pieds. Enfin, il éclata : « Quoi, c'est bien vrai, ce qu'on dit à propos du chat, ces pauvres Norvégiens balancés par-dessus bord ? Peut-être blessés, aussi, il y a de quoi vous rendre fou... Ce serait pure cruauté... Quel mal auraient-ils pu faire, si on les avait enfermés dans les cales... Quoi qu'il en soit, les officiers auxiliaires de la *Sophie* seraient bien inspirés s'ils décrétaient que le monsieur... » — un mouvement de la tête vers la cabine où Stephen Maturin avait installé ses quartiers « peut partager leur part, ce ne serait que justice, en marque de... en reconnaissance de sa conduite, que l'équipage tout entier trouve remarquable.

— Monsieur, s'il vous plaît... dit Babbington. Le chat nous fait des signaux.

De la plage arrière, Jack vit que Dillon avait hissé une série de pavillons hétéroclites — c'était évidemment tout ce que possédait le *Dorthe Engelbrechtsdatter* — affirmant, entre autres, que la peste s'était déclarée à bord et qu'il s'apprêtait à lever l'ancre.

« Virez lof pour lof ! »

Lorsque la *Sophie* fut à moins d'une encablure du convoi, il appela : « Holà, du chat ! »

La voix de Dillon s'éleva au-dessus de l'océan. « Vous serez heureux d'apprendre, monsieur, que les Norvégiens sont sains et saufs.

— Que dites-vous ?

— Les — Norvégiens — sont — tous — sains — et — saufs... » Les deux navires se rapprochaient. « Ils s'étaient cachés dans un endroit secret, au fond du coqueron avant.. Dans le coqueron !

— Oh... le coqueron avant », murmura le quartier-maître à la barre. Car la *Sophie* était tout ouïe... Il régnait un silence quasi religieux.

« Près et plein ! » s'écria Jack avec mauvaise humeur. Les huniers frissonnaient, sous l'influence de l'émotion du quartier-maître. « Plein la voile !

— Plein la voile, nous y sommes, monsieur.

— Et le capitaine demande, continuait la voix de Dillon, qu'on fasse venir un médecin à son bord. Un de ses hommes s'est tordu l'orteil en descendant précipitamment l'échelle.

— Veuillez dire au capitaine, de ma part » — la voix de Jack portait presque jusqu'à Cagliari, et son visage était pourpre sous l'effet de la colère et de l'indignation — « que l'orteil de son matelot, il peut se le... »

Il descendit, le pas lourd. Il était plus pauvre de 875 livres sterling, et il avait l'air amer et maussade.

Mais cela ne lui ressemblait pas — en tout cas, il ne gardait jamais bien longtemps cette expression. Quand il embarqua dans le cotre qui devait le mener à l'amiral, dans la rade de Gênes, il avait retrouvé son entrain naturel. En fait, il était plutôt solennel, car une visite au grand Lord Keith, amiral *of the blue* et commandant en chef en Méditerranée, ne prêtait pas à sourire. Lorsqu'il prit place à l'arrière du cotre, très soigneusement lavé, rasé et vêtu, sa gravité affecta le timonier et l'équipage au point qu'ils ramèrent sans précipitation, l'air compassé, le regard fixé sur l'intérieur du cotre. Ils arrivèrent quand même en avance aux abords du navire-amiral. Jack regarda sa montre, ordonna à ses hommes de contourner l'*Audacious* et de lever les rames. Son regard embrassait toute la baie — cinq navires de ligne et quatre frégates, à deux ou trois milles de la côte, et, entre eux et la terre, un essaim de canonnières et de mortiers. Ils bombardaient sans répit la noble cité qui s'élevait en pente raide, sur une courbe, à l'extrémité de la baie — ils étaient là, dans la fumée de leur artillerie, projetant les bombes sur les bâtiments groupés, là-bas, à l'autre bout de la digue. À cette distance, les navires semblaient tout petits. Les maisons, les églises et les palais l'étaient encore plus — bien qu'ils fussent parfaitement distincts dans cet air doux et transparent. Ils ressemblaient à des jouets. Mais le grondement ininterrompu des salves et les ripostes, plus sourdes, de l'artillerie française, étaient étrangement proches, à portée de main, réels et menaçants.

Les dix minutes que Jack s'était fixées s'écoulèrent. Le cotre approcha du navire-amiral. On leur lança l'appel ordinaire — « Holà, du bateau ! » — et le timonier se présenta (« la *Sophie* ! »), précisant que son capitaine était à bord. Jack embarqua dans les formes, salua la plage-arrière, serra les mains du capitaine Louis et fut introduit dans la cabine de l'amiral.

Il avait toutes les raisons d'être content de lui — il avait escorté son convoi sans pertes jusqu'à Cagliari, il en avait fait entrer un autre à Livourne, et il se trouvait au rendez-vous à l'heure dite, en dépit des accalmies au large de Monte Cristo. Mais les circonstances ne le rendaient pas moins nerveux. Il était si préoccupé par Lord Keith qu'il fut stupéfait de ne point trouver d'amiral dans cette grande cabine lumineuse... Il y avait en revanche une jeune femme bien tournée, qui se tenait le dos à la fenêtre. Il resta bouche bée.

« Jacky chéri, dit la femme, vous êtes très joli, sur votre trente et un. Laissez-moi arranger votre col... Hé, Jacky, vous avez l'air aussi apeuré que si j'étais un Français.

— Queeney ! Ma bonne Queeney ! » s'écria Jack. Il la serra dans ses bras et lui donna un gros baiser affectueux et retentissant.

« Que le diable m'emporte ! » s'exclama une voix furieuse à l'accent écossais. L'amiral, de la galerie, entra dans la cabine. Lord Keith était un homme de grande taille — une belle tête de lion grisonnant — et ses yeux jetaient des étincelles de rage.

« C'est le jeune homme dont je vous ai parlé, amiral », dit Queeney. Elle remit en place le foulard noir du pauvre Jack — très pâle, quant à lui — et agita une main baguée dans sa direction. « C'est moi qui lui donnais son bain, et il venait dans mon lit quand il avait des cauchemars. »

Ce n'était sans doute pas la meilleure carte de visite à présenter à un amiral sexagénaire et jeune marié, mais ça sembla faire de l'effet. « Oh, dit-il. Oui, c'est vrai. J'oubliais. Pardonnez-moi. J'ai tout un tas de capitaines, et certains sont de vrais débauchés... »

« Certains sont de vrais débauchés, me dit-il, et il continua de m'observer d'un œil glacé ! » Jack emplit le verre de Stephen et s'étendit confortablement sur le caisson. « On ne s'était vus que trois fois, mais j'étais persuadé qu'il m'avait reconnu... Chacune de nos rencontres avait été pire que la précédente ! La première fois, c'était au Cap, sur le vieux *Reso*, j'étais aspirant. Il n'était encore que le capitaine Elphinstone. Il est monté à bord quelques minutes après que le capitaine Douglas m'eut dégradé et transformé en simple matelot. « Qu'est-ce que ce morveux a donc à pleurnicher ainsi ? » demanda-t-il. Et le capitaine : « Ce misérable jeune homme est un sale petit fornicateur. Je l'ai renvoyé à l'avant du mât pour lui rappeler où est son devoir. »

— Était-ce le meilleur endroit pour apprendre ? demanda Stephen.

— Vous savez, dit Jack en souriant, il leur est facile de vous apprendre le respect, car ils peuvent vous lier à un caillebotis du passavant et vous écorcher à force de coups de fouet. Cela signifie dégrader l'aspirant — le déchoir —, de sorte qu'il n'est plus un jeune monsieur, comme on dit, mais un simple matelot. Il devient un simple matelot. Il prend ses repas et loge avec les autres. Il peut être malmené par quiconque possède une canne ou une cravache, et il peut même recevoir le fouet. Je ne pensais pas qu'il le ferait vraiment, quoiqu'il m'en ait assez souvent menacé. Et puis c'était un ami de mon père, et je croyais qu'il avait quelque affection pour moi — ce qui était le cas, d'ailleurs. Mais il l'a fait, et je me suis retrouvé à l'avant du mât. Il m'y a laissé six mois avant de me refaire aspirant. Finalement, je lui en ai été reconnaissant, car j'avais eu l'occasion de connaître le pont inférieur de fond en comble... Dans l'ensemble, ils ont été merveilleusement gentils avec moi... Mais lors de la visite de l'amiral, je gueulais comme un veau — je sanglotais comme une fillette. Ha, ha, ha !

— Comment le capitaine en est-il arrivé à prendre une mesure aussi rude ?

— Oh, c'était à cause d'une fille, une belle fille noire nommée Sally, qui avait débarqué d'un canot d'approvisionnement. Je la cachais dans la soute aux câbles. Mais le capitaine Douglas et moi, nous étions déjà en désaccord sur une telle quantité de choses — l'obéissance, surtout, l'obligation de se lever le matin, le respect dû à l'instituteur (nous avions un instituteur à bord, un ivrogne invétéré du nom de Pitt), un plat de tripes... La seconde fois que Lord Keith m'a vu, j'étais cinquième officier sur l'*Hannibal*, et notre premier lieutenant était ce crétin de Carrol... Il est une chose que je déteste plus encore que d'être à terre, c'est d'être sous les ordres d'un crétin qui ne connaît rien à la mer. Il était si grossier, si délibérément grossier pour le moindre point de discipline, que j'ai cru bon de lui demander s'il avait envie qu'on se voie ailleurs... C'était exactement ce qu'il cherchait. Il a déclaré au capitaine que je l'avais provoqué en duel. Le capitaine Newman savait que cela n'avait aucun sens, mais je devais m'excuser. C'était impossible, bien sûr, car il n'y avait rien à excuser — j'étais dans mon droit, vous voyez. Alors voilà, j'ai dû me présenter devant une demi-douzaine de capitaines de vaisseau et deux amiraux. Lord Keith était l'un des deux amiraux.

— Que s'est-il passé ?

— Mauvais caractère. J'ai reçu un blâme officiel pour mauvais caractère. Et la troisième fois... Mais je ne vais pas entrer dans les détails. C'est très curieux... » Il regarda par la fenêtre de tableau, l'air émerveillé. « Extrêmement curieux... Il est peu probable qu'un mauvais marin doublé d'un idiot patenté obtienne un poste de commandement dans la Navy — je ne vous parle pas des hommes influents, bien sûr —, mais j'ai bel et bien servi deux fois sous les ordres d'un tel homme... Cette fois-là, j'ai vraiment pensé que j'étais lessivé — carrière terminée, interrompue... J'ai passé huit mois à terre, aussi mélancolique que le pauvre Borwick. Je montais en ville dès que je pouvais me le permettre, c'est-à-dire pas souvent, et je traînais dans cette damnée salle d'attente à l'Amirauté. J'ai réellement cru que je ne reverrais plus la mer, que je resterais lieutenant demi-solde jusqu'à la fin de mes jours. Si je n'avais pas eu mon violon, et la chasse au renard — quand je pouvais me procurer un cheval ! —, je crois que je me serais pendu. C'est à Noël cette année-là que j'ai vu Queeney pour la dernière fois, je crois bien, sauf une fois à Londres.

— C'est votre tante ? Votre cousine ?

— Non, non. Aucun lien direct. Mais nous avons été élevés ensemble. Plus précisément, c'est elle qui m'a élevé, ou peu s'en faut. Je ne peux me souvenir que d'une jeune fille, pas du tout d'une enfant, bien que dix ans tout au plus nous séparent... Si chère, si aimable Queeney... Ils habitaient Damplow, à côté de chez nous, presque dans notre parc... Après la mort de ma mère, je crois que j'ai passé autant de temps là-bas qu'à la maison. » Il leva les yeux vers la boussole et continua pensivement. « Plus de temps... Vous connaissez le docteur Johnson, du *Dictionnaire Johnson* ?

— Certainement, s'exclama Stephen, d'un air bizarre. Le plus respectable et le plus aimable des modernes. Je suis en désaccord avec tout ce qu'il dit — sauf quand il parle de l'Irlande —, mais je le respecte. Et je l'aime pour sa biographie de Savage. De plus, il est apparu dans le rêve le plus impressionnant que j'aie fait de ma vie, il y a moins d'une semaine. Il est étrange de vous entendre le mentionner aujourd'hui.

— N'est-ce pas ? C'était un de leurs grands amis, jusqu'au jour où leur mère s'est enfuie pour épouser un Italien, un papiste. Queeney était fort contrariée à l'idée d'avoir un beau-père papiste, vous imaginez. Bien qu'elle ne l'ait jamais vu. « Tout, sauf un papiste, disait elle. Je préférerais cent fois un Black Frank, je le jure. » C'est cette année-là que nous avons brûlé treize types d'affilée — ce devait être en 1783 ou 1784... Après quoi ils ont installé les filles à Damplow plus ou moins pour de bon, avec leur vieille cousine. Chère Queeney ! Mais je crois que je vous en ai déjà parlé, non ? C'est elle qui m'a enseigné les mathématiques.

— Je crois bien. Une spécialiste de l'hébreu, si j'ai bonne mémoire ?

— Parfaitement exact. Les sections coniques lui étaient aussi familières que le Pentateuque. Chère Queeney ! Malgré sa beauté, je pensais qu'elle resterait vieille fille. Qui pourrait aimer quelqu'un qui sait l'hébreu ? Je trouvais cela fort dommage, car une femme d'un caractère aussi doux aurait dû avoir une famille, avec beaucoup d'enfants. Finalement, elle a épousé l'amiral. Tout est donc bien qui finit bien... Mais vous savez, il est incroyablement vieux... Cheveux gris, presque soixante ans, je dirais. Croyez-vous... en qualité de médecin... je veux dire, pensez-vous qu'il soit capable...

— *Possibilissima.*

— Je vous demande pardon ?

— *Possibile e la cosa, e naturale* », chantonna Stephen d'un ton dur, métallique, différent de sa voix normale, qui n'était pas désagréable. « *E se Susanna vuol, possibilissima* », ajouta-t-il d'une voix dissonante, mais assez fidèle pour qu'on reconnaisse Figaro.

« Vraiment ? *Vraiment* ? » demanda Jack avec un intérêt accru. Puis, après une pause : « Nous devrions essayer cela en duo, en improvisant... Elle l'a rejoint à Leghorn. Et moi qui pensais qu'on avait enfin reconnu mes mérites, mes blessures honorables... et que cela m'avait valu ma promotion. » Il rit de bon cœur. « Il ne fait aucun doute que je dois cela à ma chère Queeney, comprenez-vous ? Mais je ne vous ai pas dit le meilleur... ça aussi, c'est certainement à elle que je le dois. Nous avons devant nous une croisière de six semaines, qui va nous mener le long des côtes françaises et espagnoles, jusqu'au Cap de la Nao !

— Ah oui ? Et c'est bien ?

— Et comment ! Plus de convoi à protéger, vous comprenez. Nous ne serons plus liés à une bande de marins d'eau douce, de coquins planqués, de ces marchands qui rampent sur la mer. Les Français et les Espagnols, leur négoce, leurs ports, leurs réserves : voilà ce qui nous attend ! Lord Keith a beaucoup insisté sur la nécessité de s'en prendre à leur commerce. Il a été très précis à ce sujet. C'est aussi important que vos grandes batailles navales, a-t-il dit. Et beaucoup plus rentable. Il m'a pris à part et s'est longuement étendu là-dessus. L'amiral est un chef clairvoyant, très avisé. Pas autant que Nelson, bien sûr, mais beaucoup plus que la moyenne. Je suis heureux que Queeney soit avec lui. Et puis c'est merveilleux : nous ne sommes sous les ordres de personne. Aucun pantalon au crâne déplumé ne viendra nous dire : Jack

Aubrey, vous devez vous rendre à Leghorn pour livrer ces porcs destinés à la flotte — et nous empêcher d'espérer la moindre prise. Une prise ! » s'écria-t-il en souriant. Il se frappa la cuisse. Le fusilier placé en sentinelle derrière la porte, qui avait écouté avec une vive attention, secoua la tête et sourit aussi.

« Vous êtes très attaché à l'argent ? demanda Stephen.

— Je l'aime passionnément. J'ai toujours été pauvre, et il me tarde d'être riche, maintenant.

— Exact, dit la sentinelle.

— Mon cher vieux père a toujours été pauvre, lui aussi. Mais il était aussi généreux qu'un jour d'été. Lorsque j'étais aspirant, il me donnait une rente annuelle de cinquante livres, ce qui était considérable pour l'époque... Ça l'aurait été, en tout cas, s'il était parvenu à convaincre M. Hoare, après un trimestre, de me les payer. Dieu que j'ai souffert, sur le vieux *Reso* — factures de cantine, laverie, uniformes toujours trop petits parce que je grandissais sans cesse... Bien sûr, j'aime l'argent ! Mais je crois que nous devons descendre. On vient de frapper deux coups de cloche. »

Jack et Stephen étaient invités au carré pour goûter le cochon de lait acheté à Leghorn. Ils plongèrent dans l'obscurité. James Dillon vint les accueillir avec le quartier-maître, le commissaire et Mowett. Le carré n'avait en effet ni fenêtre de coupée, ni sabords, rien qu'une sorte de lucarne tout à fait à l'avant. La construction de la *Sophie* valait à son capitaine le privilège d'une cabine très confortable (elle serait luxueuse, en fait, si ledit capitaine se coupait les jambes un peu au-dessus du genou), mais cela signifiait que le carré se trouvait sous le spardeck et reposait sur une sorte de bauquière, un peu comme un faux-pont.

Le début du dîner fut plutôt raide et compassé, bien qu'il fût éclairé par une splendide lampe byzantine en argent que Dillon avait dérobée sur une galère turque — et arrosé d'un vin exceptionnellement bon (car Dillon était aisé, voire fortuné, selon les critères en vigueur dans la marine). Chacun se comportait ostensiblement en homme bien élevé. Jack devait donner le ton. Il le savait, c'était ce qu'on attendait de lui, et c'était son privilège. Mais cette servilité, cet assentiment à la moindre de ses remarques exigeaient que les mots soient à la hauteur de l'attention qu'ils suscitaient : une situation épuisante pour un homme habitué à tenir des conversations normales, qui provoquaient d'habitude des interruptions, des contradictions, voire de la simple indifférence. Mais ici, tout ce qu'il disait était juste. Il ne tarda pas à trouver ce fardeau trop lourd. Marshall et Ricketts ne pipaient mot, sauf politesses nécessaires, et mangeaient avec une insupportable minutie. Le jeune Mowett, qu'on avait aussi invité, gardait bien entendu le silence. Dillon papotait aimablement. Stephen Maturin était plongé dans ses rêveries.

Le cochon de lait sauva le repas de la mélancolie. Propulsé par un faux mouvement du maître d'hôtel qui coïncida avec une embardée de la *Sophie*, il jaillit de son plat, en franchissant la porte, pour atterrir sur les genoux de Mowett. Dans les hurlements et le tohu-bohu qui s'ensuivirent, chacun retrouva son naturel et cela dura assez longtemps pour que Jack trouve l'occasion qu'il attendait depuis le début du repas.

« Eh bien, messieurs, dit-il, après qu'ils eurent bu à la santé du roi, j'ai des nouvelles qui devraient vous faire plaisir. Monsieur Dillon me pardonnera donc de parler ici du service. L'amiral nous offre une croisière indépendante jusqu'au Cap de la Nao. Et j'ai convaincu le docteur Maturin de demeurer à bord, afin de pouvoir nous recoudre si la violence des ennemis du roi en venait à nous mettre en pièces.

— Hourra... Très bien... Bravo... Quelles nouvelles épatantes... Formidable... Eh bien dites donc... » s'exclamèrent-ils, plus ou moins ensemble. Ils avaient l'air si heureux, leur satisfaction semblait si sincère, que Stephen en fut profondément ému.

« Lord Keith était ravi, continua Jack. Il m'a dit qu'il nous enviait vraiment... Il est vrai qu'il n'y a pas de médecin sur le navire-amiral. Il s'est montré fort

surpris quand je lui ai parlé de la cervelle du canonnier.
Il a fallu lui apporter sa lunette d'approche pour qu'il
puisse observer M. Day prenant le soleil sur le pont, et
il a écrit de sa main l'ordre de mission du docteur.
Pour autant que je sache, ce n'était jamais arrivé auparavant. »

Il étaient tous de cet avis. Il fallut célébrer l'événement — trois bouteilles de porto, allons Killick,
dépêchons ! — une rasade après l'autre ; et tandis que
Stephen restait assis, les yeux modestement baissés
vers la table, les autres se levèrent, courbant la tête
sous les poutres et se mirent à chanter :

« Hourra, hourra, hourra,
Hourra, hourra, hourra !
Hourra, hourra, hourra ! !
Hourra ! ! ! »

« Il n'y a qu'une chose qui me chagrine, dit-il, alors
que son ordre de mission passait de main en main
autour de la table, c'est cette insistance imbécile à parler de chirurgien naval. « Vous faisons, par la présente,
chirurgien... vous assurerez les fonctions de chirurgien... ainsi qu'une allocation pour salaire et vivres,
comme il est d'usage sur un sloop... » Il s'agit d'une
description erronée. Et les descriptions erronées sont
en contradiction avec l'esprit philosophique.

— Certes, dit James Dillon. Mais l'esprit naval s'en
satisfait parfaitement. Prenez le mot sloop, par
exemple.

— Ah oui, dit Stephen, en clignant des yeux dans
la brume du porto. »

Il essaya de se rappeler les définitions qu'il avait
entendues. « En principe, comme vous le savez, un
sloop est un vaisseau à un mât, gréé en aurique. Mais
dans la Royal Navy, il peut être gréé en trois-mâts
carré !

— Ou prenez le cas de la *Sophie*, s'exclama le
quartier-maître, qui voulait mettre son grain de sel.
Normalement, c'est un brick, vous savez, docteur, avec

ses deux mâts. » Il leva deux doigts, pour le cas où un terrien ne connaîtrait pas un nombre aussi élevé. « Mais dès l'instant où le capitaine Aubrey a mis le pied dessus, elle est devenue un sloop. Car un brick est commandé par un lieutenant.

— Ou prenez mon propre cas, dit Jack. On m'appelle capitaine, bien que je ne sois que lieutenant de vaisseau...

— Ou bien l'endroit où dorment les hommes, à l'avant, dit le commissaire, en faisant un geste dans cette direction. Officiellement, le mot correct est gundeck, bien qu'il n'y ait pas dessus le moindre canon. Nous, nous appelons ça le spardeck — encore qu'il n'y ait pas non plus d'espars — mais certains disent encore gundeck, et appellent pont supérieur le vrai gundeck. Et ce brick n'est pas du tout un vrai brick, pas avec sa grand-voile au carré... plutôt une sorte de senau, ou un hermaphrodite — un bâtiment qui combine les deux types de gréements.

— Non, non, cher monsieur, s'exclama James Dillon, ne laissez jamais un simple mot vous affliger. Nous avons des soi-disant officiers en second qui ne sont qu'aspirants. Nous avons des soi-disant matelots de deuxième classe qui ont à peine l'âge de porter un pantalon — ils sont à des milliers de milles, pas encore sortis de l'école. Nous jurons que nous n'inversons jamais les galhaubans, alors que nous le faisons continuellement. Et nous prêtons toutes sortes de serments auxquels personne ne croit... Non, non, peu importe comment l'on vous appelle, si vous faites votre devoir. La Royal Navy s'exprime par symboles, et vous pouvez donner aux mots le sens qui vous convient.

Chapitre V

Exception faite de l'écriture bien ronde et très élégante de David Richards, le journal de bord de la *Sophie* ne différait en rien de n'importe quel autre journal de bord de la Royal Navy. Il adoptait invariablement le même ton d'ennui à demi cultivé, officiel et précis. L'ouverture du tonneau de bœuf n° 271 et la mort de l'infirmier y étaient décrites de la même voix, et ses pages n'exprimèrent jamais la moindre passion humaine, même pour évoquer la première prise du sloop.

« *Jeudi 28 juin, vents variables, SSE, cap S50W, distance parcourue 63 milles. Latitude 42°32' nord, longitude 4°17' est, Cap Creus S76°W 12 lieues. Jolie brise, couvert l'après-midi. À sept heures huniers sous un ris. Matin temps inchangé. Manœuvres aux grosses pièces. Les hommes occupés de temps en temps.*

« *Vendredi 29 juin, cap sud-est. (...) Presque calme, temps clair. Manœuvres aux grosses pièces. Après-midi occupé à graisser les câbles. Matin, jolie brise et nuages, grand hunier sous troisième ris, envergué petit hunier aux bas ris, bon frais à quatre heures déployé la grand-voile carrée, à huit heures plus modéré bordé la grand-*

voile carrée. À midi calme. Henry Gouges, infir-
mier, décédé. Manœuvres aux grosses pièces.
« *Samedi 30 juin, Calme à presque calme.*
Manœuvres aux grosses pièces. Puni Jno. Shanna-
han et Thos. Yates : douze coups de fouet pour ivro-
gnerie. Tué un bœuf de 530 livres. Réserves d'eau
trois tonnes.
« *Dimanche 1er juillet (...) Appel de la compagnie*
par divisions, lu Articles du Code, célébré service
divin, expédié par le fond corps de Henry Gouges.
À midi, temps inchangé. »

Temps inchangé. Sauf que le soleil s'enfonçait sur
l'horizon, au couchant, dans une mer livide, pourpre,
tumescente, bordée de nuages. Tous les marins présents comprirent que le temps n'allait pas rester longtemps inchangé. Vautrés de tous côtés sur le gaillard
d'avant, occupés à démêler leurs longs cheveux ou à
se refaire mutuellement des nattes, ils expliquèrent aux
terriens que cette longue houle au sud et à l'est, cette
étrange chaleur poisseuse qui venait autant du ciel que
de la mer vitreuse et agitée, l'air horriblement menaçant que prenait le soleil... que cela annonçait une dis-
solution de tous les liens naturels, un cataclysme,
l'apocalypse — en un mot, une nuit d'épouvante. Les
marins avaient tout le temps nécessaire pour déprimer
leur audience, déjà d'humeur sinistre après la mort si
peu naturelle de Henry Gouges. Celui-ci avait en effet
déclaré : « Ha, ha, camarades, j'ai aujourd'hui cinquante ans ! » avant de tomber raide mort sans lâcher
sa tasse de grog inentamée... Ils avaient tout le temps,
car c'était dimanche après-midi : le gaillard d'avant
était peuplé de matelots au repos, les tresses défaites.
Certains avaient des nattes si longues qu'ils pouvaient
les passer sous leur ceinture. Pour le moment, leurs
cheveux étaient détachés, démêlés — raides et ternes
s'ils étaient encore mouillés, touffus s'ils étaient secs
avant d'être enduits de graisse. Ils donnaient à leurs
propriétaires un air étrange et terrible : ils semblaient

aussi menaçants que des oracles, ce qui augmentait encore le malaise des terriens.

Les marins n'y allèrent pas de main morte. Mais en dépit de leurs efforts, ils ne purent exagérer l'importance de l'événement : le vent du sud-est, qui avait donné ses premiers coups de semonce à la fin du deuxième petit quart, s'était mué avant la fin du quart d'après-minuit en une trombe rugissante, un torrent chargé d'embruns tièdes qui obligea les hommes de barre à garder la tête baissée et à se protéger la bouche de la main pour respirer. Les lames étaient de plus en plus hautes. Moins que les grands rouleaux de l'Atlantique, mais beaucoup plus abruptes et en quelque sorte plus violentes. Leurs crêtes semblaient se jeter vers l'avant pour exploser, comme pour prendre de vitesse les hunes de la *Sophie*, et elles étaient assez hautes pour déventer le navire lorsqu'il se trouvait entre deux vagues, filant sous sa voile d'étai de cape. La *Sophie* s'en accommodait admirablement bien. Peut-être n'était-elle pas très rapide, peut-être n'avait-elle l'air ni très dangereux ni très impressionnant. Mais avec ses mâts de perroquet sur le pont, ses canons fixés par des doubles courroies et tous ses prélarts d'écoutilles convenablement lattés (seule restait une petite voie d'accès à l'échelle d'arrière) — et avec une centaine de milles de belle dérive sous le vent, elle semblait aussi douce et insouciante qu'un eider. Comme il escaladait la pente floconneuse de la vague et roulait adroitement sur la crête avant de glisser en douceur dans le creux suivant, Jack remarqua que ce navire était aussi remarquablement sec. Vêtu d'une veste de prélart et d'un pantalon de calicot, il se tenait à un galhauban. Ses cheveux blonds ruisselants, qu'il gardait longs et dénoués en hommage à Lord Nelson, flottaient lorsque le navire atteignait le sommet de la vague pour retomber dans le creux des lames, à la façon d'un anémomètre naturel. Jack observait la progression de la *Sophie*, régulière, idéale, dans la lumière diffuse de la lune. Avec une immense satisfaction, il constata que les performances du navire dépassaient de loin ses prévisions les plus optimistes. « Elle est remarquablement sèche ! » dit-il à Stephen. Celui-ci, qui préférait mourir à l'air libre, s'était hissé sur le pont. Il s'était attaché à un chandelier et se tenait derrière Jack, muet, trempé et terrifié.

« Hein ?

— Elle — est — remarquablement — sèche ! »

Stephen fronça les sourcils avec impatience. Ce n'était pas le moment de plaisanter.

Mais l'aube sembla engloutir le vent. À sept heures et demie, le lendemain matin, il ne restait de la tempête que la houle et une ligne de nuages, très bas dans le lointain, au nord-ouest, au-dessus du Golfe du Lion. Le ciel était d'une pureté incroyable, et l'air était si limpide que Stephen discernait la couleur des pattes du pétrel qui planait au-dessus du sillage de la *Sophie*, à quelque vingt mètres de sa poupe. « Je me souviens du *fait* — une terreur extrême, accablante, dit-il sans quitter des yeux l'oiseau minuscule, mais j'ai oublié la *nature intrinsèque* de l'émotion. »

L'homme de barre et le quartier-maître échangèrent un regard étonné.

« Ce n'est pas très différent du cas d'une femme en couches », continua Stephen d'une voix un peu plus forte, en se dirigeant vers la lisse de couronnement pour ne pas perdre le pétrel de vue. L'homme de barre et le quartier-maître détournèrent précipitamment le regard. C'était terrible : tout le monde pouvait entendre. Le médecin de la *Sophie* — l'homme qui avait ouvert, en plein jour, sur le pont principal extasié, la boîte crânienne du canonnier — que chacun désormais appelait *Lazare* Day — était fort estimé, mais on ne pouvait savoir jusqu'où il pouvait aller dans l'inconvenance. « Je me souviens d'un cas...

— Une voile à l'horizon ! cria le ton de mât, au grand soulagement des occupants de la plage arrière.

— Où cela ?

— Sous le vent. Deux, trois points sur le travers. Une felouque. En détresse... Les écoutes relâchées. »

La *Sophie* vira. Bientôt les hommes du pont distinguèrent la felouque, au loin, qui dansait au rythme du flot. Elle ne faisait rien pour s'enfuir, pour modifier son cap ni même pour mettre en panne. Elle continuait sa route, ses voiles en lambeaux flottant au souffle irrégulier du vent mourant. Elle ne répondait pas non plus aux signaux de la *Sophie*. On ne voyait personne à la barre. Ils approchèrent. Ceux qui étaient munis d'une longue-vue constatèrent que le gouvernail se déplaçait en liberté, tandis que la felouque faisait des embardées.

« Il y a un corps, là, sur le pont, dit Babbington d'une voix joyeuse.

— Sortir un canot avec cette houle ne va pas être commode, dit Jack en aparté. Accostons-la, Williams, voulez-vous ? Monsieur Watts, que quelques hommes soient prêts à manœuvrer les guis. Qu'en pensez-vous, monsieur Marshall ?

— Eh bien, monsieur, je dirais qu'elle vient de Tanger, peut-être de Tétouan. De la côte occidentale, en tout cas...

— L'homme, là-bas, dans l'ouverture carrée, est mort de la peste, dit Stephen Maturin en claquant son télescope. »

Ces mots furent suivis d'un silence, et le vent soupira dans les haubans. La distance entre les deux navires diminuait rapidement. Chacun pouvait apercevoir la forme qui dépassait de l'écoutille arrière, peut-être les deux autres en dessous, et un corps presque nu au milieu du fouillis qui s'entassait près de la barre.

« Plein la voile ! dit Jack. Vous êtes sûr de ce que vous dites, docteur ? Prenez ma lunette. »

Stephen regarda un moment et la lui rendit. « Il n'y a aucun doute, dit-il. Je vais préparer mon sac, puis j'irai à son bord. Il peut y avoir des survivants. »

La felouque touchait presque la *Sophie*, maintenant. Une genette apprivoisée — présence habituelle sur un navire barbaresque, à cause des rats — se tenait sur la lisse, la tête levée, prête à bondir. Un Suédois d'un certain âge nommé Volgardson, le plus doux des hommes, jeta un faubert qui lui fit perdre l'équilibre, et tous les hommes de ce côté du navire sifflèrent et hurlèrent pour faire fuir l'animal.

« Monsieur Dillon, dit Jack, tribord amures ! »

La *Sophie* s'anima immédiatement — ordres du bosco lancés d'une voix perçante, marins se ruant vers leur poste, tumulte général. Au beau milieu du vacarme, Stephen s'écria : « J'insiste pour qu'on me donne un canot ! Je proteste... »

Jack le prit par l'épaule et l'entraîna dans la cabine avec une fermeté affectueuse. « Mon cher monsieur, je crains que vous ne puissiez ni insister ni protester. Ce serait de la mutinerie, vous savez, et il faudrait vous pendre. Si vous mettez le pied sur cette felouque — même en supposant que vous ne soyez pas contaminé —, nous devrons arborer le pavillon jaune à Mahon. Vous savez ce que cela signifie. Quarante fichues journées d'un ennui mortel sur l'île de quarantaine, et l'on vous tire dessus si vous osez franchir la palissade. Et que vous soyez contaminé ou non, la moitié des hommes mourront de peur.

— Vous voulez dire que vous allez mettre les voiles et abandonner ce bateau sans lui prêter assistance ?

— Oui, monsieur.

— Vous en prendrez donc la responsabilité.

— Bien sûr. »

Le journal de bord attacha peu d'importance à l'incident. D'abord, parce qu'il aurait été difficile de trouver les mots adéquats pour dire que le médecin de la *Sophie* avait montré le poing au capitaine de la *Sophie*. Toute l'histoire fut donc expédiée en une litote : « Parlé felouque. Tiré bord onze heures 1/4. » Mais il fallait surtout passer à l'information la plus heureuse depuis des années (le capitaine Allen avait joué de malchance. Lorsqu'elle se trouvait sous les ordres, la *Sophie* avait été presque exclusivement confinée aux missions d'escorte. Et s'il lui arrivait d'effectuer quelque trajet en solitaire, la mer se transformait en désert. Il n'avait jamais fait la moindre prise)... « Après-midi jolie brise et temps clair, levé mâts de perroquet, ouvert caisse de porc n° 113, partiellement gâtée. 7 heures aperçu voile à l'ouest, fait voile pour la prendre en chasse. »

À l'ouest, en l'occurrence, signifiait presque sous le vent de la *Sophie*. Il lui fallut déployer quasiment toute la toile dont elle disposait — bonnettes basses, de hunier et de perroquet, ses cacatois bien sûr, et jusqu'aux bonnettes maillées — car le nouveau venu était une polacre de bonne taille, voiles latines au mât de misaine et à l'artimon, voiles carrées au grand mât — un navire français ou espagnol, par conséquent. Une bonne prise, s'ils parvenaient à l'attraper. C'était sans doute aussi l'opinion des gens de la polacre. Celle-ci était en panne, apparemment en train de jumeler son grand mât endommagé par la tempête, lorsque les deux navires s'étaient trouvés en vue l'un de l'autre. Mais la *Sophie* avait à peine eu le temps de border ses écoutes de perroquets que la polacre s'était mise vent arrière. Elle filait, sous toute la surface de toile qu'elle avait pu déployer en un délai aussi court... Une polacre très méfiante, peu disposée à se laisser surprendre.

La *Sophie*, dont l'équipage était entraîné à mettre les voiles sans perdre une seconde, fila durant le premier quart d'heure deux fois plus vite que la polacre. Mais dès que la proie eut hissé toute sa voile, les deux navires allaient plus ou moins au même train. Le vent à deux points sous sa hanche, son immense grand-voile au carré lui donnant l'avantage, la *Sophie* était pourtant un peu plus rapide. Lorsqu'ils eurent atteint leur vitesse maximale, elle filait plus de sept nœuds, contre six pour la polacre. Mais quatre milles les séparaient encore, et il ferait sombre dans moins de trois heures — la lune ne se lèverait qu'à deux heures et demie. Il restait l'espoir, parfaitement raisonnable, que sa proie subirait quelque avarie. Car la poursuite la mettait à rude épreuve, c'était certain. Du gaillard d'avant de la *Sophie*, on ne la quittait pas des yeux.

Jack se tenait près de l'apôtre de tribord. Il se concentrait de toutes ses forces sur le sloop, en pensant qu'il donnerait son bras droit pour disposer d'un vrai chasseur de proue. Il regarda les voiles derrière lui et vit comment elles se tendaient, il observa pensivement l'eau qui s'élevait dans la lame de proue et glissait, très vite, le long du flanc sombre de la *Sophie*. Il vit l'orientation des voiles de l'arrière, et comprit qu'elles pesaient un petit peu trop sur le talon de son mât de misaine... Il était fort possible que la tension excessive de la toile ralentisse sa progression. Il ordonna qu'on rentre le grand cacatois. Il était rare qu'on exécute ses ordres avec si peu d'enthousiasme, mais le loch prouva que Jack avait eu raison. L'allure de la *Sophie* se fit un peu plus souple, un peu plus rapide, la poussée du vent plus énergique.

Le soleil s'enfonça par tribord, le vent tourna à nouveau au nord — il soufflait maintenant par rafales — et l'obscurité gagna le ciel derrière eux. La polacre les précédait encore de trois quarts de mille, et maintenait son cap à l'ouest. Comme ils avaient désormais le vent de travers, ils bordèrent les voiles d'étai et la grand-voile aurique. Jack regarda en l'air, vers le petit cacatois qu'il fit resserrer : il voyait encore parfaitement clair. Quand il baissa les yeux, les ténèbres s'avançaient sur le pont.

Maintenant, les bonnettes amenées, on voyait la proie — ou plutôt le spectre de la proie, tache pâle apparaissant et disparaissant au gré de la houle — de la plage arrière. C'est là que Jack prit position avec sa lunette de nuit, perçant l'obscurité qui s'étendait rapidement, donnant de temps à autre un ordre à voix basse, d'un ton naturel.

La polacre était de moins en moins distincte... Puis elle disparut. Soudain, elle n'était plus là. Elle avait disparu. Dans le quadrant d'horizon où s'était dessinée cette pâleur dansante, à peine visible, il n'y avait plus que l'océan désert, où se reflétait Régulus.

« Holà, du ton de mât, héla-t-il, qu'en dites-vous ? »

Un silence prolongé. « Rien, monsieur. Elle n'est plus là. »

Rien d'autre. Que devait-il faire ? Il lui fallait réfléchir. Il voulait réfléchir, là, sur le pont, en contact étroit avec le problème — le vent changeant sur son visage, la lueur des habitacles à portée de la main, sans souffrir la moindre interruption. Les traditions et la discipline du service le lui permettaient. La sacro-sainte intimité du capitaine (qui pouvait être ridicule et générer une prétention stupide) le protégea, et sa pensée put vagabonder librement. À un moment, il vit que Dillon bousculait Stephen. Il enregistra le fait, mais il resta concentré sur le problème qu'il devait résoudre. Ou bien la polacre s'était déroutée, ou bien elle allait le faire bientôt. La question était simple : avec son nouveau cap, où serait-elle quand viendrait l'aube ? La réponse dépendait de nombreux paramètres. Était-ce un navire français ou espagnol ? S'éloignait-il de son port d'attache, ou s'y rendait-il ? Son capitaine était-il malin ? Et surtout, de quoi était-il capable, en termes de navigation ? Jack en avait une idée assez précise, car il avait suivi chacun de ses mouvements, durant les dernières heures, avec la plus grande attention. Il construisit donc son raisonnement (pour autant qu'un processus mental aussi instinctif mérite cette appellation) sur ces certitudes et sur une bonne estimation du reste. Il en vint à sa conclusion. La polacre avait viré lof pour lof. Elle était peut-être en panne quelque part, les mâts nus pour échapper aux regards de la *Sophie* quand celle-ci la dépasserait dans le noir. Mais il se pouvait aussi qu'elle file toutes voiles dehors pour rallier Agde ou Sète en croisant le sillage de la *Sophie*, et en profitant de ses latines pour serrer au plus près pour s'enfuir contre le vent afin de se trouver à l'abri avant l'aube. Dans ce cas, la *Sophie* devait virer de bord sur-le-champ et faire route au vent sous voilure réduite. Cela amènerait la polacre sous son vent aux premières lueurs du jour. Il semblait bien, en effet, que celle-ci ne doive compter que sur ses mâts de misaine et d'artimon — même au plus fort de la chasse, elle avait épargné son grand-mât abîmé.

Jack se rendit dans la cabine du capitaine. Les yeux plissés, éblouis par la lumière, il vérifia leur position. Il la vérifia de nouveau avec l'estime de Dillon, et retourna sur le pont pour donner ses ordres.

« Monsieur Watt, je vais virer de bord, et je veux qu'on mène toute l'opération en silence. Pas d'appels, pas d'ordres retentissants, pas de cris.

— Pas d'appels, bien monsieur ! »

Le bosco se précipita, ordonnant : « Tous à vos postes pour virer de bord ! » dans un murmure rauque extrêmement curieux à l'ouïe.

Les ordres furent exécutés avec une étrange efficacité. Jack fut traversé d'un sentiment qui s'imposa avec la force de la certitude : il sut que ses hommes le suivraient jusqu'au bout. Et durant un bref instant, une voix intérieure lui murmura qu'il avait intérêt à voir juste, sans quoi il ne jouirait plus jamais de cette confiance.

« Allons-y, Assou ! », dit-il au lascar qui tenait la barre. Doucement, la *Sophie* lofa.

« Envoyez ! La barre dessous ! » dit-il. (Le cri résonnait d'habitude d'un bout à l'autre de l'horizon.) Puis : « Lâchez tout ! » Il entendit le roulement des pieds nus qui couraient, puis les écoutes crissant sur les étais. Il attendit, attendit encore, jusqu'à ce que le vent soit à un point sur sa proue, puis — un peu plus fort : « Changez derrière ! » La *Sophie* avait maintenant vent debout, et elle se mit vite en mouvement. Puis le vent passa sur son autre joue. « Changez devant ! » dit-il, et les hommes du parc, les nouveaux venus, halèrent les bras de tribord comme de vrais vétérans du gaillard d'avant. Les boulines du vent se tendirent. La *Sophie* prit de la vitesse.

Elle filait maintenant est-nord-est, au plus près, sous huniers à un ris. Jack descendit. Il n'avait pas envie qu'on voie la lumière de ses fenêtres de tableau, et on n'avait pas pris la peine d'embarquer les mantelets. Penché en avant, il se rendit donc au carré. Il fut surpris d'y trouver Dillon (il devait être de quart ; à sa place, Jack n'aurait jamais quitté le pont) en train de jouer aux échecs avec Stephen, tandis que le commissaire leur lisait, commentaires à l'appui, des extraits du *Gentleman's Magazine*.

« Ne bougez pas, messieurs, s'écria-t-il en les

voyant se lever d'un bond. Je voudrais simplement profiter un moment de votre hospitalité. »

Ils firent ce qu'il fallait pour le mettre à l'aise — verres de vin, biscuits sucrés, livraison récente de la *Navy List* —, mais il était un intrus. Il avait perturbé leur tranquillité, réduit au silence la critique littéraire du commissaire et interrompu la partie d'échecs aussi sûrement qu'un coup de tonnerre tombé de l'Olympe. Stephen avait emménagé en ces lieux, bien sûr — le petit placard en planches, au-delà de la lanterne suspendue, lui tenait lieu de cabine —, et il semblait déjà appartenir à la communauté. Jack se sentit obscurément vexé. Après avoir bavardé un peu (une conversation sèche et forcée, lui sembla-t-il — en tout cas, très polie), il regagna le pont. Dès qu'ils virent sa silhouette se découper dans la faible lueur de l'écoutille, le quartier-maître et le jeune Ricketts se dirigèrent en silence vers bâbord, et Jack reprit ses allées et venues solitaires entre la lisse de couronnement et le cap de mouton de poupe.

Au début du quart d'après-minuit, le ciel se couvrit. Un peu avant les deux coups de cloche il y eut une averse, les gouttes de pluie chuintant sur les habitacles. La lune se leva, pâle, de guingois, incapable d'éclairer quoi que ce soit. Malgré la faim qui lui tordait l'estomac, Jack continuait de faire les cent pas, en essayant machinalement de percer les ténèbres, à chacun de ses demi-tours, côté sous le vent.

Trois coups de cloche. La voix tranquille du caporal annonçant que tout allait bien. Quatre coups. Il y avait tant d'autres possibilités, tant de choses que sa proie avait pu faire, à part virer de bord et lofer vers Sète... Des centaines de possibilités...

« Comment, qu'est-ce que c'est ? Déambuler ainsi sous la pluie, en chemise ? C'est de la folie, dit la voix de Stephen juste derrière lui.

— Chut ! s'exclama Mowett, l'officier de quart, qui n'avait pas réussi à l'intercepter.

— Pure folie ! Prenez garde à la fraîcheur de la nuit — à l'humidité qui descend — au flux des humeurs ! Si votre devoir exige que vous déambuliez dans la nuit, il vous faut au moins un vêtement de laine. Holà, qu'on apporte un vêtement de laine pour le capitaine ! Je vais le chercher moi-même. »

Cinq coups, encore une légère averse. La relève du barreur, les consignes murmurées pour la route à suivre, les rapports de routine. Six coups, un soupçon d'éclaircie à l'est. Le navire était plus frappé que jamais par le silence. Les hommes qui venaient orienter les vergues marchaient sur la pointe des pieds. Un peu avant les sept coups la vigie toussa, appela presque comme en s'excusant, à peine assez fort pour être entendue. « Holà, du pont ! Monsieur... Je crois qu'il est là, sur tribord. Je crois... »

Jack glissa sa lunette dans la poche de la capote que Stephen lui avait apportée. Il se rua vers le ton de mât, s'accrocha solidement au gréement et pointa la lunette dans la direction que lui indiquait le bras tendu de la vigie. Les premiers gris annonciateurs de l'aube s'étiraient peu à peu, entre les averses et le plafond de nuages bas sous le vent. À moins d'un demi-mille de là, ses latines luisant faiblement, il y avait une polacre... Bientôt, la pluie l'eut cachée de nouveau, mais Jack avait eu le temps de constater qu'il s'agissait bien de son gibier, qui avait perdu son grand mât de hune à hauteur du chouquet.

« Vous êtes un type épatant, Anderssen », dit Jack en lui donnant une tape sur l'épaule.

Aux questions muettes du jeune Mowett et de l'équipe de quart rassemblée sur le pont, il répondit par un sourire qu'il ne voulut point trop triomphal : « Elle se trouve juste sous notre vent. Sud-est. Vous pouvez éclairer le sloop, monsieur Mowett, et lui montrer notre force. Je ne veux pas qu'elle fasse des idioties, comme tirer du canon — au risque de blesser les nôtres. Quand nous serons bord à bord, faites-le-moi savoir. » Sur quoi il se retira, réclama de la lumière et une boisson chaude. De la cabine, il entendit la voix de Mowett, que l'excitation provoquée par sa prodigieuse responsabilité rendait aiguë et grinçante (il aurait volontiers donné sa vie pour Jack) tandis que la *Sophie* virait de bord et déployait ses ailes.

Jack s'adossa au panneau incurvé de la fenêtre de tableau, et offrit à son estomac reconnaissant quelques rasades du breuvage que Killick faisait passer pour du café. Simultanément à cette chaleur liquide, une vague de bonheur paisible, pur, sans fièvre, se répandit dans son corps. Un autre commandant, se rappelant sa première prise, aurait compris quelle en était la nature en lisant le journal de bord, même s'il n'y était pas fait mention explicite. « Dix heures et demie viré de bord, onze heures sous basses voiles, un ris sur hunier. Matin nuageux et pluie. Quatre heures et demie proie repérée SE, distance 1/2 mille. Avons viré de bord et nous sommes emparés d'elle — *Aimable Louise*, polacre française cargaison de blé et de marchandises diverses destination Sète, environ 200 tonneaux, 6 pièces et 19 hommes. Envoyée à Mahon avec huit hommes et un officier. »

« Laissez-moi remplir votre verre, dit Jack aimablement. C'est plutôt mieux que votre ordinaire, n'est-ce pas ?

— Bien meilleur, mon cher, et beaucoup, beaucoup plus fort — voilà un breuvage sain et reconstituant, dit Stephen Maturin. C'est un agréable Priorato. De Priorato, au-delà de Tarragone.

— Agréable, en effet... Singulièrement agréable. Mais revenons à notre prise. Mon premier motif de satisfaction, c'est que les hommes ont eu leur baptême du feu, comme on dit. Et ça me donne un peu plus les coudées franches. Nous avons un agent de prises excellent, qui est d'ailleurs mon obligé. Je suis persuadé qu'il nous accordera une avance de cent guinées. Je pourrai en distribuer soixante ou soixante-dix à l'équipage, et acheter au moins un peu de poudre. Ces hommes ne souhaitent rien de mieux que d'aller faire un peu de foin à terre, et pour cela ils ont besoin d'argent.

— Mais ne s'enfuiront-ils pas ? Vous avez souvent parlé de la désertion... De ce fléau qu'est la désertion.

— S'ils savent qu'il y a encore du butin à la clé, ils ne déserteront pas. Pas à Mahon, en tout cas. Par ailleurs, vous savez, à l'avenir ils manœuvreront les grosses pièces avec beaucoup plus de cœur... Ne croyez pas que j'ignore qu'il y a eu des murmures, il est vrai que je leur ai mené la vie dure. Mais ils savent maintenant qu'il y a de bonnes raisons à cela... Si je trouve de la poudre — je ne pense pas en consommer beaucoup, en fin de compte —, nous ferons se mesurer un quart contre l'autre, et une bordée contre l'autre, avec de belles primes à la clé. Avec cela et l'émulation naturelle, je ne désespère pas de voir notre artillerie devenir aussi dangereuse pour les autres que pour nous. Et puis — Dieu que je suis las ! — nous pouvons nous consacrer sérieusement à la navigation. J'ai un projet pour le travail de nuit, pour lequel il faudra mettre en panne près de la côte... Mais je dois d'abord vous parler de notre emploi du temps. Une semaine au large du Cap Creus, retour à Mahon pour les provisions et l'eau... Surtout l'eau. Puis les approches de Barcelone, et longer la côte... longer la côte... » Il bâilla à se décrocher la mâchoire. Deux nuits blanches et une pinte du Priorato de l'*Aimable Louise* exerçaient sur lui un poids délicieusement doux, chaud, irrésistible... « Où en étais-je ? Oh, Barcelone. Puis Tarragone, Valence... Valence... L'eau, c'est le grand problème, bien sûr. » Il clignait des yeux à la lumière, s'abandonnait à une confortable méditation. Il entendait la voix de Stephen, très loin, discourir à propos de la côte espagnole... « La connais bien, au moins jusqu'à Denia... Peux montrer d'intéressants vestiges des occupations phénicienne, grecque, romaine, wisigoth et arabe... Certitude, deux sortes d'aigrettes dans les marais près de Valence... Curieux dialecte et nature sanguinaire des Valencianos... Probabilité très élevée de trouver des flamants... »

Le vent qui avait fait le malheur de l'*Aimable Louise*

avait perturbé la navigation dans tout l'ouest de la Méditerranée, et dérouté de nombreux navires. Moins de deux heures après avoir expédié leur prise à Mahon — leur première belle prise bien dodue —, ils aperçurent deux autres vaisseaux. Une barca-longa se dirigeant vers l'ouest et un brick, au nord, qui avait l'air de filer cap plein sud. Ils ne pouvaient que choisir le brick. Ils lui coupèrent la route, en serrant tout le temps au plus près. Il filait calmement sous basses voiles et huniers. La *Sophie* borda cacatois et perroquets et fonça sur bâbord amures, le vent à un point de largue, donnant de la bande au point de tremper ses porte-haubans sous le vent. Lorsque leurs routes se rapprochèrent, les Sophies furent stupéfaits de découvrir l'extraordinaire ressemblance de l'étranger avec leur propre navire, jusque dans l'élancement exagéré de son beaupré.

« Ce doit être un brick, pas de doute, dit Stephen, debout à la lisse avec Pullings, le grand et timide second du bosco.

— Oui, monsieur. Et il nous ressemble tellement qu'il faut le voir pour le croire. Voulez-vous ma lunette, monsieur ? demanda-t-il en l'essuyant sur son mouchoir.

— Merci. Une excellente lunette... On y voit très clairement. Mais je dois dire que je ne suis pas d'accord avec vous. Ce navire, ce brick, est d'un horrible jaune, alors que le nôtre est noir avec une bande blanche.

— Oh, ce n'est que de la peinture, monsieur. Voyez l'arrière de son pont supérieur, avec sa petite coupée à l'ancienne, exactement comme la nôtre — on n'en voit pas beaucoup comme celui-ci, même dans ces eaux. Voyez l'élancement de son beaupré. Et il doit jauger autant que nous, selon les mesures officielles... Une centaine de tonneaux, peut-être moins. Ces deux bateaux viennent de la même série, et du même chantier. Mais son petit hunier a trois bandes de ris. Ça signifie qu'il s'agit d'un simple navire de commerce, non d'un navire de guerre comme le nôtre.

« — Est-ce que nous allons nous en emparer ?

— C'est sans doute trop beau pour être vrai, monsieur. Mais peut-être bien, oui.

— Les couleurs espagnoles, monsieur Babbington ! » dit Jack.

Stephen vit le jaune et le rouge se déployer au point de pic.

« Nous arborons un pavillon qui n'est pas le nôtre, murmura-t-il. N'est-ce pas tout à fait abominable ?

— Hein ?

— Horrible, moralement indéfendable ?

— Pardonnez-moi, monsieur, c'est notre habitude, en mer. Mais nous montrerons les nôtres in extremis, soyez-en sûr, avant de tirer le moindre coup de canon. C'est tout à fait normal. Mais regardez-le, lui... Il sort un pavillon danois, alors qu'il n'est sans doute pas plus danois que ma grand-mère. »

Mais Thomas Pullings se trompait. « Prick danois, le *Clomer*, monsieur », dit son capitaine, un vieux Danois aviné, aux yeux pâles bordés de rouge. Dans la cabine, il montra ses documents à Jack. « Capitaine Ole Bugge. Peaux et cire d'apeille, de Dripoli pour Parcelone.

— Eh bien, capitaine, dit Jack en examinant très attentivement les documents, d'ailleurs authentiques, je suis sûr que vous me pardonnerez de vous créer des ennuis. Mais nous y sommes contraints, comme vous le savez. Veuillez accepter un verre de ce Priorato. On me dit qu'il est bon, dans son genre.

— Il est plus que cela, monsieur, dit le Danois, en avalant le liquide vermeil. Ce vin est magnifique. Capitaine, auriez-vous l'amabilité de me faire connaître notre position ?

— Pour cela, capitaine, vous frappez à la bonne porte. Nous avons le meilleur navigateur de toute la Méditerranée. Killick, qu'on demande M. Marshall. Monsieur Marshall, le capitaine B... ce monsieur aimerait connaître où en est notre position. »

Sur le pont, les Clomers et les Sophies examinaient

leurs navires respectifs avec la satisfaction de qui regarde son image dans un miroir. Tout d'abord, les Sophies firent mine de croire que la ressemblance venait de quelque liberté prise par les Danois. Ils changèrent d'avis lorsque leur sergent des écoutes et leur camarade Anderssen appelèrent leurs compatriotes sur l'autre vaisseau, et se mirent à parler étranger avec une aisance qui les laissa béats d'admiration.

Jack raccompagna le capitaine Bugge jusqu'au flanc de la *Sophie* avec une amabilité exceptionnelle. Une caisse de Priorato fut embarquée sur le danois. Jack se pencha au-dessus de la lisse et l'interpella : « Je vous le ferai savoir quand nous nous reverrons. »

Le capitaine du *Clomer* avait à peine rejoint son navire que les vergues de la *Sophie* craquaient déjà... Il fallait la porter aussi près du vent que nécessaire pour tenir son nouveau cap : nord-nord-est. Jack regarda vers les hauteurs. « Monsieur Watt, dès que nous aurons un moment de libre, il faudra avoir du trélingage de l'avant à l'arrière. La proue ne se soulève pas comme je le voudrais. »

L'équipage se demanda ce qui se passait, lorsque toute la voile fut déployée et tendue par le vent, toutes les manœuvres sur le pont lovées au grand plaisir de M. Dillon. Il ne fallut pas longtemps pour que la nouvelle fasse son chemin — du maître d'hôtel du carré à celui du commissaire, puis au second de celui-ci, qui en parla à la coquerie et donc au reste du navire. Le Danois avait apprécié la *Sophie* à cause de sa ressemblance avec son propre vaisseau (sans compter que les amabilités de Jack l'avaient fort satisfait) au point de mentionner la présence d'un navire français, pas très loin au-delà de l'horizon septentrional : un sloop lourdement chargé à la grand-voile rapiécée, et qui faisait route vers Agde.

Virant bord sur bord, la *Sophie* força l'allure dans le vent fraîchissant. Dès la cinquième bordée, elle aperçut une tache blanche au nord-nord-est, trop éloignée et trop stable pour être simple mouette. De toute évidence, c'était le sloop français. Une demi-heure plus tard, grâce à la description qu'en avait faite le Danois, il n'y avait pas de doute. Mais il se comportait si bizarrement qu'on n'en fut vraiment sûr que beaucoup plus tard — alors qu'il se balançait sous la menace des pièces de la *Sophie* et que les canots transbordaient les prisonniers. Tout d'abord, il s'était avéré qu'il n'avait pas de vigie : les deux navires étaient distants de moins d'un mille lorsqu'il avait aperçu son poursuivant. Et même alors, le vaisseau avait hésité : il avait cru au pavillon tricolore déployé par la *Sophie,* puis il avait changé d'avis, faisant mine de s'enfuir à la fois trop tard et trop lentement, pour agiter dix minutes plus tard, au premier coup de semonce, des signaux de reddition.

James Dillon comprit les raisons de tout cela dès qu'il embarqua sur le navire français pour en prendre possession. Le *Citoyen Durand* était chargé de poudre à canon — il en était bourré au point qu'elle débordait de la cale et s'entassait sur le pont, dans des barils enveloppés de toile goudronnée. Et puis son jeune capitaine avait emmené sa femme avec lui. Elle était enceinte (sa première grossesse), et la nuit terrible qu'elle venait de vivre, la poursuite en mer et la terreur de l'explosion avaient provoqué les douleurs de l'accouchement. James avait le cœur aussi bien accroché que n'importe quel homme. Mais le gémissement continu qu'il entendait derrière la cloison de la cabine le terrifiait autant que le hurlement rauque, aigu, animal, qui s'y substitua soudain. Il contempla le mari — blafard, égaré, le visage baigné de larmes — d'un regard aussi épouvanté que le sien.

Il laissa le commandement à Babbington et se hâta de retourner sur la *Sophie,* où il fit son rapport. Au mot *poudre,* le visage de Jack s'éclaira. Au mot *bébé,* il devint très pâle.

« La pauvre femme est mourante, je le crains, dit James.

— Eh bien, je ne sais pas... bien sûr... » dit Jack d'une voix hésitante. Dès lors qu'il connaissait le sens de ce bruit lointain qui lui faisait peur, il l'entendait beaucoup plus nettement. « Faites venir le docteur », dit-il à un fusilier.

L'émotion de la chasse étant passée, Stephen se trouvait à son poste habituel près de la pompe d'orme, dont le tube s'enfonçait dans les strates supérieures, éclairées par le soleil de la Méditerranée. On lui annonça qu'il y avait sur la prise une femme en couches. « Ah oui ? Il me semblait bien reconnaître ce cri ! » Il fit mine de retourner d'où il venait.

« Vous pouvez sûrement faire quelque chose ? demanda Jack.

— La pauvre femme est mourante, j'en suis certain, dit James. »

Stephen leur accorda un regard dénué d'expression. « Je passe sur le sloop. » Il descendit. « Les choses sont entre de bonnes mains, Dieu merci, dit Jack. Et vous me dites que la cargaison de ce bateau n'est que de la poudre ?

— Oui, monsieur. C'est complètement fou.

— Monsieur Day ! Venez, monsieur Day. Connaissez-vous les marques françaises, monsieur Day ?

— Oui, monsieur. Elles sont semblables aux nôtres, sauf que leur meilleure poudre à gros grain pour barillet a un anneau blanc autour du rouge. Et leurs demi-mesures ne pèsent que trente-cinq livres.

— De quelle place disposez-vous, monsieur Day ? »

Le canonnier réfléchit. « En serrant les choses comme il faut dans la cale, je pourrais en arrimer trente-cinq ou trente-six, monsieur.

— Qu'il en soit ainsi, monsieur Day. Il y a pas mal de produit abîmé sur ce sloop, je le vois d'ici, et il faut le tenir éloigné pour éviter que ça ne se propage. Vous devez donc y aller vous-même et choisir le meilleur. Nous pourrons aussi utiliser leur chaloupe. Monsieur Dillon, nous ne pouvons pas confier à un aspirant ce magasin flottant. C'est vous qui le conduirez à Mahon, dès que nous aurons transbordé la poudre. Prenez autant d'hommes que nécessaire, et ayez la bonté de renvoyer le docteur Maturin dans la chaloupe du sloop — nous en aurons diablement besoin. Miséricorde, quel horrible cri ! Je suis désolé de vous infliger cela, Dillon, mais vous comprenez la situation.

— Bien sûr, monsieur. Le capitaine du sloop m'accompagnera, n'est-ce pas ? Il serait inhumain de l'éloigner de sa femme.

— Oh, certainement, mais certainement ! Le pauvre bougre. Nous voilà... nous voilà dans de beaux draps. »

Les dangereux petits barils furent transbordés, et soulevés dans les airs avant de disparaître dans les entrailles de la *Sophie*. Une demi-douzaine de Français mélancoliques les y suivirent avec leurs sacs et leurs coffres de marin. Mais l'atmosphère normale de fête n'était pas au rendez-vous. Les Sophies (y compris les pères de famille) avaient l'air coupable et inquiet. Les terribles cris ne s'étaient pas interrompus. Et lorsque Stephen apparut à la lisse et cria qu'il devait rester à bord, Jack s'inclina de bonne grâce, malgré le dépit d'être séparé du docteur.

Cap sur Minorque, le *Citoyen Durand* filait doucement dans la nuit, poussé par un vent régulier. Les cris avaient cessé. Dillon plaça un homme de confiance à la barre, rendit visite à l'équipe de quart sous la coquerie et descendit dans la cabine. Stephen nettoyait les lieux tandis que le mari accablé, anéanti, lui tendait la serviette.

« J'espère... commença James.

— Oh oui ! dit Stephen posément, en croisant son regard. Un accouchement parfaitement normal. Juste un peu trop long, peut-être. Mais rien d'extraordinaire. » Il se tourna vers le capitaine. « Maintenant, mon ami, il vaudrait mieux vider ces seaux par-dessus bord. Puis je vous conseille d'aller vous allonger un peu. Monsieur a un fils, ajouta-t-il.

— Toutes mes félicitations, monsieur, dit James. Et mes meilleurs vœux pour le prompt rétablissement de Madame.

— Merci, monsieur, merci, dit le capitaine, dont les yeux s'embuèrent à nouveau. Je vous prie de prendre un petit quelque chose... Faites comme chez vous. »

C'est ce qu'ils firent. Installés dans des sièges confortables, ils se servirent dans le tas de pâtisseries qu'on avait préparées en vue d'un baptême hâtif, à Agde, la semaine suivante. Ils restèrent assis, très calmement. La pauvre jeune épouse, dans la cabine voisine, s'était enfin endormie, son mari lui tenant la main et son bébé tout froissé reniflant sur son sein. Tout était calme, en bas, merveilleusement calme et paisible. Tout était calme sur le pont. Le vent portant emmenait le sloop à une vitesse régulière de six nœuds, avec la précision du navire de guerre où tout se réduisait à une question anodine et routinière : « Tout va bien, Joe ? » Tout était calme. Dans leur boîte faiblement éclairée, ils filaient à travers la nuit, bercés par le mouvement régulier de la houle. Un long moment s'écoula, où rien ne vint troubler le silence et le lent balancement du navire. Ils auraient pu se trouver n'importe où, seuls au monde. Dans un tout autre monde. Leurs pensées vagabondaient. Stephen n'avait plus aucune sensation de mouvement, quelle qu'en soit l'origine ou la destination... Il ressentait à peine le temps qui s'écoulait, et encore moins le présent immédiat.

« C'est la première fois, dit-il d'une voix basse, que nous avons l'occasion de parler. J'ai attendu impatiemment cet instant. J'ai pourtant l'impression qu'il y a très peu à dire.

— Peut-être rien du tout, dit James. Je crois que nous nous comprenons parfaitement. »

Pour le fond, c'était tout à fait exact. Ils parlèrent, pourtant, profitant des heures de solitude complice qui leur restaient.

« Je crois que la dernière fois que je vous ai vu, c'était chez le docteur Emmet, dit James après une longue réflexion.

— Non. C'était à Rathfarnham, avec Edward Fitzgerald. Je sortais du pavillon d'été au moment où Kenmare et vous-même arriviez.

— Rathfarnham ? Oui... Mais oui, bien sûr ! Je me rappelle. C'était juste après la réunion du comité... Je

192

me souviens... Vous étiez intime de Lord Edward, n'est-ce pas ?

— En Espagne, nous étions très proches. En Irlande, avec le temps, je me suis un peu éloigné de lui. Il avait des amis que je n'aimais pas, et en qui je n'avais aucune confiance... Et j'ai toujours été trop modéré à ses yeux — beaucoup trop modéré. Dieu sait pourtant qu'à l'époque, j'étais plein de sympathie pour l'humanité en général, et bercé par le sentiment républicain. Vous vous rappelez le test ?

— Quel test ?

— Celui qui commence par : « Êtes-vous droit ? »

— « Oui, je suis droit. »

— « Jusqu'à quel point ? »

— « Aussi droit que notre cause. »

— « Continuez, alors. »

— « Dans la vérité, dans le combat, dans l'unité et dans la liberté. »

— « Que tenez-vous en main ? »

— « Un rameau vert. »

— « Où est-il né ? »

— « En Amérique. »

— « Où a-t-il bourgeonné ? »

— « En France. »

— « Où allez-vous le planter ? »

— Non, j'ai oublié la suite. Ce n'est pas pour ce test que je me suis engagé, vous savez. Loin de là.

— J'en suis sûr. Moi, je l'ai fait, pourtant. Le mot *liberté*, alors, me semblait brûlant de signification. Mais j'étais déjà sceptique à propos de l'*unité*... Car notre société avait placé dans le même camp de drôles de gens. Des prêtres, des déistes, des athées et des presbytériens... Des républicains visionnaires, des utopistes et d'autres qui détestaient simplement les Beresford. Vous et vos amis militiez d'abord pour l'émancipation, si j'ai bonne mémoire.

— L'émancipation et la réforme. Personnellement, je n'avais aucune aspiration à quelque république que ce soit. Pas plus que mes amis du comité, bien sûr. L'Irlande est dans une situation telle qu'une république deviendrait vite quelque chose d'à peine supérieur à la démocratie. Notre génie national est tout à fait opposé à la république. Une république *catholique* ! C'est ridicule !

— C'est du brandy, là, dans cette bonbonne ?

— Oui.

— La réponse à la dernière question dans le test, c'était : « Dans la couronne de Grande-Bretagne »... Les verres sont derrière vous. Je sais que c'était à Rathfarnham, car j'avais passé la plus grande partie de l'après-midi à essayer de le persuader de renoncer à ses projets insensés en faveur du soulèvement. Je lui ai dit que j'étais contre la violence (je l'ai toujours été). Que même dans le cas contraire, je me serais retiré, puisqu'il persistait à défendre des plans aussi extravagants et visionnaires — des plans qui entraîneraient sa ruine, la ruine de Pamela, la ruine de sa cause et la ruine de Dieu sait combien d'hommes courageux et dévoués. Il m'a lancé un regard doux et ému, comme s'il me plaignait tout à coup, et il m'a dit qu'il devait vous voir, Kenmare et vous. Il ne m'avait pas du tout compris.

— Avez-vous des nouvelles de Lady Edward... de Pamela ?

— Je sais seulement qu'elle se trouve à Hambourg, et que sa famille s'occupe d'elle.

— C'est la femme la plus belle et la plus aimable que j'aie vue de ma vie... Et personne n'est plus courageux qu'elle.

— C'est vrai..., pensa Stephen en contemplant son verre. Cet après-midi-là, j'ai dépensé plus d'énergie que durant le reste de ma vie. À l'époque, je ne me souciais déjà d'aucune cause ou théorie politique. Je n'aurais pas levé le petit doigt pour favoriser l'indépendance d'une nation, réelle ou imaginaire. Il fallait pourtant que je le raisonne, et que j'y mette autant d'ardeur que si j'étais empli du même enthousiasme qu'aux premiers jours de la révolution — à l'époque où nous débordions tous de vertu et d'amour.

— Pourquoi ? Pourquoi le fallait-il ?

194

— Je devais le convaincre que ses plans étaient désastreux, insensés, que le Château savait tout et qu'il était entouré de traîtres et de mouchards. J'ai argumenté avec beaucoup de rigueur et d'à-propos — mieux que je l'ai jamais fait —, mais il ne m'a pas suivi. Il semblait distrait. « Regardez dans l'if, là-bas, près du sentier, me disait-il, il y a un rouge-gorge. » Tout ce qu'il savait, c'était que je m'opposais à lui, et il se renfermait. Peut-être d'ailleurs, n'était-il pas *capable* de me suivre... Pauvre Edward ! *Aussi droit que notre cause...* Et tant d'hommes autour de lui, aussi pourris qu'on peut l'être... Reynolds, Corrigan, Davis... C'était pitoyable.

— Vous n'auriez vraiment pas levé le petit doigt, même pour des objectifs modérés ?

— Certainement pas. Depuis que la révolution française avait sombré, mon enthousiasme s'était rafraîchi au-delà de toute expression. Et avec ce que j'ai vu en 1798, dans les deux camps — la vilenie de la sottise, la vilenie de la brutalité et de la cruauté —, j'ai nourri un tel dégoût des masses et des causes que je ne traverserais pas cette pièce pour réformer le Parlement, empêcher l'union, ou pour provoquer le millenium. Je ne parle qu'en mon nom, remarquez bien — ce n'est que *ma* vérité —, mais l'homme ne m'intéresse pas en tant que membre d'un mouvement ou d'une foule. Il devient alors inhumain. Je n'ai que faire des nations et du nationalisme. Mes seuls sentiments, pour ce qu'ils valent, vont aux hommes en tant qu'individus. Ma loyauté, pour ce qu'elle vaut, ne va qu'à des personnes privées.

— Le patriotisme n'y change rien ?

— Mon pauvre ami, j'ai fait le tour de la question. Vous savez aussi bien que moi que le patriotisme n'est qu'un mot. Et qu'il amène généralement à penser : « Vive mon pays, qu'il ait raison ou pas », ce qui est infâme, ou : « Mon pays a toujours raison », ce qui est stupide.

— L'autre jour, pourtant, vous avez empêché le capitaine Aubrey de jouer *Croppies Lie Down*.

— Oh, bien sûr, je ne suis pas toujours logique avec moi-même. Surtout pour les choses sans importance. Qui peut se targuer de l'être ? Il ne connaissait pas le sens de la chanson, vous savez. Il n'a jamais mis les pieds en Irlande, et il se trouvait aux Antilles durant le soulèvement.

— Moi-même, grâce à Dieu, j'étais au Cap. Cela a été terrible, non ?

— Terrible ? Les mots sont incapables d'exprimer le caractère déplacé, le retard, la confusion meurtrière et la stupidité de ces événements. Ils n'ont servi à rien. Ils ont rendu impossible notre indépendance pour au moins cent ans. Semé la haine et la violence. Généré une race ignoble de mouchards et de fripouilles comme le commandant Sirr. Et, incidemment, ils ont fait de nous les proies du premier mouchard venu amateur de chantage. » Il fit une pause. « Pour ce qui est de cette chanson, j'avais deux raisons d'agir comme je l'ai fait. D'une part, il m'est désagréable de l'entendre. D'autre part, plusieurs marins irlandais se trouvaient à portée de voix, et il n'y avait parmi eux aucun orangiste. Il aurait été dommage qu'ils le haïssent alors qu'il n'avait en tête aucune intention de les insulter.

— Vous l'aimez bien, n'est-ce pas ?

— Ah bon ? Oui, peut-être... Je ne peux pas le considérer comme un ami intime — nous ne nous connaissons pas depuis assez longtemps —, mais je lui suis très attaché. Je regrette que ce ne soit pas votre cas.

— Vous m'en voyez désolé... J'étais disposé à me laisser séduire. J'avais entendu dire qu'il était assez bizarre mais que c'était un bon marin, et j'avais vraiment envie qu'il me plaise. Mais les sentiments ne se commandent pas.

— Non. Mais c'est curieux. Pour moi en tout cas, qui suis à mi-chemin, car je vous estime tous les deux. Plus que cela, en fait... Avez-vous des reproches précis à formuler ? Si nous avions encore dix-huit ans, je vous demanderais : « Qu'est-ce qui cloche chez Jack Aubrey ? »

196

— Et je vous répondrais peut-être : « Tout, puisqu'il a un poste de commandement, et pas moi », dit James en souriant. Allons, je peux difficilement critiquer votre ami devant vous.

— Oh, il a ses défauts, c'est certain. Je sais qu'il est terriblement ambitieux, et impatient vis-à-vis de tout ce qui peut freiner sa carrière. Je me demande simplement ce qui vous offense en lui. Ou bien est-ce simplement *Non amo te, Sabidi* ?

— Peut-être. C'est difficile à dire... Il peut être un compagnon très agréable, certainement, mais il montre parfois cette insensibilité arrogante et bovine qui caractérise les Anglais... Il y a autre chose pour m'agacer : son avidité pour les prises. La discipline et l'entraînement qu'il impose à son sloop sont plus d'un corsaire affamé que d'un vaisseau du Roi. Lorsque nous poursuivions cette misérable polacre, il n'a pu se résoudre à quitter le pont de la nuit — comme si nous chassions un navire de guerre, avec quelque honneur à la clef. Et cette prise-ci était à peine hors de vue qu'il reprenait ses exercices aux grosses pièces, faisant feu des deux bordées.

— Y a-t-il chez les corsaires quelque chose de déshonorant ? Je pose la question par pure ignorance.

— Un corsaire est là pour des motifs tout à fait différents. Un corsaire ne combat pas pour l'honneur, mais pour le gain. C'est un mercenaire. Le profit est sa seule *raison d'être*.

— Mais les exercices aux grosses pièces ne peuvent-ils pas avoir un objectif plus honorable ?

— Oh, certainement. Je suis peut-être injuste — jaloux — et je manque peut-être de générosité. Si je vous ai offensé, je vous en demande pardon. Et j'avoue volontiers que le capitaine Aubrey est un excellent marin.

— Mon Dieu, James, nous nous connaissons assez pour parler sans détour, et sans qu'il soit question d'offense. Passez-moi cette bouteille, voulez-vous ?

— Si j'étais seul, et si je parlais à voix haute, je dirais ceci. Je considère que la manière dont il encourage ce Marshall est indécente, pour ne pas employer un mot plus grossier.

— Je suis supposé comprendre ?

— Vous savez, pour cet homme ?

— Quoi, pour cet homme ?

— Qu'il est pédéraste ?

— Peut-être.

— J'en ai la preuve formelle. Ce n'était pas nécessaire, mais j'en ai eu la preuve formelle à Cagliari. Et il s'est amouraché du capitaine Aubrey... Il trime comme un galérien... Passerait la plage arrière à la brique à pont, si on l'y autorisait... S'acharne sur les hommes avec encore plus de zèle que le bosco... Tout pour un sourire du capitaine. »

Stephen acquiesça. « D'accord. Mais vous ne pensez tout de même pas que Jack Aubrey partage ses inclinations ?

— Non. Mais je crois qu'il les connaît, et qu'il l'encourage. Mais voici que je parle d'une façon tout à fait infecte et dégoûtante... Je vais trop loin. J'ai peut-être trop bu. Nous avons presque vidé la bouteille. »

Stephen haussa les épaules.

« Non, non. Mais vous vous trompez tout à fait. Je peux vous assurer, très sérieusement et très sobrement, qu'il n'est au courant de rien. Sous certains aspects, il n'est pas très malin. Et sa conception simpliste du monde lui laisse accroire que les pédérastes ne représentent un danger que pour les mousses-poudriers et les enfants de chœur, ou pour ces créatures épicènes qu'on trouve dans les bordels de la Méditerranée. J'ai fait une tentative détournée pour l'éclairer à ce sujet, mais il a pris un air entendu pour me dire : "Ne me parlez pas, à *moi*, de ces histoires de latrines et de vices. J'ai passé ma vie dans la Marine."

— Il doit donc sûrement manquer un peu de pénétration ?

— James, je suis sûr qu'il n'y avait pas le moindre *mens rea* dans votre question...

— Je dois monter sur le pont, dit James en consultant sa montre. »

Il revint un peu plus tard, après avoir fait relever l'homme de barre et vérifié le cap. Il fit entrer avec lui une bouffée de la fraîcheur de la nuit. Il resta assis en silence, jusqu'à ce qu'elle se soit dispersée dans la douce chaleur de la lampe. Stephen avait ouvert une autre bouteille.

« Je ne suis pas toujours juste, dit James en saisissant son verre. Je sais bien que je suis trop susceptible. Mais quand vous êtes entouré de protestants et que vous entendez leur jargon inepte et grossier, vous avez parfois envie de vous emporter. Et si vous ne pouvez le faire dans une direction, vous en cherchez une autre. C'est une tension perpétuelle, vous devez le savoir mieux que personne. »

Stephen le regarda attentivement, mais resta silencieux.

« Vous saviez que j'étais catholique ? demanda James.

— Non. Je savais que c'était le cas d'une partie de votre famille, bien sûr. Mais en ce qui vous concerne... Vous ne trouvez pas que cela vous place dans une position difficile ? » Il hésita. « Avec ce serment... Les lois pénales... ?

— Pas le moins du monde. À ce sujet, j'ai la conscience parfaitement tranquille. »

« C'est ce que vous croyez, mon pauvre ami », dit Stephen pour lui-même, en versant un nouveau verre de vin pour cacher son expression.

Il sembla que James Dillon allait en dire plus, mais il s'en abstint. Un équilibre délicat s'était modifié. La conversation roula ensuite sur leurs amis communs et les jours délicieux qu'ils avaient passés ensemble, dans un passé qui leur semblait trop éloigné. Combien de gens avaient-ils connus alors ! Avaient-ils été précieux, amusants, respectables ! Ils liquidèrent leur seconde bouteille en bavardant, puis James remonta sur le pont.

Il redescendit une demi-heure plus tard. En pénétrant dans la cabine, il dit simplement, comme s'il reprenait le fil d'une conversation interrompue : « Et puis, bien sûr, il y a la question de la promotion. Je vous dirai en confidence, même si cela vous semble détestable, que je pensais que cette affaire sur le *Dart* me vaudrait un commandement. Le fait d'être ignoré vous reste cruellement sur l'estomac. » Il marqua un arrêt. « De qui disait-on qu'il avait plus gagné avec sa verge qu'avec sa pratique ?

— Selden. En l'occurrence, je considère que ce commérage est tout à fait hors de propos. Je crois comprendre qu'il s'agit d'une banale manœuvre suscitée par l'intérêt. Remarquez bien que je ne parle pas d'une chasteté exceptionnelle — je dis simplement que dans le cas de Jack Aubrey, cette considération est déplacée.

— Eh bien, quoi qu'il en soit, j'espère recevoir une promotion. Comme tout marin, j'y attache une très grande importance, je vous le dis en toute simplicité. Et servir sous les ordres d'un coureur de prises n'est pas la meilleure façon d'y parvenir.

— De fait, je ne connais rien aux affaires maritimes. Mais je me demande... Je me demande, James, s'il n'est pas plus facile à un homme riche de mépriser l'argent... De se méprendre sur les véritables intentions... D'accorder trop d'importance aux simples mots, et...

— Vous n'allez tout de même pas prétendre que je suis riche ?

— J'ai chevauché sur vos terres.

— C'est de la montagne pour les trois quarts, du marécage pour le reste. Et même s'ils payaient leurs loyers, cela ne s'élèverait qu'à quelques centaines par an... À peine un millier.

— Mon cœur saigne pour vous. Je n'ai jamais entendu quiconque admettre qu'il était riche ou qu'il s'est endormi. Le pauvre homme et l'homme éveillé ont peut-être sur les autres quelque avantage moral. Comment cela se fait-il ? Mais pour revenir à nos moutons... Ce capitaine est certainement aussi brave que possible, et aussi capable que quiconque de vous mener à de remarquables et glorieuses batailles, non ?

— Vous vous porteriez garant de son courage ?

« Voici donc enfin le véritable chef d'accusation »,
pensa Stephen. — Non, dit-il. Je ne le connais pas
assez. Mais je serais étonné, *vraiment* étonné, s'il
s'avérait que cet homme est un lâche. Qu'est-ce qui
vous le fait penser ?

— Je n'ai pas dit cela. Je m'en voudrais de mettre
en question le courage d'un homme sans apporter de
preuves. Mais nous aurions dû nous prendre cette
galère. Vingt minutes auraient suffi pour l'aborder et
nous en emparer.

— Ah bon ? J'ignore tout de ces choses, et je me
trouvais en bas. Mais je crois avoir compris que la
prudence exigeait que nous tournions les talons pour
protéger le reste du convoi.

— La prudence est une grande vertu, bien sûr.

— Parfait. Et la promotion a une telle importance à
vos yeux ?

— Bien sûr. Il n'est pas un officier digne de ce nom
qui ne languisse de réussir et de hisser son pavillon.
Mais je vois que vous me trouvez incohérent. Comprenez bien ma position. Je ne suis pas pour la république.
Je soutiens les institutions existantes, établies, et je
soutiens l'autorité tant qu'elle n'est pas tyrannique.
Tout ce que je demande, c'est un Parlement indépendant, représentant les hommes responsables du
royaume et pas simplement le misérable petit groupe
des gens qui distribuent les postes et de ceux qui les
reçoivent. Ceci étant, je suis parfaitement satisfait des
liens avec l'Angleterre, parfaitement satisfait des deux
royaumes. Je peux boire à la Couronne sans m'étran-
gler, je vous l'assure.

— Pourquoi éteignez-vous la lanterne ? »

James sourit. « Voici l'aube, dit-il, en montrant la
fenêtre de la cabine où pointait une lumière grise et
dure. Si nous montions sur le pont ? Nous devrions
avoir atteint les hauts fonds de Minorque, en tout cas
nous ne tarderons pas à le faire. Et je pense pouvoir
vous promettre quelques-uns de ces cousins de l'albatros que les marins appellent des *trancheflots*, à

condition que nous nous approchions assez de la falaise de Fornells. »

Lorsqu'il mit le pied sur l'échelle, il se retourna et regarda Stephen en face. « Je ne sais ce qui m'a pris de parler avec une telle mauvaise humeur », dit-il. Il se passa la main sur le front, d'un air malheureux, perplexe. « Je ne crois pas m'être déjà comporté de cette façon. Et je me suis mal exprimé — j'ai été maladroit, déplacé, incapable de dire ce que je pensais vraiment, ni ce que je voulais dire. Nous nous comprenions beaucoup mieux avant même que je n'ouvre la bouche. »

Chapitre VI

M. Florey, le chirurgien, était célibataire. Il occupait une grande maison sur les hauteurs de Santa Maria. Avec la sérénité de l'homme qui vit seul, il avait invité le docteur Maturin à séjourner chez lui lorsque la *Sophie* serait à Minorque pour faire ses provisions ou subir des réparations. Il mit une chambre à sa disposition — celle qui abritait déjà le *Hortus siccus* que M. Cleghorn, médecin général de la garnison depuis près de trente ans, avait rassemblé en d'innombrables et poussiéreux volumes.

Propice à la méditation, cette maison ravissante donnait sur le sommet de la falaise de Mahon, et surplombait d'une hauteur vertigineuse le quai du commerce — d'assez haut pour que le bruit et les affaires du port soient assez discrets pour ne pas perturber le cheminement de la pensée. La chambre de Stephen se trouvait au nord, du côté frais de la maison, au-dessus de l'eau. Il était assis juste devant la fenêtre ouverte, les pieds dans une bassine. Il rédigeait son journal, tandis que toutes sortes de martinets (communs, pâles et alpins) traversaient en criant l'espace torride et palpitant, qui le séparait de la *Sophie* — réduite à la taille d'un jouet, très loin en dessous, de l'autre côté du port, celle-ci était amarrée au quai de ravitaillement.

« Ainsi, James Dillon est catholique, écrivit-il

dans sa sténographie minuscule et secrète. C'est nouveau. Je veux dire qu'il n'était pas catholique au point que cela influe sur son comportement ou rende intolérablement douloureux le fait de prêter serment. Il n'était d'aucune façon un homme religieux. A-t-il subi une brusque conversion, un changement à la Loyola ? Je ne le souhaite pas. Combien y a-t-il de crypto-catholiques dans la marine ? J'aurais dû le lui demander. Mais ç'aurait été indiscret. Je me rappelle le colonel Despard me racontant qu'en Angleterre, chaque année, l'évêque Challoner accordait une douzaine de dérogations permettant de recevoir le sacrement selon le rite anglican. Le colonel T., qui prit part aux émeutes aux côtés de Gordon, était catholique. Est-ce que Despard ne parlait que de l'armée ? Je n'ai pas pensé à le lui demander, à l'époque. Question : est-ce la cause de l'agitation de James Dillon ? Je le crois. Il est certainement soumis à une rude pression. Il me semble d'ailleurs qu'il traverse une période critique, ou du moins climatérique : celle où il va découvrir cet état particulier qu'il ne quittera plus jamais (où il vivra, au contraire, jusqu'à la fin de ses jours). J'ai souvent eu l'impression que c'est à cette période (dans laquelle nous nous trouvons tous les trois, plus ou moins) que les hommes forgent leur personnalité définitive. Ou que cette personnalité leur est imposée. Jusque-là : joie de vivre, éclatante vivacité. Puis un concours de circonstances, une prédilection cachée (ou plutôt une inclination secrète) sont à l'œuvre, et l'homme découvre qu'il est sur un chemin qu'il ne peut abandonner, il doit avancer, creusant de plus en plus profondément (un sillon, un canal), jusqu'à être perdu dans son simple caractère — personnel... Plus rien d'humain, mais une concrétion de qualités composant ce caractère. James Dillon était un homme charmant. Il est maintenant en train de s'enfermer. C'est étrange — dirais-je navrant ? — la façon dont l'entrain disparaît. Gaieté de l'esprit, joie naturelle et pétillante. L'autorité est le grand ennemi. L'assurance que donne l'autorité. Peu d'hommes de plus de cinquante ans me semblent vraiment humains. Quasiment aucun qui ait exercé longuement une autorité. Ici, les commandants de bord. L'amiral Warne. Des hommes ratatinés (je parle de leur âme, hélas, pas de leur ventre). Le luxe, un régime malsain, une source de cholestérol, un plaisir payé trop tard et trop cher (comme entretenir une maîtresse poivrée). Et pourtant, si j'en crois Jack Aubrey, Lord Nelson est le plus direct, le plus simple et le plus aimable des hommes. Comme d'ailleurs J.A. lui-même, à beaucoup d'égards. Bien qu'il laisse voir de temps en temps une certaine arrogance insouciante de puissant. Lui, en tout cas, n'a rien perdu de son entrain. Combien cela durera-t-il ? Quelle femme le lui fera perdre ? Quelle cause politique, quelle déception, quelle blessure, quelle maladie, quel enfant non désiré, quelle défaite, quel accident bizarre et surprenant ? Mais c'est James Dillon qui m'inquiète. Il est toujours aussi vif que jadis (plus, peut-être), mais dix octaves plus bas, et dans un ton plus sinistre. J'ai parfois peur que dans un accès d'humeur noire, il ne s'attire des ennuis. Je donnerais beaucoup pour que Jack Aubrey et lui deviennent amis. Ils se ressemblent tellement, à maints égards, et James est fait pour l'amitié. Lorsqu'il comprendra qu'il se trompe sur J.A., il changera certainement d'avis ? Mais le comprendra-t-il jamais, ou J.A. doit-il être la cible de ses griefs ? Si c'est le cas, il y a peu d'espoir. Car le ressentiment, la lutte intérieure doivent par moments être très forts chez un homme si dénué d'humour (à l'occasion) et si exigeant pour les questions d'honneur. Il est contraint de concilier les inconciliables plus souvent que la plupart des hommes. Et il est beaucoup moins qualifié pour ça. Et quoi qu'il en dise, il sait aussi bien que moi qu'il est en péril de vivre une horrible confrontation. Supposons que ce soit lui qui ait emmené Wolfe Tone à Lough Swilly ? Que se passerait-il si Emmet persuadait les Français de revenir ? Et si Bonaparte faisait ami-ami avec le pape ? Ce n'est pas impossible. Mais d'un autre côté, J.D. est assez braque. Si d'aventure, dans un mouvement d'humeur ascendant, il en venait à aimer J.A. comme il le devrait, il ne changerait plus — jamais il n'y aurait d'affection plus loyale. Je donnerais beaucoup, décidément, pour qu'ils soient amis. »

Il soupira et reposa sa plume. Il la posa sur le couvercle du bocal où gisait un des plus beaux aspics qu'il ait jamais vus — le gros serpent venimeux, au nez camus, était lové au fond de l'alcool de vin, et son œil à la pupille fendue semblait l'observer à travers la paroi. L'aspic était le fruit des journées passées à Mahon en attendant le retour de la *Sophie*, qui avait fini par rentrer avec une troisième prise — une tartane espagnole de belle taille. À côté de l'aspic se trouvaient deux trophées résultant de l'activité de la *Sophie* : une montre et une lunette d'approche. La montre indiquant moins vingt, il saisit la lunette et fit le point sur le sloop. Jack était encore à bord, bien visible dans son meilleur uniforme. Il se tenait au centre du navire avec Dillon et le bosco, discutant de quelque point relatif au gréement supérieur. Tous les trois regardaient vers le haut, et leurs corps s'inclinaient, côte à côte, avec un ensemble un peu ridicule.

Stephen se pencha contre la rambarde du petit balcon. La lunette balaya le quai, vers l'entrée du port. Il vit presque immédiatement le visage écarlate et familier de George Pearce, un matelot breveté, qu'un accès d'hilarité projetait en arrière. Quelques-uns de ses camarades se tenaient près de lui, devant les caves à vin, petites maisons à un étage qui s'alignaient dans la direction des tanneries. Ils semblaient s'occuper en faisant des ricochets sur l'eau calme. Ces hommes étaient ceux qui avaient ramené les deux prises. On les avait autorisés à rester à terre, tandis que les autres Sophies étaient toujours à bord. Mais personne n'avait été exclu de la première distribution de butin. Stephen concentra son attention sur les reflets argentés de leurs projectiles, et la frénésie avec laquelle des garçons nus plongeaient dans les hauts-fonds fétides : il comprit qu'ils utilisaient, pour dépenser leur magot, la technique la plus expéditive que l'homme ait jamais mise au point.

Mais la *Sophie* mettait un canot à la mer. Dans sa lunette, Stephen vit le timonier protéger l'étui à violon de Jack avec une dignité raide et compassée. Il se redressa, sortit un pied de l'eau (tiède désormais) et le contempla longuement, méditant sur l'anatomie comparée des membres postérieurs chez les grands mammifères — les chevaux — les singes — le Pongo des voyageurs africains ou le Jocko de M. de Buffon — badin et sociable d'abord, puis maussade, sombre et renfermé avec l'âge. Quelle était la nature véritable du Pongo ? « Qui suis-je, se demanda-t-il, pour affirmer que le singe jeune et joyeux n'est pas simplement la chrysalide, pour ainsi dire, la pulpe du rude vieux solitaire ? Que la seconde étape n'est pas l'apogée naturelle et inévitable — la véritable condition du Pongo, hélas ? »

« Je pensais au Pongo », dit-il à voix haute.

La porte venait de s'ouvrir, et Jack pénétra dans la pièce, l'air impatient. Il portait un rouleau de papier à musique.

« Je vous crois sans peine ! Un fichu satané sujet de méditation, sans nul doute. Maintenant, soyez un brave type. Sortez votre deuxième pied de cette bassine... Pourquoi diable l'y avoir laissé ? Et enfilez vos bas, je vous en prie. Nous n'avons pas une minute à perdre. Non, pas de bas bleus. Nous allons à la réception de Mme Harte... À son raout.

— Dois-je porter des bas de soie ?

— Bien sûr, que vous devez porter des bas de soie.

Et dépêchez-vous, mon vieux. Si vous ne larguez pas les amarres, nous serons en retard.

— Vous êtes toujours si pressé ! » dit Stephen avec mauvaise humeur, en se déplaçant à l'aveuglette en cherchant dans ses possessions. Une grosse couleuvre glissa dans un bruissement sec et traversa la pièce en une série de courbes élégantes, la tête levée à plus de quinze pouces au-dessus du sol.

« Oh, oh ! s'écria Jack en sautant sur une chaise. Un serpent !

— Ces bas feront-ils l'affaire ? Ils sont percés.

— Est-ce qu'il est venimeux ?

— Très venimeux. Je crois qu'il va vous attaquer directement. J'en suis presque sûr. Si j'enfilais les bas de soie par-dessus la paire en worsted, il est certain que le trou serait invisible. Mais je risquerais d'étouffer. Ne trouvez-vous pas qu'il fait singulièrement chaud ?

— Il doit mesurer au moins deux brasses ! Dites-moi, est-ce qu'il est vraiment venimeux ? J'ai votre parole ?

— Si vous enfoncez la main au fond de sa gorge, jusqu'à ses crocs les plus éloignés, vous trouverez peut-être un peu de venin. C'est la seule façon. *Malpolon monspessulanus* est tout à fait inoffensif. J'aimerais en embarquer une douzaine sur la *Sophie*, pour les rats... Si seulement j'avais plus de temps, et s'il n'y avait cette persécution imbécile et intolérante contre les reptiles... Quelle pitoyable figure vous faites, juché sur cette chaise, je vous jure... *Barney, Barney, buck or doe, Has kept me out of Channel Row* », chanta-t-il au serpent. Bien qu'il fût sourd comme une vipère, ce dernier le regarda franchement dans les yeux pendant que Stephen allait le ranger.

Leur première visite fut pour M. Brown, de l'arsenal. Après les salutations d'usage, les présentations et les félicitations pour la bonne fortune de Jack, ils jouèrent le quatuor en si bémol de Mozart... Avec beaucoup d'application et de bonne volonté. Miss les accompagnait sur un alto au son assez doux, mais faible. C'était la première fois qu'ils jouaient ensemble, ils n'avaient jamais répété l'œuvre en question, et le son qui en résulta était heurté à l'extrême. Mais ils prirent un immense plaisir à cette exécution, tandis que leur public — Mme Brown et un chat blanc — les écoutait calmement en tricotant, pleinement satisfait de la représentation.

Jack était fort excité, mais son respect pour la musique le fit se tenir tranquille jusqu'à la fin du quatuor. C'est pendant la collation qui suivit — volaille rôtie, langue glacée, *sillabub*, bouillie et tartes au fromage — qu'il se déchaîna. Il avait soif et avala deux ou trois verres de Sillery sans y prêter vraiment attention. Son visage ne tarda pas à tourner à l'écarlate, il devint encore plus joyeux, sa voix se fit plus résolument virile et ses rires de plus en plus fréquents. Il leur raconta avec force détails comment Stephen avait sorti la cervelle du canonnier et l'avait remise en place, et prétendit que l'homme s'en trouvait mieux qu'avant l'opération. Son regard bleu clair errait vers la poitrine de Miss, que la mode de l'année (magnifiée encore par la distance avec Paris) ne couvrait que d'un très, très léger morceau de gaze.

Quand Stephen émergea de sa rêverie, Mme Brown affichait un air grave, Miss gardait les yeux fixés sur son assiette et M. Brown, qui avait lui-même pas mal bu, se lançait dans une histoire qui ne pouvait pas bien finir. Mme Brown était très indulgente pour les officiers qui venaient de passer du temps en mer, surtout s'ils rentraient couverts de gloire et qu'ils avaient envie de s'amuser. Elle était beaucoup moins patiente avec son mari, d'autant qu'elle connaissait son histoire depuis longtemps. Sans parler de l'air quelque peu vitreux du bonhomme. « Venez, ma chérie, dit-elle à sa fille. Je crois que nous devons laisser ces messieurs, maintenant. »

Le raout de Molly Harte était un événement conséquent, qui rassemblait presque tout ce que la société de Minorque comptait d'officiers, d'ecclésiastiques, de bourgeois, de marchands et de notables du cru. Ses invités étaient si nombreux qu'elle avait dû, pour les accueillir, déployer un grand auvent au-dessus du patio du Señor Martinez. La fanfare militaire du fort de St Philip jouait pour eux, installée dans ce qui était d'habitude le bureau du commandant.

« Permettez-moi de vous présenter mon ami — mon ami personnel — et médecin, le docteur Maturin, dit Jack en entraînant Stephen vers leur hôtesse. Mme Harte.

— Serviteur, madame, dit Stephen en s'inclinant.

— Je suis heureuse de vous compter parmi nous, monsieur, dit Mme Harte, prête à le détester.

— Docteur Maturin, capitaine Harte, continua Jack.

— Très heureux ! » dit le capitaine Harte. Il détestait déjà Stephen (quoique pour des raisons diamétralement opposées). Il regarda au-dessus de lui et, dans une tentative pour lui serrer la main, avança deux doigts devant son gros ventre. Stephen les regarda calmement, les laissa pendre où ils étaient et hocha la tête en silence. Son insolence de civil fit mouche au point que Molly Harte pensa qu'elle allait finalement l'aimer un peu. Ils s'avancèrent pour laisser la place à d'autres. Le flot des invités était ininterrompu, les officiers de marine arrivant à la seconde près à l'heure prévue.

« Et voici Jack Aubrey la Chance, s'exclama Bennet, de l'*Aurore*. Ma parole, les jeunes ne s'en font pas ! J'ai eu du mal à entrer dans Mahon, tellement le port est plein de vos captures... Toutes mes félicitations, bien sûr. Mais il faut en laisser un peu pour nous permettre, les vieux de la vieille, de prendre notre retraite, non ? Hein ? Hein ? »

Jack éclata de rire et rougit un peu plus encore. « C'est la chance des débutants, monsieur, vous savez... Je suis sûr qu'elle va bientôt tourner, et que je pourrai de nouveau sucer mon pouce ! »

Il était entouré d'une demi-douzaine d'officiers, de son âge ou plus anciens que lui. Tous le félicitèrent — certains étaient tristes, d'autres un peu envieux, mais tous montrèrent cette franche bienveillance que Stephen avait souvent remarquée chez les marins. Le groupe se dirigea vers une table où s'alignaient trois énormes saladiers pleins de punch et une armée de verres. Jack leur raconta, dans un jargon maritime sans complexes, les réactions précises de chacune de ses victimes. Ils écoutaient en silence, avec une vive attention, hochant la tête et fermant partiellement les yeux. Stephen se dit que dans certaines circonstances, les hommes pouvaient être en totale communication. Il finit par s'éloigner. Un verre de punch d'arrack à la main, il s'installa au pied d'un oranger. Il resta là, l'air parfaitement heureux. Il observait tour à tour le groupe d'uniformes et, de l'autre côté, au-delà de l'oranger, les femmes installées dans des canapés et des sièges bas, attendant que les hommes leur apportent glaces et sorbets. Espoirs vains pour ce qui concernait les marins. Elles soupiraient patiemment, en souhaitant que leurs maris, leurs frères, leurs pères et leurs amants ne s'enivrent pas trop. En souhaitant par-dessus tout qu'aucun d'eux ne cherche querelle à quiconque.

Le temps passa. Insensiblement, le groupe de Jack s'approchait de l'oranger. Stephen l'entendit qui disait : « Il va y avoir une mer infernale, ce soir !

— Tout cela est très bien, Aubrey, déclara presque sans transition un capitaine de vaisseau. Mais vos Sophies avaient l'habitude de se conduire à terre comme des hommes calmes et bien élevés. Maintenant qu'ils ont quatre sous, ils sont violents et font des histoires comme... Eh bien... Comme un troupeau de babouins en folie. Ils ont roué de coups l'équipage de la vedette de mon cousin Oaks, sous prétexte qu'il y aurait un médecin à bord de la *Sophie*... Cela leur donnerait le droit de doubler la vedette d'un navire de ligne qui se contente d'un simple chirurgien ? Quelle prétention absurde ! Leurs quatre sous leur sont montés à la tête.

— Monsieur, je suis désolé d'apprendre que les hommes du capitaine Oaks ont été rossés, dit Jack, l'air poliment inquiet. Mais c'est exact. Nous avons un médecin... Un homme étonnant, avec scies et clystères. » Il regarda autour de lui d'un air bienveillant. « Il était avec moi il y a une minute. Il a ouvert le crâne de notre canonnier, en a extrait les cervelles et les a réparées avant de les refourrer à leur place... Je vous assure, messieurs, que j'étais incapable de regarder cela... Il a fait chercher par l'armurier une pièce en forme de couronne, pour qu'il la façonne au marteau, afin d'en faire un petit dôme, vous voyez, comme un bol... Puis il l'a bien enfoncé, l'a vissé à fond et a recousu le scalp aussi proprement qu'un voilier coud sa toile. Voilà ce que j'appelle de la médecine... Rien à voir avec vos satanés pilules et sirops. Mais le voici... »

Ils réservèrent à Stephen un accueil fort aimable, et le persuadèrent de prendre un verre de punch... Puis encore un... Ils en avaient tous absorbé une grande quantité. Ce punch était fameux... Excellent, idéal par une telle chaleur. La conversation se poursuivit. Seuls Stephen et un certain capitaine Nevin gardaient le silence. Stephen remarqua que Nevin l'observait... Un regard qu'il connaissait bien... Il ne s'étonna pas quand l'autre l'entraîna derrière l'oranger pour lui décrire, en confidence, ses difficultés à digérer jusqu'aux plats les plus simples. Depuis des années, la dyspepsie du capitaine Nevin laissait la Faculté perplexe — *des années*, cher monsieur ! —, mais il était sûr qu'elle ne résisterait pas aux talents supérieurs du docteur Maturin... Mais ne ferait-il pas mieux de lui communiquer tous les détails qu'il se rappelait, car il s'agissait d'un cas très singulier, très intéressant... C'est en tout cas ce que Sir John Abel lui avait dit... Stephen connaissait-il Sir John ?... Mais pour parler franchement (il baissa la voix et jeta un regard furtif autour de lui), il fallait admettre qu'il rencontrait certaines difficultés pour ce qui était de... de *l'évacuation*, aussi bien... Il continuait de parler d'une voix basse, avec ferveur. Stephen gardait les mains derrière le dos, la tête baissée, le visage grave... En position d'écoute. Il était réellement attentif à ce que disait Nevin. Mais pas assez pour ne pas entendre Jack s'exclamer soudain : « Mais oui, mais oui ! Bien sûr, que les autres vont débarquer à leur tour... Ils sont en train de s'aligner derrière la lisse dans leur habit de bordée, de l'argent plein les poches, les yeux hors de la tête et des verges longues de trois pieds... » Il était impossible de ne pas l'entendre, car la voix de Jack portait joliment. Sa boutade tomba au milieu d'un de ces silences inexplicables qui se produisent dans les assemblées les plus nombreuses...

Stephen regretta cette sortie. Il regretta l'effet qu'elle produisit sur les dames, de l'autre côté de l'oranger. Elles se levèrent en effet, et commencèrent à s'éloigner en minaudant, avec force regards indignés. Mais il regretta encore plus le visage rubicond de Jack, et son regard de jubilation maniaque lorsqu'il leur jeta triomphalement : « Inutile de courir, mesdames... Mes hommes ne quitteront pas le sloop avant la salve du soir ! »

Une vague de réprobation le dissuada de continuer. Le capitaine Nevin s'apprêtait à revenir sur son colon lorsque Stephen sentit une main se poser sur son bras. C'était Mme Harte. Elle adressa au capitaine Nevin un sourire qui le fit reculer. Il alla se perdre derrière les saladiers de punch.

« Docteur Maturin, je vous supplie d'emmener votre ami, dit Molly Harte, pressante, à voix basse. Dites-lui que son navire est en feu... Dites-lui n'importe quoi... Mais emmenez-le d'ici... Il va finir par s'attirer de *vrais* ennuis. »

Stephen acquiesça. Il baissa la tête, se dirigea immédiatement vers le petit groupe et prit Jack par l'épaule. « Venez, mais venez donc ! » murmura-t-il impérieusement, tout en s'inclinant vers les hommes dont il interrompait la conversation. « Il n'y a pas un instant à perdre ! »

« Plus vite nous serons au large, mieux cela vaudra ! » marmonna Jack Aubrey. Il observa avec inquiétude une lueur qui s'agitait le long du quai, à Mahon. Était-ce sa propre chaloupe, chargée des derniers permissionnaires ? Ou un messager lui apportant, de la part d'un commandant légitimement furieux, les instructions qui interdiraient à la *Sophie* de lever l'ancre ?

Il n'était pas tout à fait remis de ses excès de la soirée, mais la partie la moins fragile de son cerveau lui assurait qu'il s'était méconduit et que des mesures disciplinaires à son encontre ne paraîtraient ni injustes ni tyranniques. Il était extrêmement peu disposé, dans l'immédiat, à affronter le capitaine Harte.

L'air venait de l'ouest. C'était un vent inhabituel, qui leur apportait les miasmes des tanneries dérivant au-dessus de la baie. Mais il aiderait la *Sophie* à sortir du port et à gagner le large. Le large... Où Jack ne risquait pas d'être trahi par sa langue. Où Stephen ne pouvait se mettre l'autorité à dos. Où il n'était pas nécessaire de tirer ce satané Babbington des griffes de femmes mûres. Où James Dillon, enfin, ne risquait pas d'être entraîné dans un duel. Jack n'en connaissait pas le détail, mais c'était une de ces affaires minables d'après souper qu'on voit dans les garnisons, et qui aurait pu lui coûter son lieutenant — le meilleur officier qu'il ait jamais eu, malgré sa raideur et son caractère imprévisible.

L'embarcation réapparut, sous la poupe de l'*Aurore*. C'était la chaloupe, finalement, avec les permissionnaires. Il y avait encore parmi eux quelques joyeux lurons, mais dans l'ensemble les Sophies étaient fort différents des hommes qui avaient débarqué quelques heures plus tôt. D'une part ils n'avaient plus un penny, d'autre part ils étaient livides, titubaient et se soutenaient mutuellement. Quant à ceux qui en étaient incapables, on les aligna avec les corps récupérés plus tôt.

« Où en sont les effectifs, monsieur Ricketts ?

— Tout le monde est à bord, monsieur, dit l'aspirant d'un ton las. Sauf Jessup, le second du coq, qui s'est cassé une jambe en tombant des Pigtail Steps. Et Sennet, Richards et Chambers, du petit hunier, qui se sont enfuis à George Town avec quelques soldats.

— Sergent Quinn ? »

Il ne fallait pas attendre la moindre réponse du sergent Quinn. Certes, il était capable de se tenir droit. Vraiment droit. Mais il ne put dire que : « Oui, monsieur ! » et faire un grand geste à tout ce qu'on lui suggéra.

« Il ne manque que trois fusiliers, monsieur, dit James discrètement.

— Merci, monsieur Dillon. » Jack regarda de nouveau la ville. Il vit se mouvoir quelques lumières pâles, contre la pénombre de la falaise. « Alors je crois que nous allons mettre à la voile.

— Sans attendre le reste de l'eau, monsieur ?

— Cela représente combien ? Deux tonnes ? Eh bien, oui. Nous les prendrons une autre fois, en récupérant nos traînards. Allons, monsieur Watt, tous les hommes à leurs postes pour appareiller. Et que cela se fasse en silence, je vous prie. »

Il y avait deux raisons à cela. Primo, une migraine aiguë et persistante qui rendait la perspective du vacarme et des hurlements intolérablement désagréable. Secundo, il fallait que la *Sophie* mette les voiles sans attirer l'attention. Fort heureusement, le sloop n'était amarré que par de simples grelins à l'avant et à l'arrière. Ils feraient donc l'économie de la longue opération du levage des ancres, des piétinements interminables autour du cabestan et des hurlements aigus de la poulie à violon. De toute manière, même les marins les plus sobres (ce qui était relatif) étaient trop las pour souhaiter autre chose qu'un appareillage sans plaisir, silencieux et expéditif... Aucun chant ne vint égayer la puanteur grise de cette aube crapuleuse. Fort heureusement, par ailleurs, Jack s'était occupé des réparations, des réserves et du ravitaillement (sauf cette maudite dernière cargaison d'eau) avant que quiconque ne mette le pied sur la terre ferme. Jamais il n'avait autant apprécié la récompense de la vertu que lorsque le foc de la *Sophie* gonfla et que la proue vira doucement pour pointer vers le large, au levant... Un navire de bois et d'eau, en bonne santé, qui entamait son voyage de retour vers l'indépendance.

Une heure plus tard, ils étaient dans la passe. La ville et ses odeurs malsaines s'étaient noyées dans la brume derrière eux, et une brillante étendue ouverte leur faisait face. Le beaupré de la *Sophie* était pointé presque exactement sur la lueur blanchâtre, sur l'horizon, là où le soleil allait apparaître. Le vent vira au nord et se rafraîchit sensiblement. Certains des cadavres de la nuit esquissèrent des mouvements maladroits. Bientôt, on allait projeter sur eux des jets d'eau, le pont retrouverait son aspect normal, et la routine du sloop reprendrait ses droits.

Tandis que la *Sophie* taillait sa route, au sud et à l'ouest, vers son terrain de chasse, à travers les accalmies, les brises incertaines et les vents contraires, un air de vertu maussade planait sur le navire. Ces vents se montrèrent si pervers, dès qu'ils furent au large, que la petite île d'Ayre, au-delà de la pointe orientale de Minorque, resta obstinément en vue au nord — parfois plus grande, parfois plus petite, mais toujours là.

Jeudi. On rassembla l'équipage pour qu'il assiste à une punition. Les deux bordées se tenaient de part et d'autre du pont principal, et l'on avait tiré vers l'arrière le cotre et la chaloupe pour faire de la place. Les fusiliers étaient alignés, avec leur précision habituelle, à partir du troisième canon de poupe. La petite plage arrière était occupée par les officiers.

« Où est votre dague, monsieur Ricketts ? s'écria James Dillon.

— L'ai oubliée, monsieur. Veuillez m'excuser, monsieur, murmura l'aspirant.

— Allez la chercher immédiatement. Ne croyez pas que vous pouvez vous présenter sur le pont dans une tenue incorrecte. »

Le jeune Ricketts courut en bas, et jeta au passage un regard coupable à son capitaine. Mais il ne lut rien d'autre, sur le visage de Jack, que la confirmation de ce qu'il venait d'entendre. Il est vrai que celui-ci partageait le point de vue de Dillon. Ces misérables devaient être fouettés, mais leur droit élémentaire exigeait que ce soit fait dans les formes — c'est-à-dire solennellement, en présence de l'équipage au complet, des officiers arborant leur chapeau à galon et leur épée, et du tambour prêt à rouler.

Le caporal, Henry Andrews, appela les accusés l'un après l'autre : John Harden, Joseph Bussell, Thomas Cross, Timothy Bryant, Isaac Isaacs, Peter Edwards et John Surel, tous convaincus d'ivrognerie. Personne ne prit leur défense. Aucun d'eux ne prit sa propre défense. « Douze coups chacun, dit Jack. Et s'il y avait une justice en ce bas monde, Cross, vous en prendriez deux douzaines. Un type aussi responsable que vous... Un second du canonnier... Quelle honte ! »

La coutume voulait, sur la *Sophie*, que les hommes fussent fouettés au cabestan, et non sur un caillebotis. Les condamnés s'avancèrent d'un air sombre, ôtèrent lentement leur chemise et se mirent en position sur le lourd cylindre. Les seconds du maître d'équipage, John Bell et John Morgan, leur lièrent les poignets en bas, plus pour la forme que par véritable utilité. Puis John Bell recula, et balança son fouet de la main droite, le regard fixé sur Jack. Celui-ci hocha la tête et ordonna : « Allez-y ! »

« Un ! » Le bosco comptait solennellement, tandis que les neuf lanières pleines de nœuds sifflaient et venaient claquer sur le dos nu des marins. « Deux ! Trois ! Quatre ! »

Et ainsi de suite. Une fois de plus, l'œil froid et entraîné de Jack remarqua l'habileté du second à faire claquer les lanières sur le cabestan, sans donner l'impression d'épargner son camarade. « Très bien, se dit-il. Mais ils s'introduisent dans la cambuse, à moins qu'un de ces fils de pute n'ait embarqué des réserves d'alcool. Si je lui mets la main dessus, je fais préparer le caillebotis, et cette fois je ne tolérerai aucune supercherie. » Le nombre des saouleries, en effet, dépassait les bornes : sept en une seule journée. Rien à voir avec les turpitudes de l'escale, qui n'étaient plus qu'un mauvais souvenir. Quant à l'état proprement cataleptique des marins qu'on avait dû arroser aux orgues, après l'appareillage, c'était aussi de l'histoire ancienne. On avait mis cela sur le compte de la vie facile à terre, du relâchement de la discipline dans les ports, et on n'avait rien retenu contre eux. Cette fois, c'était autre chose. La veille, Jack avait dû renoncer à faire des exercices aux pièces, à cause du nombre d'hommes qu'il suspectait d'avoir trop bu. Il était trop facile, pour un crétin un peu gris, de se prendre les pieds dans un affût qui recule, ou de ne pas éloigner son visage de la gueule d'un canon... Finalement, il avait décidé qu'ils s'entraîneraient simplement à les déplacer en batterie, sans tirer de bordée.

D'un navire à l'autre, les traditions différaient à l'égard du fouet. Les vieux Sophies avaient l'habitude de ne pas broncher. Mais Edwards, un nouveau venu, venait du *King's Fisher*, où les choses étaient tout autres. Dès le premier coup de fouet, il poussa un hurlement qui troubla le jeune second. Celui-ci hésita, et son bras trembla en donnant les deux ou trois coups suivants.

« Eh bien, John Bell ! » cria le bosco. Il ne montrait aucune malveillance à l'égard d'Edwards — qu'il considérait avec la neutralité placide du boucher qui soupèse un agneau —, mais il fallait que le travail fût effectué dans les règles. Et ce qui restait à venir du châtiment d'Edwards justifia au moins son déchirant crescendo. Déchirant, en tout cas, aux oreilles du pauvre John Surel. Cet « homme du Lord-Maire » maigrichon d'Exeter, qui n'avait jamais été battu, ajouta au crime d'ivrognerie celui d'incontinence. Cela lui valut de recevoir le fouet dans des conditions épouvantables — il pleura et cria de façon pitoyable tandis que Bell, plus perturbé que jamais, s'acharnait sur lui pour en finir au plus vite.

« Comme tout ceci semblerait barbare à un observateur qui n'y serait point habitué, se dit Stephen. Et comme cela semble normal à ceux qui le sont ! Quoique... ce jeune homme semble plutôt préoccupé. » Babbington, en effet, avait l'air un peu pâle et anxieux, tandis que l'indécente cérémonie s'achevait et que Surel, gémissant, était emmené en toute hâte par ses camarades un peu honteux.

Mais la pâleur et l'anxiété du jeune monsieur n'étaient que passagères. Moins de dix minutes après que les nettoyeurs eurent fait disparaître toute trace de la scène, Babbington se lançait dans les gréements à la poursuite de Ricketts, tandis que le secrétaire le suivait de loin, avec un plaisir laborieux et prudent.

« Qui est-ce qui chahute ainsi ? demanda Jack, en voyant des formes indistinctes se déplacer dans la toile du grand cacatois. Les mousses ?

— Ce sont les jeunes messieurs, votre honneur, dit le quartier-maître.

— Ah ? Cela me rappelle que... Je veux les voir. »

Quelques instants plus tard, Babbington avait retrouvé sa pâleur et son anxiété. Cette fois, il y avait une bonne raison à cela. Les aspirants étaient supposés mesurer le point de midi pour calculer la position du navire, et ils devaient écrire les résultats sur une feuille de papier. C'était ce qu'on appelait *les devoirs des jeunes messieurs*. La sentinelle les remettait au capitaine avec ces mots : « Les devoirs des jeunes messieurs, monsieur ! » À quoi le capitaine Allen, un homme nonchalant et accommodant, avait coutume de répondre : « Les devoirs des jeunes messieurs... » et de les jeter par la fenêtre.

Jack, jusqu'alors, avait été trop occupé à entraîner l'équipage pour accorder la moindre attention à l'éducation des aspirants. Mais il avait jeté un coup d'œil aux rapports de la veille. Avec une unanimité suspecte, ils faisaient état d'un point de 39°21' nord. Ce qui était plus ou moins juste, sauf que la *Sophie* n'aurait pu atteindre cette longitude qu'en franchissant la chaîne montagneuse, derrière Valence, jusqu'à trente-sept milles de la côte.

« Comment pouvez-vous m'envoyer de telles bêtises ? » La question n'appelait pas de réponse. Pas plus que toutes les autres qui suivirent. Ils ne tentèrent point, d'ailleurs, d'y répondre. Mais ils durent convenir qu'ils n'étaient pas là pour se distraire ni pour montrer leurs beaux yeux, mais pour apprendre leur métier. Que leurs journaux (Jack les envoya chercher) n'étaient ni justes, ni complets, ni à jour, et que le chat de la *Sophie* avait une écriture plus belle que la leur. Qu'ils devaient, à l'avenir, accorder la plus grande attention aux observations et aux calculs de M. Marshall. Qu'ils devraient épingler la carte, chaque jour, en sa compagnie. Et que personne ne pouvait passer lieutenant ni se voir confier le moindre commandement (« Que Dieu me pardonne ! » se dit Jack) s'il n'était capable de calculer la position d'un navire dans la minute... Non ! dans les trente secondes. De plus, ils s'engageaient à produire leurs journaux chaque dimanche, rédigés d'une écriture propre et lisible.

« Je suppose que vous savez écrire correctement, n'est-ce pas ? Sinon, vous devrez apprendre avec le secrétaire. » Ils l'espéraient bien, monsieur, c'est sûr. Ils allaient faire de leur mieux. Mais il n'eut pas l'air convaincu. Il exigea qu'ils s'assoient sur le caisson, qu'ils prennent ces plumes et ces feuilles de papier, et qu'ils lui passent ce livre, là-bas. Un peu de lecture leur ferait du bien.

Voilà pourquoi Stephen — il profitait du calme de l'infirmerie pour réfléchir à ce patient dont le pouls battait si faiblement entre ses doigts — entendit la voix de Jack, lente, grave et terrible, flotter dans le manche à vent par lequel un peu d'air frais venait en bas. « On peut très légitimement considérer le pont supérieur d'un navire de guerre comme une école nationale pour l'éducation de nombre de nos jeunes gens. Ils s'habituent à la discipline et se familiarisent avec les moindres détails du service. Ponctualité, hygiène, assiduité et promptitude leur sont régulièrement inculquées. Une fois acquises, les habitudes de modération, voire d'abnégation, ne manquent pas de s'avérer hautement profitables. C'est en apprenant à *obéir* qu'ils apprennent aussi à *commander*. »

« Eh bien... » se dit Stephen. Mais il retourna son attention vers la pauvre créature décharnée, affublée d'un bec-de-lièvre, qui se trouvait sur le hamac à côté de lui. C'était un terrien nouveau venu, un tribordais. « Quel âge avez-vous donc, Cheslin ?

— Je ne le peux dire, monsieur, dit l'autre, une pointe d'impatience perçant son apathie. Dans les trente ans, peut-être... » Un long silence. « J'avais quinze ans à la mort de mon père. Et je pourrais compter les années à rebours, si je m'en souvenais... Mais je ne me souviens de rien, monsieur.

— Non. Écoutez, Cheslin. Si vous ne mangez pas, vous allez tomber gravement malade. Je vais vous faire apporter de la soupe, et il faudra l'avaler.

— Merci, monsieur, pour sûr. Mais je n'ai aucun goût pour ma pitance. Et ils ne me laisseront pas l'avoir, de toute façon.

— Mais pourquoi leur avoir parlé de votre métier ? »

Cheslin resta silencieux, le regard vide. « Peut-être parce que j'étais saoul. C'est ce grog, très fort, mortel... Mais je n'aurais jamais pensé qu'ils seraient à ce point terrorisés... Il est vrai que les gens de Carborough et de la campagne alentour, ils n'aimaient pas beaucoup qu'on en parle, eux non plus. »

On siffla le dîner de l'équipage. Le réfectoire, cette longue pièce située derrière l'écran de toile que Stephen avait fait placer pour protéger un peu l'infirmerie, fut envahi par le vacarme des marins affamés. Mais c'était un vacarme organisé. Chaque mess de huit hommes se précipitait vers la place qui lui était assignée, des tables suspendues tombèrent des barrots, des plats de bois pleins de porc salé et de pois (encore une preuve qu'on était bien jeudi) arrivèrent de la coquerie. On apporta religieusement le grog que M. Pullings venait de préparer près du baril d'eau douce, au pied du grand-mât, chacun s'éloignant d'un bond de sa trajectoire pour éviter qu'on en renverse la moindre goutte.

Un passage s'ouvrit devant Stephen, et il ne vit de part et d'autre que visages souriants et regards aimables. Il remarqua que certains des hommes dont il avait huilé le dos dans la matinée avaient l'air plutôt gai. Surtout Edwards : comme il était noir, son sourire semblait briller d'autant plus dans l'obscurité. Des mains prévenantes firent valser un banc qui se trouvait sur son chemin, et un mousse reçut un coup violent qui le fit pivoter (« On ne tourne pas le dos au docteur, où sont donc tes putains de bonnes manières ? »). Aimables gens. Autant de visages accommodants. Mais ils étaient en train d'assassiner Cheslin.

« J'ai un cas bizarre à l'infirmerie », dit-il à James. Il digérait avec un verre de porto. « Un homme qui se meurt d'inanition. Ou plutôt qui va mourir, si je ne le sors pas de sa torpeur.

— Comment s'appelle-t-il ?

— Cheslin. Un type avec un bec-de-lièvre.

— Je le connais. Un homme du parc. Un tribordais. Un bon à rien.

— Ah bon ? Il s'est pourtant rendu utile, jadis.

— Comment cela ?

— Il était mangeur de péchés.

— Bon Dieu !

— Vous avez renversé votre porto.

— Racontez-moi ça, dit James en épongeant le liquide.

— Eh bien, c'était un peu comme avec nous. Quand un homme mourait, on faisait venir Cheslin. Sur la poitrine du mort, il y avait un morceau de pain. Il le mangeait, pour prendre à sa charge les péchés de l'autre. Après quoi on lui glissait une pièce d'argent dans la main, on le jetait dehors, on lui crachait dessus et on lui jetait des pièces tandis qu'il s'enfuyait.

— Je croyais que tout cela était de l'histoire ancienne.

— Non, pas du tout. C'est assez fréquent, même si personne n'en parle. Mais il semble que les marins accordent à cela une importance beaucoup plus grande que les autres. Quand ses camarades l'ont su, ils se sont immédiatement ligués contre lui. Ceux de son mess l'ont exclu. Les autres ne lui parlent pas, et l'empêchent de manger et de dormir avec eux. Il n'y a aucune menace physique directe mais si je ne fais rien, il sera mort dans une semaine.

— Vous voulez qu'il soit attaché au passavant et qu'il reçoive cent coups de fouet, docteur ! s'exclama le commissaire, depuis la cabine où il travaillait à ses comptes. Lorsque j'étais sur un guinéen, durant l'entre-deux-guerres, il y avait des Noirs qu'on appelait les Whydaws, ou Woodoos. Ils mouraient par dizaines durant la traversée, tués par le simple désespoir d'être éloignés de leur pays et de leurs amis. Nous en sauvions pas mal en leur donnant de la cravache au petit matin. Préserver la vie de ce type n'est pas un service à lui rendre, docteur. Les autres l'étoufferaient ou lui tordraient le cou, à moins qu'ils ne le jettent finalement par-dessus bord. Les marins sont capables de beaucoup de tolérance, mais pas pour un Jonas, cela porte malheur. C'est comme le merle blanc. Les autres le réduisent en bouillie à coups de bec... Ou un albatros. Vous attrapez un albatros — c'est très facile, avec une ligne — et vous lui peignez une croix rouge sur le sein. Ses congénères le mettront en pièces avant que vous ne retourniez une seule fois votre sablier. Cela nous faisait beaucoup rire, au large du Cap... Mais les hommes ne laisseront jamais celui-là s'asseoir à leur table, même si la commission dure cinquante ans. N'est-ce pas, monsieur Dillon ?

— Jamais. Mais pourquoi, pour l'amour du ciel, s'est-il engagé dans la marine ? Car il était volontaire, il n'avait personne à ses trousses.

— Je suppose qu'il en avait assez d'être un merle blanc, dit Stephen. Mais je n'accepte pas de perdre un de mes patients à cause de préjugés de marins. Il faut le protéger contre leur malveillance. S'il se rétablit, j'en ferai mon infirmier. C'est un emploi solitaire. Au point que, vraiment, cet homme...

— Je vous demande pardon, monsieur ! cria Babbington, qui arriva en trombe. Avec les compliments du capitaine. Aimeriez-vous voir quelque chose de très surprenant du point de vue philosophique ? »

Après l'obscurité du carré, la lumière vive qui régnait sur le pont l'aveugla presque totalement. Mais Stephen parvint à distinguer la scène, sous ses paupières à demi closes : l'aîné des Grecs, Old Sponge, se dressait, nu, au-dessus d'une flaque d'eau, près des garde-corps de tribord. Il égouttait encore, et exhibait avec une visible suffisance un fragment de doublage en cuivre. Jack se tenait à sa droite, les mains derrière le dos, triomphant. À sa gauche, les hommes de quart tendaient le cou, les yeux écarquillés. Le Grec approcha la feuille de cuivre corrodé. Il la retourna lentement, sans quitter des yeux le visage de Stephen. De l'autre côté, il y avait un petit poisson noir. Il se cramponnait au métal à l'aide de la ventouse qu'il portait sur le haut de la tête.

« Un rémora ! cria Stephen avec au moins autant d'émerveillement et de joie qu'en espéraient Jack et le Grec. Qu'on apporte un seau ! Ménagez ce rémora, mon bon Sponge, excellent Sponge. Oh, quel bonheur de voir un vrai rémora ! »

Profitant de l'accalmie, les frères Sponge avaient plongé pour gratter la coque et la débarrasser des mauvaises herbes qui ralentissaient l'allure de la *Sophie*. On avait pu les voir, dans l'eau claire, glisser le long des cordages alourdis par les filets, capables de retenir leur souffle plus de deux minutes, plongeant parfois jusque sous la quille pour remonter de l'autre côté sans malaise apparent. Ce n'est qu'au bout d'un moment que l'œil entraîné de Old Sponge avait repéré leur ennemi sournois, dissimulé sous la virure de gabord. Le rémora était certainement assez fort pour avoir déchiré le doublage, expliqua-t-on à Stephen. Et cela n'était rien. Il était si fort qu'il pouvait, par bon vent, réduire le sloop à l'immobilité... Mais ils le tenaient, maintenant — le salopard avait fini de leur jouer ses sales tours —, et la *Sophie* allait pouvoir filer comme un cygne. Un bref instant, Stephen eut envie de discuter, d'en appeler à leur bon sens, de leur montrer le poisson de neuf pouces de long et la taille de ses nageoires. Mais il était trop sage — et trop heureux — pour céder à la tentation. Il s'empara jalousement du seau et l'emporta dans sa cabine, pour communier en paix avec le rémora.

Il était aussi trop philosophe pour être vexé lorsqu'un peu plus tard, ils furent rejoints par une jolie brise, qui les prit juste à l'arrière du travers bâbord, et que la *Sophie* (libérée du méchant rémora) donna de la bande dans une course douce et régulière qui l'emporta à sept nœuds jusqu'au crépuscule — et que le ton de mât s'écria : « Terre en vue ! Terre à tribord ! »

Chapitre VII

C'était le Cap de la Nao, c'est-à-dire la limite méri-
dionale de leur terrain de chasse. Il découpait l'horizon
à l'ouest, présence sombre qu'on avait peine à distinguer dans le vague au bord du ciel.

— Belle approche, monsieur Marshall, dit Jack en
descendant de la hune d'où il avait observé le cap à la
lunette. L'Astronome royal n'aurait pu faire mieux.

— Merci, monsieur, merci bien... » dit le quartier-
maître. En plus des recoupements habituels, en effet, il
avait dû procéder à une série assez ardue de calculs
lunaires pour déterminer la position du sloop. « Très
heureux de... approbation... » Les mots lui manquaient,
et il dut conclure avec de brusques mouvements de tête
et des claquements de mains. Il était étrange de voir ce
costaud — Marshall était très grand, le visage dur —
porté par une émotion qui exigeait une expression
aimable, élégante. Des hommes d'équipage échangèrent des regards entendus. Mais Jack n'avait aucune
idée de ce qui se passait — il avait toujours attribué la
navigation appliquée et scrupuleuse de M. Marshall,
ainsi que son zèle d'officier exécutant, à sa bonté naturelle et à sa dévotion à la marine. Par ailleurs, une
seule idée le préoccupait : procéder de nuit à des exercices aux pièces. Ils étaient assez éloignés de la terre
pour qu'on ne les entende pas, et ils étaient sous le
vent. Même si l'efficacité de son artillerie s'était gran-

dement améliorée, Jack ne trouvait pas le repos s'il n'essayait chaque jour d'approcher encore de la perfection. « Monsieur Dillon, je souhaiterais que les tribordais se mesurent aux bâbordais, dans l'obscurité. Oui, je sais, dit-il en voyant s'allonger le visage de son lieutenant... Mais si l'on effectue l'exercice *de* la lumière *vers* l'obscurité, même les équipes les plus faibles ne risqueront pas de passer sous leurs pièces, ni d'être projetées par-dessus bord. C'est pourquoi nous allons préparer, s'il vous plaît, deux barriques pour l'exercice de jour, et deux autres, avec une lanterne, un flambeau, ou n'importe quoi de ce genre, pour la nuit. »

Depuis qu'il avait assisté pour la première fois aux exercices (il lui semblait que c'était un siècle auparavant), Stephen avait tout fait pour éviter d'assister au spectacle. Il détestait le bruit des explosions, l'odeur de la poudre, le risque de voir les hommes récolter des blessures douloureuses et la certitude que les oiseaux allaient déserter le ciel. C'est pourquoi il restait lire en bas, d'habitude, une oreille à demi dressée — car un accident était vite arrivé, avec des canons se déplaçant avec une telle brusquerie sur un pont soumis aux mouvements du roulis. Il monta pourtant ce soir-là, ignorant du vacarme qui se préparait, pour aller près de la pompe en orme (que des marins obligeants mettaient à l'eau, pour lui, deux fois par jour) et profiter de la lumière oblique qui éclairait les parties inférieures du brick. Jack le vit arriver : « Eh bien, vous voilà, docteur ! Je suppose que vous voulez constater nos progrès. Des canons qui lâchent une bordée, n'est-ce pas un spectacle charmant ? Et ce soir, vous verrez ça dans le noir, ce sera encore plus beau. Seigneur, si vous aviez vu Aboukir ! Et si vous aviez entendu ça ! Comme vous auriez été heureux ! »

L'amélioration de la puissance de feu de la *Sophie* était frappante, en effet, même aux yeux d'un observateur aussi peu militaire que Stephen. Jack avait mis au point un système qui ménageait la charpente du sloop (incapable de supporter le choc d'une bordée complète) et favorisait l'émulation et la régularité : la pièce sous le vent tirait la première, et sa voisine faisait feu au moment précis où elle atteignait son recul maximal. Un véritable feu roulant ! Et de plus, le dernier canonnier pouvait encore voir à travers la fumée. Jack lui expliqua tout cela tandis que le cotre s'éloignait dans la lumière déclinante, les barriques à son bord. « Il va de soi que nous tirerons à faible distance — juste assez pour tenir trois salves. Comme je voudrais monter à quatre ! »

Les hommes aux pièces étaient nus jusqu'à la taille. Ils avaient la tête serrée dans leurs mouchoirs de soie noire. Ils semblaient très attentifs, compétents et parfaitement à l'aise. Une prime était offerte, bien sûr, aux pièces qui feraient mouche. Une autre, plus importante, reviendrait à l'ensemble de la bordée qui tirerait le plus vite, sans un seul coup assez mauvais pour la disqualifier.

Le cotre était maintenant assez loin à l'arrière, sous le vent. (Stephen était toujours surpris de constater que des embarcations à l'air tranquille pouvaient être côte à côte et se trouver quelques instants plus tard à des milles de distance, sans avoir déployé d'effort apparent de puissance ou de vitesse). La barrique dansait sur les vagues. Le sloop lofa et fila uniment sous ses huniers, pour passer à une encablure de la barrique, contre le vent. « Il est inutile d'aller plus loin, remarqua Jack, sa montre dans une main, un morceau de craie dans l'autre. Nous ne pouvons pas frapper très fort. »

Les minutes passèrent. La barrique s'approchait de la proue. « Détachez vos pièces ! » cria James Dillon. Déjà, l'odeur de la mèche se répandait sur le pont. « Relevez les pièces... Ôtez les tampons... En batterie... Amorcez... Pointez... Feu ! »

C'était comme si une masse géante frappait de la pierre à intervalles réguliers d'une demi-seconde. À l'avant du brick, la fumée ruisselait en de longues volutes. C'était à bâbord qu'on avait tiré, et les tribordais tendaient le cou, cherchant un point de vue avantageux, observant jalousement le point d'impact de la salve. Le tir était un peu trop long — trente mètres trop loin —, mais il était bien groupé. Les bâbordais travaillèrent avec une furie renouvelée au chargement de leurs pièces, frottant, refoulant, hissant et halant. Leurs dos luisaient sous l'effet de la sueur.

La cible n'était pas tout à fait par le travers, lorsque la bordée suivante la fit voler en éclats. « Deux minutes cinq ! » gloussa Jack. Sans même s'arrêter pour applaudir, les bâbordais s'activèrent. Les pièces reculèrent, l'énorme masse fit entendre une fois de plus ses sept coups, l'écume jaillit autour des fragments d'épave. Faubert et refouloirs réapparurent en un éclair. En grommelant, les pelotons firent claquer dans leurs sabords les pièces rechargées, ils les hissèrent, avec force palans et anspects, plus avant que jamais. Mais rien n'y fit, ils avaient pris trop de retard... Ils n'allèrent pas au-delà de leur troisième bordée.

« Tant pis, s'écria Jack. Vous n'étiez pas loin ! Six minutes dix ! » Les bâbordais émirent un soupir collectif. Ils avaient placé leurs espoirs dans leur quatrième salve, et sur un total de moins de six minutes — en sachant parfaitement que les tribordais, eux, y parviendraient.

De fait, les tribordais y parvinrent en cinq minutes cinquante-sept. Mais ils manquèrent leur barrique-cible, et dans l'anonymat du crépuscule, on entendit quelques remarques acides contre les « pédérastes sans scrupules et parfumés qui font un feu d'enfer... Sans rien voir... Casse-cou... N'importe quoi pour gagner. Avec la poudre à dix-huit pence la livre... »

La nuit avait succédé au jour, et Jack remarqua avec satisfaction que la différence, sur le pont, était vraiment minime. Le sloop croisa le vent, vira de bord et se dirigea vers la flamme qu'on voyait vaciller sur la troisième cible. Les bordées rugirent l'une après l'autre, leurs langues rouge foncé perçant la fumée comme autant de poignards. Les mousses-poudriers glissaient le long du pont, ils dépassaient les écrans, derrière la sentinelle, qui protégeaient le magasin, et remontaient avec les gargousses. Les pelotons de pièces halaient et grommelaient. Les mèches se consumaient. Les chiffres variaient peu. « Six minutes quarante-deux, annonça Jack après la dernière salve, en consultant sa montre en l'éclairant avec la lanterne. Les bâbordais ramassent la mise. Voilà un exercice point trop déshonorant, n'est-ce pas, monsieur Dillon ?

— Bien meilleur que je ne m'y attendais, monsieur, je dois l'avouer.

— Et maintenant, cher monsieur, dit Jack à Stephen, que diriez-vous d'un peu de musique, si vos oreilles ne sont pas trop engourdies ? Puis-je me permettre de vous inviter, Dillon ? M. Marshall peut se charger du pont, à présent.

— Je vous remercie, monsieur. Mais comme vous le savez, la musique et moi... De la confiture pour un cochon... »

« Je suis vraiment satisfait des manœuvres de la soirée, dit Jack en accordant son violon. Je peux maintenant approcher des côtes avec l'esprit plus tranquille... Sans trop exposer ce pauvre sloop.

— Je suis heureux de vous voir satisfait. Il est certain que vos matelots manient leurs pièces avec une redoutable habileté. Mais vous devez me croire, ceci n'est pas un la.

— Non ? s'écria Jack avec inquiétude. Ça, c'est mieux ? »

Stephen hocha la tête. Il tapa trois fois du pied, et ils se lancèrent dans l'exécution du divertissement minorquin de M. Brown.

« Vous avez remarqué mon mouvement d'archet au moment du pom-pom-pom ?

— En effet, dit Stephen. Très vif, très agile. J'ai remarqué que vous n'avez touché ni l'étagère, ni même la lampe. Et je n'ai moi-même effleuré ce caisson qu'une seule fois.

— Je crois que l'essentiel est de ne pas y penser. Tous ces types, là-haut, lorsqu'ils s'escriment sur leurs canons, ne réfléchissent pas. Lorsqu'ils tirent sur les palans, qu'ils épongent, qu'ils grattent, qu'ils refoulent... C'est devenu mécanique. Je suis très content d'eux, en particulier des numéros trois et cinq, à bâbord. Il n'y a pas si longtemps, c'était encore une bande de bons à rien, je vous prie de le croire.

— Vous êtes incroyablement pressé d'améliorer leur travail...

— Eh bien oui... Il n'y a pas de temps à perdre.

— Bien. Et ce sentiment d'urgence permanent ne vous oppresse pas ? Cela ne vous fatigue pas ?

— Mon Dieu, pas le moins du monde ! Il fait partie de notre vie, au même titre que le porc salé... Peut-être plus, d'ailleurs, dans ces zones côtières. Tout peut arriver, en mer, en cinq minutes... Ha, ha, ha ! Vous devriez entendre Lord Nelson ! Pour ce qui est de l'artillerie... Une seule bordée peut abattre un mât et décider de l'issue d'une bataille. Et l'on ne sait jamais, quand on est au large, s'il ne va pas falloir faire feu dans l'heure qui suit... En mer, on ne sait jamais. »

On n'aurait pu mieux dire. Un œil perspicace et capable de percer l'obscurité aurait repéré la trace de la frégate espagnole le *Cacafuego* descendant vers Carthage — il aurait certainement croisé la route de la *Sophie* si le sloop n'avait pas perdu un quart d'heure à essayer d'éteindre ses cibles lumineuses. Mais le *Cacafuego* passa à un mille et demi à l'ouest du sloop, et chacun échappa à la vigilance de l'autre. Le même œil aurait pu déceler la présence, à deux pas du Cap de la Nao, d'un grand nombre de vaisseaux : Jack le savait parfaitement, tout ce qui remontait d'Almeria, d'Alicante ou de Malaga devait contourner ce cap. Il aurait remarqué en particulier un petit convoi faisant route vers Valence sous la protection d'une lettre de marque. Et il aurait vu que la *Sophie* (sauf changement de cap) approchait de la côte et allait se trouver, une demi-heure avant l'aurore, contre le vent de ce convoi.

« Monsieur, monsieur ! fit la voix flûtée de Babbington dans l'oreille de Jack.

— Chut, ma chérie... murmura le capitaine, dont les rêves étaient plutôt hantés par l'autre sexe... Hein ?

231

— M. Dillon vous fait dire que des feux sont en vue, monsieur.

— Ah ! »

Jack s'éveilla instantanément. Il se précipita sur le pont encore sombre, en chemise de nuit.

« Bonjour, monsieur, dit James, qui le salua et lui tendit sa lunette de nuit.

— Bonjour, monsieur Dillon », dit Jack en mettant un doigt à son bonnet. Il prit la lunette. « Où sont-ils ?

— Juste sur le travers, monsieur.

— Bon sang, vous avez de bons yeux ! » Jack essuya la lunette et la braqua de nouveau sur la brume mouvante. « Deux. Trois. Et un quatrième, je crois. »

La *Sophie* était en panne, petit hunier au mât, grand hunier presque plein, l'un équilibrant l'autre tandis qu'elle se balançait sous la falaise obscure. Le vent (une petite brise sur laquelle on ne pouvait compter) soufflait du nord-nord-est et portait l'odeur tiède du coteau. Mais un peu plus tard, quand la terre se réchaufferait, il allait sans doute virer au nord-est, voire franchement à l'est. Jack empoigna les haubans. « Allons étudier les positions depuis la hune, dit-il. Le diable emporte ces basques ! »

La lumière augmenta. La brume se leva, révélant la présence de cinq navires placés sur une ligne irrégulière — presque en désordre. Ils étaient sur les hauts fonds, et le plus proche se trouvait à moins d'un quart de mille. Ils s'alignaient sur un axe nord-sud. D'abord la *Gloire*, un corsaire de Toulon très rapide, gréé en trois-mâts carré, équipé de douze pièces de huit livres. Il était armé par un riche marchand de Barcelone, Jaume Mateu, pour la protection de ses deux scitias, le *Pardal* et le *Xaloc* (six canons chacun, le second transportant par-dessus le marché une précieuse et illégale cargaison de mercure non déclaré). Le *Pardal* se trouvait sous le vent du corsaire. Presque de front avec le *Pardal* mais contre le vent, à peine à quatre ou cinq cents mètres de la *Sophie*, se trouvait la *Santa Lucia*. Ce senau napolitain était une prise de la *Gloire* (il transportait des royalistes français inconsolables, qu'il avait embarqués pour Gibraltar). Un peu plus loin, c'était le second scitia : le *Xaloc*. Et enfin, une tartane qui avait rejoint le groupe au large d'Alicante, trop heureuse d'être protégée contre les vagabonds barbaresques, les lettres de marque de Minorque et les croiseurs britanniques. Tous ces vaisseaux étaient de taille modeste. Tous craignaient les périls du grand large. C'est pourquoi ils préféraient le cabotage — une route inconfortable et dangereuse, comparée à la traversée par la haute mer, mais qui leur permettait de rester sous la protection des batteries côtières. Et si l'un d'eux avait remarqué la *Sophie*, dans la lumière naissante du jour, il se disait sans doute : « Eh bien, regardez ce petit brick qui longe la côte. Il fait probablement route vers Denia. »

« Que savez-vous de ce navire ? demanda Jack.

— La lumière ne me permet pas de compter les sabords. Il me semble un peu petit, pour être une de leurs corvettes de dix-huit canons. En tout cas, il a de la puissance de feu. Et c'est lui, le chien de garde.

— Oui. » C'était certain. Il resta là, contre le vent du convoi, quand le vent tourna et qu'ils passèrent le cap. Le cerveau de Jack se mit à fonctionner à toute allure. Le flot des différentes possibilités défila dans sa tête. Il devait à la fois être à la place du capitaine de ce navire et commander son propre sloop.

« Puis-je vous faire une suggestion, monsieur ?

— Oui, dit Jack d'une voix sèche. Tant que nous ne tenons pas un conseil de guerre... Cela n'engage à rien. » C'était un peu par attention qu'il avait demandé à Dillon de rester à ses côtés : c'est lui qui avait repéré le convoi. Mais il n'avait vraiment pas envie de le consulter — ni lui ni personne d'autre — et il espérait que Dillon n'interromprait pas ses réflexions avec une remarque banale — aussi sensée fût-elle. Un seul homme avait le droit de le faire. L'officier commandant la *Sophie*.

« Je pourrais peut-être faire battre le rassemblement, monsieur ? dit James avec raideur, car l'allusion avait été suffisamment claire.

— Vous voyez ce petit senau débraillé, entre ce vaisseau et nous ? demanda Jack en s'éloignant un peu de lui. Si nous brassons carré notre vergue de misaine, il ne nous faudra pas dix minutes pour nous trouver à cent mètres de lui. Et il nous masquera au regard du vaisseau. Vous voyez ce que je veux dire ?

— Oui, monsieur.

— Avec les hommes que vous pourrez entasser dans le cotre et la chaloupe, vous vous en emparerez avant qu'il ait le temps de s'en rendre compte. Vous faites un peu de bruit, et le navire va foncer pour le protéger. Il n'a pas assez de place pour virer de bord, il devra lofer. Et si vous amenez le senau vent arrière, je pourrai me glisser dans la brèche et lui lancer une salve ou deux au moment où il tournera. Peut-être même pourrai-je infliger quelques dégâts au scitia... Holà, sur le pont ! appela-t-il en élevant légèrement la voix. Silence, sur le pont ! Que ces hommes restent en bas ! » Car la nouvelle s'était répandue, et les marins se précipitaient vers l'écoutille avant. « Que les hommes d'abordage soient parés... Nous serions bien avisés d'envoyer autant de Noirs que possible. Ils sont tous très vigoureux, et les Espagnols en ont une peur bleue... Qu'on prépare le sloop pour le combat, le plus discrètement possible, et que les hommes soient prêts à courir à leurs postes. Mais en attendant, tout le monde doit rester en bas, hors de vue. Tout le monde sauf une douzaine d'hommes. Nous devons avoir l'air d'un navire de commerce. » Il se balançait au-dessus du bord de la hune, sa chemise de nuit tournoyant autour de sa tête. « Vous pouvez faire trancher les courroies des canons, mais on ne doit voir aucun autre préparatif.

— Et les hamacs, monsieur ?

— Oui, par Dieu ! » dit Jack. Il réfléchit. « Il faudra les monter en quatrième vitesse, si nous ne voulons pas devoir nous en passer... Une situation diantrement inconfortable. Mais je ne veux pas en voir un seul sur le pont avant que l'équipe d'abordage soit partie. L'effet de surprise est essentiel. »

Surprise ! Quelle fut la surprise de Stephen, quand on vint le secouer avec les mots : « Rassemblement, monsieur, rassemblement ! » et qu'il se retrouva au milieu d'une agitation d'autant plus impressionnante qu'elle était silencieuse... Les hommes courant dans une obscurité presque totale... Pas la moindre lumière... Les légers heurts des armes qu'on distribuait discrètement... Le groupe d'abordage passant par-dessus le flanc du navire, côté terre, et embarquant dans les canots par groupes de deux ou trois... Les seconds du bosco, qui s'efforçaient de chuchoter : « Debout ! Debout, rassemblement ! Tout le monde debout !... » Chaque officier et sous-officier faisant le compte de ses hommes, et calmant les idiots (la *Sophie* en abritait un nombre raisonnable) qui voulaient tout savoir sur-le-champ : « Qui ? Quoi ? Pourquoi ? »... La voix de Jack, appelant d'en haut, dans le noir : « Monsieur Ricketts. Monsieur Babbington. »

— Monsieur ?

— À mon ordre, vous monterez aux voiles avec les hommes des manœuvres hautes. Perroquets et basses voiles seront bordés immédiatement.

— À vos ordres, monsieur ! »

Surprise ! Pour les hommes de quart ensommeillés de la *Santa Lucia*, la surprise fut progressive, lorsqu'ils virent le brick qui dérivait vers eux, de plus en plus près... Voulait-il se joindre au convoi ? « C'est ce Danois qui fait sans arrêt la navette le long de la côte », pensa Jean Wiseacre. Mais leur étonnement fut total — et brutal — lorsque les deux canots surgirent de derrière le brick et foncèrent sur eux à force rames. Après quelques instants d'incrédulité, ils firent de leur mieux. Ils coururent chercher leurs mousquets, dégainèrent leurs coutelas et commencèrent à détacher un canon. Mais chacun des sept hommes agissait de son côté, et ils disposaient de moins d'une minute pour prendre une décision. Lorsque les Sophies s'accrochèrent en hurlant aux chaînes d'abordage, l'équipage ne put leur opposer qu'une décharge de mousquets, deux ou trois balles de pistolet et quelques coups d'épée à moitié convaincus. Une minute plus tard, les quatre hommes les plus agiles s'étaient enfuis dans le gréement, un autre se cachait en bas et les deux derniers gisaient sur le pont.

Dillon ouvrit d'un coup de pied la porte de la cabine et lança un regard de défi au second du corsaire, qu'il tint en joue avec son gros pistolet. « Vous vous rendez ?

— *Oui, monsieur*, répondit le jeune homme d'une voix chevrotante.

— Sur le pont, dit Dillon avec un mouvement de tête. Murphy, Bussell, Thompson, King, fermez-moi ces prélarts d'écoutille. Mettez la main à la pâte, maintenant. Davies, Chambers, Wood, choquez les écoutes. Andrews, bordez le foc. » Il courut au poste de pilotage, repoussa un corps qui se trouvait sur son chemin et redressa la barre. La *Santa Lucia* se mit en mouvement, d'abord lentement, puis de plus en plus vite. Dillon regarda par-dessus son épaule. Il vit se déployer les perroquets de la *Sophie*, suivis presque immédiatement du petit foc, de la grand-voile d'étai et de la grand-voile. Il se baissa pour regarder sous les basses voiles, il vit le navire, juste devant lui, commencer à lofer — passer vent arrière et virer de bord pour venir au secours de la prise. On devinait à son bord une intense activité. C'était d'ailleurs le cas sur les trois autres navires du convoi — hommes d'équipage courant en tous sens, cris, sifflets, roulement lointain d'un tambour. Mais sous cette petite brise, et avec aussi peu de voile, ils se déplaçaient au ralenti, comme dans un rêve, en suivant calmement des courbes prévues. On déployait toutes les voiles disponibles, mais les bateaux n'avaient pas d'erre, et la lenteur de leur mouvement donnait une étrange impression de silence... Silence brisé quelques instants plus tard, quand la *Sophie* vint raser la muraille bâbord du senau, couleurs au vent, et lui adressa un tonnerre d'applaudissements. Elle seule avait une belle lame de proue, et James constata avec fierté que toutes les voiles étaient bordées à joindre, déjà tendues et tirantes. Les hamacs s'empilaient à une vitesse phénoménale — il en vit deux passer par-dessus bord —, et sur la plage arrière, debout sur la pointe des pieds, au-dessus des filets, Jack leva son chapeau très haut, et le héla lorsqu'ils se croisèrent — « Bien manœuvré, monsieur ! » Les hommes d'abordage acclamèrent en retour leurs camarades. Sur le pont, l'atmosphère de férocité meurtrière changea du tout au tout. Ils lancèrent d'autres hourras, tandis qu'un hurlement général leur répondait de l'intérieur du senau, sous les écoutilles.

Toutes voiles dehors, la *Sophie* filait à près de quatre nœuds. La *Gloire* avait à peine dépassé sa vitesse minimale de manœuvre. Elle venait d'entamer un mouvement de rotation — le virage sous le vent qui exposerait sa poupe au feu de la *Sophie*. Moins d'un quart de mille séparait les deux vaisseaux, et l'espace diminuait rapidement. Mais le Français n'était pas idiot. Jack vit son grand hunier pendre au mât, la grand vergue et la vergue de misaine brassées carré, afin que le vent repousse la poupe et inverse le mouvement — car son gouvernail n'avait pas du tout d'accroche.

« Il me semble que c'est trop tard, mon ami », dit Jack. L'espace entre les deux navires diminuait toujours. Trois cents mètres. Deux cent cinquante. « Edwards ! dit-il au capitaine du canon de l'arrière. Visez la proue du scitia ! » Le coup traversa la misaine du scitia. Il choqua ses drisses et amena promptement ses voiles. Une silhouette excitée se précipita à l'arrière pour lever les couleurs, puis les ramena énergiquement. Mais on n'avait pas le temps de s'occuper du scitia. « Lofez ! » cria Jack. La *Sophie* vint au plus près. Sa misaine frissonna, puis gonfla de nouveau. La *Gloire* se trouvait en plein dans la ligne de tir de ses canons. « Parfait ! », se dit-il. Il entendit les grognements et les grincements quand on leva un peu les canons pour les tirs suivants. Les hommes des pelotons étaient tendus, silencieux, chacun à son poste. Les épongeurs, à genoux, tenaient les mèches allumées, soufflant doucement pour entretenir l'incandescence, le visage tourné avec raideur vers l'intérieur du navire. Les capitaines de pièces étaient accroupis, et ils contemplaient, dans l'axe des tubes, cette poupe et cette hanche si vulnérables...

« Feu ! »

Le mot fut étouffé par le rugissement qu'il avait provoqué. La mer disparut derrière un nuage de fumée, la *Sophie* trembla sur sa quille. Jack fourrait machinalement sa chemise dans son pantalon lorsqu'il comprit que quelque chose clochait... Quelque chose, avec cette fumée, qui n'allait pas. Un sursaut dans le vent, une brusque rafale du nord-est, poussait la fumée vers la poupe. Le sloop resta interdit... Sa proue vira vers tribord.

« Aux manœuvres ! » ordonna Marshall, qui releva afin de redresser le sloop. Il se redressa en effet, lentement, et la seconde bordée éclata. Mais la rafale de vent avait fait aussi pivoter la poupe de la *Gloire*, qui répliqua dès que la fumée se leva un peu. Les quelques secondes d'intervalle avaient suffi : Jack avait eu le temps de voir que sa poupe et sa hanche étaient endommagées (les fenêtres de la cabine et de la petite coursive avaient implosé), qu'elle emportait douze pièces, et qu'elle arborait les couleurs françaises.

La *Sophie* avait perdu presque toute son erre, et la *Gloire*, qui filait à nouveau bâbord amures, prenait rapidement de la vitesse. Les deux navires filaient sur des routes parallèles, au plus près sous le vent capricieux, la *Sophie* un peu à la traîne. Ils filaient en se tirant dessus mutuellement, dans un vacarme presque continuel et une fumée permanente — blanche ou grisnoir, illuminée par les langues de feu cramoisies. Cela dura. On retournait les sabliers, la cloche tintait, la fumée s'épaississait. Derrière eux, le convoi avait disparu.

Il n'y avait rien à faire, rien à dire. Les canonniers avaient leurs ordres, et ils les exécutaient avec une formidable fureur, déchargeant leurs pièces aussi vite que possible. Les aspirants responsables des sections parcouraient sans relâche la ligne d'artillerie, prêtaient main-forte à l'occasion, s'occupaient de toute menace de désordre. Avec une parfaite régularité, on apportait du magasin la poudre et les munitions. Le bosco et ses aides erraient, les yeux levés, cherchant d'éventuels dommages dans les gréements. Dans les hunes, les mousquets des tireurs d'élite crépitaient. Jack réfléchissait. Un peu sur sa gauche se tenaient le secrétaire et Ricketts, l'aspirant responsable de la plage arrière. Ils bronchaient à peine, tandis que les boulets leur couraient dessus ou frappaient la coque du sloop dans un grand bruit de déchirure. Un boulet fracassa le filet bourré de hamacs, passa à quelques pieds de Jack, cogna la grue métallique et alla perdre sa force dans les hamacs de l'autre côté... « Un huit-livres », se dit-il, quand le boulet roula à ses pieds.

Le Français tirait trop haut, comme d'habitude, et de manière extravagante. Dans le monde paisible, bleu, sans fumée, contre le vent de la *Sophie*, il voyait les gerbes d'eau exploser, jusqu'à cinquante mètres en avant et en arrière de leur position (mais surtout en avant). En avant... S'il fallait se fier aux éclairs qui illuminaient le nuage de fumée, du côté le plus éloigné, et aux variations sonores, il était clair que la *Gloire* était en train de pousser de l'avant. Il n'en était pas question. « Monsieur Marshall, dit Jack en s'emparant de son porte-voix, nous allons couper sous sa poupe ! » Au moment où il levait le porte-voix, il y eut à l'avant du tumulte et des cris... Un canon — peut-être deux — était couché sur le flanc. « Cessez le feu, là-bas, ordonna-t-il avec force. Que les pièces de bâbord soient parées. »

La fumée se dissipait. La *Sophie* commença à virer sur tribord et se déplaça pour couper le sillage de l'ennemi, afin de pouvoir lâcher sa bordée de bâbord sur la poupe de la *Gloire*, et l'arroser sur toute sa longueur. Mais la *Gloire* s'en sortit fort bien. Comme s'il avait été prévenu par une voix intérieure, son capitaine avait relevé sa barre moins de cinq secondes avant l'action de la *Sophie*. Quand la fumée se fut dissipée, Jack (debout près des hamacs à bâbord) l'aperçut à sa lisse de couronnement — un petit homme grisonnant et soigné —, à cent cinquante mètres de distance, qui regardait vers l'arrière. Le Français saisit un mousquet derrière lui, il s'accouda à la lisse, et le braqua délibérément sur Jack. La situation avait pris un tour extraordinairement personnel. Jack sentit que les muscles de son visage et de sa poitrine se contractaient machinalement. Il retint son souffle, par réflexe.

« Les cacatois, monsieur Marshall, dit-il. Il cherche à nous échapper. »

L'aboiement des canons avait cessé. Dans l'accalmie, il entendit le coup de mousquet presque aussi nettement que si l'on avait tiré près de son oreille. Au même instant, Christian Pram, le timonier, lâcha un cri aigu et tomba en entraînant la barre dans sa chute. Il avait l'avant-bras déchiré, du poignet au coude. La proue de la *Sophie* se dressa contre le vent, et bien que Jack et Marshall eussent repris immédiatement le contrôle de la barre, ils avaient perdu l'avantage. On ne pouvait lâcher la bordée de bâbord sans un nouveau virage qui leur aurait encore coûté de l'erre. Et il n'était pas question d'en perdre encore. La *Sophie* se trouvait au moins à deux cents mètres derrière la *Gloire*, maintenant, sur sa hanche de tribord. Son seul espoir était de reprendre de la vitesse, de la rattraper et d'engager à nouveau le combat. Jack et son quartier-maître levèrent les yeux au même instant. Tout ce qui pouvait être déployé, l'était déjà... Le navire était beaucoup trop près du vent pour border ses bonnettes.

Jack regardait fixement vers l'avant, guettant la moindre agitation à bord de sa proie, la plus légère modification du sillage pouvant annoncer un mouvement vers tribord — la *Gloire* coupant à son tour la poupe de la *Sophie*, l'arrosant sur sa longueur et filant pour protéger le convoi dispersé. Mais il guetta en pure perte. La *Gloire* maintenait son cap. Elle n'avait pas eu besoin de ses cacatois pour distancer la *Sophie*, et elle les déployait, maintenant. Et le vent lui était plus favorable. Tandis qu'il poursuivait sa surveillance — il regardait depuis si longtemps face au soleil que les larmes lui montèrent aux yeux —, un coup de vent poussa la *Gloire* et l'eau écuma sous sa coque, son sillage s'allongeant à l'infini. L'homme aux cheveux gris continuait de lui tirer dessus avec obstination, tandis qu'un de ses hommes lui passait des mousquets chargés. Une balle vint frapper une enfléchure à moins d'un mètre du crâne de Jack. Mais il était presque hors de portée de mousquet, désormais. En tout cas, la frontière indéfinissable qui sépare l'animosité personnelle de la bataille anonyme avait été franchie... Cela ne l'affectait pas.

« Monsieur Marshall, veuillez le talonner jusqu'à ce que nous soyons capables de le saluer. Monsieur Pullings ! Monsieur Pullings, feu quand il changera de bord ! »

La *Sophie* modifia son cap de deux, trois, quatre points. Son canon de proue aboya, suivi à un rythme régulier par le reste de la bordée de bâbord. Trop rapide, hélas. La hausse était parfaite, mais les gerbes apparurent à vingt, trente mètres à l'arrière. La *Gloire* — peu vindicative, plus attentive à se protéger qu'à défendre son honneur, et tout à fait oublieuse de son devoir à l'égard du señor Mateu — ne fit pas un geste pour répliquer. Elle mettait les bouts. Gréée en trois-mâts carré, elle pouvait filer plus près du vent que la *Sophie*. Elle ne s'en priva pas, profitant autant que possible des faveurs de la brise. Manifestement, elle s'enfuyait. Deux boulets de la bordée suivante l'avaient touchée, semblait-il, dont un avait traversé son grand hunier arrière. Tandis que leurs routes divergeaient, Jack voyait sa proie diminuer à vue d'œil, et l'espoir avec elle.

Encore huit bordées, et Jack cessa le feu. Ils l'avaient malmenée avec beaucoup de talent, et ils avaient compromis à jamais son élégance. Mais ils n'avaient pas taillé ses gréements en pièces de sorte qu'il fût impossible de manœuvrer, ni abattu de mât ni de vergue fondamentaux. Et ils avaient échoué à la convaincre de revenir pour achever le combat d'homme à homme, de fusée de vergue à fusée de vergue. Jack contempla la *Gloire* qui s'éloignait, puis il prit sa décision. « Nous retournons vers le cap, monsieur Marshall. Sud-sud-ouest. »

La *Sophie* avait subi très peu de dommages. « Y a-t-il des réparations qui ne puissent attendre une demi-heure, monsieur Watt ? demanda-t-il, en attachant d'un air absent un bout de cargue-à-vue autour d'un chevillot.

— Non, monsieur. Le voilier a du pain sur la planche. Mais le Français ne nous a envoyé ni de chaîne ni de mitraille, et il n'est pas parvenu à déchirer notre gréement, ce qu'on appelle déchirer... Tir médiocre, monsieur, très médiocre. Rien à voir avec notre vilain petit Turc et les sales coups que *lui*, il nous a infligés.

— Nous allons donc siffler le petit déjeuner de l'équipage, et garder pour plus tard les nœuds et épissures. Beaucoup d'avaries, monsieur Lamb ?

— Rien au-dessous de la ligne de flottaison, monsieur. Quatre horribles brèches bien nettes au milieu du navire. Et puis les sabords deux et quatre n'en font plus qu'un, ou peu s'en faut. Voilà pour le pire. Rien de comparable à ce que nous lui avons donné... à ce sodomite », ajouta-t-il en aparté.

Jack se rendit à l'avant pour voir le canon désarçonné. Un boulet de la *Gloire* avait défoncé le bastingage à l'endroit où étaient fixés les anneaux d'amarrage, au moment où la pièce numéro quatre reculait. Le canon, partiellement attaché sur l'autre côté, avait pivoté, percutant et renversant son voisin en batterie. Par un incroyable coup de chance, les deux hommes qui auraient pu être écrasés entre les deux pièces étaient absents — l'un lavait au seau d'eau du pompier le sang d'une écorchure qu'il avait au visage, l'autre était allé quérir de la mèche — et par un autre incroyable coup de chance, le canon s'était retourné, au lieu d'être précipité à travers le pont, où il aurait causé des dégâts beaucoup plus meurtriers.

« Monsieur Day, nous avons finalement de la chance. Nous mettrons ce canon à la proue jusqu'à ce que M. Lamb nous fournisse de nouveaux anneaux d'amarrage. »

Il retourna à l'arrière et ôta son manteau, car la chaleur était devenue insupportable. Son regard balaya l'horizon au sud-ouest. Dans la brume qui se dissipait, il ne vit aucune trace du Cap de la Nao. Pas une voile en vue. Il n'avait pas remarqué le lever du soleil, mais il était là, haut dans le ciel. Leur trajet avait dû être long. « Bon sang, se dit-il, du café me ferait du bien ! » Retour brutal dans un présent où le temps s'écoulait normalement, et où la faim avait de l'importance. « Mais je dois d'abord aller en bas. » C'était l'aspect désagréable des choses. Ce qu'il devait voir lorsqu'un boulet de fonte heurte un visage humain.

« Capitaine Aubrey, dit Stephen, en claquant son livre quand Jack apparut dans le cockpit, je veux formuler une plainte extrêmement grave.

« Je suis très inquiet de l'entendre, dit Jack en cherchant des yeux, dans l'obscurité, ce qu'il redoutait de voir.

— On s'en est pris à mon aspic. Je vous dis, monsieur, qu'on s'en est pris à mon aspic ! Je vais chercher un livre dans ma cabine il n'y a pas cinq minutes, et que vois-je ? Mon aspic, desséché... Desséché, je vous dis.

— Parlez-moi de la fracture du boucher. Nous nous occuperons ensuite de votre aspic.

— Peuh ! Quelques égratignures, un avant-bras modérément entaillé, quelques échardes... Rien qui prête à conséquence... Du bandage, pour l'essentiel... Vous ne trouverez dans l'infirmerie qu'une purulence obstinée avec un peu de fièvre, une hernie inguinale réduite... Et cet avant-bras. Maintenant, pour mon aspic...

— Pas de morts ? Pas de blessés ? s'exclama Jack, dont le cœur faisait des bonds.

— Non, non et non ! Mais mon aspic... » Il avait embarqué le reptile dans son alcool de vin. Et à une heure inconnue mais très récente, un criminel s'était emparé du bocal, avait bu l'alcool et laissé l'aspic en rade, tout sec, tout desséché.

« Je suis désolé pour le serpent, dit Jack. Mais cet homme va-t-il en mourir ? Ne faut-il pas lui faire prendre un émétique ?

— Non, il n'en mourra pas. C'est le plus vexant. Ce salopard, ce barbare pire qu'Attila, ce soudard abruti par la bière, il n'en mourra pas ! C'était le meilleur des alcools de vin, doublement raffiné !

— Je vous invite à prendre le petit déjeuner dans la cabine, en ma compagnie. Une pinte de café et une côtelette rôtie vous feront oublier votre aspic... guériront votre blessure... vous apaiseront... » Jack était si gai qu'il fut sur le point de faire un bon mot. Il le sentait, presque à sa portée. Mais il lui échappa, et il se contenta de rire, aussi joyeusement que pouvait le supporter la mauvaise humeur de Stephen. Il déclara enfin : « Ce vaurien s'est enfui. Et je crains que notre retour ne soit terriblement ennuyeux... Je me demande bien si Dillon est parvenu à s'emparer du scitia, ou s'il s'est échappé, lui aussi. »

Cette curiosité bien naturelle était ressentie par tous les hommes du bord à l'exception de Stephen. Mais elle ne serait pas satisfaite ce matin-là — pas avant que le soleil ait depuis belle lurette franchi le méridien. Le vent tomba vers midi, et ce fut presque le calme plat. Les voiles qu'on venait d'enverguer battaient et pendaient sous les vergues comme des vessies dégonflées, et il fallut protéger d'un auvent les hommes qui travaillaient sur les voiles déchirées. C'était une de ces journées trop humides où l'air ne porte rien de bon. Il faisait si chaud que Jack, malgré son impatience à récupérer ses hommes d'abordage et assurer sa prise, et à continuer de remonter la côte, n'eut pas le courage de sortir les avirons. Les hommes s'étaient battus plutôt bien contre le navire ennemi (bien que leurs tirs fussent encore beaucoup trop lents), et ils s'étaient démenés pour réparer les dommages infligés par la *Gloire*. « Je vais les laisser tranquilles au moins jusqu'au petit quart », se dit-il.

La chaleur semblait écraser la surface de la mer. La cheminée de la coquerie déversa sur le pont des volutes de fumée qui apportèrent l'odeur du grog et des cent livres de bœuf salé que les Sophies avaient dévoré au dîner. Les ding-dongs réguliers de la cloche semblaient se faire attendre interminablement. Bien avant que le senau ne soit en vue, Jack eut l'impression que l'engagement du matin appartenait à un autre âge, une autre vie ou, plutôt — si ce n'était cette insistante odeur de poudre sur son oreiller —, à une expérience d'un autre type, à un récit qu'il aurait lu quelque part. Vautré sur le caisson de la fenêtre de tableau, Jack y réfléchissait, retournant et reprenant la question à l'infini.

Il s'éveilla soudain. Il était rafraîchi, détendu, et parfaitement conscient que la *Sophie* filait depuis quelque temps sans à-coups, sous un vent qui l'inclinait d'à peine deux ou trois virures.

« Je crains que ces satanés gamins ne vous aient réveillé, monsieur, lui dit M. Marshall avec un air de sollicitude ennuyée. Je les ai envoyés dans la mâture, mais j'ai peur que ce ne soit trop tard. Toujours à hurler et appeler comme une bande de babouins. Quel vacarme ! »

Bien qu'il fût généralement respectueux de la vérité, Jack répliqua : « Ce n'est rien, je ne dormais pas ! » Sur le pont, il leva les yeux vers les deux tons de mât. Les aspirants regardaient dans sa direction avec inquiétude, cherchant à savoir si leur faute avait été rapportée. Ils croisèrent son regard et détournèrent les yeux vers le lointain, comme pour montrer leur assiduité au devoir... Et ils aperçurent le senau. Suivi par le scitia, il s'approchait rapidement de la *Sophie* porté par le vent d'est.

« Le voilà enfin, se dit Jack avec une immense satisfaction. Et il s'est emparé du scitia. Eh bien, voici donc un homme dynamique... Et un excellent marin. » Il se prit de sympathie pour Dillon... Il aurait été facile de laisser s'éclipser cette seconde prise pendant qu'il s'assurait de l'équipage du senau. N'est-ce pas ? Épingler les deux navires avait dû exiger des efforts extraordinaires, car le scitia, en aucun cas, n'avait dû tenir sa promesse de reddition.

« Bien joué, monsieur Dillon ! » cria-t-il quand James embarqua, accompagné d'un homme vêtu d'un uniforme inconnu, et déchiré. « A-t-il essayé de s'enfuir ?

— Oh, il a *essayé*, dit James. Je vous présente le capitaine La Hire, de l'artillerie royale française. » Ils ôtèrent leur chapeau, s'inclinèrent et se serrèrent la main. « Très heureux, dit La Hire, d'un ton pénétré, très bas. Serviteur, monsieur.

— Le senau était une prise napolitaine, monsieur. Le capitaine La Hire a eu la bonté de prendre le commandement des passagers royalistes français et des marins italiens : ils ont surveillé l'équipage de la prise pendant que nous mettions les canots à l'eau pour nous emparer du scitia. Mais j'ai le regret de vous dire que lorsque nous nous en fûmes assurés, la tartane et le second scitia étaient trop loin contre le vent. Ils ont fui au sud... Ils sont au mouillage, sous la protection de la batterie d'Almoraira.

— Ah bon ? Nous irons visiter la baie, quand nous aurons transféré les prisonniers. Beaucoup de prisonniers, au fait, monsieur Dillon ?

— Rien qu'une vingtaine, monsieur, car les gens du senau sont nos alliés. Ils étaient en route pour Gibraltar.

— Quand ont-ils été embarqués ?

— Oh, c'est une belle prise, monsieur... Il y a bien huit jours.

— Eh bien, tant mieux. Vous avez eu des problèmes ?

— Non, monsieur. Très peu. Nous avons dû assommer deux hommes d'équipage sur la prise, et il y a eu une rixe stupide à bord du scitia... Un homme a reçu un coup de pistolet. J'espère que tout s'est bien passé de votre côté, monsieur ?

— Oui, oui... Pas un seul mort, pas de blessés graves. Il s'est enfui trop tôt pour avoir le temps de nous infliger des dégâts. Il parcourait quatre milles

246

quand nous en faisions trois, même sans cacatois. Un marin prodigieux ! »

Jack eut le sentiment de voir un doute passer dans le regard de James Dillon — à moins que ce ne fût dans sa voix. Mais il y avait trop d'affaires urgentes à régler — inspecter les prises, s'occuper des prisonniers —, et il ne put dire pourquoi cela l'affectait aussi désagréablement. Son impression se trouva renforcée, et à moitié expliquée, deux ou trois heures plus tard.

Il se trouvait dans sa cabine. La carte du Cap de la Nao était étalée sur la table — le Cap Almoraira et le Cap Ifach s'avançant sous son énorme base, et le petit village d'Almoraira au fond de la baie, entre les deux. James était assis à la droite de Jack, Stephen à sa gauche, et M. Marshall se tenait en face de lui.

« ... De plus, selon le docteur, l'Espagnol prétend que le second scitia transporte une cargaison de mercure caché dans des sacs de farine... Cela exige que nous nous en occupions particulièrement, non ?

— Oh, bien sûr », dit James Dillon. Jack lui jeta un regard aigu, puis revint à la carte et au croquis de Stephen. On y voyait une petite baie, avec un village et une tour carrée. Une digue basse s'avançait de vingt ou trente mètres dans la mer, puis de cinquante mètres sur la gauche, pour s'achever sur un promontoire rocheux — formant ainsi un petit port abrité de tous les vents sauf du sud-ouest. Des falaises abruptes s'élevaient du village à droite, jusqu'à la pointe nord-est de la baie. De l'autre côté, il y avait une plage de sable, ininterrompue de la tour à la pointe sud-ouest, puis de nouveau des falaises. « Est-il possible que ce type me prenne pour un lâche ? se demandait Jack. Qu'il s'imagine que j'ai abandonné la chasse pour ne pas être blessé et me précipiter vers ma prise ? » La tour contrôlait l'entrée du port. Elle s'élevait à quelque vingt mètres au sud du village et de la plage de gravier où l'on tirait les bateaux de pêche. « Et ce promontoire au bout de la jetée, dit-il à voix haute, vous pensez qu'il a dix pieds de haut ?

— Sans doute plus. Je ne suis pas venu ici depuis

huit ou neuf ans, dit Stephen, je ne peux me prononcer avec certitude. Mais la chapelle qui s'y trouve résiste aux plus hautes vagues des tempêtes d'hiver.

— Alors il protégera sûrement notre coque... Si le sloop est ancré avec une croupière (son doigt traça une ligne entre la batterie et le rocher, puis jusqu'à l'endroit prévu), il sera à peu près à l'abri... Il ouvre un feu aussi nourri que possible, en visant la digue et la tour. Les canots du senau et du scitia accostent à la crique du docteur (il montra une petite dentelure, juste au-delà de la pointe sud-ouest), nous nous précipitons ventre à terre en longeant le rivage, et nous prenons la tour à revers. Arrivés à vingt mètres de celle-ci, nous lançons la fusée et vous écartez vos canons de la batterie. Mais vous continuez d'arroser sans relâche.

— Moi, monsieur ? s'exclama James.

— Oui, vous, monsieur. Je serai à terre. » Personne ne commenta cette décision. Après un silence, il passa aux détails. « Disons qu'il faudra dix minutes pour courir de la crique à la tour, et...

— Accordez-vous vingt minutes, je vous en prie, dit Stephen. Chez les hommes corpulents et de tempérament sanguin, par grande chaleur, des efforts inconsidérés peuvent provoquer une mort subite. Apoplexie. Congestion.

— J'aimerais bien, docteur — j'aimerais *vraiment* —, que vous ne disiez pas des choses pareilles », dit Jack, presque à voix basse. Ils adressèrent tous un regard de reproche à Stephen. Jack ajouta : « De plus, je ne suis pas corpulent.

— Le capitaine a une silhouette extrêmement élégante », déclara M. Marshall.

Les conditions étaient parfaites pour l'attaque. Les derniers souffles du vent d'est aideraient la *Sophie* à entrer, et la brise de terre qui se lèverait avec la lune l'emporterait vers le large, avec tout ce qu'ils auraient enlevé. Durant sa longue veille au ton de mât, Jack avait découvert que le scitia, avec plusieurs autres navires, était amarré au mur intérieur de la digue. Il y avait aussi une rangée de bateaux de pêche, tirés au sec sur le rivage. Le scitia se trouvait au bout de la digue, côté chapelle, exactement à l'opposé des canons de la tour à cent mètres de l'autre côté du port.

« Sans doute ne suis-je pas parfait, pensait-il, mais par le diable, je ne suis pas un lâche. Si nous ne pouvons pas nous en emparer, je le brûlerai sur place. » Il dut interrompre ses réflexions. Depuis le pont du senau napolitain, il regarda la *Sophie* doubler le Cap Almoraira dans la quasi-obscurité, et cingler vers la baie tandis que les deux prises, canots en remorque, faisaient route vers la pointe opposée. Comme le scitia était déjà au port, la *Sophie* ne pouvait jouer de l'effet de surprise : elle aurait eu à essuyer le feu de la batterie avant de pouvoir jeter l'ancre. La surprise devait venir des canots. La nuit était déjà presque trop noire, sûrement. On ne verrait pas les prises croiser à l'extérieur de la baie pour aller débarquer les canots dans la crique de Stephen, au-delà de la pointe. (« Un des rares endroits que je connaisse, où nidifie le martinet à ventre blanc. ») Jack regarda s'éloigner la *Sophie* avec une tendre inquiétude, déchiré par l'impossibilité de se trouver en deux endroits à la fois. Plusieurs hypothèses d'un échec atroce flottèrent dans son esprit. La batterie côtière (Combien de canons ? Stephen avait été incapable de le dire.) fracassait la *Sophie*, que les lourds boulets traversaient de part en part... Le vent tombait, ou bien se déchaînait — soufflait en tempête vers la côte... Il ne restait pas assez d'hommes à bord pour l'emmener, à force de rames, hors d'atteinte des canons... Tous les canots étaient égarés... C'était une tentative téméraire, imprudente et absurde. « Silence, à l'avant et à l'arrière ! cria-t-il d'une voix brutale. Vous voulez réveiller toute la côte ? »

Il ne se savait pas si attaché à la *Sophie*. Il savait précisément comment elle se comporterait — le craquement spécifique de sa grand'vergue dans son racage, le murmure de son gouvernail amplifié par la caisse de résonance de sa poupe... La traversée de la baie lui sembla intolérablement longue.

« Monsieur ? dit Pullings. Je crois que la pointe est là, juste sur notre travers.

— Vous avez raison, monsieur Pullings, dit Jack en saisissant sa lunette de nuit. Voyez les lumières du village passer l'une après l'autre. Bâbord la barre, Algren ! Monsieur Pullings, envoyez un homme compétent aux chaînes. Nous devrions bientôt être à vingt brasses. » Il se rendit à la lisse de couronnement et cria, par-dessus l'eau sombre : « Monsieur Marshall, nous mettons le cap sur la terre. »

La haute ligne noire de la côte se découpait parfaitement sur l'obscurité moins dense du ciel étoilé. Elle s'approchait peu à peu, éclipsa silencieusement Arcturus puis la Couronne tout entière, occulta même Véga, pourtant très haute dans le ciel. On entendait le clapotement régulier de la sonde, le chant monotone de l'homme aux chaînes : « Neuf de profondeur. Neuf de profondeur. Sept à la marque. Cinq un quart. Cinq moins un quart... »

En face, on devinait la pâleur de la crique sous la falaise, et le bord écumant, presque indistinct, de la vague. « Très bien ! » dit Jack. Le senau se plaça sous le vent, sa misaine remua comme une créature vivante. « Monsieur Pullings, que votre groupe embarque dans la chaloupe. » Quatorze hommes s'alignèrent derrière Pullings et descendirent en silence dans le canot qui grinça. Chacun d'eux portait un brassard blanc. « Sergent Quinn ! » Ce fut le tour des fusiliers, les mousquets brillant faiblement, les bottes claquant lourdement sur le pont. Quelqu'un toucha le ventre de Jack. C'était le capitaine La Hire, volontaire pour se joindre aux soldats, qui cherchait sa main. « Bonne chance !

— *Merci very much !* dit Jack, qui ajouta, par-dessus bord : ... *mon captain !* » Un éclair illumina le ciel à cet instant précis, suivi du bruit sourd d'un gros canon.

« Est-ce que le cotre est en position ? demanda Jack, à demi aveuglé par l'éclair.

— Ici, monsieur ! », fit la voix du timonier juste au-dessous de lui. Jack sauta prestement et se laissa retomber. « Où est la lanterne sourde, monsieur Ricketts ?

— Sous ma veste, monsieur.

— Levez-la au-dessus de la poupe. Ouvrons la route ! » Le canon aboya de nouveau, puis il y eut deux autres coups simultanés. Ils réglaient leur tir, sûrement. Ce canon faisait vraiment un bruit épouvantable. Un trente-six livres ? En scrutant l'obscurité, il vit derrière lui les quatre canots. Ils formaient une ligne vague qui se dessinait contre les silhouettes sombres du senau et du scitia. Machinalement, il toucha ses pistolets et son épée. Il n'avait jamais été aussi nerveux. Tout son être se concentrait sur son oreille droite : il ne voulait pas manquer la bordée de la *Sophie*.

Le cotre fendait l'eau, les rames craquaient sous l'effort des hommes qui faisaient entendre des grognements rauques — Aaah, aaah... « Rames en l'air ! », ordonna calmement le timonier. Quelques secondes plus tard, le cotre faisait crisser le gravier. Les hommes étaient à terre et l'avaient traîné sur le rivage avant même que la chaloupe n'eût accosté, suivie par le canot du senau (conduit par Mowett), la yole (le bosco) et la chaloupe du scitia (Marshall).

La petite plage était couverte de monde. « La corde, monsieur Watt ? dit Jack.

— Les voilà ! » dit une voix. Sept canons crachèrent le feu, lointains et indistincts, derrière la falaise.

« Nous voici, monsieur ! » Le maître d'équipage lâcha les deux rouleaux de cordon d'un pouce qu'il portait à l'épaule.

Jack saisit l'extrémité d'une des cordes. « Monsieur Marshall, regroupez vos hommes, et que chacun tienne un nœud. » Aussi méthodiquement que s'ils se rassemblaient par divisions sur la *Sophie*, les hommes prirent leur poste. « Prêts ? Prêts, là-bas ? Allons-y ! À pleines voiles ! »

Il se mit en route vers la pointe, là où la plage se resserrait et n'avait que quelques pieds de large, sous la falaise. Derrière lui, reliés par la corde à nœuds, couraient la moitié des hommes du commando. Une furieuse tempête venait d'éclater dans sa poitrine, tant son excitation était à son comble. L'attente était terminée... Le moment était venu. Ils passèrent la pointe. Instantanément, ils se trouvèrent au cœur d'un aveuglant feu d'artifice, et le bruit décupla. La tour faisait feu : trois, quatre langues rouge foncé, très basses au-dessus du sol. La *Sophie*, ses huniers cargués, bien distincte sous les éclairs qui illuminaient le ciel à intervalles irréguliers, imposait un feu roulant, et projetait des volées de pierres vers la digue pour décourager toute velléité d'amener le scitia au rivage. Pour autant qu'il pouvait voir, de là où il était, elle se trouvait exactement dans la position qu'ils avaient fixée sur la carte, la masse sombre de la chapelle sur son travers bâbord. Mais la tour était plus loin qu'il ne s'y attendait. Il sentit son corps qui peinait, indigne de sa joie (une joie assez proche de l'extase), ses jambes presque incapables de le soulever tandis que ses bottes s'enfonçaient dans le sable. Il ne pouvait pas tomber — il n'avait *pas le droit* de tomber, se dit-il en trébuchant. Il se le répéta, en entendant s'écrouler un homme dans la cordée de Marshall. Il protégea ses yeux contre les éclairs, fit un effort surhumain pour détourner le regard de la bataille, mais il avançait de plus en plus péniblement, les battements frénétiques de son cœur étouffant presque son cerveau. Il ne progressait presque plus du tout. Mais soudain le sol se durcit. Jack eut l'impression de s'envoler, comme s'il venait de se libérer d'un fardeau d'une tonne. Il se mit à courir. Il courait vraiment. Le sable, désormais, était compact, silencieux. Tout au long de la ligne, derrière lui, il entendait le souffle rauque, haletant et saccadé des hommes du commando. Enfin, ils s'approchaient vraiment de la batterie. Il apercevait, dans les brèches du parapet, les silhouettes des canonniers espagnols. Un boulet de la *Sophie* ricocha sur le rocher de la chapelle et siffla au-dessus de leurs têtes. Puis un saut dans la brise leur apporta un peu de la fumée de la tour, étouffante.

Était-ce le moment de lancer la fusée ? Ils étaient

très près du fort... Assez pour discerner les voix graves et le grondement des essieux. Mais les Espagnols étaient trop occupés à répondre au feu de la *Sophie*. Ils pouvaient bien s'approcher un peu... encore un peu... encore quelques pas... Ils rampaient tous, maintenant, d'un commun accord, chacun bien visible aux yeux des autres grâce aux éclairs et au rougeoiement ambiant. « La fusée, Bonden, murmura Jack. Monsieur Watt, les grappins ! Que chacun vérifie ses armes. »

Le bosco fixa aux cordes les grappins à trois pointes. Le timonier planta les fusées dans le sable, fit une étincelle sur l'amadou et veilla à ce qu'il ne s'éteigne pas. Malgré le vacarme de la batterie, on entendait les petits cliquetis métalliques et le frottement des ceintures qu'on détendait. Ils relâchèrent leur souffle.

« Prêts ? murmura Jack.

— Prêts, monsieur », murmurèrent les officiers.

Il se pencha en avant. L'amorce émit un sifflement. Et la fusée partit — une traînée rouge, une explosion de bleu. « Allons-y ! » cria-t-il. Sa voix fut noyée dans un rugissement exalté. « Ohé, ohé ! »

Courir. Courir. S'entasser au fond de la douve asséchée. Les pistolets claquèrent dans les embrasures, les hommes grimpèrent le long des cordes jusqu'au parapet, en criant, toujours en criant. Un bouillonnement de cris. La voix du timonier, tout près de son oreille (« Donnez-nous votre poing, l'ami ! »), les écorchures sur la pierre rugueuse... Il y était, enfin, là-haut... Faisant siffler son épée, un pistolet dans l'autre main. Mais il n'y avait personne à combattre. Sauf deux d'entre eux qui gisaient sur le sol, et un autre à genoux, penché sur sa blessure, près de la grande lanterne sourde derrière les pièces, les canonniers espagnols sautaient par-dessus le mur les uns après les autres et couraient vers le village.

« Johnson ! Johnson ! cria-t-il. Il faut enclouer ces canons ! Sergent Quinn, continuez à tirer ! Qu'on fasse de la lumière sur ces clous ! »

Le capitaine La Hire était en train d'arracher au pied-de-biche les percuteurs des vingt-quatre-livres.

« Vaut mieux faire sauter, dit-il. Faisons tout sauter en l'air.

— *Vous savez faire sauter en l'air ?*

— *Eh, pardi*, dit La Hire avec un sourire convaincu.

— Monsieur Marshall, vous filez à la jetée avec tous les hommes. Sergent, que vos fusiliers restent en formation côté terre, et qu'ils tirent sans désemparer, même s'ils ne voient personne... Veuillez faire pivoter le scitia, monsieur Marshall, les voiles déferlées. Le capitaine La Hire et moi, nous allons faire sauter le fort. »

« Bon sang, dit Jack, je déteste les lettres officielles. » Ses oreilles résonnaient encore de l'incroyable détonation (une seconde poudrière, placée dans une cave sous la première, avait trompé les calculs du capitaine La Hire), et ses yeux voyaient encore les formes jaunes de l'incandescence de l'explosion. Une langue de feu d'un demi-mille de hauteur. Sa tête et son cou le faisaient horriblement souffrir. La moitié gauche de ses longs cheveux avait pris feu, et son cuir chevelu et son visage étaient atrocement brûlés et contusionnés. Quatre brouillons peu satisfaisants gisaient sur la table devant lui, et les trois prises de la *Sophie* attendaient à l'abri du sloop — il fallait les envoyer sans attendre à Mahon pour profiter des vents favorables — tandis qu'au loin, la fumée s'élevait toujours au-dessus d'Almoraira.

« Maintenant, je vous demande d'écouter celle-ci. Dites-moi seulement si la grammaire est bonne et si la langue est correcte. Elle commence comme les autres.

« La *Sophie*, en mer. Excellence, j'ai l'honneur de porter à votre connaissance que conformément aux ordres reçus, je me suis rendu au Cap de la Nao. J'y ai rencontré un convoi de trois navires sous la conduite d'une corvette française de douze pièces. »

— Je continue en évoquant le senau — une simple

254

allusion à l'engagement, et je mentionne sa *promptitude* — et j'en viens au débarquement.

« Quand il est apparu que le reste du convoi s'était mis sous la protection de la batterie d'Almoraira, il a été décidé qu'on essaierait de s'en emparer, ce qui a été accompli avec succès. La batterie (une tour carrée avec quatre pièces de vingt-quatre livres en fer) a sauté à deux heures vingt-sept, et les navires ont été conduits à la pointe SSO de la baie. Nous avons dû incendier trois tartanes qui avaient été mises à sec et enchaînées, mais nous avons pris le scitia quand il s'avéra qu'il s'agissait du *Xaloc*, avec une précieuse cargaison de mercure camouflé dans des sacs de farine. »

— Un peu sec, non ? Mais je continue.

« Considérant le zèle et l'activité déployés par le Lieutenant Dillon, qui conduisit le sloop de Sa Majesté que j'ai l'honneur de commander, et qui a maintenu un feu d'enfer sur la digue et sur la batterie, je lui suis fort redevable. Tous les officiers et hommes d'équipage se sont si bien comportés qu'il serait ingrat d'entrer dans le détail. Mais je dois faire état de la politesse de Mons. La Hire, de l'artillerie royale française, qui nous a offert ses services, disposant et enflammant lui-même la traînée de poudre jusqu'à la poudrière — cela lui a valu d'être quelque peu roussi et couvert de bleus. Ci-dessous, la liste des morts et des blessés : John Hayter, fusilier marin, mort. James Nightingale, marin, et Thomas Thompson, marin, blessés. J'ai l'honneur, Excellence... »

— Etc. Qu'en pensez-vous ?
— C'est tout de même un peu plus clair que la ver-

sion précédente, dit Stephen. Mais je me demande si inique ne conviendrait pas mieux que ingrat.

— Inique ? Mais bien sûr ! Je savais bien que quelque chose clochait. Inique. Un mot essentiel. Il s'écrit avec un seul n, je suppose ? »

La *Sophie* mouillait au large de San Pedro. Elle avait été très occupée toute la semaine précédente, et avait perfectionné sa technique. Elle restait toute la journée bien au-delà de l'horizon, pendant que les vaisseaux militaires espagnols patrouillaient à sa recherche le long de la côte. La nuit venue, elle mettait le cap sur la terre pour jouer les Grands Méchants Loups jusqu'à l'aube, aux dépens des petits ports marchands et des navires de commerce locaux. Cette stratégie particulière était fort dangereuse. Elle exigeait une préparation minutieuse, et Jack abusait de sa chance. Mais jusqu'alors, elle avait été couronnée de succès. On abusait aussi des gens de la *Sophie*. Tant qu'ils étaient au large, Jack était impitoyable pour leur imposer des exercices aux pièces, et James — encore plus autoritaire — commandait à la question des voiles. Il n'était pas moins rigide que n'importe quel officier dans le service. Bataille ou pas, il exigeait que le navire fût propre. Aucune expédition, aucun raid, aucune escarmouche à l'aurore n'empêchait la *Sophie* de rentrer avec des ponts rutilants et des cuivres resplendissants. James était « particulier », disait-on. Mais son zèle pour les peintures impeccables, les voiles parfaitement tendues, les vergues brassées, les hunes bien nettes et les cordages lovés à la flamande n'avait d'égal que le plaisir d'emmener ce bel et fragile édifice affronter les ennemis du roi... qui pouvaient le mettre en pièces, le fracasser, l'incendier ou l'envoyer par le fond. Mais les gens de la *Sophie* supportaient tout cela avec une formidable bonne humeur. Fourbus, amaigris, excédés, les hommes d'équipage se nourrissaient de l'idée de ce qu'ils feraient à l'instant où ils mettraient le pied à terre, les jours d'escale. Ils étaient aussi conscients du changement qui s'était opéré dans les relations entre leurs officiers. Le respect de Dillon pour le capitaine et l'attention qu'il lui manifestait depuis Almoraira, leurs allées et venues ensemble sur la plage arrière, leurs fréquentes consultations : rien de tout cela n'était resté inaperçu. Et la conversation qui s'était déroulée au carré, le jour où le lieutenant avait parlé dans les termes les plus élogieux de l'action du commando, avait immédiatement été répétée à travers le sloop.

« Depuis le début de cette croisière, dit Jack en levant les yeux de son papier, et sauf erreur de ma part, nous avons pris, coulé ou incendié vingt-sept fois notre propre tonnage. Et s'ils avaient été réunis, ils auraient pu décharger sur nous quarante-deux pièces, y compris les canons à pivot. C'est ce que l'amiral appelait tordre le cou à l'Espagnol. » Il éclata de rire. « Et si cela nous permet d'empocher mille ou deux mille guinées, eh bien, tout va pour le mieux.

— Puis-je entrer, monsieur ? demanda le commissaire en entrebâillant la porte.

— Bonjour, monsieur Ricketts. Entrez, entrez, et asseyez-vous. Les chiffres du jour ?

— Oui, Monsieur. J'ai peur que vous ne soyez pas très content. La seconde barrique de la rangée inférieure a été fracassée, et je dois avoir perdu près de cinquante gallons.

— Alors nous devrons prier pour qu'il pleuve, monsieur Ricketts. »

Mais dès que le commissaire eut quitté la pièce, Jack se tourna vers Stephen, et lui dit avec tristesse. « Mon bonheur serait total s'il n'y avait ce satané problème de l'eau... Tout est délicieux, tout le monde se conduit bien, le voyage est agréable, pas de maladie... Mais si seulement j'avais pu achever l'approvisionnement en eau, à Mahon... Même en réduisant les rations, nous en utilisons une demi-tonne par jour, par cette chaleur, avec tous ces prisonniers. Et même si on se lave dans l'eau de mer, il faut tremper la viande, et préparer le grog. » Par-dessus tout, il avait envie d'aller rôder dans les couloirs de navigation au large de Barcelone. C'était peut-être l'endroit le plus fréquenté de la Méditerranée, et ce pouvait être le point culminant de leur croisière. Mais il allait devoir faire route vers Minorque, et il n'était pas du tout sûr de l'accueil qu'on allait lui réserver là-bas, ni des ordres qu'on lui donnerait. Il avait à peine commencé à naviguer, et des vents ou un commandant capricieux pouvait tout réduire à néant... Sans doute n'y manqueraient-ils pas, d'ailleurs...

« Si c'est de l'eau douce que vous cherchez, je peux vous montrer une crique, pas très loin d'ici, où vous pourrez emplir tous les barils que vous voulez...

— Mais pourquoi ne pas me l'avoir dit ? » s'exclama Jack.

Il lui secoua le bras d'un air extasié... Quoiqu'il offrît un spectacle assez désagréable : le côté gauche de son visage, de sa tête et de son cou, était encore tout flétri, rouge et bleu comme celui d'un babouin, et sa peau luisait grâce à la pommade médicale de Stephen, sous laquelle perçait un duvet de barbe jaune. Tout cela, mis à côté de son autre joue hâlée, rasée de près — lui donnait un air terrible, dégénéré, inverti.

« Vous ne me l'avez pas demandé.

— Pas de défenses ? Pas de batteries ?

— Pas même une maison, et encore moins de canons. L'endroit a été habité, pourtant, car il y a des vestiges d'une villa romaine au sommet d'un promontoire, et l'on peut encore discerner une route, sous les arbres et le sous-bois. Il est évident qu'on utilisait la source, jadis. Elle est abondante, et il est probable que son eau possède de réelles vertus médicales. Il arrive que les gens de la région l'utilisent contre l'impuissance.

— Vous pensez pouvoir la retrouver ?

— Oui », dit Stephen. Il se tut quelques instants, la tête baissée. « Voulez-vous me faire une faveur ?

— Ce sera de tout cœur.

— J'ai un ami, là-bas, qui vit à l'intérieur des terres, à deux ou trois milles de la côte. J'aimerais que vous me débarquiez, pour me récupérer... disons douze heures plus tard.

— Très bien ! » dit Jack. C'était assez légitime. « Très bien, répéta-t-il, en tournant la tête pour cacher son mécontentement. Je suppose que c'est la nuit, que vous voulez passer à terre. Nous ferons route ce soir... Vous êtes certain que nous ne serons pas attaqués par surprise ?

— Parfaitement sûr.

— Je vous renverrai le cotre un peu après l'aurore. Mais que feriez-vous si je devais retourner au large ?

— Je reviendrais le lendemain matin, et le surlendemain. Tous les matins, aussi longtemps qu'il faudrait. » Il se leva en entendant la cloche que son nouvel infirmier faisait sonner pour appeler les malades à se rassembler. « Il faut que j'y aille, dit-il. Je ne me fie pas assez à ce type pour le laisser seul avec les remèdes. » Le mangeur de péchés avait cru découvrir un moyen de nuire à ses camarades de bord. On l'avait trouvé en train de moudre du *creta alba* dans leur gruau. Il était persuadé qu'il s'agissait d'une substance beaucoup plus active et plus sinistre. Si la malveillance avait suffi, l'infirmerie serait nettoyée depuis des jours.

Suivi de la chaloupe, le cotre progressait avec précaution dans la nuit tiède. Dillon et le sergent Quinn surveillaient les abords de la petite baie boisée. À deux cents mètres de la falaise, l'odeur des pins leur parvint, mêlée à celle du ciste. Ils eurent l'impression de respirer un autre monde.

« Si vous ramiez un peu plus vers la droite, dit Stephen, vous pourriez éviter les rochers où se cachent les langoustes. » Malgré la chaleur, une cape noire lui couvrait les épaules. Blotti au fond des chambres du canot, il fixait la crique avec une curieuse intensité, mortellement pâle.

Aux grandes marées, le courant avait formé une petite barre sur laquelle le cotre vint s'échouer. Tout le monde sauta à l'eau pour le remettre à flot, et deux marins portèrent Stephen sur le rivage. Ils le déposèrent doucement, bien au-delà de l'empreinte de la vague. Ils l'engagèrent à se méfier des sales tours que lui réservait l'endroit, et coururent chercher sa cape.

L'eau de la source avait creusé un bassin dans le roc, au fond de la crique. C'est là que les marins remplirent leurs barriques, sous la protection des fusiliers qui montaient la garde aux deux extrémités de la baie.

« Le dîner était remarquable », dit Dillon. Il était assis avec Stephen sur un rocher plat, bien commode pour le confort de leurs postérieurs.

« J'ai rarement aussi bien mangé, dit Stephen. Et en mer, certainement pas. » Jack avait récupéré un cuisinier français sur la *Santa Lucia* (un volontaire royaliste), et il engraissait comme un bœuf de concours. « Vous étiez d'humeur particulièrement prolixe, aussi.

— C'était tout à fait contre l'étiquette navale. À la table d'un capitaine, on ne parle que si l'on vous adresse la parole, et on acquiesce. Cela fait une ambiance sinistre, mais c'est la coutume. Après tout, je suppose, il est le représentant du roi. Mais j'ai pensé que je pouvais laisser l'étiquette de côté et faire un effort particulier... Que je pouvais essayer de me montrer un peu plus civil que d'habitude. Je n'ai pas été très équitable à son égard, vous savez... ajouta-t-il avec un mouvement du menton dans la direction de la *Sophie*. Et il a eu l'amabilité de m'inviter.

— Il raffole des prises. Mais s'emparer des prises n'est pas sa préoccupation essentielle.

— Précisément. Je voudrais dire, en passant, que tout le monde ne le sait pas... Il ne se rend pas justice. Je ne pense pas que les hommes d'équipage le savent, par exemple. S'ils n'étaient pas tenus bien en main par les officiers, le bosco et le canonnier et, je dois l'admettre, ce Marshall, je pense qu'ils pourraient nous créer des ennuis. C'est toujours possible. Le butin peut monter à la tête. Du butin au vol de cargaison et au pillage, il n'y a qu'un pas. Et du pillage et de l'ivrognerie à l'explosion générale et à la mutinerie, il n'y a pas si loin. Les mutineries n'éclatent que sur les navires où la discipline est trop relâchée, ou trop rigoureuse.

— Vous vous trompez, j'en suis sûr, quand vous

dites qu'ils ne le connaissent pas. Les hommes sans instruction ont une merveilleuse intuition pour ces choses-là. Avez-vous déjà vu, à la campagne, qu'on fasse injustement une réputation ? Cette intuition semble se dissiper avec un peu d'éducation, tout comme disparaît la capacité à se rappeler la poésie. J'ai connu des paysans capables de réciter deux ou trois mille vers. Mais pensez-vous vraiment que notre discipline est relâchée ? Cela m'étonne, mais il est vrai que les questions navales me sont totalement étrangères.

— Non. La discipline, ou ce qu'on a coutume d'appeler ainsi, est assez stricte. Je voulais parler d'autre chose... Ce qu'on pourrait appeler les relations intermédiaires. Un commandant est obéi de ses officiers, parce que lui-même obéit à ses supérieurs. Il ne s'agit pas d'une question personnelle. Et ça se répercute. S'il n'obéit pas, la chaîne s'affaiblit. Mais mon Dieu, comme je suis grave ! Toutes ces questions morales me sont revenues à l'esprit parce que je pensais à ce malheureux soldat, à Mahon. Est-ce que cela ne vous arrive jamais d'être gai comme un pinson au dîner — et de vous demander, à l'heure du souper, pourquoi Dieu a créé ce monde ?

— Bien sûr. Mais quel est le rapport avec ce soldat ?

— Nous nous sommes disputés à propos de l'argent des prises. Il prétendait que toute l'affaire était injuste... Il était très en colère... Et très pauvre. Il nous a accusés, les officiers de bord, d'être entrés dans la marine pour cette unique raison. Je lui ai dit qu'il se trompait, il m'a traité de menteur. Nous nous sommes retrouvés dans les jardins, à l'autre bout du quai. Jevons, de l'*Implacable*, était mon témoin. Tout a été fini en deux bottes. Pauvre type, stupide et maladroit ! Il est venu se jeter sur la pointe de mon épée. Qu'y a-t-il, Shannahan ?

— Les barils sont pleins, Votre Honneur.

— Alors bouchez-les comme il faut, nous les descendrons jusqu'au rivage.

— Au revoir, dit Stephen en se levant.

« — Vous nous quittez donc ? dit James.

— Oui. Je dois monter avant qu'il ne fasse trop sombre. »

Il aurait fallu qu'il fasse beaucoup plus sombre pour que ses pieds manquent ce sentier. Il croisait et recroisait le torrent à maintes reprises, ses marches creusées par le pêcheur à la recherche de langoustes, par l'impuissant allant se baigner dans le bassin, et par tant d'autres voyageurs. Le bras de Stephen se tendait spontanément vers la branche qui l'aiderait à franchir un passage difficile — une branche déjà polie par des mains innombrables.

Plus haut, toujours plus haut. L'air soupirait toujours à travers les pins. À un certain point, il déboucha sur une surface de roche dégagée. Beaucoup plus bas, déjà, les canots s'éloignaient avec leur train de barriques presque submergées, qui n'était pas sans rappeler les œufs, bien espacés, du crapaud commun. Le sentier s'enfonça de nouveau sous les arbres. Il n'en sortit que pour émerger au sommet du promontoire, une clairière de serpolet et d'herbe rase surplombant l'étendue de pins. À l'exception d'une brume violette au-dessus des collines lointaines, et d'une bande jaune inattendue dans le ciel, toute couleur avait disparu. Mais il vit s'égailler des lapins blancs, et comme il s'y attendait, il aperçut vaguement les formes d'engoulevents virevoltant et piquant, tournoyant comme des spectres au-dessus de sa tête. Il s'assit près d'une grande pierre qui disait *Non fui non sum non curo*. Peu à peu les lapins revinrent, de plus en plus près... Jusqu'à ce que Stephen puisse entendre clairement, contre le vent, leurs mâchoires mordiller le serpolet. Il voulait rester assis là jusqu'à l'aube, pour essayer de remettre ses idées en place. La visite à son ami (il ne l'avait pas inventé) n'était qu'un prétexte. Le silence, l'obscurité, les innombrables odeurs familières et la chaleur de la terre lui étaient devenus, à leur manière, aussi indispensables que l'air.

« Je crois que nous pouvons mettre cap sur la terre,

dit Jack. Cela ne nous fera pas de mal d'être en avance, car j'ai envie de me dégourdir un peu les jambes. En tout cas, je me languis de le revoir. Lorsqu'il n'est pas à bord, je suis mal à l'aise. J'ai le sentiment, parfois, qu'on ne devrait pas le laisser partir seul. Mais à d'autres moments, j'ai l'impression qu'il serait capable de commander une flotte. »

La *Sophie* avait filé toute la nuit bord au large, bord à terre. C'était la fin du quart d'après-minuit, et James Dillon venait relever le maître. Ils pouvaient aussi bien profiter de la présence de tous les hommes sur le pont pour tirer un bord, se dit Jack. Il passa la main sur la rosée qui se déposait sur la lisse de couronnement et se pencha par-dessus bord pour observer le cotre en remorque, clairement visible sur la phosphorescence lactée de la mer.

« Voici l'endroit où nous avons pris notre eau, monsieur, dit Babbington en lui montrant la plage obscure. S'il ne faisait pas si sombre, vous pourriez apercevoir l'espèce de sentier que le docteur a pris pour monter. »

Jack marcha un peu pour aller jeter un coup d'œil au sentier et voir le bassin. Son pas n'avait pas eu le temps de s'adapter à la terre ferme, il était lourd et maladroit. Contrairement au pont du navire, le sol ne balançait ni ne s'affaissait. Jack fit les cent pas dans la pénombre, et son corps reprit peu à peu l'habitude de la rigidité terrestre. Finalement, sa démarche se fit plus facile, moins brutale, sans à-coups. Il médita sur la nature du sol, sur la venue lente et irrégulière de la lumière (une progression par bonds), sur l'agréable changement qui s'était produit chez son lieutenant depuis l'accrochage d'Almoraira, et sur la curieuse transformation du quartier-maître qui, lui, était parfois franchement maussade. Dillon possédait une meute de chiens de chasse, trente-cinq couples... Il avait organisé de splendides parties... Ce devait être une fameuse région, et les renards devaient être prodigieusement vigoureux pour tenir si longtemps... Jack professait un immense respect pour un homme qui occupait ses loi-

sirs avec une meute. Dillon, c'était évident, s'y entendait en matière de chasse et de chevaux. Mais il était
étonnant que le bruit de ses chiens le dérange si peu...
Car les cris d'une meute...

Le canon d'alerte de la *Sophie* le tira soudain de ses
méditations. Il se retourna vivement et vit de la fumée
dériver le long de son flanc. On avait hissé des signaux,
mais il était incapable, sans sa lunette et dans cette
obscurité, de les déchiffrer. Le sloop vira pour se placer vent arrière. Comme si l'on avait deviné sa per-
plexité, on s'en remit au plus vieux des codes —
perroquets relâchés et écoutes au vent. C'était clair :
« *Voiles inconnues en vue* ». Et un second coup de
canon souligna le message.

Jack consulta sa montre. Avec un regard impatient
vers les pins immobiles et silencieux, il dit : « Prêtez-
moi votre couteau, Bonden ! » et saisit une grosse
pierre plate. Il y grava le mot *Regrediar* (la notion de
secret voltigea dans son esprit), l'heure qu'il était et
ses initiales. Il la planta au sommet d'une petite butte,
jeta un ultime coup d'œil vers le bois, sans trop d'espoir, et sauta à bord du canot.

Dès que le cotre aborda la *Sophie*, les vergues du
sloop grincèrent, il gonfla ses voiles et se tourna vers
la haute mer.

« C'est un navire de guerre, monsieur, j'en suis
presque certain, lui dit James. J'ai pensé que vous
aimeriez prendre le large.

— Très bien, monsieur Dillon. Voulez-vous me prêter votre lunette ?

Au ton de mât, il reprit son souffle. Il faisait grand
jour, et il n'y avait pas de brume sur la mer. Il les
distingua nettement. Deux navires contre le vent, qui
venaient du sud toutes voiles dehors. Des navires de
guerre, à n'en pas douter. Anglais ? Français ? Espagnols ? Le vent soufflait plus fort, là-bas, et ils
devaient filer un bon dix nœuds. Il jeta un coup d'œil
par-dessus son épaule, vers la plage qui s'éloignait à
l'est. La *Sophie* aurait un mal de tous les diables à
passer ce cap avant que les autres ne la rattrapent. Mais

il fallait qu'elle y parvienne, ou elle serait cernée. C'étaient bel et bien des vaisseaux de guerre. Ils étaient assez près, maintenant, et bien qu'il fût incapable de compter les sabords, c'étaient probablement des frégates lourdes, des frégates de trente-six pièces. Des frégates, sans aucun doute.

Si la *Sophie* doublait le cap la première, elle avait une chance. Et si elle passait les hauts-fonds, entre la pointe et le récif qui se trouvait au-delà, elle pouvait gagner un demi-mille, car aucune frégate à fort tirant d'eau ne pouvait l'y suivre.

« Que les hommes prennent le petit déjeuner, monsieur Dillon, dit-il. Après quoi, que tout le monde soit prêt pour le combat. S'il doit y avoir un accrochage, autant avoir le ventre plein. »

Ce matin-là, bien peu de ventres s'emplirent de bon cœur. Une sorte de crispation empêchait les flocons d'avoine et le biscuit de descendre sereinement. Même le café de Jack, fraîchement moulu et grillé, laissa son arôme se disperser sur la plage arrière, pendant que les officiers, concentrés, calculaient les caps et les allures respectifs, et les probables points de convergence. Deux frégates contre le vent, une côte hostile sous le vent et le risque d'être drossés sur les hauts-fonds — il n'en fallait pas plus pour perdre l'appétit.

« Holà, du pont ! cria la vigie, depuis la pyramide de toile tendue au maximum. Ils envoient les couleurs, monsieur. Pavillon bleu.

— Eh bien... dit Jack. Monsieur Ricketts, qu'on fasse de même. »

Toutes les lunettes disponibles sur la *Sophie* furent braquées sur le perroquet de la frégate la plus proche, dans l'attente de son signal privé. Chacun pouvait exhiber un pavillon bleu, en effet, mais seul un vaisseau du roi pouvait montrer le signe secret de reconnaissance. Et il était là, en effet : un drapeau rouge à l'avant, puis un pavillon blanc et une flamme au grand-mât, et le grondement indistinct d'un canon contre le vent.

Toute la tension retomba d'un coup. « Très bien, dit

Jack. Répondez, et identifiez-nous. Trois coups sous le vent, monsieur Day, à intervalles assez longs.

— C'est le *San Fiorenzo*, monsieur », dit James, en aidant l'aspirant maladroit qui tenait le livre des signaux : les pages aux couleurs vives menaçaient de s'égailler dans la brise (désormais un peu fraîche). « Il veut parler au capitaine de la *Sophie*.

— Bon Dieu ! » dit Jack in petto. Le capitaine du *San Fiorenzo* n'était autre que Sir Harry Neale. Il avait été premier lieutenant sur la *Resolution* à l'époque où Jack était le benjamin de ses aspirants, puis son capitaine sur le *Success*. Cet homme était extrêmement pointilleux sur la promptitude, la propreté, la perfection dans l'habillement et le respect de la hiérarchie. Jack n'était pas rasé. Ce qui lui restait de cheveux partait en tous sens. La pommade bleuâtre de Stephen recouvrait la moitié de son visage. Mais il n'y avait rien à faire. « Qu'on manœuvre pour l'approche ! » dit-il, avant de se ruer dans sa cabine.

« Vous voilà enfin, dit Sir Harry en le regardant avec dégoût. Par Dieu, capitaine Aubrey, vous prenez votre temps ! »

La frégate semblait immense. Comparés à ceux de la *Sophie*, ses mâts n'auraient pas déparé un vaisseau de ligne de première classe. Des kilomètres de pont s'étendaient de tous côtés. Jack avait le sentiment — ridicule mais très douloureux — qu'on avait réduit sa taille, qu'il était passé d'une situation d'autorité absolue à celle de totale servitude.

« Je vous demande pardon, monsieur, dit-il d'une voix sans expression.

— Bien. Entrez dans la cabine. Votre aspect n'a pas beaucoup changé, Aubrey. Mais je suis très heureux de vous voir. Nous sommes surchargés de prisonniers et j'ai l'intention de me soulager en vous en confiant une cinquantaine.

— Je suis désolé, monsieur, sincèrement désolé de ne pouvoir vous obliger. Mais le sloop est lui-même plein à craquer de prisonniers.

— Obliger, dites-vous ? Vous m'obligeriez, monsieur, en obéissant aux ordres. Savez-vous qui est l'officier supérieur, ici ? De plus, je sais foutrement bien que certains de vos hommes accompagnent les prises que vous avez envoyées à Mahon. Ces prisonniers occuperont la place vacante. Quoi qu'il en soit, vous pourrez les débarquer d'ici quelques jours. Alors n'en parlons plus.

— Et ma croisière, monsieur ?

— Votre croisière m'importe moins, monsieur, que l'intérêt du service. Procédons au transfert dès que possible, parce que j'ai d'autres ordres pour vous. Nous sommes à la poursuite d'un navire américain, le *John B. Christopher*. Il rallie Marseille aux États-Unis, avec escale à Barcelone, et nous espérons le trouver entre Majorque et le continent. Nous pensons que deux rebelles se cachent parmi ses passagers — des United Irishmen. Un prêtre papiste, Mangan, et un nommé Roche... Patrick Roche. Il faut nous emparer d'eux, par la force si nécessaire. Ils utilisent probablement des noms et des passeports français. Eux-mêmes parlent français, d'ailleurs. Voici leur description. *"Homme maigre, de taille moyenne, la quarantaine, teint mat, cheveux brun foncé, quoiqu'il porte une perruque ; nez crochu ; menton pointu ; yeux gris et gros grain de beauté près de la bouche."* Voilà pour le curé. L'autre est un *"homme grand et costaud, taille six pieds, cheveux noirs et yeux bleus, trente-cinq ans environ. Il lui manque le petit doigt de la main gauche, et il a une démarche un peu raide suite à une blessure à la jambe"*. Vous devriez prendre ces documents. »

« Monsieur Dillon, préparez-vous à recevoir vingt-cinq prisonniers du *San Fiorenzo*, et vingt-cinq autres de l'*Amelia*. Après quoi nous nous joindrons à une chasse aux rebelles.

— Des rebelles ? s'exclama James.

— Oui. » Jack avait l'air absent. Il regardait derrière Dillon : une bouline de petit hunier était détendue. Il se tourna brièvement pour donner un ordre. « Oui, c'est cela. Veuillez jeter un coup d'œil à ces fiches quand vous en aurez le loisir. Le loisir... par exemple ! »

« Cinquante bouches de plus à nourrir, dit le commissaire. Que dites-vous de cela, monsieur Marshall ? Trois cent trente rations complètes... Par le diable, où suis-je supposé trouver tout cela ?

— Il va falloir rallier Mahon directement, monsieur Ricketts, je vous le dis, et adieu la croisière. Cinquante, c'est impossible, un point c'est tout ! De votre vie, vous n'avez vu deux officiers aussi sinistres. Cinquante !

— Cinquante corniauds de plus, dit James Sheehan, et tout pour leur impérial plaisir ! Jésus, Marie, Joseph !

— Et pensez à notre pauvre docteur, tout seul au milieu de ces arbres... Peut-être même qu'il y a des chouettes. Que le service aille se faire... c'est moi qui vous le dis. Et le... *San Fiorenzo*, et cette maudite *Amelia* !

— Seul ? Vous n'y pensez pas, mon ami. Mais que le service aille en enfer, comme vous dites. »

C'est dans cet état d'esprit que la *Sophie* fit force de voiles au nord-ouest, sur le bord extérieur de la ligne de chasse. L'*Amelia* était sur son flanc bâbord, les huniers à moitié amenés, et le *San Fiorenzo* se trouvait à la même distance de l'*Amelia*, côté terre, absolument hors de vue de la *Sophie* — dans la meilleure position, pour s'emparer des prises lentes qui pouvaient se présenter. Le temps était clair, ce qui leur permettait de surveiller plus de soixante milles de Méditerranée. Ils filèrent ainsi toute la journée.

De fait, la journée fut longue et bien remplie. Il fallut libérer l'avant-cale, installer et surveiller les prisonniers (il y avait de nombreux corsaires, des hommes dangereux). Il fallut poursuivre trois lourds navires de commerce — tous neutres, et peu disposés à se mettre en panne. L'un d'eux rapporta qu'il avait vu un navire, peut-être américain, jumeler son petit mât de hunier endommagé, à deux jours de route sous le vent. Il fallut aussi sans cesse travailler les voiles, sous un vent changeant et dangereusement saccadé, pour rester à la hauteur des frégates. Au mieux, la *Sophie* put s'éviter d'être ridicule. Par ailleurs, elle manquait de bras. Mowett, Pullings et le vieil Alexander, un quartier-maître de confiance, se trouvaient toujours sur les prises avec un bon tiers des meilleurs hommes, de sorte que James Dillon et le maître durent tenir quart sur quart. La bonne humeur s'épuisa aussi, et la liste des infractions s'allongea tout au long de la journée.

« Je ne pensais pas que Dillon pût être aussi féroce », se dit Jack. Son lieutenant venait de monter en beuglant dans la hune de misaine. Il ordonnait à un Babbington en larmes et à son équipe réduite de changer pour la troisième fois la bonnette de hunier. Il est vrai que le sloop filait à belle allure. Il était dommage de le fustiger, de harceler ainsi l'équipage — c'était un prix trop élevé à payer. Mais c'étaient les ordres, et Jack n'avait pas le droit d'intervenir. Son esprit revint à ses nombreux problèmes. Il s'inquiéta de nouveau pour Stephen. Cette excursion solitaire sur un sol hostile était pure folie. Et de nouveau, il se sentit fort mécontent de sa propre attitude à bord du *San Fiorenzo*. Un abus d'autorité flagrant. Il aurait dû se montrer beaucoup plus ferme. Mais entre les Instructions officielles et les Articles du Code, il avait les mains liées. Enfin, il y avait le problème des aspirants. Il en fallait au moins deux sur le sloop, un jeune et un ancien. Il faudrait qu'il demande à Dillon s'il voulait faire nommer un garçon de sa connaissance — cousin, neveu ou filleul. De la part d'un capitaine, c'était une jolie faveur pour son lieutenant, mais pas inhabituelle en cas d'estime réciproque. Quant au plus ancien, il voulait un homme d'expérience qui, avant tout, puisse presque tout de suite avoir rang de second maître. Ses pensées glissèrent vers son timonier, bon marin et capitaine de l'équipe du grand-mât. Puis elles dévièrent sur les jeunes gens du pont inférieur. Il préférait de très loin quelqu'un qui était arrivé par le trou d'écubier — un vrai matelot comme le jeune Pullings — à la plupart de ces jeunes gens que leurs familles faisaient engager en mer grâce à leur argent... Si les Espagnols s'emparaient de Stephen Maturin, ils le fusilleraient comme espion...

Il faisait presque nuit lorsqu'ils en eurent fini avec le troisième navire marchand. Jack était fourbu — ses yeux rougis le picotaient, il avait l'ouïe quatre fois trop sensible et le sentiment qu'une corde enserrait ses tempes. Il n'avait pas quitté le pont de la journée — une journée d'angoisse qui avait commencé deux heures avant l'aube —, et il s'endormit avant même d'avoir posé sa tête. Mais durant le bref instant qui précéda la chute dans le sommeil, son esprit eut le temps d'émettre deux éclairs d'intuition. Primo, tout allait bien avec Stephen Maturin... Secundo, ce n'était *pas* le cas avec James Dillon. « J'ignorais qu'il attachait autant d'importance à cette croisière. Mais il est clair qu'il s'est lui aussi attaché à Maturin. Un drôle de type... » Puis il sombra.

Il sombra très loin, dans le sommeil parfait d'un homme jeune, fatigué, en bonne santé, bien nourri et un peu gras. Un sommeil rose... mais pas assez profond pour l'empêcher de s'éveiller quelques heures plus tard, maussade et mal à l'aise. Des voix basses, impatientes et querelleuses lui parvenaient par la fenêtre de tableau. Un instant, il crut à une attaque-surprise, à un abordage dans la nuit. Son cerveau s'éveilla assez pour qu'il reconnaisse les voix de Dillon et de Marshall, et il se rendormit. Mais son esprit s'agita derechef, un peu plus tard, et le mit en alerte, du fond du sommeil : « Pourquoi donc ces deux-là se trouvaient-ils ensemble sur la plage arrière à cette heure de la nuit, alors qu'ils assurent les quarts à tour de rôle ? On n'a pas piqué huit coups... » Comme pour lui donner raison, la cloche de la *Sophie* sonna trois fois, et les cris habituels vinrent en réponse, de divers points du navire. « Tout va bien ! »... Mais ce n'était pas vrai. La tension des voiles avait changé. Que se passait-il ? Il enfila sa robe de chambre et monta sur le pont. Non seulement la *Sophie* avait réduit sa voile, mais elle filait est-nord-est quart est.

« Monsieur, dit Dillon en s'avançant vers lui, ceci relève de mon entière responsabilité. J'ai annulé les instructions du quartier-maître et ordonné qu'on remonte la barre. Je crois qu'un navire se trouve sur notre tribord. »

Jack essaya de percer du regard la brume argentée — clair de lune et ciel à demi couvert. La houle avait augmenté. Il ne vit ni navire, ni lumière. Mais cela ne prouvait rien. Il prit le renard et étudia le nouveau cap. « Nous serons bientôt en vue des côtes de Majorque, dit-il en bâillant.

— Oui, monsieur. J'ai donc pris la liberté de réduire les voiles. »

C'était une entorse inacceptable à la discipline. Dillon le savait aussi bien que lui. Il n'y avait donc aucune raison de le lui faire remarquer en public.

« Qui est de quart en ce moment ?

— C'est moi, monsieur », dit le quartier-maître. Il parlait calmement, mais d'une voix presque aussi dure et aussi peu naturelle que Dillon. Il régnait une curieuse ambiance, sur ce pont. Beaucoup trop tendue pour une simple question de vigie.

« Qui est dans le mât ?

— Assei, monsieur. »

Assei était un lascar intelligent et digne de confiance. « Holà, Assei !

— Holà ! » La réponse vint de l'obscurité, loin au-dessus de leurs têtes.

« Vous apercevez quelque chose ?

— Vois rien, monsieur. Les étoiles, rien d'autre. »

Mais un aperçu fugitif ne prouvait rien. Dillon avait sans doute raison. Sans quoi il n'aurait pas fait une chose aussi extravagante. Mais ils suivaient tout de même une route bizarre. « Êtes-vous bien sûr d'avoir vu cette lumière, monsieur Dillon ?

— Absolument, monsieur... Et j'en suis heureux. »

Sa voix grinçante donnait à ce mot une résonance des plus étrange. Jack resta silencieux. Il corrigea le cap, un point et demi plus au nord, et se mit à faire les cent pas comme à son habitude. Lorsque la cloche piqua quatre coups, la lumière s'élevait sur l'est, et la présence sombre de la terre était presque sensible à tribord, dans les vapeurs qui flottaient sur la mer (quoique la voûte céleste fût très claire, entre le bleu et la pénombre). Jack descendit pour passer des vêtements. Au moment où il enfilait sa chemise, la vigie signala une voile à l'horizon.

Elle sortait d'une bande de brouillard brunâtre, à moins de deux milles sous le vent. Dès qu'il la tint dans sa lunette, Jack repéra le mât jumelé, avec un simple hunier au bas ris. Tout était clair. Tout était simple. Dillon avait eu raison, bien entendu. Il s'agissait bien de leur proie — même si elle était curieusement éloignée de sa route normale. Elle devait avoir passé depuis quelque temps l'île du Dragon, et taillait lentement sa route dans le passage ouvert menant au sud. Dans une heure, ils auraient mené à bien leur désagréable mission, et il savait où il serait avant midi.

« Bravo, monsieur Dillon ! Bravo, vraiment ! Nous ne pouvions faire meilleure rencontre. Je n'aurais jamais cru qu'il pût se trouver si loin à l'est du détroit. Hissez nos couleurs, et qu'on tire un coup de semonce ! »

Sur le *John B. Christopher*, on craignait un peu d'affronter un navire de guerre impatient d'impressionner ses marins anglais (ou que l'équipe d'abordage tenait à considérer comme des Anglais). Mais il n'avait pas la moindre chance de s'échapper, surtout avec un hunier abîmé et des mâts de perroquet couchés sur le pont. Après une légère risée dans ses voiles et une tendance à abattre, il amena ses huniers, hissa le drapeau américain et attendit le canot de la *Sophie*.

« C'est vous qui irez là-bas », dit Jack à Dillon. Celui-ci était toujours penché sur son télescope, comme s'il était absorbé par on ne sait quelle pièce du gréement de l'Américain. Vous parlez français mieux que quiconque ici, en l'absence du docteur. Après tout, c'est vous qui l'avez trouvé, malgré sa position extraordinaire. C'est votre découverte... Voulez-vous que je

vous redonne les signalements, ou préférez-vous... »
Jack s'interrompit. Il avait vu beaucoup d'ivrognerie,
dans la Navy. Il avait vu se saouler des amiraux,
des lieutenants de vaisseaux, des commandants, des
mousses de dix ans. Il était même arrivé, jadis, d'être
ramené à bord sur une brouette. Mais il détestait qu'on
soit saoul durant le service. De fait, il avait cela en
horreur, surtout à une heure aussi matinale. « Peut-être
ferais-je mieux d'y envoyer M. Marshall, dit-il froidement. Qu'on appelle M. Marshall !

— Oh, non, monsieur ! cria Dillon, reprenant ses
esprits. Pardonnez-moi... Ce n'était qu'un malaise passager... Je vais parfaitement bien. » Sur le visage du
lieutenant, en effet, une rougeur malsaine avait remplacé la pâleur, la suée et l'air hagard.

« Parfait ! » dit Jack d'un air pensif. Quelques
secondes plus tard, Dillon rassemblait l'équipage du
cotre avec une énergie retrouvée, courait de bas en
haut, vérifiait les armes de ses hommes et faisait claquer les chiens de ses propres pistolets — aussi maître
de lui que possible. Quand le cotre fut à flanc, prêt au
départ, il déclara : « Finalement, je vais peut-être me
munir de ces signalements, monsieur. Je me rafraîchi-
rai la mémoire en traversant. »

La *Sophie* manœuvra doucement pour venir au flanc
bâbord du *John B. Christopher*, prête à le mitrailler et
à couper sa poupe au premier mouvement suspect.
Mais il n'y en eut point. Quelques cris plus ou moins
ironiques — « Paul Jones ! », « Comment va le roi
George ? » — parvinrent du gaillard d'avant de l'Américain. Les canonniers de la *Sophie*, qui étaient prêts
à envoyer leurs « cousins » ad patres sans la moindre
hésitation (ni la moindre rancune personnelle), grima-
cèrent. Ils auraient volontiers réagi avec des slogans de
leur cru. Mais leur capitaine ne l'aurait pas permis. Il
n'y avait pas, dans cette mission odieuse, de place pour
l'amusement. Au premier « Fayots de Boston ! », il
lança : « Silence, à l'avant et à l'arrière ! Monsieur
Ricketts, prenez le nom de cet homme ! »

Le temps passait. La mèche lente se consumait doucement dans son tube. Le long du pont, l'attention vagabondait. Un fou de Bassan d'un blanc éclatant passa au-dessus de leurs têtes. Jack se surprit, oublieux de son devoir, à penser à Stephen avec inquiétude. Le soleil se levait. Le soleil était levé.

L'équipe d'abordage réapparut enfin au passavant de l'Américain. Les hommes sautèrent l'un après l'autre dans le cotre. Il ne restait plus que Dillon, et lui seul. Il parlait aimablement au capitaine et à ses passagers, à la lisse. Les voiles du *John B. Christopher* gonflèrent. L'étrange nasillement américain de son second, pressant l'équipage de se « *saisir de ces damnations de vergues* », résonna au-dessus de l'eau. Puis le navire fila vers le sud. Le cotre regagna la *Sophie*.

En partant vers le navire américain, James ignorait ce qu'il allait faire. Toute la journée, depuis qu'il connaissait la mission de l'escadrille, il avait été écrasé par un sentiment de fatalité. Maintenant, bien qu'il ait eu des heures pour y réfléchir, il ne savait toujours pas ce qu'il devait faire. Se déplaçant comme dans un cauchemar, il escalada presque malgré lui la muraille de l'Américain. Et il savait, bien sûr, qu'il allait trouver le père Mangan. Il avait pourtant fait tout ce qu'il avait pu pour l'éviter — tout sauf fomenter une mutinerie ou couler la *Sophie*. Il avait modifié le cap et réduit les voiles. Il avait fait chanter le quartier-maître pour l'y contraindre. Pourtant, il avait toujours su qu'il le trouverait. Mais ce qu'il ignorait, ce qu'il n'avait pu prévoir, c'est que le prêtre le menacerait de le dénoncer s'il ne fermait pas les yeux. Il avait détesté cet homme dès l'instant où ils s'étaient reconnus, mais à la même seconde, il avait pris sa décision — il était exclu qu'il joue les sergents de police. La menace n'était venue que plus tard. Il lui avait fallu une seconde pour acquérir la certitude absolue que cela ne l'affectait pas le moins du monde. Mais il avait eu du mal à reprendre son souffle, avant que la situation ne devienne insupportable. Il dut feindre d'examiner tous les autres passeports du navire, en prenant son temps, pour retrouver le contrôle de lui-même. Il savait qu'il ne s'en sortirait pas, que toute solution serait déshonorante. Mais il n'aurait jamais imaginé que le déshonneur fût aussi douloureux. Il avait sa fierté. Il fut blessé au-delà de toute expression par le regard mauvais, satisfait, que lui lança le père Mangan, et la douleur amena son lot d'intolérable doute.

Le canot toucha le flanc de la *Sophie*. « Aucun passager ne ressemble à ceux que nous cherchons, monsieur.

— Eh bien tant mieux ! » dit gaiement Jack. Il leva son chapeau et l'agita en direction du capitaine américain. « Ouest-sud-ouest, monsieur Marshall ! Et rangez ces canons, je vous prie. » L'arôme exquis du café montait de l'écoutille d'arrière. « Venez prendre le petit déjeuner avec moi, Dillon, dit-il en lui prenant familièrement le bras. Vous avez encore l'air mortellement pâle.

— Je vous prie de m'excuser, monsieur, murmura James, en se dégageant avec un regard haineux. Je me sens mal. »

Chapitre VIII

« Je suis très embarrassé, ma parole ! Je vais tout vous raconter, car j'ai une confiance totale en votre franchise. Je suis très embarrassé. Je suis incapable d'imaginer quelle sorte d'offense... Ce n'est pas d'avoir débarqué sur l'île du Dragon ces prisonniers qu'on nous avait injustement confiés — bien qu'il désapprouve certainement cela... Car les problèmes ont commencé avant, très tôt le matin. » Stephen l'écoutait attentivement, gravement, sans l'interrompre. Peu à peu, revenant en arrière sur des détails oubliés, ou sautant au contraire dans le temps pour renforcer son récit par anticipation, Jack lui dit toute l'histoire de sa relation à James Dillon — avec ses hauts et ses bas —, y compris cette chute extraordinaire, non seulement inexplicable mais blessante, à cause de l'affection réelle qui s'était développée entre les deux hommes. Et puis il y avait aussi l'attitude extravagante de Marshall. Mais c'était beaucoup moins important.

Jack réitéra ses arguments sur la nécessité de voir les gens heureux sur un navire, si l'on voulait commander une machine de guerre efficace. Il cita des exemples et des contre-exemples. Stephen écoutait, approuvait. Mais sa sagesse, en l'occurrence, ne lui était d'aucune utilité. Il ne pouvait pas, comme Jack l'eût sans doute souhaité, proposer ses bons offices. Car il n'était qu'un interlocuteur imaginaire, dont le corps et la pensée se trouvaient à trente lieues au sud-ouest —, de l'autre côté du désert liquide. Un rude désert... et une mer contraire. En effet, après des jours de frustration — calme plat, presque-calme, puis bon-frais de sud-ouest —, le vent avait viré à l'est. Il souf-flait maintenant en tempête, soulevant les hautes vagues qui s'étaient gonflées pendant la journée. La *Sophie* taillait sa route sous huniers à deux ris, frappant la mer qui martelait sa proue au vent, trempait la vigie du gaillard d'avant du réconfort de ses embruns, faisait vaciller James Dillon qui communiait avec le diable, debout sur la plage arrière, et balançait le lit de camp où Jack, en silence, haranguait l'obscurité.

Il avait une existence infiniment trépidante. Mais puisqu'il pouvait jouir d'une solitude inviolable der-rière la porte de la cabine gardée par une sentinelle, cela lui laissait beaucoup de temps pour réfléchir. Il ne le galvaudait pas en conversations inutiles, ni en écou-tant des gammes incomplètes sur une flûte allemande ou des problèmes de marins. « Quand nous l'aurons retrouvé, je lui parlerai. En termes abstraits. Je lui dirai combien il est important pour un homme d'avoir à bord un ami et confident. Je lui expliquerai combien est sin-gulière la vie d'un capitaine — il domine ses cama-rades, dans le vacarme du carré, et peut à peine respirer, il joue une gigue au violon, et l'instant d'après il est projeté dans une solitude d'ermite qu'il n'a jamais connue auparavant. »

Dans les moments de tension, Jack Aubrey pouvait avoir deux sortes de réactions. Il pouvait devenir agres-sif, ou sentimental. Il recherchait la catharsis de l'ac-tion violente, ou bien celle de l'amour. Il adorait se battre. Il adorait les filles.

« Je comprends parfaitement que certains comman-dants embarquent une femme avec eux, se dit-il. Le plaisir mis à part, pense au *refuge* que constitue une chaude, vive, tendre... » La paix... « J'aimerais bien qu'il y ait une fille dans cette cabine », se dit-il.

Mais ce désarroi, ce malaise avoué, n'eurent pour témoins que la cabine et son compagnon invisible. En public, le capitaine de la *Sophie* ne laissait voir aucune hésitation, et seul un observateur singulièrement avisé aurait pu dire que l'amitié toute neuve entre son lieutenant et lui avait avorté. C'était le cas du quartier-maître. Bien que l'aspect repoussant de Jack (lorsqu'il était brûlé et couvert de pommade) eût provoqué chez lui quelque répugnance, l'affection évidente du capitaine pour James Dillon, au même moment, avait suscité une jalousie qui œuvrait dans le sens inverse. De plus, le maître avait été menacé dans des termes qui ne laissaient guère de place au doute. C'est pourquoi il surveillait le capitaine et le lieutenant avec une angoisse douloureuse.

La voix de Jack résonna dans l'obscurité, et le pauvre homme sursauta comme s'il avait reçu un coup de pistolet. « Selon vous, monsieur Marshall, dans combien de temps toucherons-nous terre ?

— Dans deux heures environ, monsieur, si le vent se maintient.

— C'est bien ce que je pensais, dit Jack en levant les yeux vers le gréement. Je crois que vous pouvez larguer un ris, maintenant. Au premier signe de relâchement, bordez les perroquets... Forcez l'allure autant que vous pouvez. Qu'on m'appelle dès que la terre est en vue, s'il vous plaît. »

Il remonta un peu moins de deux heures plus tard pour découvrir, au loin sur tribord, la ligne irrégulière de la côte espagnole — avec cette montagne singulière que les Anglais appelaient Egg-Top, dans l'axe de la grosse ancre de bossoir, et leur point d'eau douce juste devant lui.

« Par Dieu, Marshall, vous êtes un excellent navigateur, dit-il en baissant sa lunette. Vous mériteriez qu'on vous confie le commandement de la flotte. »

Ils n'accosteraient pas avant une bonne heure. Mais maintenant que la chose était à portée de main, qu'elle avait cessé d'être hypothétique, Jack comprit à quel point il avait été inquiet... Il comprit quelle importance avait pour lui l'issue de l'aventure.

« Faites venir mon timonier à l'arrière, voulez-vous ? » Il revint à sa cabine après quelques allées et venues nerveuses.

Barret Bonden, timonier et capitaine du grand hunier, était très jeune pour le poste qu'il occupait. C'était un bel homme à l'air franc, dur sans être brutal, gai, parfaitement à sa place, et bien entendu un excellent marin, habitué à la mer depuis l'enfance. « Asseyez-vous, Bonden ! » Jack était un peu solennel : il s'apprêtait à lui offrir la plage arrière, finalement, et la possibilité d'accéder au sommet de la hiérarchie des matelots. « Je me demandais... Aimeriez-vous passer au grade d'aspirant ?

— Non, monsieur, pas du tout ! », répondit Bonden sur-le-champ. Son sourire luisait dans la pénombre. « Mais je vous remercie sincèrement pour la bonne opinion que vous avez de moi, monsieur.

— Ah bon ? demanda Jack, pris de court. Et pourquoi pas ?

— Je ne suis pas assez instruit, monsieur. » Il eut un rire enjoué. « Tout ce que je sais faire, c'est lire le tableau des quarts, en déchiffrant lentement. Et je suis trop vieux pour m'y mettre. Et puis, monsieur, de quoi j'aurais l'air, fagoté en officier ? De Guignol ! Tous mes vieux copains riront bien sous cape, quand ils m'appelleront : Holà, du trou d'écubier !

— Beaucoup de bons officiers ont commencé au pont inférieur... J'y ai été moi-même, jadis, ajouta Jack, qui regretta de l'avoir dit avant même d'avoir fini sa phrase.

— Je le sais bien, monsieur, dit Bonden, en souriant de nouveau.

— Comment le savez-vous ?

— Il y a un type, chez les tribordais, qui a déjà navigué avec vous, monsieur — sur le vieux *Reso*, au large du Cap. »

« Oh bon Dieu ! se dit Jack, je n'en savais rien. Ils me voyaient renvoyer toutes les femmes à terre, aussi vertueux que le Pompeux Pilate, et ils savaient tout depuis le début... Bien, bien... » Il reprit à voix haute, avec une certaine raideur : « Eh bien, Bonden, pensez à ce que je vous ai dit. Il serait fort dommage de vous laisser en faire à votre tête.

— Si je peux me permettre, monsieur... » Bonden se leva, soudain gêné et maladroit. « Il y a George... George Lucock, de l'équipe de misaine et bâbordais. Il est instruit, et il écrit si petit qu'on a peine à le lire. Il est plus jeune que moi, et plus souple, monsieur... Oh, beaucoup plus souple.

— Lucock ? dit Jack avec un air de doute. Ce n'est qu'un gamin. Est-ce qu'on ne l'a pas fouetté la semaine dernière ?

— Si, monsieur. Mais c'était seulement que son canon avait encore gagné. Et il n'a pas refusé de boire la prime, par respect pour le perdant...

— Très bien », dit Jack. Il pensa qu'il y avait peut-être des primes plus sensées qu'une bouteille, sinon de plus précieuses. « Je vais l'avoir à l'œil. »

Les aspirants continuèrent d'occuper son esprit durant les assommantes manœuvres d'approche. « Monsieur Babbington ! dit-il en interrompant soudain ses allées et venues. Sortez les mains de vos poches. Quand avez-vous envoyé votre dernière lettre à votre famille ? »

M. Babbington avait l'âge où toute question, ou presque, appelle une réponse coupable. Et cette fois, l'allusion était justifiée... Il rougit. « Je ne sais pas, monsieur...

— Réfléchissez, monsieur, réfléchissez, dit Jack, dont le visage s'assombrit brusquement. D'où l'avez-vous envoyée ? De Mahon ? De Leghorn ? De Gênes ? De Gibraltar ? Mais peu importe... » Sur la plage, à cette distance, il était impossible de discerner la moindre silhouette. « Peu importe. Écrivez une belle lettre. Au moins deux pages. Vous me la montrerez demain, avec vos devoirs quotidiens. Veuillez donner mes compliments à votre père, et dites-lui que mes banquiers sont les Hoare. » Comme beaucoup de capitaines, c'est Jack qui gérait l'argent de poche de ses jeunes messieurs. « Les Hoare, répétait-il d'un air

absent, mes banquiers sont les Hoare... », lorsqu'un bruit étranglé, qui pouvait être un cri de joie, le fit se retourner. Le jeune Ricketts se cramponnait au garant du grand palan de hune, incapable de se maîtriser. Le regard glacial que lui lança Jack tempéra son enthousiasme. « Et vous, monsieur Ricketts, avez-vous écrit à vos parents, récemment ? » Il répondit par un « Non, monsieur ! » sonore, d'une voix à peine chevrotante.

« Alors vous ferez de même. Deux pages, écrit petit, et pas de demandes de nouveaux quadrants, de chapeaux à galon ou de cintres ! » L'aspirant sentit que ce n'était pas le moment de protester, ni même de rappeler que son parent bien-aimé — son seul parent — se trouvait sur le navire. En fait, tout le monde sur le brick connaissait l'état de tension où se trouvait Jack. « Boucles d'Or est dans une terrible inquiétude à propos du docteur, disait-on. Attention à l'orage ! » Les hommes qui passaient devant lui pour ranger leurs hamacs sur les filets de tribord lui jetaient des regards nerveux. L'un d'eux, qui essayait de garder l'œil à la fois sur le quartier-maître et sur le capitaine, en oublia la coupée du pont et tomba face contre terre.

Mais Boucles d'Or n'était pas le seul à être inquiet. Lorsque l'on vit enfin Stephen Maturin sortir de sous les arbres et traverser la plage à la rencontre de la yole, un cri général retentit sur le gaillard d'avant, au mépris de la discipline la plus élémentaire : « Le voilà ! Hourra ! »

« Je suis très heureux de vous revoir, s'exclama Jack, tandis que Stephen montait à bord à l'aveuglette, tiré et poussé par des mains expertes... Comment allez-vous, cher monsieur ? Venez tout de suite prendre le petit déjeuner... J'ai pris soin de le garder. Comment vous portez-vous ? En bonne forme, j'espère ? En bonne forme ?

— Je vais très bien, je vous remercie », dit Stephen. En fait, il avait l'air un peu moins cadavérique, car l'accueil qu'on venait de lui réserver lui avait donné quelques couleurs. Je vais jeter un coup d'œil à mon infirmerie, après quoi je partagerai votre bacon avec un immense plaisir. Bonjour, monsieur Day. Veuillez ôter votre chapeau, je vous prie. Très bien, très bien... Vous nous faites honneur, monsieur Day. Mais évitez de vous exposer déjà au soleil... Je vous recommande le port d'une perruque galloise bien serrée. Bonjour, Cheslin. Je suis sûr que vous vous en êtes bien tiré, avec nos patients, n'est-ce pas ? »

— Cette question m'a taraudé l'esprit durant votre absence, dit-il, les lèvres un peu grasses à cause du bacon. Est-ce que mon infirmier allait leur rendre la monnaie de leur pièce ? Essaierait-il de se venger de leurs persécutions ? Combien de temps lui faudrait-il pour trouver sa nouvelle identité ?

— Une identité ? » Jack versa encore du café. « Est-ce que nous ne la recevons pas à la naissance ?

— L'identité dont je parle, c'est quelque chose qui se trouve quelque part entre un homme et le reste du monde. Un point médian entre l'idée qu'il se fait de lui-même et l'idée que les autres se font de lui... Car chacun, bien entendu, affecte l'autre en permanence... Un flux réciproque, cher monsieur. Il n'est rien d'intangible, absolument rien, dans mon identité. Un exemple : si vous alliez passer quelques jours en Espagne, en ce moment, vous vous trouveriez changé — à cause de l'opinion générale, là-bas, qui fait de vous un horrible assassin, brutal et hypocrite... Un homme odieux...

— Je suppose qu'ils sont vexés, dit Jack en souriant. Et je suppose qu'ils me traitent de Belzébuth... Mais cela ne fait pas de moi Belzébuth...

— Ah non ? Ah non ? Eh bien, qui que vous soyez, vous avez fort irrité... vous avez excité l'intérêt mercantile, sur cette côte, à un degré prodigieux. Un homme très riche, un certain Mateu, est furieusement monté contre vous. C'est à lui qu'appartient le mercure, et comme il s'agit de contrebande, il n'est pas assuré. Même chose pour le vaisseau dont vous vous êtes emparé à Almoraira, et pour la cargaison de la tartane incendiée au large de Tortosa... La moitié de tout cela était à lui. Il a des amis au ministère. Il est parvenu à briser leur nonchalance, et ils l'ont autorisé, lui et ses amis, à affréter un de leurs navires de guerre...

— Pas affréter, cher monsieur. Aucune personne privée ne peut *affréter* un navire de guerre, un vaisseau national, un bâtiment de Sa Majesté... pas même en Espagne.

— Ah bon ? Le terme est peut-être incorrect. Il m'arrive souvent d'user de termes incorrects, quand je parle de marine. Bref. Un navire militaire, qui n'aura pas seulement pour mission de protéger le commerce côtier, mais surtout de se lancer à la poursuite de la *Sophie* — dont le nom et la description sont désormais bien connus de tous... Je tiens tout cela du propre cousin de Mateu, avec qui j'ai dansé...

— Vous avez dansé ? s'écria Jack, plus stupéfait que si Stephen lui avouait avoir dévoré un bébé...

— Bien sûr, que j'ai dansé. Pourquoi ne danserais-je pas, je vous prie ?

— Mais certainement... Je suis sûr que c'était singulièrement gracieux. Je me demandais seulement... Mais vous *dansiez* vraiment ?

— Bien sûr. Vous n'êtes jamais allé en Catalogne, n'est-ce pas, monsieur ?

— Jamais.

— La coutume de ce pays veut que le dimanche matin, les gens de tous âges et de toutes conditions dansent au sortir de l'église. C'est ainsi que j'ai dansé avec Ramon Mateu! Cadafalch, sur la petite place devant la cathédrale de Tarragone, où j'étais allé entendre la *Missa Brevis* de Palestrina. Il s'agit d'une danse très particulière, une ronde, appelée sardane... Si vous me passiez votre violon, je vous ferais entendre l'air que j'ai en tête. Mais vous pensez sans doute que je ne suis qu'un sinistre vantard. » Il se mit à jouer.

« Charmante mélodie, en effet. Un peu dans le goût arabe, non ? Mais je vous jure que j'ai la chair de poule à l'idée que vous vous êtes baladé dans la région... dans les ports, dans les villes. J'avais cru que vous alliez vous terrer... Que vous seriez resté auprès de votre ami, caché dans sa chambre... C'est-à-dire...

— Mais je vous avais dit, n'est-ce pas, que je pouvais parcourir ce pays en tous sens sans problème ?

— Oui, c'est vrai, c'est vrai. » Jack réfléchit un instant. « Et si vous aviez voulu, vous pouviez apprendre quels navires, quels convois étaient en route, à quelle date on les attendait, avec quelle cargaison, et ainsi de suite... Y compris les galions, non ?

— Certainement, dit Stephen, à condition de jouer les espions. N'est-il pas illogique de prétendre qu'il est naturel de parler des ennemis de la *Sophie*, mais qu'il est plus que tout déshonorant d'évoquer son prédateur ?

— Oui, dit Jack avec un regard rêveur. Sans aucun doute. Mais que savez-vous de ce vaisseau de guerre ? Quelle catégorie ? Combien de canons ? Où est-il ?

— C'est le *Cacafuego*.

— *Cacafuego... Cacafuego* ? Jamais entendu parler. Au moins ce ne peut pas être un vaisseau de ligne. Comment est-il gréé ? »

Stephen réfléchit. « J'ai honte de vous avouer que je n'ai pas posé la question. Vu la satisfaction avec laquelle on prononce son nom, je suppose qu'il s'agit d'un lourd et puissant galion.

— Eh bien, nous devrons éviter de nous trouver sur son chemin. Et puisqu'ils savent à quoi nous ressemblons, il va falloir modifier notre apparence. C'est incroyable ce que peuvent faire une couche de peinture et un gilet, sans parler d'un foc grossièrement rapiécé ou un mât de flèche jumelé... À propos, je suppose qu'on vous a dit, dans le canot, pourquoi nous avons été contraints de vous abandonner ?

— Ils m'ont parlé des frégates, et de l'abordage de l'Américain.

— Oui. Et cette précieuse cargaison... Mais personne à bord ne ressemblait à ceux que nous cherchions... Dillon a fouillé le navire pendant près d'une heure. J'étais plutôt soulagé, car vous m'aviez dit que les United Irishmen étaient en général de braves gens...

Bien meilleurs que les autres, dont le nom m'échappe...
Les hommes de fer, ou blancs... Ou bien oranges ?

— Des United Irishmen ? J'avais compris qu'il s'agissait de Français. On m'a dit que l'on recherchait des Français sur le navire américain.

— Ils feignaient seulement d'être français. Je veux dire que s'ils avaient été là... ils se seraient fait passer pour des Français. C'est pour cela que j'ai envoyé Dillon, il parle très bien cette langue. Mais ils n'étaient pas là, vous voyez... À mon avis, tout cela était une histoire à dormir debout. Comme je l'ai dit, j'étais soulagé. Mais il m'a semblé que cela perturbait Dillon, bizarrement... Je suppose qu'il avait fort envie de leur mettre la main dessus. Ou bien il était contrarié parce que notre croisière était interrompue. Et depuis lors... Mais je vous ennuie, avec tout cela. On vous a parlé des prisonniers ?

— Ces frégates qui ont eu l'amabilité de vous en céder une cinquantaine ?

— Simplement parce que ça les arrangeait ! Pas pour l'intérêt du service ! Un sale tour, vraiment, tout à fait méprisable ! » s'écria Jack. Le souvenir lui faisait sortir les yeux de la tête. « Mais je les ai bernés. Aussitôt après en avoir fini avec l'Américain, nous avons rejoint l'*Amelia*. Nous les avons prévenus que nous avions fait chou blanc, et que nous leur faussions compagnie. Deux heures plus tard, avec un vent favorable, nous avons débarqué les prisonniers, jusqu'au dernier, sur l'île du Dragon.

— En face de Majorque ?

— Précisément.

— C'est mal, non ? Est-ce que cela ne va pas vous valoir un blâme... Ou la cour martiale ? »

Jack grimaça et frappa sèchement le bois. « Je vous prie de ne jamais prononcer ce mot porte-guigne. Le seul fait de l'entendre me gâche ma journée.

— Mais vous ne risquez pas d'avoir des ennuis ?

— Pas si je rallie Port Mahon avec en remorque une prise du tonnerre de Dieu, dit Jack en riant. Nous avons juste le temps d'aller nous poster au large de Barcelone, voyez-vous, si le vent est bon... Il le faut, à tout prix ! Nous n'aurons que le temps de tirer une bordée rapide, peut-être deux. Puis nous devrons cingler vers Mahon avec tout ce que nous aurons trouvé. Nous sommes en nombre trop réduit désormais pour nous séparer d'un équipage de prise. Et nous ne pouvons rester en mer plus longtemps, au risque de devoir nous nourrir de nos propres bottes...

— Tout compte fait...

— Ne prenez pas cet air inquiet, mon cher docteur. Je n'avais pas reçu d'instructions sur l'heure et le lieu où je devais les débarquer. Pas d'ordres du tout. Et je réglerai la question des primes, bien entendu. De plus, je suis couvert : tous mes officiers témoigneront que la pénurie d'eau douce et de provisions nous a contraints à faire ce que nous avons fait... Marshall, Ricketts, et même Dillon, qui s'est pourtant conduit bizarrement dans cette affaire. »

La *Sophie* empestait la sardine grillée et la peinture fraîche. Elle relâchait à quinze milles au large du cap de Tortosa, dans un calme plat, ballottée sur une mer d'huile. Elle avait acquis la totalité de la pêche nocturne d'une barca-longa. Une demi-heure après le dîner, la fumée bleue des sardines voletait encore, écœurante, dans l'entrepont, les voiles et les gréements.

Suspendu au flanc du navire, un groupe important travaillait sous les ordres du bosco, étalant de la peinture jaune par-dessus le beau noir et blanc d'origine. Le voilier et une douzaine d'hommes armés de paumelles et d'aiguilles s'affairaient sur la longue bande de toile qui allait camoufler la nature guerrière de la *Sophie*. Le lieutenant, lui, se trouvait dans la yole. Il tournait autour du navire pour juger de l'effet produit par ces modifications. Il était seul avec le docteur, et il disait : « Tout... J'ai fait tout ce qui était en mon pouvoir pour éviter cela. J'ai tout fait, j'ai violé toutes les règles. J'ai modifié le cap, j'ai diminué la voile — impensable, dans le service —, et pour y arriver j'ai dû faire chanter le quartier-maître. Mais au matin il était là, à deux milles sous notre vent, au seul endroit où il n'avait pas le droit de se trouver ! Hé, monsieur Watt ! Six pouces plus bas, s'il vous plaît, tout autour du navire !

— C'est parfait ainsi. Si n'importe qui d'autre était allé à bord, ils auraient pu être pris. »

Il y eut un silence, puis James reprit : « Il s'est penché au-dessus de la table, si près que son haleine malodorante me frappait le visage, et avec ce regard jaune et haineux, il a déversé ses horreurs. J'avais déjà pris ma décision, je vous l'ai dit. Mais j'avais l'impression d'être en train de céder à une vulgaire menace. Deux minutes plus tard, j'étais sûr que c'était le cas.

— Mais non. C'est une chimère. En fait, vous n'êtes pas loin de vous abandonner à la délectation morose. Prenez garde à ce péché, James. Pour le reste, il est dommage que vous y attachiez tant d'importance. À quoi cela sert-il, au bout du compte ?

— Pour ne pas y attacher d'importance, il faudrait que je sois aux trois quarts mort. Et tout à fait imperméable au sens du devoir, sans compter... Monsieur Watt, ça ira parfaitement ainsi ! »

Stephen se demandait s'il pouvait lui dire, comme il en avait envie : « N'en rendez pas Jack Aubrey responsable. Ne buvez pas autant. Ne vous détruisez pas pour ce qui n'en vaut pas la peine ! » au risque de provoquer une explosion. Car James Dillon, malgré son calme apparent, était dans un équilibre précaire et dans un état de tension pitoyable. Incapable de se décider, Stephen haussa les épaules, leva la main droite, paume en l'air, dans un geste qui signifiait : « Bah, laissez tomber... » Et il se dit : « Ce soir, je lui ferai prendre une potion noire — voilà au moins quelque chose que je peux faire — avec une bonne dose de mandragore. Et j'écrirai dans mon journal : JD se trouve dans l'obligation absolue de jouer les Judas Iscariote d'un côté ou de l'autre, il déteste cela et concentre toute sa haine sur le pauvre JA. Un exemple remarquable du processus mental humain. Car JD ne déteste pas JA — loin de là. »

« J'espère vraiment, au moins, dit James en souquant vers la *Sophie*, qu'après tout ce temps perdu, indigne de nous, nous allons pouvoir retourner au combat. Ce peut être un moyen très efficace de réconcilier un homme avec lui-même. Et avec le reste du monde, parfois.

— Qui est cet homme en gilet chamois, sur la plage arrière ?

— C'est Pram. Le capitaine Aubrey l'a fait se déguiser en officier danois. Cela fait partie de notre plan de camouflage. Vous vous rappelez peut-être le gilet jaune que portait le capitaine du *Clomer* ? C'est assez fréquent, chez eux.

— Non, je ne me rappelle pas. Dites-moi, ces procédés sont courants, en mer ?

— Oh oui ! C'est une ruse de guerre parfaitement légitime. Il arrive souvent, aussi, que l'on trompe l'ennemi avec de faux signaux. N'importe lesquels, sauf les signaux de détresse. Attention à la peinture ! »

C'est alors que Stephen tomba à l'eau — il tomba dans le creux entre le canot et la muraille du sloop, au moment où les deux bateaux s'écartaient. Il coula sur-le-champ, remonta à la surface alors qu'ils se rapprochaient à nouveau, se cogna la tête entre les deux, et coula derechef en glougloutant. Tous les hommes de la *Sophie* capables de nager, y compris le capitaine, se jetèrent à l'eau. Les autres se précipitèrent avec des gaffes, un harpon, deux petits grappins et un horrible crochet barbelé au bout d'une chaîne. Mais ce furent les frères Sponge qui le retrouvèrent, à cinq brasses de profondeur (il avait une ossature assez lourde pour sa taille, pas de graisse, et des bottines à semelles plombées) et qui le remontèrent. Ses vêtements étaient encore plus noirs que d'habitude, son visage plus pâle, et il ruisselait, indigné et furieux.

Sans être l'événement du siècle, l'incident fut utile, car il fournit au carré un sujet de conversation, à un moment où il fallait déployer beaucoup d'efforts pour maintenir l'apparence d'une communauté civilisée. La plupart du temps, James était grossier, inattentif et silencieux. Le grog qu'il avalait lui donnait les yeux rouges, mais semblait incapable de l'égayer, ni même de le griser. Le quartier-maître était presque aussi renfermé, et jetait des regards furtifs à Dillon. Quand ils se retrouvèrent tous à table, ils se lancèrent dans la question de la nage, dont ils abordèrent presque tous les aspects. Le fait que si peu de marins sachent nager... Ses avantages (préserver la vie), le plaisir qu'on peut en tirer quand le climat le permet, porter un câble à terre en cas d'urgence... Ses inconvénients (prolonger l'agonie en cas de naufrage, ou lorsqu'une chute à la mer passe inaperçue), le défi à la nature — si Dieu avait voulu que l'homme nage, etc. Le fait, extrêmement curieux, que les jeunes phoques ne savent pas nager... L'usage des vessies, les meilleures techniques pour apprendre et pratiquer l'art de la natation...

« La seule bonne façon de nager, dit le commissaire pour la septième fois, est de joindre les mains comme pour la prière (ses yeux se plissèrent, et il joignit les mains comme il disait) et de les étirer comme ceci... » Cette fois, il frappa la bouteille, qui fut projetée violemment dans la vinaigrette et de là, couverte de sauce, sur les genoux de Marshall.

« Je savais que ça finirait ainsi, cria le quartier-maître, qui se leva d'un bond pour s'essuyer. Je vous l'avais bien dit, que tôt ou tard vous feriez valser cette satanée carafe ! Et vous ne nagez pas d'un pouce... à jacasser comme un foutu singe. Vous avez esquinté mon meilleur pantalon de nankin.

— Je ne l'ai pas fait exprès ! » lui dit le commissaire d'un ton maussade. Et la soirée retomba dans une sauvage mélancolie.

Tandis que la *Sophie* louvoyait, cap au nord, en tirant bord sur bord, l'atmosphère à bord n'était pas à la joie... Dans sa jolie petite cabine, Jack lisait la Liste d'active de Steele. Il était déprimé. Non pas parce qu'il avait encore une fois trop mangé, ni même à cause du nombre d'officiers dont le nom précédait le sien, sur la liste. Mais plutôt, justement, parce qu'il était conscient de l'ambiance qui régnait à bord. Il ne connaissait pas la nature des souffrances complexes qui agitaient Dillon et Marshall. Il l'ignorait mais, à trois mètres de lui, James Dillon essayait de repousser le désespoir par des prières et des efforts terribles pour se résoudre à la résignation. La partie de son esprit qui n'était pas occupée par la prière générait une haine absolue pour l'ordre établi, pour l'autorité et par conséquent pour les capitaines et tous ceux qui, n'ayant pas connu dans leur vie de conflit opposant leur devoir et leur honneur, pouvaient le condamner sans jugement. Par ailleurs, il entendait les souliers du quartier-maître crisser sur le pont, quelques pouces au-dessus de sa tête, mais Jack ne pouvait deviner la nature particulière du trouble sentimental et de la terreur maladive d'être dénoncé qui emplissaient le cœur amoureux du pauvre Marshall. En revanche, le capitaine savait parfaitement que cet univers étriqué, coupé du monde, était désespérément désaccordé... Il était hanté par un sentiment déprimant d'échec, le sentiment de n'avoir pas réussi dans ce qu'il voulait faire. Il aurait beaucoup aimé interroger Stephen Maturin sur les raisons de cet échec. Il aurait beaucoup aimé s'entretenir avec lui de sujets neutres et de jouer un peu de musique, mais il savait qu'une invitation à la cabine du capitaine valait un ordre — cela lui avait été révélé avec violence l'autre matin, lorsqu'il avait été lui-même si surpris du refus de Dillon. Là où il n'y a pas d'égalité, il ne peut y avoir d'amitié. Quand un homme est obligé de dire : « Oui, monsieur ! », son acquiescement n'a aucune valeur, même si d'aventure il est sincère. Il savait tout cela depuis qu'il était entré dans le service. C'était parfaitement évident. Mais il n'était pas préparé à ce que cela s'applique aussi totalement... Y compris à lui-même.

Un peu plus loin, en bas, dans la cabine presque déserte des aspirants, la mélancolie était encore plus profonde. En fait, les jeunes messieurs pleuraient à chaudes larmes. Depuis que Mowett et Pullings étaient partis accompagner les prises, ils avaient assuré quart sur quart, ce qui signifiait qu'ils n'avaient jamais eu plus de quatre heures de sommeil — rythme difficile à l'âge où l'on dort comme un loir, où l'on aime se cramponner à son hamac douillet... En rédigeant les lettres comme l'exigeait leur devoir, ils s'étaient couverts d'encre, ce qui leur avait valu de violentes réprimandes. Babbington, quant à lui, incapable d'imaginer ce qu'il *pourrait y mettre*, avait couvert des pages entières en s'enquérant de chacun, chez lui et au village — êtres humains, chiens, chats, oiseaux, jusqu'à l'horloge du grand hall —, au point qu'il était désormais en proie à une nostalgie envahissante. Par ailleurs, il s'attendait à perdre ses cheveux et ses dents, et à voir ses os se ramollir, tandis que son visage et son corps se couvriraient de plaies et de boutons — autant de conséquences inéluctables de la fréquentation des putains, comme l'en avait assuré le sage et expérimenté secrétaire, M. Richards. Le jeune Ricketts avait de tout autres raisons d'être malheureux. Son père avait envisagé un transfert sur un cargo ou un transport, où l'existence serait à la fois plus sûre et plus confortable, et le fils avait accepté la perspective d'une séparation avec une merveilleuse force de caractère. Mais il venait d'apprendre qu'il n'y aurait point de séparation — que lui, le fils Ricketts, devrait partir aussi, quitter la *Sophie* et la vie qu'il aimait si passionnément. Le voyant tituber de fatigue, Marshall l'avait envoyé en bas. C'est ainsi qu'il se trouvait là, sur son coffre de marin, le visage dans les mains, à trois heures et demie du matin, trop épuisé pour monter dans son hamac. Les larmes coulaient entre ses doigts.

À l'avant du navire, on était moins triste, même si quelques hommes d'équipage (plus nombreux que d'habitude) voyaient sans plaisir approcher le jeudi matin, car ils devaient recevoir le fouet. Rien de particulier n'aurait dû donner aux autres des idées noires, sauf l'excès de travail et la pauvreté de la chère. Mais la *Sophie* constituait une vraie communauté, au point que chacun était conscient qu'il s'y passait quelque chose de mal, quelque chose d'autre que la mauvaise humeur des officiers — quelque chose qu'ils ne pouvaient définir. Ce sentiment emporta un peu de leur bonne humeur coutumière. La mélancolie du pont supérieur s'infiltra vers l'avant, elle parvint à l'étable, à la mangeoire, et jusqu'aux trous d'écubier.

Considérée globalement, la *Sophie* n'était donc pas au mieux de sa forme lorsqu'elle filait dans la nuit sous les derniers souffles de la tramontane. Cela n'allait pas mieux au matin, quand le vent du nord laissa la place, comme c'est souvent le cas dans la région, à ces brumes enveloppantes du sud-ouest (très jolies pour qui ne doit pas gouverner un vaisseau à proximité des côtes, elles sont le présage d'une journée éclatante). Mais tout cela n'était rien en comparaison de la tension et de l'inquiétude, pour ne pas dire l'abattement — voire la terreur — que Stephen découvrit, à l'aurore, lorsqu'il monta sur la plage arrière.

Réveillé par le tambour qui appelait au rassemblement, il s'était immédiatement rendu au cockpit et avait commencé à préparer ses instruments avec l'aide de Cheslin. D'une voix gaie, un homme des gréements lui avait annoncé la présence « d'un énorme chébec en face du cap, dans le prolongement de la terre ». Il avait accueilli la nouvelle avec un léger signe de tête, et s'était mis à affûter son scalpel, ses bistouris et sa scie dentelée, avec la petite pierre à aiguiser qu'il avait achetée à Tortosa à cet effet. Le temps passa. Un autre marin fit irruption — un homme au visage blême qui lui transmit les compliments du capitaine et l'invita à se rendre sur le pont.

« Bonjour, docteur ! » Stephen remarqua le sourire forcé de Jack, son regard dur et inquiet. « On dirait que nous avons trouvé à qui parler ! » Il fit un signe du menton en direction d'un navire long et effilé, étrangement beau, dont le rouge clair semblait briller devant les falaises noires. Vu sa taille (quatre fois la masse de la *Sophie*), il était bas sur l'eau, mais une sorte de plate-forme posée sur sa poupe faisait saillie au-dessus de sa voûte, et une curieuse projection en bec prolongeait sa proue d'une bonne vingtaine de pieds. Son grand-mât et son artimon portaient d'immenses doubles vergues latines en fuseau, dont on étoffait les voiles pour que la *Sophie* puisse s'approcher. Même à cette distance, Stephen pouvait voir que les vergues, elles aussi, étaient rouges. Sa muraille tribord, face à la *Sophie*, était percée de seize sabords, et un nombre extraordinaire de marins s'activaient sur ses ponts.

« Une frégate-chébec de trente-deux pièces, dit Jack. Il ne peut être qu'espagnol. Ses sabords nous ont abusés — jusqu'au dernier moment, j'ai cru que c'était un navire de commerce —, et presque tout son équipage était en bas. Monsieur Dillon, que nos gens restent hors de vue, sans qu'il s'en doute. Monsieur Marshall, trois ou quatre hommes, pas plus, pour larguer un ris dans le petit hunier. Et qu'ils procèdent lentement, comme des amateurs... Anderssen, criez encore quelque chose en danois, et laissez ce seau pendre par-dessus bord. » Plus bas, à l'intention de Stephen, il ajouta : « Vous l'avez vu, ce gros malin ? Nous n'avons pu repérer ses sabords qu'il y a deux minutes : ils étaient complètement camouflés par cette satanée peinture. Et bien qu'il pense à brasser ses vergues — voyez son mât de misaine —, il peut hisser à nouveau cette latine et nous rattraper en un clin d'œil. Nous n'avons pas le choix : il faut continuer, et voir si nous ne pouvons pas le tromper. Monsieur Ricketts, vos pavillons sont-ils prêts ? Veuillez ôter votre veste tout de suite, et la cacher dans le caisson. Ah, nous y voilà... » Sur le pont supérieur de la frégate, un canon tonna. Le boulet passa au-dessus de la proue de la *Sophie*, et les couleurs espagnoles apparurent, derrière la fumée du coup de semonce. « Allez-y, monsieur Ricketts ! » Le Dannebrog flotta à la corne de la *Sophie*, puis le pavillon de quarantaine apparut à sa proue. « Pram, montez jusqu'ici et agitez les bras. Donnez des ordres en danois. Monsieur Marshall, veuillez mettre en panne, le plus maladroitement possible, à une demi-encablure de ce type. Mais pas plus près. »

De plus en plus près... Silence de mort à bord de la

Sophie. Bruits de voix confus leur parvenant du chébec. Jack se tenait juste derrière Pram, en pantalons et manches de chemise — sans sa veste d'uniforme. Il prit la barre. « Regardez-les, dit-il, autant pour Stephen que pour lui-même. Ils sont au moins trois cents. Dans quelques minutes, ils vont nous appeler. Pram doit leur dire que nous sommes danois, et que nous avons quitté Alger il y a quelques jours. Je compte sur vous pour le soutenir, si nécessaire, en espagnol ou dans toute langue que vous jugerez appropriée. »

Le cri résonna, clairement, au-dessus de l'océan, dans l'air matinal. « Holà, du brick, qui êtes-vous ?

— Allez-y clair et fort, Pram ! dit Jack.

— Le *Clomer* ! » s'écria le quartier-maître dans son gilet chamois, et le mot fut renvoyé, très faiblement, par la falaise — « *Clomer* ! » — avec la même nuance de défi, un peu tempérée.

« Ramenez lentement le petit hunier, monsieur Marshall, murmura Jack. Et que les hommes restent à leurs postes aux bras. » Il chuchotait, car il savait parfaitement que les officiers de la frégate ne perdaient pas de vue sa plage arrière, et il était prêt à croire que leurs lunettes d'approche étaient capables d'amplifier aussi sa voix.

La distance diminuait toujours. Sur le chébec, les groupes les plus proches (les pelotons de canonniers) commencèrent à se disperser. Jack crut un instant que tout était fini, et son cœur commença à s'agiter. Mais non. Ils mettaient un canot à la mer.

« Il ne sera peut-être pas possible d'éviter le combat, dit-il. Monsieur Dillon, nos pièces sont prêtes avec une double charge, n'est-ce pas ?

— Une triple charge, monsieur. » Stephen regarda Dillon. Il avait cet air d'euphorie démente qu'il avait déjà vu si souvent, les années passées... L'air contenu du renard qui s'apprête à commettre une action folle.

Le vent et le courant continuaient de pousser la *Sophie* vers la frégate, dont l'équipage se remit à l'ouvrage, passant des latines à un gréement carré. Les hommes fourmillaient dans les haubans, d'où ils observaient avec curiosité ce brick si docile que leur chaloupe s'apprêtait à aborder.

« Hélez leur officier, Pram ! », dit Jack. Pram se dirigea vers la lisse. Il prononça quelques phrases de sa voix forte de marin, en danois. Dans un jargon danois ridicule. Il n'y avait aucune forme reconnaissable du mot « Alger », mais la version danoise de « Côte barbare », répétée en vain.

L'homme de proue espagnol s'apprêtait à agripper la *Sophie* de sa gaffe lorsque Stephen, dans un espagnol à l'accent scandinave mais parfaitement compréhensible, s'écria : « Auriez-vous à votre bord un médecin qui connaisse la peste ? »

L'homme de proue abaissa sa gaffe. « Pourquoi ? demanda l'officier.

— Quelques-uns de nos hommes sont tombés malades à Alger, et nous sommes inquiets. Nous ne savons pas de quoi il s'agit.

— En arrière ! dit à ses hommes l'officier espagnol. Où dites-vous que vous avez débarqué ?

— Alger, Algiers, Argel... C'est là que les hommes sont allés à terre... Savez-vous à quoi ressemble la peste ? Des enflures ? Des bubons ? Voulez-vous monter à bord et examiner ces hommes ? Attrapez ce cordage, monsieur.

— En arrière, répéta l'officier. Ils ont débarqué à Alger ?

— Oui. Vous nous envoyez votre médecin ?

— Non. Pauvres gens ! Que la Sainte Mère de Dieu vous protège !

— Pouvez-vous nous fournir quelques remèdes ? Je passe dans votre canot.

— Non ! dit l'officier en se signant. Non, non ! Gardez vos distances, ou je vous fais tirer dessus. Restez au large... La mer les guérira ! Que Dieu soit avec vous, pauvres gens. Bon voyage ! » On le vit ordonner à l'homme de proue de jeter sa gaffe à la mer, et la chaloupe s'éloigna rapidement vers le chébec rouge vif.

Les deux bâtiments se trouvaient à portée de voix,

maintenant. Sur la frégate, quelqu'un cria quelques mots en danois. Pram répondit. Une silhouette mince, sur la plage arrière — le capitaine, évidemment —, lui demanda s'ils n'auraient point croisé, par hasard, un navire de guerre anglais, un brick ?

— Non. » Les vaisseaux commencèrent à prendre de la distance. Jack murmura : « Demandez-leur leur nom. »

« Le *Cacafuego* ! Bon voyage !

— Bon voyage, vous aussi ! »

« C'est donc cela, une frégate, dit Stephen en contemplant le *Cacafuego*.

— Une frégate-chébec, dit Jack. Doucement avec ces bras, monsieur Marshall ! Il ne faut pas avoir l'air pressé. Une frégate-chébec. Un très curieux gréement, n'est-ce pas ? Je crois qu'aucun navire n'est plus rapide — assez large au barrot pour supporter une surface de toile considérable, et un fond très étroit —, mais il leur faut un équipage nombreux. Lorsqu'il navigue contre le vent, voyez-vous, il reste en latine, mais si le vent tourne à l'arrière ou à peu près, il dépose ses voiles sur le pont et hisse ses vergues au carré, ce qui représente un travail énorme. Il emporte un équipage de trois cents hommes, pas moins. Regardez : il passe au carré, maintenant, ce qui signifie qu'il va remonter la côte. Ce qui signifie que nous, nous devons mettre cap au sud... Nous l'avons assez vu. Monsieur Dillon, allons jeter un coup d'œil sur les cartes.

— Seigneur, dit-il, dans la cabine, gloussant et claquant des mains, je croyais bien que cette fois, nous étions cuits... Brûlés, coulés, détruits... Pendus, écorchés, écartelés. Ce toubib est irremplaçable ! Quand il leur a agité ce filin devant le nez, en les invitant si aimablement à embarquer ! Je comprenais tout ce qu'il disait, et pourtant il parlait vite. Ha, ha, ha ! Hein ? Vous ne trouvez pas que c'est la chose la plus drôle du monde ?

— Très drôle, en effet, monsieur.

296

— *Que vengan*, qu'il disait — à faire pitié ! —, en agitant son filin... Et ils ont fait demi-tour, aussi graves et solennels qu'un troupeau de chouettes. *Que vengan !* Ha, ha, ha... Oh, mon Dieu... Mais vous n'avez pas l'air de trouver ça drôle !

— À dire vrai, monsieur, j'étais tellement stupéfait de nous voir rebrousser chemin, que je n'ai pas eu le temps d'apprécier l'humour de la situation...

— Mais qu'auriez-vous fait, vous-même ? demanda Jack en souriant. Vous les auriez attaqués ?

— J'étais persuadé que nous allions attaquer, dit James avec passion. J'étais persuadé que c'était votre intention. Et j'étais ravi.

— Un brick de quatorze pièces contre une frégate de trente-deux ? Vous plaisantez ?

— Certes non. Nous aurions profité du moment où ils hissaient la chaloupe. La moitié de leurs gens étaient occupés dans la mâture pour changer le grée-ment. Une bordée, plus les mousquets, nous les aurions réduits en pièces. Et ce vent nous aurait permis de pas-ser à l'abordage avant qu'ils se ressaisissent.

— Oh, je vous en prie ! Cela n'aurait pas été un coup très honorable, d'ailleurs.

— Peut-être suis-je mauvais juge de ce qui est honorable, monsieur. Je parle simplement en soldat. »

Mahon. La *Sophie* noyée dans sa propre fumée, fai-sant feu des deux bords pour saluer la flamme de l'ami-ral. Celui-ci se trouvait à bord du *Foudroyant*, dont la masse imposante était amarrée juste entre les Pigtail Stairs et le quai de l'artillerie.

Mahon. Les permissionnaires se goinfrant de porc rôti et de biscuit frais, jusqu'à l'extase. Barriques de vin dont les bondes sautaient en rafale, hécatombe de porcs, jeunes dames venues de toutes les directions.

Jack se tenait raide sur son siège, les mains moites, la gorge sèche et paralysée. Lord Keith avait des sour-cils noirs parsemés de gros poils argentés. Ses yeux gris lui lancèrent, par-dessus la table, un regard froid et inquisiteur. « Ainsi, vous n'aviez pas le choix ? »

Il s'agissait des prisonniers que Jack avait débarqués sur l'île du Dragon. En fait, la question le préoccupait depuis le début de l'entretien.

« Non, monsieur. »

L'amiral garda le silence quelques instants. Puis : « Si vous y aviez été poussé par l'indiscipline, dit-il lentement, ou par le refus de soumettre votre jugement à celui de vos supérieurs, j'aurais été contraint de prendre les choses très au sérieux. Lady Keith manifeste beaucoup d'intérêt à votre égard, capitaine Aubrey, vous le savez. Et je serais moi-même fort peiné de vous voir compromettre votre propre avenir. Vous me permettrez donc de vous parler franchement... »

À l'instant où il avait vu le visage grave du secrétaire, Jack avait compris que l'entretien serait désagréable. Mais c'était bien pire. L'amiral était affreusement bien informé. Il connaissait tous les détails... Blâme officiel pour irascibilité et refus caractérisé d'exécuter les ordres, réputation d'indépendance, de témérité, voire d'insubordination, rumeurs de mauvaise conduite à terre, ivrognerie. Et tout à l'avenant. L'amiral ne voyait pas la moindre chance d'une promotion au rang de commandant de navire de guerre. Mais le capitaine Aubrey ne devait pas prendre cela trop à cœur — nombreux sont les officiers qui ne parviennent jamais au grade de capitaine — et les capitaines forment un corps parfaitement respectable. Mais peut-on faire confiance à un homme et lui confier un navire de ligne, s'il risque de n'en faire qu'à sa tête et de conduire les batailles selon ses propres conceptions de la stratégie ? Non, il n'y avait pas la moindre chance... À moins qu'il n'arrive un événement extraordinaire. Le dossier du capitaine Aubrey était loin de ce qu'il devrait être. Lord Keith parlait d'une voix ferme, avec un sens immodéré de la justice et une parfaite précision des mots et de la diction. Au début, Jack souffrit, honteux et mal à l'aise. Peu à peu, il sentit comme une chaleur du côté du cœur (ou un peu plus bas) : cela pouvait annoncer une explosion de rage.

Persuadé que c'était perceptible dans son regard, il baissa la tête.

« Par ailleurs, dit Lord Keith, vous possédez une qualité essentielle pour un officier. Vous êtes verni. Aucun de mes capitaines n'a désorganisé le commerce de l'ennemi comme vous l'avez fait. Aucun d'eux n'a fait autant de prises. Quand vous reviendrez d'Alexandrie, je vous accorderai donc une autre croisière.

— Merci, monsieur.

— Cela ne manquera pas de provoquer quelques jalousies, et de susciter quelques critiques. Mais il est rare que la chance dure — si j'en crois mon expérience — et il faut miser dessus tant qu'elle est de notre côté. »

Jack exprima sa reconnaissance, remercia l'amiral pour ses aimables conseils, le pria de transmettre ses hommages à Lady Keith — ses hommages affectueux, s'il pouvait se permettre — et se retira. Mais le feu, dans ses entrailles, brûlait si fort qu'en dépit de la promesse d'une croisière, il était incapable d'en faire plus sans exploser. Quand il sortit, son regard était si mauvais que le sourire de la sentinelle s'effaça immédiatement pour laisser place à une expression neutre de sourd-muet.

Jack s'avança dans la rue. « Si ce pleutre de Harte a l'intention de me parler sur le même ton — il projeta violemment contre le mur un quidam qui encombrait sa route — je lui tords le nez, et que le service aille au diable ! »

La Couronne était sur son chemin. Il s'y engouffra.

« Mercy, ma chère, apportez-moi un verre de *vino*, bonne fille ! et une *copito d'aguardiente*. Que le diable emporte tous les amiraux ! » Il pencha la tête en arrière pour laisser couler dans sa gorge le vin encore jeune, au parfum de fleur.

« Mais ce vieil amiral est épatant, mon cher *capitano*, dit Mercedes en brossant la poussière de ses revers bleus. Il vous offre une croisière, à votre retour d'Alexandrie. »

Jack lui jeta un regard aigu. « Mercy *querido,* si

299

vous saviez des activités des Espagnols la moitié de ce que vous savez des nôtres... Vous feriez de moi un homme comblé ! » Il avala le flot brûlant de brandy et réclama un autre verre de vin — ce breuvage honnête et apaisant. « J'ai une tante, dit Mercedes, qui en sait pas mal sur la question...

— Ah bon ? C'est vrai, ma chère ? Ce soir, vous me direz tout à son sujet. » Il l'embrassa distraitement, et ajusta son chapeau sur sa nouvelle perruque. « Au tour de ce pleutre, maintenant ! »

Contre toute attente, le capitaine Harte le reçut avec une politesse inhabituelle. Il le félicita pour l'affaire d'Almoraira (« Cette batterie était une véritable plaie. Elle avait par trois fois défoncé la coque de la *Pallas* et abattu un des mâts de hune de l'*Emerald*. On aurait dû s'en occuper depuis longtemps »), puis il l'invita à dîner. « Et venez avec votre médecin, n'est-ce pas ? Ma femme a vraiment envie de l'avoir à sa table.

— Je suis sûr qu'il sera ravi, s'il n'est pas déjà retenu. Mme Harte va bien, j'espère ? Je dois lui transmettre mes hommages.

— Oh, elle va très bien, je vous remercie. Mais il est inutile d'essayer de la joindre ce matin. Elle se promène à cheval avec le colonel Pitt. J'ignore comment elle s'y prend avec une chaleur pareille, mais c'est ainsi. À propos, vous pouvez peut-être me rendre un service, s'il vous plaît. » Jack le regarda fixement, mais ne s'engagea pas. « Mon banquier veut que son fils navigue — et je sais que vous avez un poste disponible pour un jeune garçon. Rien de plus. C'est un homme parfaitement respectable, et sa femme allait à l'école avec Molly. Vous ferez leur connaissance au dîner. »

À genoux, le menton à hauteur de la table, Stephen observait la mante religieuse mâle qui s'avançait avec précaution vers la femelle. Celle-ci, un beau spécimen vert, costaud, se tenait droit sur ses quatre pattes postérieures, la paire antérieure se balançant avec une feinte dévotion. Des tremblements sporadiques faisaient osciller ce corps lourd aux membres fragiles, ce qui

provoquait à chaque fois un mouvement de recul chez le mâle brun. Il progressait en longueur, le corps parallèle à la surface de la table, ses longues pattes antérieures (des pattes de prédateur armées de dents) s'étirant avec hésitation, les antennes dressées vers l'avant. Même dans cette forte lumière, Stephen voyait parfaitement la curieuse lueur intérieure de ses grands yeux ovales.

À dessein, la femelle tourna la tête de quarante-cinq degrés, comme si elle le regardait. « Est-ce un signe de reconnaissance ? » Stephen leva sa loupe, pour essayer de détecter un mouvement des antennes. « Ou de consentement ? »

C'est sans doute ce que crut le mâle brun. En trois enjambées, il fut sur elle. Ses pattes agrippèrent les élytres de la femelle. Ses antennes trouvèrent les siennes et commencèrent à les caresser. À part le léger frémissement provoqué par le poids supplémentaire, elle n'eut aucune réaction visible, ne produisit aucune résistance. Après un court instant, les grands opthoptères commencèrent à copuler. Stephen régla sa montre et nota l'heure dans un carnet qu'il avait ouvert sur le sol.

Les minutes passèrent. Le mâle modifia un peu sa prise. La tête triangulaire de la femelle pivota légèrement de gauche à droite. Stephen, penché sur sa loupe, voyait ses mâchoires latérales s'ouvrir et se fermer. Puis il y eut une suite de mouvements si rapides qu'il fut incapable de les suivre, malgré son extrême attention... Il vit que la tête du mâle était séparée de son corps — petite chose autonome que la femelle cramponnait sous la crosse de ses bras verts toujours en prière. Elle y mordit, et la petite lueur au fond des yeux s'éteignit. Juché sur elle, le mâle décapité continuait de copuler, peut-être plus énergiquement qu'auparavant — peut-être parce qu'il avait perdu toutes ses inhibitions. « Ah ! » lâcha Stephen avec satisfaction. Il nota l'heure sur son carnet.

Dix minutes plus tard, la femelle arracha trois morceaux au thorax de son partenaire — au-dessus de la jointure coxale supérieure — et les dévora avec un appétit non feint, recrachant devant elle des miettes de carapace chitineuse. Le mâle copulait toujours, toujours fermement ancré par ses pattes postérieures.

« Vous voilà ! s'exclama Jack. Je vous attends depuis trois quarts d'heure.

— Oh, dit Stephen en se levant. Je vous demande pardon ! Je vous demande pardon. Je sais quelle importance vous attachez à la ponctualité... Vous deviez être très inquiet. J'avais retardé ma montre au début du coït. » Très doucement, il recouvrit la mante et son dîner avec une boîte percée de trous pour la ventilation. « Je suis à vous !

— Non, certainement pas, dit Jack. Pas avec ces horribles bottines. Mais par l'enfer, pourquoi en avoir plombé les semelles ? »

En d'autres circonstances, cela lui aurait valu une réponse cinglante, mais Stephen avait compris que l'entretien avec l'amiral n'avait pas été de tout repos. Il ajouta simplement, tout en changeant de chaussures : « Pour combler les désirs d'une femme, on n'a pas besoin de tête... On n'a même pas besoin d'un cœur.

— Cela me rappelle... Auriez-vous quelque chose pour fixer ma perruque ? Il m'est arrivé tout à l'heure, quand je traversais le parc, une mésaventure tout à fait ridicule. Dillon était là, de l'autre côté, qui donnait le bras à une femme — la sœur du gouverneur Wall, je crois bien... Je lui ai rendu son salut avec un soin particulier, comme vous imaginez. J'ai levé mon chapeau le plus haut possible, et cette damnée perruque a suivi ! Vous pouvez rire... C'est fichtrement drôle, je vous le concède. Mais j'aurais donné un billet de cinquante livres pour ne pas me couvrir de ridicule devant lui.

— Voici un morceau de sparadrap. Je vais le plier en deux et vous l'appliquer sur le crâne. Je suis désolé de constater que vos relations avec Dillon sont si... forcées.

— Moi aussi », dit Jack en se penchant pour recevoir le sparadrap. Dans un soudain accès de confiance (le lieu était différent, ils étaient à terre, débarrassés des rapports hiérarchiques du large), il poursuivit : « Je n'ai jamais été, de ma vie, aussi perplexe sur la conduite à tenir. Après l'histoire du *Cacafuego*, il m'a pratiquement accusé... J'ai peine à le dire... D'inconduite ! Par réflexe, j'aurais dû lui demander des explications. Et d'exiger réparation, bien sûr. Mais la situation est très particulière... C'était jouer à pile ou face. Si j'avais décidé de le couler, il l'aurait fait aussi, bien sûr. Et s'il m'avait rendu la pareille, il pouvait être hors de la Navy avant de voir venir le coup — ce qui, pour lui, reviendrait plus ou moins au même.

— Il est passionnément attaché au service, c'est sûr.

— Dans tous les cas, la *Sophie* se trouverait dans une situation pitoyable... Fichu imbécile. Et puis, je le répète, c'est le meilleur premier lieutenant qu'un commandant puisse souhaiter... Dur, sans être un négrier. Bon marin. Avec lui, on n'a pas à se préoccuper de la routine du navire. Je préfère croire qu'il ne voulait pas aller si loin.

— Il est certain qu'il n'a jamais cherché à mettre votre courage en doute, dit Stephen.

— Vous croyez ? » Jack le regarda en face, en balançant machinalement sa perruque. « Aimeriez-vous venir dîner chez les Harte ? Je dois y aller, et votre compagnie me ferait plaisir, si vous n'avez pas d'autres engagements.

— Dîner ? s'écria Stephen, comme si ce repas venait d'être inventé. Dîner ? Oh, oui. Enchanté. Ravi !

— Je suppose que vous n'avez pas de miroir ?

— Non. Mais il y en a un dans la chambre de M. Florey. Nous pouvons y passer en descendant. »

Malgré un plaisir naïf à présenter bien, en arborant son meilleur uniforme et son épaulette d'or, Jack n'avait pas la moindre idée de son aspect, et jusqu'à cet instant il n'y avait pas pensé plus de deux minutes. Après s'être contemplé longuement, d'un air pensif, il déclara : « On dirait que je suis plutôt hideux, non ?

— Oui, dit Stephen. Oh oui ! Absolument. »

Après être entré au port, Jack avait coupé les cheveux qui lui restaient, et il avait acheté cette perruque pour couvrir son crâne dénudé. Mais rien ne pouvait camoufler son visage brûlé (qui, pour ne rien arranger, avait pris le soleil malgré la pommade curative de Stephen Maturin), ni son œil et son arcade tuméfiés (qui montraient maintenant une surface jaune cerclée de bleu). En fait, son profil gauche n'était pas sans évoquer celui du grand mandrill d'Afrique de l'Ouest.

Quand ils eurent rempli leurs obligations chez l'agent de prises (une plaisante réception — tout en courbettes et sourires), ils se rendirent à leur dîner. Jack abandonna Stephen à l'examen d'une rainette près de la fontaine du patio. Il eut la chance de voir Molly Harte seule, quelques minutes, dans la fraîcheur de l'antichambre.

« Mon Dieu, Jack ! s'écria-t-elle en le dévisageant. Une perruque ?

— Ce n'est que provisoire, dit Jack en se glissant promptement vers elle.

— Prenez garde ! » murmura-t-elle, en passant derrière une table de jaspe, d'onyx et de cornaline — trois pieds sur sept et demi, presque une tonne. « Les domestiques.

— Au pavillon d'été, ce soir ? »

Elle secoua la tête et lui signifia, sans émettre un son mais avec de fort expressives grimaces : « Indisposée. » Puis, à voix basse mais audible (une voix raisonnable) : « Je veux vous parler de ces gens qui dînent avec nous, les Ellis. Elle, je crois qu'elle appartenait à je ne sais quelle famille... En tout cas, elle se trouvait avec moi à l'école de Mme Capell. Beaucoup plus âgée que moi, bien entendu. Une des grandes, en fait. Puis elle a épousé M. Ellis, de la City. Un homme respectable, sérieux, extrêmement riche, qui s'occupe de notre argent avec beaucoup d'intelligence. Le capitaine Harte lui est singulièrement obligé, je le sais. Et je connais Laetitia depuis l'enfance. Il y a donc un double, comment dire... un double lien, c'est cela ? Ils veulent que leur fils embarque sur un navire. Vous me feriez donc un immense plaisir en...

— Je ferai tout ce qui est en mon pouvoir pour vous

faire plaisir », dit Jack avec chaleur. Les mots *notre argent* l'avaient piqué au vif.

« Docteur Maturin ! s'écria Mme Harte en se tournant vers la porte. Je suis heureuse que vous ayez pu venir. Je veux vous présenter une dame très cultivée.

— Vraiment, madame ? Je m'en réjouis. Dans quel domaine est-elle cultivée, je vous prie ?

— Oh, dans tous les domaines ! » dit Mme Harte avec enthousiasme. Laetitia elle-même semblait être de cet avis. Sans attendre, elle fit part à Stephen de ses vues sur le traitement du cancer et la conduite des Alliés... Dans les deux cas, selon elle, la solution résidait dans la prière, l'amour et l'Évangélisation. C'était une petite femme étrange à l'air de poupée, le visage inexpressif, à la fois timide et suffisante, jeune à un point troublant. Elle parlait lentement, le haut du corps bizarrement tordu, les yeux fixés sur l'estomac ou le coude de son interlocuteur, et ses interventions étaient longues. Son mari était un homme de haute taille, aux yeux humides et aux mains moites. Il avait une expression humble — évangélique — et des genoux cagneux. Sans ce détail, il aurait eu exactement l'air d'un valet. « Si cet homme survit, pensa Stephen tandis que Laetitia jacassait à propos de Platon, il deviendra un grippe-sou. Mais il est plus probable qu'il se pendra. Constipation. Hémorroïdes. Pieds plats. »

Ils étaient dix à table. Stephen découvrit qu'on avait placé Mme Ellis à sa gauche. Une certaine Mlle Wade était à sa droite, une fille simple et accommodante, dotée d'un solide appétit et pas du tout inhibée par les diktats de la mode. Puis venait Jack, puis Mme Harte, qui avait le colonel Pitt à sa droite. Stephen était engagé dans une discussion avec Mlle Wade sur les mérites comparés de la langouste et du vrai homard, lorsque la voix de sa voisine de gauche se fit si insistante et si puissante qu'il fut impossible de l'ignorer plus longtemps. « Mais je ne comprends pas... Vous êtes un vrai médecin, me dit-on, comment avez-vous donc échoué dans la Navy ? Comment un vrai médecin peut-il échouer dans la Navy ?

— L'indigence, madame, l'indigence. Tout ce qui est clystère n'est pas d'or, à terre. Et bien sûr, un désir fiévreux de verser mon sang pour mon pays.

— Monsieur plaisante, dit son mari de l'autre côté de la table. Avec toutes ces prises, c'est sûrement un *homme très chaud*, comme on dit à la City ! » Il hocha la tête en souriant d'un air malicieux.

« Oh, s'exclama Laetitia, surprise. Un homme d'esprit ! Je dois faire attention, par exemple ! Mais vous êtes obligé de soigner aussi les simples matelots, docteur Maturin, pas seulement des officiers et des aspirants. Cela doit être horrible.

— Eh bien madame, dit Stephen en l'observant avec curiosité — car cette petite femme si évangélique avait bu du vin en telle quantité que son visage se couvrait de marbrures —, je les ampute au plus court, je vous assure. Mon remède habituel, c'est l'huile de fouet...

— Parfaitement exact, dit le colonel Pitt, qui prenait la parole pour la première fois de la soirée. Dans mon régiment, je ne tolère aucune plainte.

— Le docteur Maturin est admirablement strict, dit Jack. Il me fait souvent part de son désir de faire fouetter les hommes, pour vaincre leur paresse et les saigner tout à la fois. Nous disons toujours que cent coups de fouet au passavant valent bien quinze livres de soufre et de mélasse.

— *Il faut* de la discipline, souligna M. Ellis en opinant du chef. »

Stephen sentit que sa serviette avait glissé sur le sol. Il se pencha pour la récupérer et aperçut pas moins de vingt-quatre pieds, sous l'espèce de tente que formait la nappe. Six appartenaient à la table, dix-huit à ses commensaux. Mlle Wade s'était débarrassée de ses chaussures. La femme de l'autre côté avait laissé tomber un petit mouchoir chiffonné. La botte de soldat étincelante du colonel Pitt s'appuyait sur le pied droit de Mme Harte, dont le gauche, à quelque distance de là, jouissait des attentions du soulier à boucle (à peine moins massif) de Jack Aubrey.

Les plats se succédaient — nourriture minorquine quelconque cuite dans de l'eau anglaise, vin quelconque dilué dans du verjus de Minorque. La voisine de Stephen déclara : « J'ai entendu dire qu'il régnait sur votre navire une très haute moralité... » Mais Mme Harte s'était levée et elle se dirigeait vers le salon en boitant légèrement. Les hommes se rassemblèrent au bout de la table, et le porto commença à circuler.

Peu à peu, le vin permit à M. Ellis de s'épanouir totalement. Son manque d'assurance et sa timidité avaient disparu, et il se mit à éclairer son auditoire sur les vertus de la discipline. L'ordre et la discipline étaient d'une importance vitale. La famille — la famille *disciplinée* — était le fondement de la civilisation chrétienne. Les officiers ayant poste de commandement étaient, qu'on lui pardonne l'expression, des pères de famille nombreuse, et leur fermeté était le seul moyen de prouver leur amour. La fermeté. Son ami M. Bentham, celui-là même qui avait écrit une *Défense de l'Usure* (livre qui méritait d'être imprimé en lettres d'or), avait mis au point une machine à fouetter. La fermeté et la terreur. Car les deux grandes motivations, ici-bas, messieurs, sont la cupidité et la peur. Pour s'en convaincre, il suffisait de se rappeler la révolution française, cette scandaleuse rébellion en Irlande, sans parler — il jeta un regard entendu à ses auditeurs impassibles — des mutineries de Spithead et The Nore. Partout la cupidité, que seule la peur pouvait réprimer.

Il était clair que M. Ellis, dans la demeure du capitaine Harte, faisait comme chez lui. Sans avoir besoin de demander son chemin, il se dirigea vers le buffet, ouvrit une porte ornementée et en sortit le pot de chambre. En les regardant par-dessus son épaule, il continua à pérorer sans même s'interrompre... Heureusement, les classes inférieures admiraient et aimaient naturellement les gentilshommes, à leur — humble — manière. Seuls les gentilshommes étaient dignes d'être officiers. « Dieu l'avait ordonné ainsi », dit-il en boutonnant le rabat de son pantalon. En se rasseyant à table, il affirma qu'il connaissait une maison où l'*objet* était en argent — en argent massif. La famille était un bien. Il leva un toast à la discipline. La trique était un bien. Il leva un toast à la trique, sous *toutes* ses formes. Goûter la trique et gâter les enfants. Qui aime bien châtie bien.

« Vous devriez venir à bord, un jeudi matin, pour voir comment le bosco aime nos délinquants », dit Jack.

Le colonel Pitt, qui avait observé le banquier avec un mépris ostensible, lâcha un éclat de rire vulgaire et prit congé en prétextant ses devoirs envers son régiment. Jack s'apprêta à en faire autant, mais M. Ellis lui demanda de rester — il avait quelques mots à lui dire.

« Je traite un certain nombre d'affaires pour le compte de Mme Jordan, et j'ai eu l'honneur — l'insigne honneur — d'être présenté au duc de Clarence, commença-t-il pompeusement. Est-ce que vous l'avez déjà rencontré ?

— Nous nous connaissons, Son Altesse et moi », dit Jack. Il avait navigué, en effet, avec ce Hanovrien brutal, tête brûlée et cœur froid, singulièrement inintéressant.

« Je me suis permis de mentionner *notre* Henry et d'avancer que nous espérions en faire un officier, et il a daigné nous conseiller de l'envoyer en mer. Nous y avons réfléchi longuement, ma femme et moi. Nous préférons un navire de moindre importance à un vaisseau de ligne où les hommes pourraient être *mélangés*, si vous voyez ce que je veux dire... d'autant que ma femme est très *spéciale*... C'est une Plantagenet. En outre, certains capitaines exigent que leurs jeunes messieurs aient une rente annuelle de cinquante livres.

— J'exige toujours de mes aspirants que leurs amis leur garantissent au moins cinquante livres, dit Jack.

— Oh, dit M. Ellis, un peu abattu. Oh ! Mais beaucoup de choses peuvent se trouver d'occasion. Non que j'y attache beaucoup d'importance — au début de la guerre, nous autres de la City, nous avons envoyé une adresse à Sa Majesté pour lui faire savoir que nous mettions notre vie et notre fortune à sa disposition. Je ne m'en fais pas pour cinquante livres, *ou plus*, à condition que le navire soit distingué. L'amie de ma femme, cette bonne Mme H, nous a parlé de vous, monsieur. De plus, vous êtes un tory convaincu, tout comme moi. Et nous avons aperçu, hier, le lieutenant Dillon, qui est un neveu de Lord Kenmare, si j'ai bien compris, et qui possède pas mal de terres — un véritable gentilhomme. En un mot, monsieur, je vous serais extrêmement obligé d'emmener mon garçon. Et permettez-moi d'ajouter », conclut-il avec une jovialité exagérée, évidemment à son corps défendant, « que grâce à ma connaissance profonde et à mon expérience du marché, vous ne le regretterez pas. Vous y trouverez votre avantage, je vous le garantis, hi hi hi !

— Allons rejoindre ces dames, dit le capitaine Harte, que son invité faisait rougir de honte.

— Le mieux est de l'embarquer pour un mois environ, dit Jack en se levant. Après cela, il saura si le service lui plaît et si lui-même convient au service. Nous en reparlerons à ce moment-là. »

« Je suis désolé de vous avoir entraîné là-dedans », dit Jack. Il prit Stephen par le bras, et le guida dans la descente des Pigtail Stairs, où des lézards verts filaient le long du mur brûlant. « Je n'aurais pas cru que Molly Harte puisse donner un dîner aussi désastreux — je ne comprends pas ce qui lui est passé par la tête. Vous avez remarqué ce soldat ?

— Celui en pourpre et or, avec les bottes ?

— Oui. Il illustre parfaitement mon idée, selon laquelle l'Armée abrite deux sortes de gens. Les uns sont aussi aimables et bien élevés que possible, comme mon cher vieil oncle, les autres sont des brutes grossières et idiotes, comme ce type-là. Pas du tout comme dans la Marine. Je l'ai souvent constaté, et je ne comprends toujours pas. Comment ces deux catégories peuvent-elles coexister ? J'espère qu'il ne risque pas de créer des ennuis à Mme Harte... Elle peut être parfois très libre et vulnérable, absolument sans méfiance... N'importe qui pourrait abuser d'elle.

— Et cet homme dont j'ai oublié le nom, le financier... C'est un cas éminemment curieux, dit Stephen.

— Oh, lui, dit Jack avec un manque d'intérêt évident. Que pouvez-vous attendre d'un type qui ne pense qu'à l'argent, tout au long de la journée ? Et ces gens-là ne tiennent pas le vin. Pour le garder chez lui, il faut que Harte lui soit drôlement redevable.

— Il est certain qu'il est idiot, ignorant, superficiel, velléitaire, bête et radoteur. Mais je le trouve réellement fascinant. Le pur bourgeois, en pleine effervescence. Il a le visage caractéristique du constipé, de l'homme atteint d'hémorroïdes, les genoux cagneux, les épaules tombantes, les pieds plats tournés en dehors, le souffle court, les yeux fixes, et cette complaisance servile... Vous avez remarqué, bien sûr, son insistance toute féminine à vanter l'autorité et les châtiments corporels, dès qu'il fut tout à fait saoul ? Je parierais qu'il n'est *pas loin* d'être impuissant. Cela expliquerait l'infatigable verbosité de sa femme, son désir de domination, absurdement combinée à ses allures de petite fille... Et ses chutes de cheveux. Cette femme sera chauve avant un an...

— Il serait peut-être aussi bien que tout le monde soit impuissant, dit Jack sombrement. Cela éviterait beaucoup de complications.

— Connaissant les parents, je suis impatient de voir leur rejeton... Le produit de reins aussi peu imaginatifs. S'agira-t-il d'une horreur de marmot gâté ? D'un petit caporal ? Ou est-ce que le ressort de l'enfance...

— Je suis sûr que ce sera, comme d'habitude, un petit emmerdeur. Dès notre retour d'Alexandrie, au moins, nous saurons si l'on peut en tirer quelque chose. Nous ne devons pas l'avoir sur le dos pour le reste de la commission.

— D'Alexandrie, dites-vous ?

— Oui.

— En basse Égypte ?

— Oui. Je ne vous l'avais pas dit ? Avant de repartir

en croisière, nous devons faire un bout de chemin avec l'escadre de Sir Sidney Smith. Il surveille les Français, vous savez.

— Alexandrie ! s'exclama Stephen, en s'immobilisant au milieu du quai. Quel bonheur ! Je m'étonne que vous n'ayez pas poussé un cri de joie à l'instant où vous m'avez vu. Quel amiral accommodant — *pater classis* —, ô que j'apprécie ce digne homme !

— Il ne s'agit que d'un aller et retour en Méditerranée, deux fois six cents lieues, avec très peu de chances de rencontrer une prise.

— Je ne pensais pas que vous puissiez être aussi terre à terre. C'est une honte ! Alexandrie est une terre antique.

— J'en suis ravi », dit Jack. L'enthousiasme de Stephen lui faisait retrouver sa propre bonne humeur et son plaisir de vivre. « Avec un peu de chance, nous apercevrons aussi les montagnes de Crète. Allons, il faut embarquer, maintenant. Si nous restons là, on va nous écraser. »

Chapitre IX

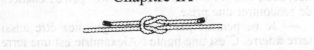

« Il serait ingrat de me plaindre, mais quand je pense que j'aurais pu marcher dans les sables brûlants de la Libye, peuplés (comme nous l'apprend Goldsmith) de serpents malfaisants à des degrés divers ; que j'aurais pu fouler le sol canopique, observer les ibis, les échassiers du delta du Nil en troupeaux innombrables, voire le crocodile lui-même ; que j'ai longé les côtes septentrionales de la Crète, que nous fûmes pendant toute une journée en vue du Mont Ida ; que je suis passé à moins d'une demi-heure de Cythère, que malgré mes supplications on ne fit aucune halte, à aucun moment on ne « mit en panne » ; et quand je pense à toutes les merveilles si près de notre route — les Cyclades, le Péloponnèse, Athènes la grande — sans qu'on autorise le moindre détour, même pour une seule demi-journée... Eh bien, je dois me retenir de ne pas vouer au diable l'âme de Jack Aubrey. Par ailleurs, si je parcours mes notes, non pour y voir une liste d'occasions ratées, mais le rapport d'un accomplissement réel, les raisons ne manquent pas qui justifient mon exaltation ! La mer homérique (à défaut de la terre homérique) ; le pélican ; le grand requin blanc que les marins ont si obligeamment pêché ; les holoturides ; l'*euspongia mollissima* (celle-là même dont Achille bourra son casque, si l'on en croit Poggius) ; une mouette non encore répertoriée ; les tortues ! Et puis ces semaines ont été parmi les plus paisibles de ma vie. Elles auraient pu être des plus heureuses, si je n'avais su que JA et JD pouvaient s'entre-tuer, de la manière la plus civile du monde, à la prochaine escale... Il semble que ces choses ne puissent avoir lieu en mer. JA est toujours profondément blessé par certaines remarques à propos du *Cacafuego*. Il y voit une mise en cause de son courage. Ne le supporte pas. Ça le ronge. Et JD, quoique plus calme, reste totalement imprévisible. Il est habité par une tristesse et une rage contenue qui doivent éclater d'une manière ou de l'autre. Mais j'ignore comment. On a l'impression d'être assis sur un baril de poudre dans une forge en plein travail, tandis que des étincelles volent en tous sens — je veux parler, bien sûr, des multiples occasions de s'offenser mutuellement. »

S'il n'y avait pas eu cette tension (ce nuage menaçant), il est vrai qu'il aurait été difficile d'imaginer manière plus agréable de passer la fin de l'été, que cette traversée de la Méditerranée dans toute sa longueur, à la vitesse maximale que pouvait soutenir le sloop. La *Sophie* était d'ailleurs beaucoup plus rapide, désormais. Jack avait amélioré son équilibre en réarrimant le lest pour l'approcher de la poupe, et en redonnant aux mâts la quête que ses constructeurs espagnols avaient voulu leur donner. D'autre part, les frères Sponge, à la tête d'une équipe d'une douzaine de bons nageurs, avaient mis à profit les longues accalmies rencontrées dans les eaux grecques — leur élément d'origine — pour gratter le fond du navire. Stephen se rappelait qu'un soir, il était assis dans la chaleur du crépuscule, et qu'il contemplait la mer. La surface de l'eau était à peine agitée d'un frémissement, mais le souffle d'air était suffisant pour gonfler les perroquets. La *Sophie* laissait derrière elle un long sillon rectiligne, montrant une phosphorescence presque surnaturelle, et visible à plus d'un quart de mille. Des jours et des nuits d'une incroyable pureté. Des nuits où le vent soutenu de la mer ionienne tendait la grand-voile carrée — pas un bras à toucher, quart après quart... Et Jack et Stephen, sur le pont, raclant du violon à n'en plus finir, perdus dans leur musique, jusqu'à ce que la rosée vienne désaccorder leurs instruments. Et puis des jours où l'aube était si parfaite, le vide si absolu, que les hommes avaient presque peur de parler.

Un voyage dont les deux termes étaient hors de vue... Un voyage où seul le déplacement comptait. Et puis la *Sophie* ne manquait pas de bras, puisque les équipes des prises étaient à nouveau à bord. Peu de travail. Un juste sentiment d'urgence. Jour après jour, une routine établie. Et jour après jour, les manœuvres aux grosses pièces qui faisaient tomber les secondes une par une jusqu'à ce que, par 16°31 de longitude est, les bâbordais parviennent à lâcher trois bordées en tout juste cinq minutes. Et par-dessus tout, le temps extraordinairement clément, et les bons vents — si l'on excepte une semaine languissante loin vers l'est, un peu après qu'ils eurent quitté l'escadrille de Sir Sidney. Au point que lorsqu'un levant modéré se leva — leur pénurie chronique d'eau douce allait les contraindre à relâcher à Malte —, Jack déclara, mal à l'aise : « C'est trop beau pour durer. J'ai peur de devoir bientôt le payer... »

Il désirait violemment pouvoir effectuer le voyage le plus rapidement possible — sans perdre un instant, afin de convaincre Lord Keith de son sérieux et de son indéfectible sens du devoir. Il n'avait rien entendu, dans sa vie adulte, qui lui ait autant glacé le sang (après coup) que les allusions de l'amiral à la promotion au rang de capitaine de vaisseau. Il avait été parfaitement clair. Et totalement convaincant. Ces allusions hantaient l'esprit de Jack.

« Je m'étonne que vous vous préoccupiez à ce point d'une simple question de titre — un titre d'ailleurs passablement byzantin, lui fit remarquer Stephen. Après tout, on vous donne déjà du « Capitaine Aubrey », et cette promotion n'y changerait rien. Car personne ne dit jamais, sauf erreur, « Capitaine de vaisseau Untel ». Il ne peut s'agir, j'en suis sûr, d'une mauvaise humeur générée par votre goût de la symétrie... D'un simple désir de porter deux épaulettes ?

— Cela me préoccupe beaucoup, c'est entendu, comme mon impatience à toucher dix-huit pence de plus par jour. Mais permettez-moi de vous faire remarquer que vous vous méprenez. On ne m'appelle « capitaine » que par courtoisie... Je dépends de la courtoisie d'une bande de satanés pleutres... Un peu comme les chirurgiens, qu'on appelle « docteur » par pure politesse. Est-ce que vous aimeriez que n'importe quelle brute atrabilaire vous appelle « Monsieur M » dès qu'il a envie de se montrer grossier ? Tandis que le jour où je serai nommé capitaine de vaisseau, je serai capitaine de plein droit. Même alors, d'ailleurs, je devrai simplement changer ma sardine d'épaule. Je n'aurai pas le droit d'en porter une seconde avant d'avoir trois ans d'ancienneté. Non. Je vais vous dire pourquoi un officier naval doué d'un peu de bon sens souhaite si ardemment être promu. Une fois que vous êtes de l'autre côté de la barrière, eh bien, vous y êtes ! Vous y êtes, mon cher monsieur ! Ce que je veux dire, c'est qu'à partir de ce jour-là, vous n'avez rien d'autre à faire que de rester en vie, et vous serez amiral le moment venu.

— Et ce serait là le sommet de la félicité humaine ?

— Bien sûr ! s'exclama Jack. Cela ne vous semble pas évident ?

— Oh si, certainement.

— À partir de là... dit Jack en souriant à cette idée, à partir de ce jour-là votre nom monte sur les listes d'attente, que vous ayez ou non un navire, rien qu'en fonction de l'ancienneté, dans un ordre parfait... Vice-amiral *of the blue*, vice-amiral *of the white,* vice-amiral *of the red*, vice-amiral d'escadre *of the blue*, et ainsi de suite, jusqu'au sommet... Rien à voir avec le mérite, et l'on n'opère aucune sélection. C'est ça que j'aime.

Jusque-là, c'est l'intérêt qui commande, ou la chance, ou l'approbation de vos supérieurs... Des vieilles femmes, pour la plupart. Et il faut s'abaisser devant eux... Oui, monsieur. Non, monsieur. À vos ordres, monsieur. Votre humble serviteur... Dites-moi, vous sentez cette odeur de mouton ? Vous dînez avec moi, n'est-ce pas ? J'ai invité aussi l'officier et l'aspirant de quart. »

Il s'avéra que l'officier en question n'était autre que Dillon, et l'aspirant de service était le jeune Ellis. Jack avait décidé depuis longtemps qu'aucune brouille, aucune rancune ne devait apparaître publiquement. Une fois par semaine, il invitait donc à dîner l'officier du quart d'avant-midi, quel qu'il soit (parfois avec son aspirant). À l'inverse, on l'invitait une fois par semaine à dîner au carré. Dillon avait tacitement consenti à cet arrangement. En apparence du moins, il régnait donc entre eux une parfaite politesse — une situation que favorisait grandement, dans la vie de tous les jours, la présence permanente de tiers.

Henry Ellis, en de telles occasions, contribuait à sauver la face. C'était un garçon assez ordinaire, sans doute plus agréable que la moyenne. Lorsqu'il avait embarqué, il était d'une timidité et d'une modestie excessives, au point que Babbington et Ricketts en avaient fait leur tête de Turc. Il avait fini par trouver sa place, et désormais il était plutôt enclin au bavardage. Mais pas à la table du capitaine ! Il se tenait raide sur sa chaise, le bout des doigts aussi éclatant de propreté que le bord de ses oreilles, les coudes collés au corps, dévorant le mouton dont il avalait de grosses bouchées. Jack avait toujours aimé la jeunesse, et il considérait en tout cas qu'un invité à sa table avait droit à quelque considération. Après avoir enjoint Ellis de trinquer avec lui, il lui sourit aimablement. « Je vous ai entendus, ce matin, qui récitiez des vers dans la hune de misaine. Des vers tout à fait épatants, il me semble... Des vers de M. Mowett ? M. Mowett tourne de fort jolies phrases. » Effectivement. Tout le sloop admirait son poème sur l'envergure de la nouvelle grand-voile. Las ! Son inspiration lui avait fait écrire, au beau milieu d'une description générale :

> *« Aussi blanc que les nuages sous le feu de midi*
> *Son cul à travers l'eau translucide, luit. »*

Ce couplet, en l'occurrence, avait anéanti son autorité sur les jeunes messieurs. Et c'était précisément celui-là qu'ils récitaient dans la hune de misaine, espérant de ce fait le provoquer un peu plus.

« Nous ferez-vous le plaisir de nous les déclamer ? Je suis sûr que le docteur aimerait les entendre.

— Oui, je vous en prie », dit Stephen.

Le malheureux garçon poussa un gros morceau de mouton dans sa joue. Son teint vira au jaune sale. Il rassembla tout son courage. « Oui, monsieur ! » dit-il. Les yeux fixés sur la fenêtre de tableau, il commença :

> *« Aussi blanc que les nuages sous le feu de*
> *midi »*...

— Mon Dieu, je ne veux pas mourir... !

> *« Aussi blanc que les nuages sous le feu de midi...*
> *Son c... »*

Sa voix chevrota, mourut, réapparut enfin, comme celle d'un spectre désespéré. Il hoqueta :

> *« Son cul... »*

Mais il ne put aller plus avant.

« Un satané beau poème, s'exclama Jack après un temps d'arrêt. Et édifiant, par-dessus le marché ! Trinquons, docteur Maturin ! »

Mowett surgit au même instant, comme s'il était en retard pour donner la réplique. « Pardonnez-moi, monsieur, de vous interrompre, mais un navire est en vue. À trois points sur tribord. »

Ils n'avaient croisé aucun bâtiment, tout au long de

ce voyage doré, à l'exception de quelques caïques dans les eaux grecques et d'un transport ralliant la Sicile à Malte. Lorsque le nouveau venu fut assez proche pour que ses huniers et une partie de ses basses voiles soient visibles du pont de la *Sophie*, il fut donc l'objet d'une attention encore plus grande que d'habitude. Le sloop avait quitté la mer de Sicile le matin même, et il filait cap ouest-nord-ouest, à vingt-trois lieues au nord-est du Cap Teulada (Sardaigne), sous jolie brise de nord-est — et se trouvait à deux cent cinquante milles à peine de Port Mahon. Il apparut que l'étranger faisait route à l'ouest-sud-ouest (ou un peu plus au sud), comme s'il se rendait à Gibraltar (ou à Oran), et il se trouvait au nord quart nord-ouest du sloop. Leurs routes, sauf changement, devaient se couper. Mais il était impossible de savoir lequel allait couper le sillage de l'autre.

Un observateur attentif aurait vu la *Sophie* donner légèrement de la bande quand tous ses gens se groupèrent sur tribord. Il aurait remarqué que les conversations excitées s'éteignaient sur le gaillard d'avant, et il aurait souri lorsque les deux tiers de l'équipage et la totalité des officiers pincèrent les lèvres en regardant le navire lointain border ses perroquets. Cela signifiait presque à coup sûr qu'il s'agissait d'un navire de guerre. Une frégate, sans doute, voire un vaisseau de ligne. Et ces perroquets n'étaient pas bordés de manière très professionnelle — c'était à peine suffisant selon les standards de la Royal Navy.

« Lancez le signal privé, monsieur Pullings. Monsieur Marshall, préparez-vous à filer. Monsieur Day, soyez paré à la pièce. »

Un pavillon rouge froissé s'éleva au mât de misaine, où il flotta promptement. Au même moment, un drapeau blanc avec flamme claqua en haut du grand-mât et un canon solitaire fit feu contre le vent.

« Enseigne bleue, monsieur, dit Pullings, collé à son télescope. Flamme rouge au grand-mât. Pavillon de partance au mât de misaine.

— Tous les hommes aux manœuvres ! ordonna

Jack. Sud quart sud-est demi sud », dit-il à l'homme de barre. Le signal qu'on venait de lui envoyer... datait d'il y a six mois. « Cacatois, bonnettes de hunier et bonnettes basses ! Monsieur Dillon, dites-moi tout ce que vous pourrez savoir. »

James se hissa jusqu'aux barres traversières et braqua sa lunette sur l'intrus. Dès que la *Sophie* prit son nouveau cap et s'enfonça dans la longue houle du sud, il compensa le roulis par un mouvement du bras pour l'observer dans son objectif. Sous le soleil de l'après-midi, son chasseur en cuivre lança un éclair dans leur direction, par-dessus la mer. C'était certainement une frégate. Il ne pouvait pas encore en compter les sabords, mais il n'y avait aucun doute. C'était une frégate lourde. Un navire élégant. Là-bas aussi, on bordait les bonnettes basses. Et son équipage avait du mal à monter un gui.

« Monsieur ! lui cria l'aspirant du grand-mât, alors qu'il entamait sa descente vers le pont. Andrews pense que c'est la *Dédaigneuse*.

— Regardez encore une fois. » Dillon lui passa sa lunette, la meilleure du navire.

« Oui. C'est bien la *Dédaigneuse* », dit le marin — un homme entre deux âges, dont le gilet rouge graisseux laissait voir le torse brûlé par le soleil. « Je reconnais cette proue arrondie. J'ai passé plus de trois semaines à son bord, comme prisonnier. J'avais été pris sur un charbonnier.

— Son armement ?

— Vingt-six pièces de dix-huit livres sur le pont principal, monsieur. Dix-huit longs de huit sur la plage arrière et le gaillard d'avant, plus un canon long de douze, en cuivre, en guise de chasseur de proue. J'étais souvent à la corvée de polissage.

— C'est une frégate, monsieur, rapporta James. Et Andrews, de la grande hune, un homme sensé, dit que c'est la *Dédaigneuse*. Il y a été détenu.

— Parfait ! » dit Jack en souriant. Il avait de la chance que la nuit ne soit pas loin. Le soleil devait se coucher quatre heures plus tard. Sous ces latitudes, le crépuscule ne durait pas longtemps, et c'était la nouvelle lune. Pour rattraper la *Sophie*, la *Dédaigneuse* devait abattre deux nœuds de plus qu'elle, et Jack ne pensait pas qu'elle en fût capable — elle était lourdement armée, et ce n'était pas un navire rapide comme l'*Astrée* ou le *Pomone*. Il se creusa tout de même la tête pour que son cher sloop atteigne son allure maximale. Peut-être aurait-il du mal à s'esquiver de nuit — lui-même avait pris part à une chasse de trente-deux heures, sur plus de deux cents milles marins, quand il était en poste aux Antilles — et chaque mètre pouvait compter. À présent, le vent soufflait presque sur sa hanche bâbord — pas très loin de l'angle idéal pour la navigation, et la *Sophie* filait sept bons nœuds. En fait, son équipage nombreux et bien entraîné avait bordé les cacatois et les bonnettes si promptement que durant le premier quart d'heure, il sembla qu'elle distançait la frégate.

« Pourvu que ça dure ! » se dit Jack. Il leva les yeux vers le soleil, à travers la toile usée du hunier. Les formidables pluies de printemps de la Méditerranée occidentale, le soleil de la Grèce et les vents pénétrants avaient fait disparaître la moindre trace des parements d'origine, ainsi que la plus grande partie de la toile elle-même : le fond des voiles et les bandes de ris avaient l'air minable, bouffant. Pour le moment, ils avaient vent arrière, mais s'ils devaient se mesurer à la frégate en tirant des bords, cela pourrait mal finir pour eux. La *Sophie* ne pourrait jamais tenir assez près du vent.

Cela ne dura pas. Dès que la coque de la frégate sentit pleinement l'action des voiles, elle abandonna toute mesure, prit conscience de son retard et commença à gagner la *Sophie* de vitesse. Au début, il était difficile d'en être sûr — un triple éclair, loin sur l'horizon, posé sur un bloc sombre lorsqu'elle se trouvait sur le haut de la vague... Mais trois quarts d'heure plus tard, sa coque était visible presque en permanence depuis la plage arrière de la *Sophie*. Jack fit border le hunier à baleston à l'ancienne, ce qui permit de s'éloigner encore d'un autre demi-point.

À la lisse de couronnement, Mowett expliqua à Stephen la nature particulière de cette voile, sa filière d'envergure fixée par un rocambeau de fer à l'extrémité du bâton de foc — disposition étonnante, en l'occurrence, sur un navire de guerre. Jack se tenait près du quatre-livres à l'arrière tribord, enregistrant le moindre mouvement à bord de la frégate, l'esprit absorbé par le calcul des risques qu'il prendrait en bordant les bonnettes de perroquets sous ce vent fraîchissant... Il y eut soudain un vacarme confus, et un cri retentit : « Un homme à la mer ! » Presque au même instant, il vit passer Henry Ellis au-dessous de lui, dans le courant, l'air stupéfait, s'efforçant de garder la tête hors de l'eau. Mowett lui lança le garant du bossoir. Il tendit les deux bras hors de l'eau pour saisir le cordage qui vola au-dessus de lui. Sa tête fut submergée. Les mains manquèrent leur prise. Puis il fut loin derrière, dansant sur l'eau, le long du sillage.

Tous les regards se tournèrent vers Jack. Son expression était terrible. Son regard passait du garçon à la frégate. Celle-ci s'approchait, à près de huit nœuds. Dix minutes : ils perdraient un mille, peut-être plus. Les dégâts inévitables, s'il fallait amener les bonnettes. Le temps nécessaire pour retrouver son erre. Quatre-vingt-dix hommes mis en danger. Toutes ces considérations, plus quelques autres — l'intensité des regards braqués sur lui, les parents détestables d'Ellis, son statut d'invité, en quelque sorte, de protégé de Molly Harte — lui passèrent par la tête avant même qu'il reprît son souffle.

« Qu'on mette la yole à la mer, dit-il sèchement. Préparez-vous, à l'avant et à l'arrière. Soyez parés ! Monsieur Marshall, mettez en panne. »

La *Sophie* se mit contre le vent. La yole souleva des gerbes d'eau. Il ne fut pas nécessaire de répéter les ordres. Les vergues se cambrèrent, on amena l'immense surface de voile, les drisses, cargues-fonds et autres cargues-points filèrent dans les poulies dans un silence presque total. Et Jack, malgré sa rage, ne put s'empêcher d'admirer l'impeccable efficacité de la manœuvre.

La yole progressait péniblement, pour couper à nouveau le sillage de la *Sophie*. Lentement, lentement. Les hommes se penchèrent au-dessus du bord du canot, cherchant dans l'eau à l'aide d'une gaffe. C'était interminable. Enfin, ils furent de retour. Ils avaient parcouru les trois quarts du trajet. Jack vit dans sa lunette les rameurs tomber violemment dans le fond du canot. Le chef de nage avait souqué si fort que sa rame s'était brisée, en le projetant en arrière.

« Jésus Marie ! murmura Dillon à côté de Jack. »

Quand la yole accosta et qu'on embarqua le noyé, la *Sophie* était en panne, déjà prête à reprendre son erre. « Il est mort ! » dirent ceux du canot. « Mettez à la voile ! » ordonna Jack. Les manœuvres se succédèrent encore une fois, presque en silence, avec une admirable promptitude. Trop, peut-être. La *Sophie* n'avait pas encore pris son cap, et elle n'avait pas atteint la moitié de sa vitesse antérieure, qu'un craquement horrible et déchirant se fit entendre. La vergue de petit perroquet venait de se rompre dans ses élingues.

Cette fois, les ordres fusèrent. Le regard de Stephen s'éloigna du corps d'Ellis : il vit Jack proférer à l'intention de Dillon deux ou trois phrases pleines de mots techniques. Le lieutenant les transmit, dans son porte-voix, au bosco et aux hommes des manœuvres hautes qui s'élançaient dans la mâture. Jack donna d'autres instructions au charpentier et à son équipe. Il calcula les forces modifiées qui s'exerçaient sur le sloop, avant de donner au timonier le cap qui s'imposait désormais. Il regarda par-dessus son épaule, vers la frégate, puis jeta à Stephen un regard soucieux. « Vous pouvez faire quelque chose ? Vous avez besoin d'aide ?

— Son cœur s'est arrêté, dit Stephen. Mais j'aimerais bien essayer... Pourrait-on le suspendre par les pieds au-dessus du pont ? Il n'y a pas la place, en bas.

— Shannahan ! Thomas ! Venez donner un coup de main. Prenez du bitord et un petit palan. Faites ce que le docteur vous dira. Monsieur Lamb, cette vergue... »

Stephen envoya Cheslin lui chercher ses lancettes, des cigares et le soufflet de la coquerie. Tandis qu'on soulevait le corps sans vie de Henry Ellis, il se balança deux ou trois fois, tête en bas, la langue sortie, et recracha l'eau de mer qu'il avait avalée. « Tenez-le juste dans cette position », dit Stephen. Il le saigna derrière les oreilles. « Monsieur Ricketts, veuillez avoir la bonté de m'allumer ce cigare. » Tous les hommes d'équipage qui n'étaient pas occupés à jumeler la vergue écliée, à réenverguer la voile ou à tendre le tout — ceux qui n'étaient pas en train de surveiller furtivement la frégate ou de travailler à l'interminable réglage des voiles — eurent le privilège d'assister à une scène inouïe. Le docteur Maturin cracha dans le soufflet la fumée du cigare, en introduisit l'ouverture dans le nez du patient, et tandis que Cheslin maintenait fermées la bouche et l'autre narine d'Ellis, il souffla la fumée âcre dans ses poumons, tout en poussant le corps suspendu de sorte que son ventre presse et relâche alternativement le diaphragme d'Ellis. Suffocation, étouffement, mouvement vigoureux du soufflet, encore de la fumée et des bruits de suffocation de plus en plus réguliers, puis une quinte de toux. « Vous pouvez le détacher, dit Stephen aux marins fascinés. Il est évident que ce type est né pour être pendu. »

Pendant ce temps, la frégate avait parcouru une bonne distance. Elle était assez proche pour qu'on puisse compter ses sabords à l'œil nu. C'était une frégate lourde, en effet. Une seule de ses bordées pouvait expédier trois cents livres de métal, contre vingt-huit seulement pour la *Sophie*. Mais elle était trop chargée : même sous cette jolie brise, cela lui compliquait la tâche. La houle se brisait proprement sous sa proue en projetant de l'écume vers le ciel, et elle avait l'air de peiner. Elle continuait néanmoins de gagner du terrain sur la *Sophie*, c'était perceptible. « Mais je jure, se dit Jack, qu'avec cet équipage nous aurons sorti les cacatois avant qu'il fasse tout à fait nuit. » Il avait observé l'allure de la *Dédaigneuse* assez attentivement pour être convaincu qu'une bonne partie de son équipage (sinon la totalité) était composée de mauvais marins — ce n'était pas rare sur les navires français. « Mais elle pourrait bien essayer, avant cela, de tirer une salve en ligne... »

Il regarda le soleil : il était encore loin de l'horizon. Et quand Jack eut parcouru cent fois, dans les deux sens, la distance séparant le canon de la lisse de couronnement, il semblait être exactement à la même place, brillant avec une stupide bonne humeur entre le pied cintré du hunier et sa vergue. La frégate, elle, s'était encore approchée.

Sur le sloop, la vie quotidienne n'avait pas perdu ses droits, et la routine continuait, presque machinalement. Au début du premier petit quart, on avait sifflé le souper. Et lorsque la cloche piqua deux coups, alors que Mowett rentrait le loch, James Dillon demanda : « Dois-je faire battre le rassemblement, monsieur ? » Sa voix était un peu hésitante, car il n'était pas sûr de l'état d'esprit de Jack. Et son regard, au-delà du visage du capitaine, fixait la *Dédaigneuse* : la frégate venait vers eux, portée par une impressionnante surface de toile, éclatante dans la lumière du soleil, et sa « moustache » blanche semblait accroître encore l'impression de vitesse.

« Mais oui, certainement. Écoutons M. Mowett. Après quoi, nous procéderons au rassemblement.

— Sept nœuds quatre brasses, monsieur », dit Mowett au lieutenant. Celui-ci se retourna, toucha son chapeau et transmit l'information au capitaine.

Roulement de tambour, tonnerre assourdi des pieds nus sur le pont, écho renvoyé par le bois, rassemblement. Puis le long processus du laçage des bonnettes maillées aux huniers et aux perroquets. L'envoi de faux galhaubans supplémentaires aux tons de mât de perroquet (car Jack avait décidé de border plus de voile encore dès qu'il ferait nuit). Mille modifications de détail, dans l'envergure, la tension et l'orientation des voiles... Tout cela prit du temps. Mais le soleil était toujours plus lent, et la *Dédaigneuse* toujours plus proche, toujours plus proche... Sa voilure était beaucoup trop haute, beaucoup trop en arrière. Mais tout ce que portait ce vaisseau semblait d'acier... Rien n'était emporté, et surtout (c'était le vœu le plus cher de Jack Aubrey) elle ne se brisait point, malgré quelques violentes embardées — qui avaient dû faire sauter le cœur de son capitaine — durant le dernier petit quart. « Pourquoi ne hisse-t-il pas la jupe de sa grand-voile pour la soulager un peu ? demanda Jack. Damné chien ! »

À bord de la *Sophie*, on avait fait tout ce qui pouvait être fait. Les deux navires cinglaient en silence sur la mer douce et chaude, dans le soleil vespéral. Et la frégate, petit à petit, gagnait sur le sloop...

« Monsieur Mowett ! » appela Jack, faisant une pause à la fin de son inspection. Mowett quitta le groupe d'officiers réunis à bâbord sur la plage arrière, qui observaient pensivement la *Dédaigneuse*. « Monsieur Mowett... » Il s'interrompit. À peine distincts derrière le chant du vent et les craquements des gréements, des fragments d'une suite pour violoncelle leur parvenaient d'en bas. Le jeune second du bosco avait l'air attentif, disponible et soumis. Il inclinait son corps cylindrique vers le capitaine, dans une attitude respectueuse qu'il adaptait inconsciemment au long mouvement en tire-bouchon du sloop. « Monsieur Mowett, peut-être auriez-vous la bonté de me dire votre poème sur la nouvelle grand-voile... J'aime beaucoup la poésie », ajouta-t-il en souriant, en voyant l'air de consternation prudente de l'aspirant, qui s'apprêtait à nier en bloc.

« Très bien, monsieur... » dit-il en hésitant, presque à voix basse. Il toussota, annonça *« La nouvelle grand-voile »* d'un ton plutôt sévère, et continua :

> *« La grand-voile, par la bourrasque si maltraitée
> Pend en flammes lamentables, elle est désenverguée.
> Les cargues réparées, une autre sitôt parée,
> Remonte enfin, s'allonge sous la vergue.
> À chaque fusée de vergue on tire l'amarre debout,
> Et bientôt les anneaux, les rubans se soumettent.
> Cette tâche accomplie, d'abord on file les bras,*

Puis au dogue on tire l'amure récalcitrante
Et tandis qu'on descend le cargue-point sous
l'vent,
Surtendue en arrière l'écoute est assurée. »

« Excellent ! Épatant ! s'écria Jack en lui donnant une claque sur l'épaule. C'est assez bon pour le *Gentleman's Magazine*, ma parole. Dites-m'en un peu plus. »

Mowett baissa les yeux avec modestie et reprit son souffle. Il continua : « *Pièce de circonstance* ».

« Oh ! Si l'art sacré de Maro était mien,
Pour éveiller la sympathie du cœur sensible,
Pourrais-je alors, avec une force incomparable,
regretter
Les horreurs inaccessibles d'une terre sous le
vent. »

« Ah oui, une terre sous le vent... » murmura Jack en secouant la tête. Au même moment, il entendit la première salve portante de la frégate. Les coups du chasseur de proue de la *Dédaigneuse* ponctuèrent la poésie de Mowett durant quelque cent vingt vers. Mais ils ne virent tomber aucun boulet, jusqu'au moment (le soleil frôlait l'horizon) où un projectile de douze livres sauta à vingt mètres du flanc tribord de la *Sophie*. Mowett en était précisément au malheureux couplet,

« Transpercés par la terreur à l'approche de la
fin
Leurs cœurs ne peuvent abriter que de l'apitoiement. »

et il se crut obligé de s'interrompre pour expliquer : « Bien entendu, monsieur, il s'agit là de membres de la marine marchande.

— Eh bien, voilà un détail dont il faut tenir compte, sans aucun doute, répondit Jack. Mais je crains de devoir vous interrompre. Faites savoir au commissaire que nous avons besoin de trois de ses plus grandes barriques. Qu'on les monte sur le gaillard d'avant. Monsieur Dillon ! Monsieur Dillon, nous allons construire un radeau qui devra porter un feu de poupe et trois ou quatre autres lanternes plus petites. Que l'on fasse cela à couvert de la dunette. »

Un peu plus tôt que la normale, Jack fit allumer le grand feu de poupe de la *Sophie*. Il se rendit personnellement dans la cabine pour s'assurer que les fenêtres de tableau étaient aussi visibles qu'il le souhaitait. Le crépuscule avança, la frégate à son tour alluma ses feux. Ils virent disparaître son grand cacatois et son cacatois de perruche. Dès lors, la *Dédaigneuse* n'était plus qu'une silhouette noire, bien dessinée contre le ciel violet. Son chasseur de proue crachait une flamme rouge-orange toutes les trois minutes, le feu visible bien avant que le son ne leur parvienne.

Lorsque Vénus disparut sur leur tribord (ce qui contribua à diminuer la luminosité générale), la frégate était silencieuse depuis une demi-heure. Seuls ses feux permettaient de la localiser, et elle ne gagnait plus sur la *Sophie*. Cela semblait presque certain.

« Mettez le radeau à l'eau, à l'arrière ! » Le bizarre assemblage descendit la muraille en dansant, s'emmêlant dans les bout-dehors de bonnettes et dans tout ce qui se trouvait à sa portée. On y avait installé le feu de poupe de rechange sur une sorte de mât haut comme la lisse de couronnement de la *Sophie*, et quatre lanternes plus petites, alignées en dessous. « J'ai besoin d'un gars habile et rapide, dit Jack. Lucock ?

— Monsieur ?

— Je veux que vous descendiez sur ce radeau, et que vous y allumiez les lanternes au moment précis où l'on éteindra celles du navire.

— À vos ordres, monsieur. Quand elles s'éteindront.

— Prenez cette lanterne sourde, et fixez un cordage autour de votre taille. »

L'opération était délicate, vu la vitesse du sloop et la vague qu'elle entraînait. Et puis il était toujours possible qu'un marin zélé de la *Dédaigneuse* les observe à la lunette et détecte des mouvements suspects à la proue de la *Sophie*. Mais Lucock eut vite fait d'accomplir sa mission. Il franchit bientôt la lisse de couronnement, et remonta sur la plage arrière désormais plongée dans l'obscurité.

« Bravo, lui dit Jack doucement. Qu'on le lâche, maintenant ! »

Le radeau s'éloigna vers l'arrière, et Jack sentit la *Sophie* faire un léger bond quand elle fut soulagée du poids de son boulet. Celui-ci faisait une imitation passable de ses feux, même s'il dansait un peu trop sur l'eau. Et le bosco y avait installé un enchevêtrement de cordages pour parfaire l'illusion.

Jack le suivit des yeux quelques instants, puis ordonna : « Bordez les bonnettes de perroquet ! » Les hommes des manœuvres hautes disparurent dans les gréements. Sur le pont, chacun tendit l'oreille, attentif et immobile, échangeant des regards inquiets avec ses voisins. Le vent avait molli très légèrement, mais il fallait compter avec la vergue abîmée. Il y avait en tout cas une telle pression sur la toile...

Les voiles fraîches furent bordées à joindre, les faux-galhaubans tendus. Le murmure du gréement monta d'un quart de ton. La *Sophie* prit de l'erre. Les hommes descendirent des mâts et vinrent se joindre à leurs camarades toujours aux aguets, jetant des regards vers l'arrière, vers les lueurs qui disparaissaient peu à peu. Rien ne cassa. La pression se relâcha quelque peu. Soudain, ils sursautèrent : la *Dédaigneuse* avait repris le tir. C'était interminable. Ils virent son flanc éclairé au moment où le feu d'une bordée vers le radeau lui fit faire un véritable saut de côté... C'était une vision imposante — une longue ligne d'éclairs, un rugissement formidable et menaçant. Mais rien ne toucha le radeau, et un gloussement collectif de satisfaction s'éleva du pont de la *Sophie*. Une bordée suivit l'autre... La *Dédaigneuse* semblait être en proie à une véritable frénésie... Puis les feux du radeau, enfin, disparurent — tous d'un seul coup.

« Est-ce qu'il pense nous avoir coulés ? se demandait Jack, le regard fixé sur le flanc de la frégate le plus éloigné. A-t-il découvert la supercherie ? Est-ce qu'il se met en position ? En tout cas, je suis prêt à jurer qu'il ne s'attend pas à ce que je sois déjà en route. »

Mais jurer était une chose, y croire de tout son cœur et de toute sa tête en était une autre. Lorsque les Pléiades se levèrent, Jack était au ton de mât, muni de sa lunette de nuit, se balançant régulièrement de nord-nord-ouest en est-nord-est. Les premières lueurs de l'aube — et le lever du soleil — le trouvèrent au même poste, bien qu'il fût évident qu'ils avaient définitivement semé la frégate — à moins qu'elle n'ait pris un autre cap, vers l'est ou l'ouest, à sa poursuite.

« À l'ouest-nord-ouest, probablement », se dit Jack. Il ferma sa lunette en la frappant contre sa poitrine, et étrécit les yeux devant la lumière déjà brûlante du soleil levant. « C'est ce que j'aurais fait. » Il descendit le gréement avec raideur et marcha à pas lourds jusqu'à sa cabine. Il demanda le quartier-maître, pour faire le point de leur position. En attendant son arrivée, il ferma les yeux quelques instants.

Il s'avéra qu'ils étaient à moins de cinq lieues du Cap Bougaroun, en Afrique du Nord. La poursuite leur avait fait couvrir une bonne centaine de milles, pour l'essentiel dans la mauvaise direction. « Il va falloir prendre le vent, quel qu'il soit (il n'avait cessé de tourner et de tomber durant le quart d'après-minuit), et naviguer aussi près que possible. Mais même dans ce cas, adieu à l'espoir d'un voyage express. » Il se pencha en arrière et ferma de nouveau les yeux. Il eut envie de dire que par bonheur, l'Afrique ne s'était pas déplacée d'un demi-degré au nord durant la nuit, sourit à cette idée, et sombra dans le sommeil.

M. Marshall fit quelques remarques sans recevoir de réponse. Il contempla le capitaine durant quelques instants, puis, avec une tendresse infinie, il soulagea ses pieds en les posant sur le caisson, l'installa avec un coussin sous la tête, roula les cartes et sortit sur la pointe des pieds.

Adieu au voyage express, en effet. La *Sophie* aurait dû faire route au nord-ouest. Mais quand le vent soufflait, c'était du nord-ouest, précisément ! Et pendant des journées entières, il ne souffla pas du tout. Finalement, ils durent ramer douze heures consécutives pour rallier Minorque, où ils montèrent la longue entrée du port en tirant la langue : depuis quatre jours, les rations d'eau étaient réduites de trois quarts.

Ils la redescendirent de même, la chaloupe et le cotre remorquant la *Sophie*, les hommes tirant avec mauvaise humeur sur les lourds avirons — poursuivis par la puanteur des tanneries qui se répandait dans l'air fétide et stagnant.

« Quel endroit décevant, dit Jack, regardant en arrière depuis l'île de la quarantaine.

— Vous trouvez ? » dit Stephen, qui avait apporté à bord une jambe enveloppée dans de la toile à voile — une jambe toute fraîche, un cadeau de M. Florey. « Il me semble qu'il a ses charmes.

— Mais vous vous intéressez aux crapauds. Monsieur Watt, ces hommes ne sont-ils pas supposés souquer ferme ? »

La dernière déception en date, ou plutôt la dernière vexation — ce n'était presque rien, mais tout de même une vexation — avait été singulièrement injustifiée. Jack avait accepté de véhiculer Evans (de la bombarde *Aetna*) sur son canot, bien qu'il fût trop loin de son chemin pour se faufiler à travers les ravitailleurs et les transports du convoi de Malte. Evans, après avoir examiné son épaulette avec le sans-gêne qui le caractérisait, lui avait demandé : « Où avez-vous acheté cette sardine ?

— Chez Paunch.

— Je m'en doutais bien. Ils utilisent neuf dixièmes de cuivre, chez Paunch. Presque pas d'or. On verra bientôt à travers. »

Jalousie et méchanceté. Il avait subi plusieurs

remarques de ce genre, toutes suscitées par la même mesquinerie. Jamais, quant à lui, il n'avait montré la moindre malveillance à l'égard de quelqu'un qui avait obtenu une croisière, ou qui avait été heureux dans ses prises. Non qu'il fût lui-même si heureux dans ses prises, d'ailleurs — il en avait fait beaucoup moins qu'on ne l'imaginait. M. Williams l'avait reçu de fort méchante humeur : une partie de la cargaison du *San Carlo* n'avait pas été condamnée, car elle appartenait à un Grec de Raguse sous protection britannique. Les frais de justice étaient très élevés. Et puis, vraiment, les choses étant ce qu'elles étaient, le contenu de certains des vaisseaux plus petits valait à peine le prix de leur expédition. Après quoi l'arsenal lui avait fait une scène ridicule à propos de sa vergue de perroquet — un simple morceau de bois, utilisé le plus légitimement du monde. Et des galhaubans. Mais par-dessus tout, Molly Harte ne lui avait consacré qu'un après-midi. Elle avait dû rejoindre Lady Warren à Ciudadela : un engagement pris de longue date, avait-elle prétendu. Il ne s'attendait certes pas à ce que cela l'affecte à ce point.

Une série de déceptions. Mercy — et ce qu'elle avait à lui dire — l'avait un peu réconforté. Mais c'était tout. Lord Keith avait pris la mer deux jours plus tôt, en déclarant qu'il se demandait bien pourquoi le capitaine Aubrey ne donnait pas de ses nouvelles — ce que le capitaine Harte lui fit promptement savoir. Mais les horribles parents Ellis, eux, étaient encore sur l'île. Stephen et Jack avaient dû subir leur hospitalité — ce qui lui avait donné l'occasion, pour la première fois de sa vie, de voir une demi-bouteille de vin partagée en quatre. Déceptions en tous genres. Les Sophies euxmêmes, gâtés par un nouveau versement de parts de prises, s'étaient méconduits. Très mal, même en considérant les excès tolérés à terre. Quatre d'entre eux étaient en prison pour viol. Quatre autres n'avaient pas encore dessoûlé quand la *Sophie* appareilla. Un autre s'était brisé la clavicule et un poignet. « Des brutes et des ivrognes ! » se dit-il en les regardant froidement.

De fait, la plupart des hommes penchés sur leurs rames, ce jour-là, étaient terriblement peu ragoûtants — vaseux, sales, pas rasés. Certains portaient encore leur meilleur costume de bordée, mais il était immonde, couvert de déjections. Une odeur de fumée refroidie, de tabac à chiquer, de sueur et de bordel. « Ils se fichent des punitions. Ce nègre muet, King, je vais le nommer second du bosco. Et je vais faire installer le caillebotis. Cela leur rappellera où est leur place. » Déceptions. Les rouleaux de simple toile à voile numéro trois et quatre qu'il avait commandés et payés de sa poche n'avaient pas été livrés. Les magasins étaient à court de cordes à violon. La lettre de son père évoquait en des termes passionnés, presque enthousiastes, les avantages du remariage. De la commodité à ce qu'une femme tienne la maison. Des charmes de l'état d'homme marié, de tous points de vue et en particulier de celui de la société — l'homme a une dette envers la société. La question du rang n'a strictement aucune importance, disait le général Aubrey. C'est le mari qui donne son rang à sa femme. Seule importe la *bonté de cœur*. Et les bons cœurs, Jack, et les satanées bonnes épouses, on les trouve aussi dans les cuisines des cottages. La différence entre vingt et quelque et pas tout à fait soixante-quatre avait très peu d'importance. Les mots « un vieil étalon pour une jeunesse » avaient été biffés, et une flèche pointant sur « qu'une femme tienne la maison » renvoyait à : « Tout à fait comme votre premier lieutenant, je dirais. »

Il observa son lieutenant, de l'autre côté de la plage arrière. Dillon montrait au jeune Lucock comment tenir un sextant, et comment aligner le soleil sur l'horizon. De tout son être, Lucock montrait le plaisir intense (mais contenu) que provoquait sa compréhension de ce mystère (soigneusement expliqué) et, d'une manière générale, sa propre élévation. Cette image contribua à dissiper la mauvaise humeur de Jack. Il décida de contourner l'île par le sud et de relâcher à Ciudadela. Il verrait Molly. Il y avait peut-être quelque malentendu idiot, qu'il voulait éclaircir sur-le-champ... Ils passeraient ensemble une heure exquise dans le jardin ceint de hauts murs, au-dessus de la baie.

Au-delà de St Philip, une ligne sombre barrant l'horizon au-dessus de la mer suggérait la présence d'un souffle — l'espoir d'un vent d'ouest. Ils l'atteignirent après deux heures de suée dans la chaleur croissante, embarquèrent la chaloupe et le cotre, et se préparèrent à mettre à la voile.

« Vous pouvez passer sous le vent de l'île d'Ayre, dit Jack.

— Contourner Minorque par le sud, monsieur ? » demanda le quartier-maître, surpris. La route du nord était la plus directe pour rallier Barcelone, et le vent leur serait favorable.

« Oui, monsieur, dit Jack sèchement.

— Cap sud-ouest, dit le maître au timonier.

— Cap sud-ouest, à vos ordres, monsieur ! » Les voiles d'avant gonflèrent, avec une ferme insistance.

Le vent marin leur parvenait enfin — propre, salé, pénétrant. Il évacua tous les mauvais souvenirs. La *Sophie* donna un peu de la bande tandis que la vie renaissait à son bord. Lorsque Stephen, quittant sa pompe d'orme, le rejoignit à l'arrière, Jack lui dit : « Mon Dieu, n'est-ce pas épatant d'être à nouveau au large ? Est-ce que sur la terre ferme, vous ne vous sentez pas comme un putois dans un tonneau ?

— Un putois dans un tonneau ? dit Stephen, en pensant aux putois qu'il avait connus. Non, pas du tout. »

Sereine et décousue, leur conversation passa en revue les putois, les loutres et les renards... La chasse au renard, des exemples de fourberie étonnante, de perfidie, de résistance et de mémoire durable chez les renards. La chasse au cerf. Les sangliers. Et tant qu'ils parlaient, le sloop longeait la côte de Minorque.

« Je me rappelle avoir mangé du sanglier, dit Jack, qui avait tout à fait retrouvé sa bonne humeur. Je me rappelle un plat de sanglier en ragoût, la première fois que j'ai eu le plaisir de dîner en votre compagnie. C'est vous qui m'avez dit ce que c'était. Ha, ha, ha ! Vous vous en souvenez, de ce sanglier ?

— Oui. Et nous avons parlé de la langue catalane... Ce qui me rappelle un incident que je voulais vous raconter hier soir. James Dillon et moi, nous avons marché plus loin qu'Ulla, pour voir les vieux monuments de pierre (d'origine druidique, c'est évident !), et j'ai entendu deux paysans qui parlaient de nous. Je vous rapporte leurs propos. Premier paysan : "Tu vois ces hérétiques qui se promènent, l'air si satisfait ? Le rouquin descend sans aucun doute de Judas Iscariote." Second paysan : "Là où l'Anglais pose le pied, les brebis font des fausses couches. Ils sont tous pareils. Je leur souhaite de vomir leurs tripes. Où vont-ils ? D'où viennent-ils ?" Premier paysan : "Ils vont voir la *navetta* et la *taula d'en Xatart*. Ils viennent du deux-mâts déguisé qui est amarré en face de l'entrepôt de Bep Ventura. Ils appareillent mardi à l'aube pour croiser le long de la côte, pendant six semaines, de Castellon au Cap Creus. Ils ont payé leurs porcs quatre dollars les vingt. Je leur souhaite de vomir leurs tripes."

— Votre second paysan n'est pas très original », dit Jack. Il ajouta, d'un ton pensif : « Ils n'ont pas l'air d'aimer les Anglais. C'est pourtant nous qui les protégeons, vous savez, depuis presque un siècle.

— Oui, c'est étonnant. Mais ce que je voulais dire, c'est que notre apparition au large pourrait ne pas être aussi inattendue que vous le supposez... Entre ici et Majorque, il y a une circulation incessante de pêcheurs et de contrebandiers. La table du gouverneur espagnol est couverte de nos langoustes de Fornells, de notre beurre de Xambo et de notre fromage de Mahon.

— Oui, j'ai compris. Je vous suis fort reconnaissant de vous être... »

Une forme sombre se détacha du flanc noir de la falaise, sur le travers tribord... Une immense envergure triangulaire... Un oiseau de mauvais augure. Stephen laissa échapper un grognement porcin. Il s'empara de la lunette sous le bras de Jack, le repoussa d'un coup de coude et s'accroupit derrière la lisse. Il y posa la lunette et la braqua avec véhémence.

« Un gypaète ! Le vautour barbu ! s'exclama-t-il. Un *jeune* gypaète ! »

Jack n'hésita pas une seconde. « On dirait bien qu'il a oublié de se raser ce matin ! » Son visage rubicond se plissa, ses yeux se réduisirent à une fente bleu clair et il se frappa les cuisses, plié en deux dans un tel paroxysme d'hilarité, d'autosatisfaction et de plaisir communicatif que malgré la discipline, l'homme de barre fut incapable de résister. Il fit entendre un « Ho, ho, ho ! » étranglé, que réprima aussitôt le quartier-maître, du poste de contrôle.

« Il y a des moments, dit James tranquillement, où je comprends votre partialité en faveur de votre ami. Je n'ai jamais vu quelqu'un qui soit capable de tirer autant de plaisir d'un prétexte aussi léger. »

Le quartier-maître était de quart. Le commissaire se trouvait à l'avant, où il étudiait les comptes avec le bosco. Jack était dans sa cabine, toujours d'excellente humeur. Une partie de son esprit réfléchissait au nouveau déguisement de la *Sophie*, le reste se réjouissait par avance de l'issue heureuse de sa rencontre, le soir même, avec Molly Harte. Elle serait si surprise — et si contente ! — de le voir à Ciudadela... Comme ils seraient heureux tous les deux ! Stephen et James jouaient aux échecs dans le carré. L'attaque agressive de James, basée sur le sacrifice d'un cavalier, d'un fou et de deux pions, s'était avérée une erreur stratégique. Stephen se demandait depuis un moment comment il éviterait de le faire mat en trois ou quatre coups sans avoir besoin de renverser l'échiquier... Il décida — car James attachait beaucoup d'importance à ces choses-là — d'en rester là, jusqu'à ce que le tambour appelle au rassemblement. En attendant, il agitait sa reine d'un air pensif, en fredonnant.

James brisa le silence. « Il semble bien qu'il y ait des risques de paix. » Stephen pinça les lèvres et ferma un œil. Lui aussi avait entendu les rumeurs à Port

Mahon. « J'espère que Dieu nous permettra de voir un peu de vraie bataille avant qu'il ne soit trop tard. Je suis très curieux de connaître votre réaction. La plupart des gens trouvent cela complètement différent de ce qu'ils attendaient — c'est un peu comme l'amour... Très décevant, et pourtant vous n'avez aucune chance de connaître une autre première fois. C'est à vous de jouer, vous savez.

— Je le sais parfaitement », lui dit brusquement Stephen. Il jeta un coup d'œil à James : il fut surpris de la détresse nue, incontrôlée, qu'il lisait sur son visage. Le temps ne faisait pas son office comme il s'y attendait. Loin de là. Le navire américain était toujours là, à l'horizon... « Mais oseriez-vous affirmer que nous n'avons pas livré bataille ?

— Oh, vous voulez parler de ces accrochages ? Je pensais à quelque chose de plus grand... »

Le commissaire cocha le dernier point de l'accord selon lequel le bosco et lui-même faisaient treize et demi pour cent sur une série de produits aux frontières de leurs royaumes respectifs. « Non, monsieur Watt ! Vous direz ce que vous voudrez, mais ce jeune homme finira par perdre la *Sophie*. Sans oublier qu'avec lui, nous finirons tous le crâne brisé, ou prisonniers. Je n'ai aucune envie de finir mes jours dans une prison française ou espagnole, ou enchaîné à un aviron sur une galère algérienne, sous la pluie et le soleil, vautré dans ma crasse. Et je ne veux pas non plus qu'on brise le crâne de mon Charlie. Voilà pourquoi j'ai décidé de demander mon transfert. Ce métier présente des risques, je vous l'accorde, et il est normal de les encourir. Mais comprenez-moi bien, monsieur Watt. J'accepte de courir les risques ordinaires de ce métier, mais pas d'autres... Pas de coups tordus comme avec cette batterie côtière... Ni débarquer n'importe où, en pleine nuit, comme si nous étions chez nous. Ni faire de l'eau douce ci et là pour le plaisir de rester dehors plus longtemps. Ni attaquer tout ce qu'on rencontre, sans égards pour leur taille ou leur nombre. La chance est très importante. Mais nous ne devons pas compter uniquement sur la chance, monsieur Watt.

— C'est parfaitement exact, monsieur Ricketts, répondit le maître d'équipage. Et je ne prétendrai pas avoir jamais vraiment aimé ces trélingages croisés. Mais vous êtes loin du compte quand vous prétendez qu'il ne s'agit que de chance. Voyez cette haussière, par exemple. Le meilleur cordage que vous ayez jamais vu. Il ne contient pas de bitord de mauvaise qualité. » Il en démêla l'extrémité avec son épissoir. « Regardez par vous-même. Et pourquoi ne contient-il pas de mauvais bitord, monsieur Ricketts ? Parce qu'il ne vient pas des magasins du Roi, voilà pourquoi. M. le Damné Radin Commissaire Brown n'a jamais posé les yeux dessus. Parce que Boucles d'Or l'a payé de sa poche, tout comme la peinture sur laquelle vous êtes assis ! » « Voilà pourquoi, espèce de méchant fils de pute vérolée ! » aurait-il ajouté s'il n'avait été un homme tranquille et paisible, et si le tambour n'avait retenti pour appeler au rassemblement général.

« Qu'on fasse venir mon barreur ! » dit Jack après que le tambour eut sonné la dispersion. On passa le mot — barreur du cap'taine, barreur du cap'taine, allez George, debout George, au pas de course George, t'as des ennuis George, George va-t-être crucifié, ha, ha, ha ! — et Barret Bonden fit son apparition. « Bonden, je veux que tout l'équipage du canot soit impeccable. Lavés, rasés, cheveux taillés, chapeaux de paille, tuniques de jersey et rubans.

— À vos ordres, monsieur ! » dit Bonden. Malgré sa stupéfaction, il restait impassible. Rasés ? Cheveux taillés ? Un mardi ? On rassemblait les divisions pour la propreté le jeudi et le dimanche. Mais se raser un mardi... Un mardi, au large ? Il se précipita chez le barbier.

Quand la réponse s'imposa d'évidence, la moitié des hommes concernés étaient déjà aussi doux et roses que l'art le permettait. Il doublèrent le Cap Dartuch, et Ciudadela leur apparut à tribord. Au lieu de mettre le cap au nord-ouest, la *Sophie* se dirigea vers la ville. Elle mit en panne par quinze brasses de fond, le petit hunier masqué, à un quart de mille de la digue.

« Où est Simmons ? demanda James, qui passait rapidement en revue l'équipage du cotre.

— Déclaré malade, monsieur, dit Bonden qui ajouta, d'une voix plus basse : son anniversaire, monsieur. »

James hocha la tête. Mais il n'était pas très malin de l'avoir remplacé par Davies : même s'il était costaud, et s'il remplissait tout à fait le chapeau de paille sur le ruban duquel on avait brodé « Sophie », l'homme était d'un intense bleu-noir qui l'empêchait de passer inaperçu. Mais il était trop tard pour y remédier, car le capitaine venait d'arriver, magnifique dans son plus bel uniforme, arborant sa meilleure épée et son chapeau à galon d'or.

« Je ne pense pas être absent plus d'une heure, monsieur Dillon », dit Jack avec un mélange de raideur et de discrète excitation. Quand le bosco lança son appel, il descendit dans le cotre étincelant de propreté. Bonden avait été meilleur juge que James Dillon : l'équipage aurait pu être de toutes les couleurs de l'arc-en-ciel, ou bigarré, car le capitaine Aubrey se préoccupait avant tout de l'instant qu'il vivait.

Le soleil se coucha dans un ciel un peu orageux. Les cloches de Ciudadela sonnèrent l'Angélus, celle de la *Sophie* le quart de six heures. La lune se leva, éclatante, presque pleine, derrière Black Point. On siffla l'heure des hamacs. Un autre quart commença. Contaminés par la passion de Lucock pour la navigation, les aspirants observèrent la montée de la lune et les étoiles fixes, une par une. Huit coups de cloche, le quart de minuit. Les lumières de Ciudadela s'éteignaient les unes après les autres.

« Le cotre revient vers nous, monsieur », annonça enfin la sentinelle.

Dix minutes plus tard, Jack escaladait la muraille du sloop. Il était très pâle, et dans le clair de lune il avait l'air cadavérique — un trou noir pour la bouche, des creux pour les yeux.

« Vous êtes encore sur le pont, monsieur Dillon ? dit-il avec un sourire forcé. Mettez à la voile, je vous prie. La queue de cette brise du large nous fera sortir d'ici. »

Il entra dans sa cabine d'un pas incertain.

Chapitre X

« On raconte que Maimonide, un jour qu'on lui
demandait de jouer du luth, découvrit qu'il avait
oublié non seulement le morceau qu'il devait
interpréter, mais sa pratique, son doigté, tout ce
qui touchait à son art. Je suis parfois traversé de
l'idée terrifiante qu'une telle mésaventure pourrait
m'arriver. Ce n'est pas irraisonnable, d'ailleurs,
puisque j'ai vécu un jour une perte de cette nature.
De retour à Aghamore, jeune garçon — de retour
après huit ans d'absence — j'ai rendu visite à Bri-
die Coolan, et elle m'a parlé en irlandais. Sa voix
m'était familière, intime. Plus que toute autre, car
elle avait été ma nourrice. Les intonations, les
mots eux-mêmes. Mais rien que je comprenne.
Les mots qu'elle prononçait ne suggéraient
aucune signification. J'étais sidéré par mon
impuissance. Tout cela me revient en mémoire car
j'ai découvert que j'ignore tout désormais des
sentiments de mes amis, de leurs désirs, de leurs
intentions. Il est clair que JA a éprouvé une
déception cruelle à Ciudadela — une déception
qui le touche plus profondément que je n'aurais
cru possible. Il est tout aussi évident que JD est
toujours dans le même état de détresse profonde.
Mais c'est tout ce que je sais, ou presque — ils
ne parlent pas, et je ne peux plus les étudier. Ma

mauvaise humeur n'arrange rien, bien entendu. Je dois lutter contre une tendance de plus en plus forte à me réfugier dans une attitude obstinée, maussade — une attitude d'ennui que favorise encore le manque d'exercice. Je dois avouer que malgré toute mon affection pour eux, j'ai parfois envie de les envoyer au diable. Avec leur code d'honneur ampoulé et égocentrique, et leur habitude de s'encourager mutuellement — aveuglément — à réaliser des exploits qui pourraient bien provoquer des morts inutiles. Peut-être *leur* mort, ce qui ne regarde qu'eux. Mais aussi la *mienne*, sans parler du reste de la compagnie. Équipage massacré, naufrage du navire, destruction de toutes mes collections — tout cela ne pèse pas lourd, face à leurs questions d'étiquette. Il y a une espèce de négligence systématique de tous les autres aspects de l'existence, qui me met hors de moi. Je passe la moitié de mon temps à les purger, à les saigner, et à leur prescrire des régimes et des somnifères. Ils mangent beaucoup trop, tous les deux, et boivent beaucoup trop. Surtout JD. Il m'arrive de croire qu'ils se sont fermés, à mon égard, parce qu'ils ont convenu de s'affronter lors de la prochaine escale, et qu'ils savent parfaitement que je les en empêcherais. Comme c'est vexant ! S'ils devaient gratter eux-mêmes les ponts, hisser les voiles et nettoyer les latrines, nous entendrions beaucoup moins parler de leurs belles fanfaronnades. Ces deux-là m'exaspèrent. Vu leur âge et leur situation, ils sont étrangement immatures. On peut supposer, bien sûr, que dans le cas contraire ils ne seraient pas ici — un homme mûr, raisonnable, n'aurait pas l'idée d'embarquer sur un navire de guerre, il ne se répand pas à la surface des océans en quête de violence. En dépit de sa réelle sensibilité (juste avant que nous touchions Ciudadela, il a joué sa transcription de *Deh Vieni* avec une exquise délicatesse), JA serait mieux, à maints égards, dans la peau d'un pirate des Caraïbes du siècle dernier. Et en dépit de sa subtilité, JD est en danger de devenir un fanatique, un moderne Loyola — à condition que personne ne lui ait d'abord brisé le crâne ou passé une lame à travers le corps. Je suis très préoccupé par cette malheureuse conversation... »

À la grande surprise de la compagnie, la *Sophie* n'avait pas mis le cap sur Barcelone après avoir quitté Ciudadela, mais à l'ouest-nord-ouest. Au point du jour — après avoir doublé, à portée de voix de la terre, le Cap Salou —, elle s'était emparée d'une belle cargaison, un caboteur espagnol de près de deux cents tonneaux, portant six pièces de six livres (dont il ne fit pas usage). Elle l'aborda côté terre, aussi proprement que si le rendez-vous était fixé depuis des semaines et que le capitaine espagnol avait tenu à l'honorer à la minute près. « Voilà une entreprise commerciale très profitable ! » déclara James en regardant la prise disparaître à l'est, poussée vers Mahon par un vent favorable. Le sloop cingla vers le nord en tirant bord sur bord, vers leur terrain de chasse, l'un des couloirs maritimes les plus fréquentés du monde. Mais ce n'est pas cette remarque-là (bien qu'assez désagréable en soi) qui préoccupait Stephen.

Non. C'était arrivé plus tard, après le dîner, alors qu'il se trouvait avec James sur la plage arrière. Ils bavardaient calmement, désinvoltes, sur les différences qui opposent les traditions de diverses nations. Les repas tardifs chez les Espagnols. L'habitude des Français de quitter la table ensemble, hommes et femmes, pour se rendre directement au salon. Celle des Irlandais de rester à table avec du vin, jusqu'à ce que l'un des invités suggère que tout le monde s'en aille. Le fait que les Anglais laissent ce privilège à leur hôte. Les différences dans les rites liés au duel.

« En Angleterre, les rencontres sont très rares, remarqua James.

— C'est vrai, dit Stephen. La première fois que je

suis allé à Londres, j'ai été surpris de découvrir qu'un homme pouvait ne pas sortir d'un bout à l'autre de l'année.

— Oui. On défend, dans ces deux royaumes, des conceptions totalement différentes du code d'honneur. Il m'est arrivé de lancer à des Anglais des provocations qui, en Irlande, auraient immédiatement entraîné un duel... Mais en vain. On peut y voir la marque d'une remarquable timidité. Ou bien doit-on parler de lâcheté ? » Il haussa les épaules et s'apprêta à continuer, lorsque la lucarne de la cabine, à la surface du pont, s'ouvrit pour laisser passer la tête et les épaules massives de Jack Aubrey. « Je ne pensais pas qu'un visage d'habitude si ouvert pût brusquement être si pâle et si laid », se dit Stephen.

« La remarque de JD était-elle délibérée ? écrivit-il. Je n'en suis pas sûr, mais je le soupçonne... Ce serait cohérent avec certaines de ses remarques récentes : peut-être involontaires (car découlant d'un simple manque de délicatesse), elle tendaient tout de même à donner de la prudence de Jack (somme toute raisonnable) une interprétation odieuse et méprisable. Je ne sais pas. J'ai dû le savoir. Ce que je sais, c'est que JA — lorsqu'il en veut à ses supérieurs, qu'il est contrarié par les obligations du service, éperonné par son caractère inquiet, ou (comme c'est le cas aujourd'hui) déchiré par l'infidélité de sa maîtresse — cherche un soulagement dans la violence... Dans le combat. JD, emporté par des fureurs d'une tout autre nature, réagit de même. Mais il y a une différence. D'une part, je crois que JA se languit simplement du vacarme, de l'intense activité du corps et de l'esprit et du sentiment exaltant de vivre l'action au moment présent. J'ai très peur, en revanche, que JD veuille beaucoup plus. »

Il ferma son cahier, en contempla la couverture. Son

esprit vagabonda, loin, très loin, jusqu'à ce qu'un coup sur la porte le ramène sur la *Sophie*.

« Monsieur Ricketts ! Que puis-je faire pour vous ?

— De la part du capitaine, monsieur ! Voulez-vous monter sur le pont pour observer la côte ? »

« À gauche de la fumée, au sud, c'est la colline de Montjuich, avec son grand château. Et cette saillie, sur la droite, c'est Barcelonette. Derrière la ville, on reconnaît Tibidabo. C'est là que j'ai vu mon premier faucon à pattes rouges, quand j'étais gosse. Dans le prolongement de l'axe qui va de Tibidabo à la cathédrale puis à la mer, se trouve le Moll de Santa Creu, avec le grand port de commerce. Et sur la gauche, c'est le bassin avec les navires du Roi et les canonnières.

— Beaucoup de canonnières ? demanda Jack.

— Je crois. Mais je ne me suis jamais posé la question. »

Jack hocha la tête. Il observa longuement le panorama pour en graver les détails dans sa mémoire. Puis il se pencha et cria : « Holà, du pont ? Amenez tout ! Doucement, maintenant ! Allons, Babbington, remuez-vous, avec ce cordage. »

Stephen s'éleva de six pouces au-dessus de son perchoir au ton de mât. Les mains jointes pour ne pas accrocher par accident les cordages, les vergues et les poulies qui défilaient devant lui — maintenu dans l'axe par un Babbington agile comme un singe —, il entama sa descente vers l'abîme vertigineux qui menait au pont. Là, on l'aida à sortir du cocon dont on se servait pour le hisser dans la mâture. Personne, à bord de la *Sophie*, n'avait en effet la moindre confiance en ses talents de marin.

Il les remercia d'un air absent et se rendit en bas, où les aides du voilier cousaient le pauvre Tom Simmons dans son hamac.

« Nous n'attendons plus que le lest, monsieur. » M. Day apparut à ce moment précis. Il apportait un filet plein de boulets de canon.

« J'ai pensé que je devais m'en occuper personnellement, dit le canonnier, en les disposant aux pieds de Simmons d'un geste expérimenté. Nous nous connaissions depuis le *Phoebe*. Déjà, à l'époque, il était toujours mal fichu, ajouta-t-il, comme après réflexion.

— Oui, c'est vrai. Tom n'a jamais été très fort », dit l'un des aides, en coupant le fil avec sa dent cassée.

Ces mots — et une certaine délicatesse dans l'attention, assez inhabituelle — étaient censés réconforter Stephen, qui avait perdu son patient. Malgré tous ses efforts, en effet, Simmons avait succombé après quatre jours de coma.

« Mais dites-moi, monsieur Day, demanda-t-il après le départ des voiliers, quelle quantité avait-il bu ? J'ai interrogé ses amis, mais je n'ai reçu que des réponses évasives... Ils m'ont menti, bien sûr.

— Bien sûr, monsieur. Car c'est interdit. Combien il avait bu ? Voyez-vous, Tom était assez populaire... Disons qu'il a bu une ration complète... Ils en ont peut-être gardé une ou deux gorgées, juste de quoi humecter leurs plats. Ce qui ferait... Pas loin d'un litre.

— Un litre ! Ce n'est pas mal, en effet. Mais ce n'est pas assez pour tuer un homme. Le mélange était sans doute coupé aux trois quarts, ce qui représente... Près de six onces. Largement de quoi se saouler, mais certainement pas mortel.

— Mon Dieu, docteur, dit le canonnier en le regardant avec un air de pitié affectueuse, je ne vous parle pas de mélange. C'était du rhum.

— Un litre de rhum ? De rhum pur ?

— C'est bien ça, monsieur. Chaque homme reçoit une demi-pinte par jour, en deux fois, ce qui fait un litre par mess pour dîner et pour souper. C'est à cela qu'on ajoute de l'eau. Oh, mon Dieu !... » Il rit doucement et tapota le cadavre de son ami, posé entre eux, sur le pont. « S'ils ne recevaient qu'une demi-pinte de grog coupé aux trois quarts, nous aurions vite une vraie mutinerie sur les bras. Ce qui serait normal, d'ailleurs.

— Chaque homme reçoit une demi-pinte d'alcool par jour ? » Stephen était rouge de colère. « Un grand verre, c'est ça ? J'en parlerai au capitaine. J'exigerai qu'on jette tout ça par-dessus bord. »

« ... Nous confions donc son corps aux abysses. » Jack referma le livre. Les camarades de Tom Simmons inclinèrent le caillebotis. Il y eut le froissement de la toile qui glissait, un léger plouf, et une longue ligne de bulles s'élevant dans l'eau claire.

« Eh bien, monsieur Dillon, dit-il — il restait dans sa voix un peu de la solennité de sa lecture —, je crois que nous pouvons continuer notre travail, avec les armes et la peinture. »

La *Sophie* était à la cape, hors de vue de Barcelone. À peine Tom Simmons eut-il touché le fond, quatre cents brasses plus bas, qu'on s'appliqua à la transformer en un senau blanc avec des hauts noirs et une « monture » — cette longueur de câble palanquée verticalement capable de supporter la baguette de senau qu'on trouve sur ce type de navire. Entre-temps, la meule installée sur le gaillard d'avant tournait sans relâche : il fallait aiguiser les coutelas, les piques, les haches d'abordage, les baïonnettes des fusiliers, les dagues des aspirants et les épées des officiers.

Quoique la *Sophie* débordât d'activité, l'atmosphère y était curieusement grave. Il était naturel que les amis d'un mort — voire la totalité de son équipe de quart (car Tom Simmons avait été fort apprécié : sans cela, il n'aurait jamais reçu un présent d'anniversaire aussi fatal) — soient cafardeux après ses funérailles. Mais cette solennité affectait l'ensemble du navire. Aucune chanson ne résonnait sur le gaillard d'avant, et l'on n'entendait point les habituelles plaisanteries éclater çà et là. L'atmosphère était calme, menaçante, pas du tout agressive ni maussade, mais plutôt... Stephen, allongé sur son lit suspendu (il avait veillé toute la nuit le pauvre Simmons) essaya de trouver le mot qui convenait — oppressante ? — effrayante ? — prophétique ? Tout à côté, M. Day et son équipe passaient en revue les caissons de munitions : il pesait chaque boulet présentant la moindre trace de rouille ou tout autre défaut, puis le renvoyait à sa place en le faisant rouler bruyamment... Des centaines de boulets de quatre livres, s'entrechoquant et grondant interminablement... En dépit du tintamarre, Stephen s'endormit avant d'avoir trouvé le mot qu'il cherchait.

Il s'éveilla en entendant prononcer son nom. « Le docteur Maturin ? Non, vous ne pouvez certainement pas voir le docteur Maturin, disait le quartier-maître dans le carré. Vous pouvez me confier un message, je le lui donnerai à l'heure du dîner s'il est réveillé.

— Je voulais lui demander quel remède conviendrait pour une « monture » relâchée, chevrota Ellis, soudain empli d'un doute.

— Qui vous a poussé à lui poser cette question ? Ce méchant Babbington, j'en suis sûr ! C'est une honte ! Comment peut-on être si bête, après toutes ces semaines en mer ? »

L'atmosphère du navire avait donc épargné les aspirants. Ou dans le cas contraire, elle s'était déjà dissipée. Comme les jeunes gens sont capables de garder une vie privée, se dit-il, vraiment à l'écart du reste. Comme leur bonheur pouvait rester indépendant des circonstances ! Il pensa à sa propre enfance — le présent, alors, avait une telle intensité ! Le bonheur n'était pas une question de regards en arrière, ni de mauvais moment... Le sifflet du bosco appelant au dîner interrompit ses réflexions et provoqua une vive crispation de son estomac. Il se leva immédiatement. « Je suis devenu un vrai marin ! » se dit-il.

C'étaient les jours fastes des débuts de croisière. Il y avait encore du biscuit frais. Dillon était debout, courbé sous les barrots. Il découpait une imposante selle d'agneau. « Quand vous monterez sur le pont, dit-il à Stephen, vous ne reconnaîtrez plus le navire. Nous ne sommes plus un brick, mais un senau.

— Avec un mât supplémentaire, ajouta le quartier-maître en levant trois doigts.

— Vraiment ? demanda Stephen, qui tendit son assiette avec impatience. Mais pourquoi, dites-moi ? Pour la vitesse, par opportunité, pour la beauté ?

— Pour tromper l'ennemi. »

Le repas se poursuivit avec des considérations sur l'art de la guerre, les mérites comparés du fromage de Mahon et du Cheshire, et la profondeur surprenante de la Méditerranée dès qu'on s'éloignait un peu de la côte. Une fois de plus, Stephen remarqua le curieux talent — résultat, sans doute, de nombreuses années en mer et de la tradition de générations de marins entassés les uns sur les autres — qui permettait à chacun (y compris à un homme aussi grossier que le commissaire) d'entretenir une conversation sereine en dépit des haines et des tensions. De l'entretenir avec des platitudes, soit, mais avec un flot suffisant pour que le dîner soit non seulement détendu, mais raisonnablement agréable.

« Attention, docteur, dit soudain le quartier-maître en le maintenant par-derrière, contre l'échelle de la chambre. Le navire commence à rouler. »

Il roulait, en effet, et bien que le pont de la *Sophie* fût à une distance négligeable au-dessus de ce qu'on pouvait appeler son carré sous-marin, le mouvement était beaucoup plus spectaculaire là-haut. Stephen chancela, s'agrippa à une colonne et regarda autour de lui, dans l'expectative.

« Où sont-elles, ces prodigieuses transformations ? s'écria-t-il. Où est-il, ce troisième mât censé abuser l'ennemi ? Où est le plaisir à exercer son humour aux dépens d'un terrien ? Quel en est l'intérêt ? Ma parole, monsieur le Farceur, le dernier *shoneen* de marais, imbibé de mauvais whiskey, serait plus délicat. Ne comprenez-vous pas que c'est très mal ?

— Oh, monsieur ! s'exclama M. Marshall, choqué par le regard féroce que lui lança Stephen, je vous jure que... Monsieur Dillon, je fais appel à vous !

— Allons, compagnon, calmez-vous ! » dit James. Il emmena Stephen jusqu'à la « monture » — ce gros cordage qu'on avait fixé parallèlement au grand-mât, à quelque six pouces derrière lui. « Je vous assure que n'importe quel marin n'y verra qu'un mât, un troisième mât. Bientôt, quelque chose de fort semblable à la vieille grand-voile aurique flottera là-dessus en guise de voile-goëlette, *et en même temps en guise de voile barrée, sur la vergue au-dessus de nos têtes.* Aucun marin en mer ne nous confondra avec un brick.

— Eh bien, dit Stephen, je dois vous croire. Monsieur Marshall, je vous demande pardon de vous avoir parlé si brutalement.

— Pour me contrarier, il faudrait me parler au moins deux fois plus brutalement, monsieur », répondit le quartier-maître. Il savait que Stephen l'aimait bien, et il y était très sensible. « On dirait qu'un grain se prépare au sud », conclut-il avec un signe de tête vers le large.

La surface de l'eau ne montrait qu'un léger ondoiement, mais le mouvement relatif de l'horizon mettait en évidence la longue houle venue des lointaines côtes d'Afrique. Stephen imaginait les lames qui allaient fouetter les rochers de la côte catalane, prenant d'assaut les plages de galets et se retirant dans un hurlement monstrueux. « J'espère qu'il ne pleuvra pas ! » dit-il. Maintes fois, au début de l'automne, il avait vu cette mer furieuse amener un vent de sud-est, et un ciel bas et jaune qui déversait sur les vignes, à la veille des vendanges, une pluie chaude et brutale.

« Navire en vue ! » cria la vigie.

C'était une tartane de taille moyenne, basse sur l'eau, qui louvoyait dans la bonne-brise d'est. Elle ne pouvait venir que de Barcelone. Elle se trouvait à deux points par leur bâbord devant.

« Quelle chance que cela ne soit pas arrivé il y a une heure, dit James. Monsieur Pullings, veuillez faire savoir au capitaine qu'il y a une voile inconnue à deux points par bâbord devant. » Jack fut sur le pont avant qu'il ait fini sa phrase. Il avait sa plume à la main, et le regard enflammé par l'excitation.

« Soyez aimable... » dit-il à Stephen, en lui donnant sa plume. Puis il se rua au ton de mât, comme un gamin. Le pont grouillait de marins qui faisaient disparaître les travaux du matin, orientaient les voiles pour changer discrètement de cap — afin de couper la route de la tartane côté terre — et couraient en tous sens, parfois lourdement chargés. Stephen fut bousculé une ou deux fois, et on lui hurla à l'oreille « Avec votre permission, monsieur ! » et « Laissez passer... Oh, pardon, monsieur ! » Il se dirigea posément vers la cabine, s'assit sur le caisson de Jack et médita sur la nature d'un groupe humain, sa réalité, ce qui le différencie des individus qui le composent, comment on y communique, comment il se constitue.

« Ah, vous êtes là, dit Jack en revenant. Ce n'est qu'un petit rafiot de commerce, j'en ai peur. J'avais espéré mieux.

— Vous allez vous en emparer ?

— Hein ? Oui, je crois, même s'il virait de bord à la seconde. Mais j'espérais vraiment qu'il y ait matière à accrochage, comme on dit. Impossible de vous dire à quel point c'est stimulant pour l'esprit — vos philtres noirs et vos saignées ne sont rien, à côté. De la rhubarbe et du séné. Dites-moi... Si rien ne nous en empêche, jouerons-nous un peu de musique ce soir ?

— Rien ne me ferait plus plaisir », dit Stephen. Il regarda Jack. Il vit à quoi il ressemblerait lorsque le feu de la jeunesse l'aurait abandonné. Lourd, gris, autoritaire, sinon féroce et maussade.

« D'accord. » Jack hésita, comme s'il voulait dire autre chose. Il n'en fit rien. Quelques instants plus tard, il remonta sur le pont.

La *Sophie* glissait rapidement sur le flot, mais elle n'avait pas déployé de voiles supplémentaires et ne montrait aucune velléité d'affronter la tartane. Elle affichait l'allure régulière, sobre, commerçante d'un senau cinglant vers Barcelone. Une demi-heure plus tard, ils virent qu'elle portait quatre canons, un équipage réduit (le coq s'était joint aux manœuvres) et qu'elle avait l'air désagréablement insouciant de qui veut rester neutre. Mais au moment où la tartane allait virer de bord, la *Sophie* largua en un éclair ses voiles d'étai, borda ses perroquets et fondit sur elle avec une vitesse confondante... Au point que la tartane manqua à virer et se rabattit sur bâbord amures.

À un demi-mille, M. Day — il adorait pointer un

canon — envoya un boulet dans le pied de misaine de la tartane. Celle-ci resta à la cape, vergue amenée, jusqu'à ce que la *Sophie* soit à portée de voix. Jack héla son capitaine et l'invita à son bord.

« Il est désolé, gentilhomme, mais c'est impossible. S'il pouvait, il le ferait avec joie, gentilhomme, mais il a crevé le fond de sa chaloupe », fit savoir le capitaine par la voix d'une assez jolie jeune femme, sans doute Mme Tartane ou quelque chose d'équivalent. « Ce n'est en tout cas qu'un Ragusain neutre, un navire neutre en route pour Raguse, sur lest. » Le petit homme brun cogna sur son canot pour indiquer l'endroit. Il était bel et bien percé.

« Comment s'appelle cette tartane ? demanda Jack de nouveau.

— La *Pola* », répondit la jeune femme.

Il réfléchit. Il était de méchante humeur. Les deux navires dansaient sur la houle. À chaque mouvement ascendant, il voyait la terre derrière la tartane, et pour ajouter encore à son irritation, il aperçut un bateau de pêche qui passait au sud, vent derrière... Et un autre, un peu plus loin. Des barcalongas, à qui rien n'échappe. Les Sophies observaient silencieusement la femme. Ils se passèrent la langue sur les lèvres, et avalèrent leur salive.

Cette tartane n'était pas sur lest. C'était un mensonge stupide. Et il doutait qu'elle fût de construction ragusaine. La *Pola*... Était-ce son vrai nom ? « Mettez le cotre à l'eau ! dit-il. Monsieur Dillon, est-ce que quelqu'un parle italien ici ? John Baptist est italien...

— Et Abram Codpiece, monsieur... Un nom de commissaire.

— Monsieur Marshall, prenez Baptist et Codpiece avec vous, et assurez-vous de cette tartane. Vérifiez ses papiers. Jetez un coup d'œil dans la cale. Fouillez la cabine si nécessaire. »

Le cotre fut mis à l'eau. À l'aide d'un bout-dehors, le chef de bord prit soin de le maintenir à distance de la peinture fraîche. Armés jusqu'aux dents, les hommes s'y laissèrent tomber à la suite, depuis la fusée de grand'vergue : ils préféraient se briser le cou ou se noyer, plutôt que d'abîmer la belle peinture noire, si propre et nette.

Après une brève traversée, ils abordèrent la tartane. Marshall, Codpiece et John Baptist disparurent dans la cabine. Une voix féminine s'éleva, furieuse, puis il y eut un cri perçant. Sur le gaillard d'avant, les hommes se mirent à sautiller et se regardaient avec des sourires rayonnants.

Marshall réapparut. « Qu'avez-vous fait à cette femme ? demanda Jack.

— Je l'ai assommée, monsieur, répliqua Marshall avec flegme. Cette tartane n'est pas plus ragusaine que vous et moi. D'après Codpiece, le capitaine parle la *lingua franca*, pas du tout l'italien. La petite dame avait sous son tablier un jeu complet de papiers espagnols. Et la cale est pleine de ballots expédiés de Gênes.

— Quelle brute infâme ! Frapper une femme ! dit James d'une voix forte. Et l'on doit avoir à faire avec des types pareils...

— Attendez d'être marié, monsieur Dillon, dit le commissaire en gloussant.

— Bravo, monsieur Marshall, dit Jack. Bien joué, vraiment ! Combien d'hommes ? À quoi ressemblent-ils ?

— Huit hommes, monsieur, y compris les passagers. D'horribles salopards effrontés !

— Transbordez-les, donc. Monsieur Dillon, quelques hommes de confiance pour l'équipage de prise, je vous prie. » Il se mit à pleuvoir. Avec les premières gouttes, un son lointain leur parvint, qui fit se tourner tous les regards vers le nord-ouest. Ce n'était pas le tonnerre. C'était le bruit du canon.

« Éclairez ces prisonniers, s'exclama Jack. Monsieur Marshall, tenez-leur compagnie. Si cela ne vous dérange pas, voulez-vous avoir l'œil sur cette dame ?

— Pas de problème, monsieur ! »

Cinq minutes plus tard, ils étaient en route, coupant la houle en diagonale sous la drache, en souplesse, dans un mouvement en tire-bouchon. Ils avaient vent de travers, maintenant, et bien qu'ils eussent amené presque immédiatement les perroquets, ils furent hors de vue de la tartane en moins d'une demi-heure.

Debout à la lisse de couronnement, Stephen contemplait le sillage, l'esprit à mille milles de là, lorsqu'il sentit qu'on le tirait doucement par la manche. Il se retourna. Mowett était là, qui lui souriait. Un peu plus loin, Ellis, à quatre pattes, était malade, désespéré mais prudent. Il était penché au-dessus d'une petite ouverture carrée dans le bastingage... Une écoutille. « Vous allez être trempé, monsieur ! lui dit Mowett.

— Oui, c'est vrai ! » dit Stephen. Il reprit, après une pause : « C'est la pluie.

— Parfaitement, monsieur. Vous ne voulez pas descendre vous mettre à l'abri ? Voulez-vous que je vous apporte un ciré ?

— Non, non. Vous êtes très aimable. » L'attention de Stephen s'égara de nouveau. Mowett, qui avait échoué dans la première partie de sa mission, se lança avec entrain dans l'exécution de la seconde. Il fallait que Stephen cesse de siffler, car cela rendait extrêmement nerveux et mal à l'aise les hommes en poste à l'arrière — comme tout l'équipage, d'ailleurs... « Puisje vous expliquer une question de navigation, monsieur ?... Vous entendez ce canon, encore ?

— Je vous en prie. » Stephen desserra les lèvres.

« Eh bien voilà, monsieur... » Mowett tendit le bras vers la droite, par-delà la mer grise et hurlante, dans la direction générale de Barcelone. « Voilà ce que nous appelons une côte sous le vent.

— Ah bon ? dit Stephen, dont la curiosité s'éveilla soudain. Ce phénomène que vous détestez tant ? Ce n'est donc pas un simple préjugé, un reste de vieilles superstitions ?

— Oh, non, monsieur, pas du tout ! » s'exclama Mowett. Il lui expliqua ce qu'était la dérive ; la perte de distance au vent quand on vire lof pour lof ; l'impossibilité de tirer un bord par gros vent ; la dérive sous le vent à laquelle personne ne peut résister si le navire est affalé sur la côte par la tempête ; et l'horreur indicible d'une telle situation. Ses explications étaient ponctuées par le grondement du canon — parfois un rugissement grave se prolongeant durant une demi-minute, parfois un coup sec isolé. Mowett s'interrompit brusquement et tendit le cou, sur la pointe des pieds. « Je me demande bien ce qui se passe ! s'écriat-il.

— Vous n'avez aucune raison de vous inquiéter, lui dit Stephen. Le vent soufflera bientôt dans le sens des vagues. Cela arrive souvent vers la Saint-Michel. Si seulement on pouvait protéger les vignes, avec un immense parapluie... »

Mowett n'était pas le seul à se demander ce qui se passait. Le capitaine et le lieutenant de la *Sophie* brûlaient l'un et l'autre de retrouver le tumulte de la bataille — et l'exaltante libération qu'elle leur apportait. Ils se tenaient côte à côte sur la plage arrière, infiniment loin l'un de l'autre, tous les sens tendus vers le nord-est. La quasi-totalité de l'équipage était aussi attentif. Mais c'était aussi le cas des hommes du *Felipe V*, corsaire espagnol de sept canons.

La *Sophie* sortit brusquement de la pluie aveuglante — un gros grain, sur l'arrière du travers, côté terre —, filant vers le bruit de bataille avec toute la toile qu'elle pouvait déployer. Ils se virent au même instant. Le *Felipe* fit feu, montra ses couleurs, reçut la bordée que la *Sophie* lui donna en retour, comprit son erreur, releva son gouvernail et rebroussa chemin vers Barcelone avec le coup-de-vent sur sa hanche bâbord, ses grandes voiles latines gonflées, en se balançant follement sur la houle.

La *Sophie* releva son gouvernail moins d'une seconde après le corsaire. Les tampons des pièces de tribord était ôtés. Des mains en coupe abritèrent les mèches crachotantes et les amorces.

« Tout sur sa poupe ! », cria Jack. Les barres à mine et les anspects levèrent les pièces de cinq degrés. « Sur le haut de la houle ! Feu quand il vire ! » Il monta la barre de deux rayons, et les canons partirent à l'instant dit. Une fraction de seconde plus tard, le corsaire fit une embardée, comme s'il avait l'intention de se lancer à l'abordage... Mais sa brigantine battait. On l'amena sur le pont, les autres voiles gonflèrent à nouveau, et il repartit vent derrière. Un projectile avait détruit le haut de son gouvernail : sans lui, il ne pouvait pas border de voiles arrière. L'équipage prépara des avirons et se mit furieusement à la tâche sur la vergue barrée. Le bâtiment fit feu de ses deux pièces de bâbord. L'une d'elles toucha la *Sophie*, et l'impact produisit un étrange vacarme. Mais la nouvelle bordée du sloop — une salve soigneusement réfléchie, à portée de pistolet, doublée d'une volée de mousquets — mit fin à toute résistance. Douze minutes exactement après le premier tir, l'Espagnol amena ses couleurs. Des acclamations se firent entendre, les hommes riaient, se serraient les mains et se frappaient mutuellement le dos.

La pluie avait cessé. Elle dérivait vers l'ouest dans une épaisse purée de pois grise qui masquait le port, maintenant beaucoup plus proche. « Emparez-vous de lui, monsieur Dillon, je vous prie », dit Jack. Il leva les yeux vers le panon. Le vent était en train de tourner, ainsi qu'il est fréquent dans ces régions après la pluie. Tout à l'heure, il soufflerait franchement du sud-est.

« Des dommages, monsieur Lamb ? demanda-t-il, quand le charpentier vint au rapport.

— Mes félicitations pour cette prise, monsieur. Aucun dommage, à proprement parler. Pas de dommages struc-tu-rels... Mais ce boulet a fait de sacrés dégâts dans la coquerie. Fait valser tous les cuivres, et descellé la cheminée.

— Nous verrons cela tout à l'heure, dit Jack. Ces canons, à l'avant, ne sont pas correctement attachés, monsieur Pullings... Mais que diable se passe-t-il ? » Les servants des pièces étaient bizarrement, affreusement bariolés. Les hypothèses les plus horribles traversèrent son esprit avant qu'il comprenne qu'ils étaient couverts de peinture noire et de la suie de la coquerie. Les plus exubérants, proches de la proue, étaient en train d'en barbouiller leurs camarades. « Cessez ces nom de Dieu de... pitreries ! hurla-t-il. Allez tous en enfer ! » Sauf quelque banale insulte ou blasphème machinal, il ne jurait que très rarement. Les marins s'étaient attendus à ce que la prise de ce beau corsaire lui fasse retrouver sa bonne humeur. Ils se figèrent, silencieux. Seuls quelques roulements d'yeux et grimaces exprimèrent leur secrète complicité et leur joie.

« Holà, du pont ! héla Lucock de la hune. Des canonnières sortent de Barcelone. Six. Huit. Neuf... Onze en ligne. Peut-être plus !

— La chaloupe et la yole à la mer, cria Jack. Monsieur Lamb, veuillez passer de l'autre bord, et voyez ce qu'on peut faire pour son gouvernail. »

Accrocher les canots aux fusées de vergue et les débarquer dans une telle houle n'était pas un jeu d'enfant, mais les hommes étaient dans une forme terrible. Ils halaient comme des déments — comme s'ils étaient ivres de rhum, mais sans avoir perdu de leur habileté. On entendait encore ici et là des rires étouffés. Ils disparurent tout à fait quand on annonça qu'une voile était en vue, sous le vent — ça semblait les menacer d'être pris entre deux feux. Mais ils reprirent de plus belle : ce n'était que leur prise, la tartane.

Les canots se mirent à faire la navette. Sinistres, renfrognés, les prisonniers furent conduits vers la cale d'avant, les bras chargés de leurs effets personnels. On entendait le charpentier et son équipe qui s'affairaient, avec leurs herminettes, à fabriquer un nouveau gouvernail. Stephen attrapa Ellis qui passait devant lui comme une flèche. « Depuis quand n'êtes-vous plus malade, monsieur ?

— Depuis l'instant où les canons ont commencé à tonner, monsieur. » Stephen hocha la tête. « C'est ce qui me semblait, dit-il. Je vous observais. »

Le premier coup souleva une gerbe d'écume aussi haute que le mât de hune, juste entre les deux bâtiments. Un fichu bon tir, pour un coup de semonce, pensa Jack, et un fichu gros boulet.

Les canonnières se trouvaient encore à plus d'un

mille de la *Sophie*, mais elles approchaient très vite, directement dans l'œil du vent. Les trois les plus en vue portaient chacune une longue pièce de trente-six livres, et trente rameurs. Même à un mille de distance, un coup fortuit au but traverserait la *Sophie* de part en part. Il eut une violente envie de hâter le charpentier, mais il se retint. « Si un boulet de trente-six livres ne le fait pas aller plus vite, rien de ce que je peux dire n'y parviendra », se dit-il. Il déambulait nerveusement, en jetant un coup d'œil au panon et aux canonnières à chaque fois qu'il changeait de direction. Les sept premières avaient réglé leur tir, et elles faisaient feu de manière intermittente. La plupart de leurs coups étaient trop courts mais certains passaient tout de même en hurlant au-dessus du sloop.

« Monsieur Dillon ! » cria-t-il par-dessus l'eau, après une demi-douzaine d'allées et venues. Un boulet qui tomba dans le flot à l'arrière de la *Sophie* fit une gerbe qui lui mouilla la nuque. « Monsieur Dillon, nous transborderons plus tard le reste des prisonniers. Mettez à la voile dès que ce sera possible sans risque. Ou bien préférez-vous que nous vous remorquions ?

— Non, monsieur, je vous remercie. Le gouvernail sera monté dans quelques minutes.

— Entre-temps, nous pouvons aussi bien les arroser, pour l'effet que ça leur fera... » dit Jack. Les Sophies, maintenant silencieux, avaient l'air tendus. « Au moins, la fumée nous cachera quelque peu. Monsieur Pullings, que les pièces de bâbord fassent feu à volonté. »

Lorsqu'ils se retrouvèrent au milieu des détonations, du grondement, de la fumée et de l'intense activité du combat, l'atmosphère devint beaucoup plus agréable. Jack sourit en voyant avec quelle gravité les servants de la pièce de cuivre, non loin de lui, surveillaient la chute de leurs projectiles. Les salves de la *Sophie* obligèrent les canonnières à réagir, et les éclairs des bouches à feu illuminèrent la mer grise et terne, à l'ouest, sur plus d'un quart de mille.

Jack se tourna dans la direction que Babbington lui

indiquait : Dillon lui faisait signe, à travers le fracas de la bataille. Le nouveau gouvernail était en place.

« Mettez à la voile », dit-il. Dès qu'on eut coiffé le petit hunier de la *Sophie*, il vint au vent et se gonfla. Il fallait prendre de la vitesse. Jack borda toutes les voiles de l'avant pour amener le vent bien sur l'arrière de son travers, et remonta au nord-nord-ouest. Cela rapprocha le sloop des canonnières, et allait le contraindre à couper leur ligne de front. Les pièces de bâbord continuaient de tirer sans relâche, tandis que les boulets ennemis frappaient l'eau ou leur passaient au-dessus de la tête. Pendant quelques minutes, l'idée de se précipiter au milieu du groupe de canonnières lui donna un sentiment d'exaltation — à courte distance, ces gens n'étaient que des brutes maladroites. Puis il se souvint qu'il était accompagné de ses prises, et que Dillon avait encore à son bord un nombre dangereux de prisonniers. Il donna l'ordre de brasser les vergues.

Les prises lofèrent simultanément, et ils s'éloignèrent tous ensemble à la vitesse confortable de cinq ou six nœuds. Les canonnières les poursuivirent pendant une demi-heure. Puis la lumière s'affaiblit, et la distance fut trop grande pour pointer. Elles firent demi-tour, l'une après l'autre, et reprirent la direction de Barcelone.

« J'ai très mal joué, dit Jack en posant son archet.

— Le cœur n'y était pas, dit Stephen. Vous avez eu une journée très active, et plutôt fatigante. Mais vous devez être satisfait.

— Eh bien, oui, répondit Jack, dont le visage s'éclaira un peu. Oui, certainement. Je suis ravi. » Une pause. « Vous rappelez-vous un nommé Pitt, avec qui nous avons dîné, un jour, à Mahon ?

— Le soldat ?

— C'est cela. Eh bien... Diriez-vous qu'il est avenant... Que c'est un bel homme ?

— Non. Oh, non !

— Je me réjouis de vous l'entendre dire. J'attache beaucoup d'importance à votre opinion. » Il y eut un long silence. « Avez-vous remarqué comment les choses vous reviennent en mémoire lorsque vous êtes déprimé ? Un peu comme les vieilles blessures qui s'ouvrent quand vous attrapez le scorbut. Non que j'aie oublié un seul instant ce que Dillon m'a dit l'autre jour. Mais cela m'est resté sur le cœur, et je l'ai retourné en tous sens. Je crois que je devrais exiger de lui une explication — il est évident que j'aurais dû le faire avant. Je le ferai dès que nous entrerons au port. Sauf, bien entendu, si les événements des prochains jours rendent cela inutile.

— Pom, pom, pom, pom... » fit Stephen à l'unisson de son violoncelle. Il regarda Jack. Son visage était sombre, beaucoup plus sérieux que d'habitude, et une sorte de lueur rouge passa dans son regard un peu triste. « Je commence à croire que les lois sont la principale cause du malheur. Ce n'est pas seulement le fait d'être soumis à une loi et de devoir en respecter une autre... Vous connaissez la suite. Je n'ai aucune mémoire pour la poésie. Non, monsieur. C'est d'être soumis à une demi-douzaine de lois et de devoir en respecter cinquante autres. Il existe des ensembles de lois, dans des tons divers, qui n'ont rien à faire les unes avec les autres et qui peuvent même être franchement contradictoires. Vous, aujourd'hui... Vous avez envie de commettre un acte que réprouvent les Articles du Code et (vous me l'avez vous-même expliqué) les règles de la générosité, mais que votre conception de l'honneur exige. Ce n'est d'ailleurs qu'un exemple d'un phénomène aussi banal que la respiration. L'âne de Buridan est mort de détresse parce qu'il avait à sa disposition deux mangeoires pleines, et qu'il ne s'est pas résolu à en choisir une. Il y a aussi, avec une légère différence, la question des doubles loyautés... Voilà une autre source de tourment.

— Je vous jure que je ne comprends pas ce que vous entendez par double loyauté. On ne peut avoir qu'un roi. Et le cœur d'un homme ne peut se trouver en plusieurs lieux à la fois, sauf si c'est un pleutre.

— Quel non-sens ! Quelle couillonnade, comme on

dit dans la marine ! Il est de notoriété publique qu'un homme peut être sincèrement attaché à deux femmes à la fois... Ou à trois, à quatre, à un nombre très élevé de femmes... D'ailleurs, vous le savez mieux que moi. Non. Je pensais plutôt à un type de loyauté beaucoup plus large, à des conflits plus généraux... Les Américains sincères, par exemple, avant que leur affaire ne se soit envenimée. Les jacobites non exaltés, en 45. Les prêtres catholiques en France, de nos jours... Des Français de toutes sortes, dans leur pays ou à l'étranger... Tant de douleur ! Et plus l'homme est honnête, plus la douleur est profonde. Mais là, au moins, le conflit est direct. Il me semble que la plupart de l'embarras et de la détresse doit trouver son origine dans des « divergences » moins évidentes — la loi morale, les lois militaire et ordinaire, le code d'honneur, la coutume, les règles de la vie quotidienne, celles de la courtoisie, de la conversation amoureuse, de la galanterie, sans parler du christianisme, pour ceux qui le pratiquent... Autant de règles qui sont parfois — la plupart du temps — en désaccord. Rien ne s'établit jamais en une relation harmonieuse au reste... Tout homme est perpétuellement invité à choisir une chose plutôt que l'autre, voire (dans *son* cas particulier) son contraire... C'est comme si chacune de nos cordes était accordée dans un ton différent... C'est comme si notre pauvre baudet était entouré de trente-six mangeoires.

— Vous êtes un nihiliste, dit Jack.

— Je suis pragmatique ! Allons, buvons notre vin, et je vous préparerai un remède. *Requies Nicholai...* Demain, je devrai peut-être vous saigner. Je ne l'ai pas fait depuis trois semaines.

— J'avalerai votre potion, dit Jack. Mais laissez-moi vous dire une chose. Demain soir, je serai au milieu de ces canonnières, et c'est moi qui ferai couler le sang. Et qu'ils n'espèrent pas que cela les soulagera. »

Les rations d'eau douce pour la toilette étaient extrêmement réduites. Quant aux rations de savon... Les hommes qui s'étaient barbouillés avec la peinture furent contraints de rester noirs plus longtemps qu'ils n'auraient souhaité. Et c'était bien pire pour ceux qui avaient travaillé dans la coquerie dévastée. La graisse des gamelles et la suie tombée de la cheminée leur donnaient un air curieusement bestial et sauvage — surtout lorsqu'ils avaient les cheveux clairs.

« Les Noirs sont les seuls à avoir l'air à peu près présentable, dit Jack. Ils sont encore tous à bord, sans doute ?

— Davies est avec M. Mowett sur le corsaire, monsieur, dit James. Les autres sont restés avec nous.

— En comptant ceux qui sont restés à Mahon et les équipages de prises, combien nous en manque-t-il pour le moment ?

— Trente-six, monsieur. Nous sommes cinquante-quatre en tout.

— Très bien. Cela nous fait de la place. Qu'ils dorment le plus longtemps possible, monsieur Dillon. À minuit, nous mettons le cap sur la côte.

Après la pluie, l'été avait retrouvé ses droits : la tramontane était douce et régulière, l'air limpide et chaud, la mer phosphorescente. Les lumières de Barcelone scintillaient avec un éclat exceptionnel, et un nuage lumineux flottait au-dessus de la ville. Les canonnières chargées de surveiller les abords du port furent localisées bien avant qu'elles ne détectent elles-mêmes la présence de la *Sophie* dans le noir. Elles étaient beaucoup plus éloignées du port que d'habitude. De toute évidence, elles étaient en alerte.

« Dès qu'elles feront mouvement vers nous, se dit Jack, nous borderons nos perroquets et nous foncerons sur ce feu orange. Puis nous loferons au dernier moment et passerons entre les deux dernières, celles qui sont placées à l'extrémité nord de la ligne. » Son pouls était régulier, un peu plus rapide que la normale. Stephen lui avait tiré dix onces de sang, et il se sentait beaucoup mieux. En tout cas, il avait l'esprit aussi éveillé et aussi clair que possible.

La pointe de la lune apparut au-dessus de la mer.

Une canonnière tira. Une note grave, profonde. La voix d'un vieux chien de garde solitaire.

« La lumière, monsieur Ellis », dit Jack. Une flamme bleue, censée tromper l'ennemi, s'élança vers le ciel. Ils reçurent en réponse des signaux espagnols, une série de lumières colorées, puis un autre coup de canon, loin sur la droite. « Les perroquets ! dit-il. Jeffreys, dirigez-vous sur ce signal orange ! »

C'était splendide. La *Sophie* entrait en scène, rapide, prête à tout, confiante et heureuse. Mais les canonnières ne répondirent pas à ses vœux. L'une d'elles vira, puis elle fit feu. Une autre fit de même. Mais la plupart se retirèrent. Le sloop fit une embardée et leur expédia une salve, juste pour les aiguillonner. Avec un résultat positif, à en juger par les hurlements qu'on entendit au loin. Mais les canonnières s'éloignaient toujours... « Par l'enfer ! dit Jack. Elles essaient de nous duper. Voile-goëlette, voiles d'étai, monsieur Dillon ! Fonçons sur celui-là, celui qui est le plus éloigné ! »

La *Sophie* vira à toute allure pour prendre le vent de travers. En donnant de la bande au point que l'eau noire vint clapoter contre le seuil de ses sabords, elle fila vers la canonnière la plus proche. Mais les autres montrèrent ce qu'elles pouvaient faire si elles en avaient décidé ainsi. Elles firent toutes demi-tour d'un seul mouvement, et entretinrent un feu roulant ininterrompu. Entre-temps, la canonnière que la *Sophie* menaçait directement s'enfuit à toute allure, laissant à découvert la poupe du sloop. Une fois de plus, le coup oblique d'un boulet de trente-six livres ébranla sa coque tout entière. Un autre survola le pont sur sa longueur, juste au-dessus de leurs têtes. Deux galhaubans proprement sectionnés tombèrent sur Babbington, Pullings et l'homme de barre, les assommant pour le compte. Une lourde poulie vint percuter brutalement la barre au moment précis où James se pendait à ses rayons.

« Nous devons tirer un bord, monsieur Dillon », dit Jack. Quelques instants plus tard, la *Sophie* s'envolait.

Les hommes qui manœuvraient le sloop agissaient avec les mouvements réguliers et machinaux qu'autorise une longue pratique. Mais pris soudain sous les éclairs du feu des canonnières, ils semblaient gesticuler comme des marionnettes. Juste après qu'on eut donné l'ordre « Changez devant ! », six coups de canon se succédèrent très vite, et Jack aperçut ses fusiliers, à l'écoute de grand-voile, dans une séquence rapide de poses crispées — quelques pouces seulement séparant chacune des illuminations. Mais ils n'abandonnèrent jamais leur expression concentrée et diligente — l'expression des hommes qui donnent le meilleur d'eux-mêmes.

« Au plus près, monsieur ? demanda James.

— À un point de largue, dit Jack. Mais doucement, doucement... Je veux voir si nous pouvons *les* attirer derrière nous. Baissez de deux ou trois pieds la vergue de grand hunier, et donnez du mou à la balancine de tribord... Il faut donner l'impression que nous avons des ailes. Monsieur Watt, les galhaubans de perroquet seront notre priorité. »

C'est ainsi qu'ils reprirent tous ensemble le même chemin que la veille, la *Sophie* imperturbable cousant et réparant sous le feu régulier des canonnières lancées à sa poursuite, tandis que la vieille lune grimpait dans le ciel avec son indifférence habituelle.

Ni la proie ni les chasseurs ne montraient beaucoup de conviction. Jack décida pourtant, quand James Dillon lui eut annoncé que les réparations les plus importantes étaient achevées : « Si nous virons de bord et déployons toute notre voile, à la vitesse de l'éclair, nous pouvons sans doute couper la retraite de ces lourdauds.

— Tous les hommes à leurs postes ! » fit James. Le bosco fit passer les ordres. Isaac Isaacs, en route vers son poste — une bouline de la vergue de grand hunier — glissa à John Lakey, satisfait : « On va couper la retraite de ces deux lourdauds ! »

Ils y seraient peut-être parvenus si un coup malencontreux n'avait soudain frappé leur vergue de petit perroquet. Ils purent sauver la voile, mais la vitesse du sloop tomba instantanément. Les canonnières firent force de rames jusqu'à ce qu'elles soient à l'abri, derrière leur digue.

La lumière du jour apparut bientôt, suffisante pour constater les dégâts que le gréement avait subis pendant la nuit. « Eh bien, monsieur Ellis, dit James, voici une excellente occasion d'apprendre votre métier. Je crois qu'il y a assez de travail pour vous occuper jusqu'au soir, peut-être plus tard — toutes les variétés souhaitables d'épissures, de nœuds, de révisions et d'empaquetages. » Il était d'une bonne humeur exceptionnelle. De temps en temps, quand il courait sur le pont, on pouvait l'entendre fredonner.

Il fallut hisser la nouvelle vergue, réparer quelques brèches et refaire la liure du beaupré. Un ricochet extraordinaire avait en effet sectionné la moitié des tours de cordage sans même érafler le bois. (Les vétérans n'avaient jamais vu cela : cette merveille méritait d'être couchée dans le journal de bord.) Personne ne menaçait la *Sophie* : elle put panser ses plaies tout au long de cette douce journée ensoleillée, aussi animée qu'une ruche, vigilante, pugnace et prête à tout. Il régnait à bord une curieuse atmosphère. Les hommes savaient parfaitement qu'ils allaient bientôt devoir retourner à l'action — raid sur la côte ou opération de piraterie. Plusieurs choses leur occupaient l'esprit : leurs prises de la veille et du mardi précédent (selon l'opinion générale, chacun d'eux valait quatorze guinées de plus qu'au départ de l'expédition) ; la gravité persistante de leur capitaine ; la forte conviction que ce dernier recevait de source privée des informations sur les mouvements des navires espagnols ; et enfin, l'étrange et soudaine gaieté (pour ne pas dire la légèreté) du premier lieutenant. Celui-ci avait pris Michael et Joseph Kelly, Matthew Johnson et John Melsom en flagrant délit de chapardage dans l'entrepont du *Felipe V*. C'était un crime sérieux, digne de la cour martiale — bien que la coutume voulût qu'on fermât les yeux sur les vols perpétrés au-dessus des écoutilles —, un crime que lui-même abominait particulièrement (une « sale habitude de corsaire », selon lui). Il ne les avait pourtant pas dénoncés. Derrière les mâts, les espars ou les canots, ils l'observaient avec inquiétude — comme leurs camarades coupables du même délit, car les Sophies étaient généralement enclins à la rapine. Il résultait de tout cela une amabilité générale, mesurée mais enjouée, quoique doublée d'un reste d'anxiété.

Les hommes étaient si occupés que Stephen eut quelque scrupule à utiliser sa pompe en bois d'orme qui lui permettait d'observer chaque jour les merveilles sous-marines. Sa présence y semblait si normale qu'il se confondait presque avec la pompe, malgré les contraintes qu'elle imposait aux conversations. Mais Stephen en était conscient, et il était sensible au malaise qui en découlait.

Au dîner, James était encore d'une humeur extraordinaire. Il avait invité Pullings et Babbington, sans cérémonie. Leur présence (mais aussi l'absence de Marshall) fit beaucoup pour instaurer une ambiance de fête, malgré le silence maussade du commissaire. Stephen le contempla, tandis qu'il reprenait, d'une voix tonitruante, le refrain de la chanson de Babbington.

> *« C'est la loi, et je resterai*
> *Jusqu'au jour de ma mort, monsieur*
> *Quel que soit le roi en titre*
> *Je serai Vicaire de Bray, oui monsieur ! »*

« Bravo ! s'écria le lieutenant en donnant un coup sur la table. Buvons encore un verre de vin pour stimuler notre souffle, puis il faudra retourner sur le pont... Il est affligeant qu'un hôte doive dire une chose pareille. Quel soulagement de combattre de nouveau avec les navires du roi, plutôt que ces damnés corsaires ! dit-il soudain sans transition, après le départ du commissaire et des jeunes messieurs.

— Vous êtes bien trop romanesque, lui dit Stephen.

Les boulets d'un corsaire font autant de dégâts que ceux d'un roi.

— Romanesque, moi ? » James était indigné, et la fureur éclaira ses yeux verts.

« Mais oui, mon cher, dit Stephen en prenant du tabac à priser. Vous allez bientôt me parler de droit divin.

— Mais vous, avec vos folles idées égalitaires et fanatiques, vous ne nierez tout de même pas que le Roi constitue le vrai fondement de l'honneur ?

— Pas moi, dit Stephen. Depuis longtemps.

— La dernière fois que j'étais chez moi, dit James en remplissant leurs verres, nous avons veillé le vieux Terence Healy. Il avait été le métayer de mon grand-père. Nous avons chanté un air pour l'occasion, qui traîne depuis ce matin au fond de mon crâne. Mais je suis incapable de m'en souvenir assez pour le chanter.

— C'est un chant irlandais ou anglais ?

— Il y a en tout cas des paroles en anglais. Un couplet dit ceci :

« *Les oies sauvages volent, volent, volent,*
Les oies sauvages nagent sur l'onde grise. »

Stephen siffla une mesure, puis il se mit à chanter, de sa désagréable voix de crécelle.

« *Ils ne reviendront pas, car le cheval blanc a trépassé,*
Trépassé, trépassé,
Le cheval blanc a trépassé sur la verte prairie. »

— C'est cela ! C'est cela même, Dieu vous bénisse ! s'écria James. » Il sortit, en fredonnant l'air retrouvé. Il put constater que la *Sophie* avait retrouvé sa puissance. Elle prit le large et mit sobrement le cap sur Minorque. Un peu avant l'aube, elle était à nouveau en vue de la terre, toujours sous le même vent favorable qui soufflait un peu à l'est du nord. Mais il y avait dans l'air comme un petit frais automnal, et une humidité qui rappela à Stephen des champignons dans une hêtraie. D'impalpables vapeurs flottaient à la surface de l'eau, parfois bizarrement brunes.

La *Sophie* filait sur bordée tribord, cap ouest-nord-ouest. Les hamacs avaient été entassés dans les filets. L'odeur du café et de lard frit se mêlait dans l'air qui tourbillonnait contre le vent, près du mât de senau très tendu. Loin sur bâbord devant, le brouillard brun cachait toujours la vallée du Llobregat et l'embouchure du fleuve. Mais un peu plus haut, vers la ville encore indistincte, le soleil levant l'avait presque entièrement dissipé. Il n'en restait que quelques nappes isolées suggérant la présence de caps, d'îles ou de bancs de sable.

« Je sais, *je sais*, dit Jack. Ces canonnières ont essayé de nous entraîner dans un piège. Mais j'ignore lequel. » Il mentait très mal. Stephen eut la conviction qu'il connaissait la nature du piège — ou au moins qu'il en avait une idée.

Le soleil agissait à la surface de l'eau, en faisant des miracles de couleur. Il produisait des brumes nouvelles et en effaçait d'autres, projetant de ravissantes formes d'ombres dans le réseau des lignes du gréement et des courbes élégantes des voiles, et en bas vers le pont blanc — qu'on s'activait pour l'heure à blanchir un peu plus à coups de fauberts, dans le grincement régulier de la brique à pont. Animé d'un mouvement imperceptible, le manteau gris-bleu posé sur la mer se leva, révélant la présence d'un grand vaisseau à trois points par tribord devant, qui cinglait vers le sud à l'abri de la terre. La vigie le signala, mais d'une voix neutre, formelle, car les derniers nuages s'étaient dissipés, et le navire était déjà visible du pont.

« Parfait, dit Jack en fermant sa lunette d'un coup sec après avoir longuement examiné le bâtiment. Qu'en dites-vous, M. Dillon ?

— Je crois bien que c'est notre vieil ami !

— Il me semble. Bordez la grand-voile d'étai, et qu'on file au plus près. Les fauberts, à l'arrière, qu'on sèche le pont ! Et qu'on donne le petit déjeuner à l'équipage, monsieur Dillon. Voulez-vous prendre une tasse de café avec le docteur et moi-même ? Il serait dommage de le perdre.

— Très heureux, monsieur. »

Il y eut peu de conversation au petit déjeuner. « Je suppose que vous allez porter vos bas de soie, docteur ? demanda Jack.

— Tiens, pourquoi donc ? Des bas de soie ?

— Chacun sait que c'est plus confortable pour le médecin, quand il doit opérer.

— Ah oui. Oui, bien sûr ! Mais certainement, revêtons nos bas de soie. »

Peu de conversation, mais un sentiment de confortable camaraderie. En se levant pour enfiler sa veste d'uniforme, Jack se tourna vers James : « Vous avez sûrement raison ! », comme s'ils avaient débattu de l'identité de l'étranger pendant tout le repas.

De retour sur le pont, il vit que Dillon avait eu raison, bien sûr. Le nouveau venu était bel et bien le *Cacafuego*. Après avoir modifié son cap pour croiser la *Sophie*, il était en train de border ses bonnettes. À la lunette, Jack reconnut le vermillon de sa coque reflétant la lumière du soleil.

« Tout le monde à l'arrière ! » dit-il. Ils attendirent que l'équipage se rassemble. Stephen vit un sourire éclairer le visage de Jack, qui semblait avoir du mal à se contenir et à afficher la gravité qui s'imposait.

« Messieurs ! dit Jack en les balayant du regard sans cacher sa satisfaction. Ce navire, contre le vent, c'est le *Cacafuego*, comme vous le savez. La dernière fois que nous l'avons vu, certains d'entre vous étaient déçus que nous le laissions partir sans lui donner nos compliments. Mais notre canonnage est le meilleur de la flotte, désormais, et... Eh bien, la situation a changé ! Allons, monsieur Dillon, qu'on se prépare pour le combat, s'il vous plaît ! »

Quand il avait pris la parole, la moitié des Sophies le fixaient avec une exaltation sans arrière-pensées. Un quart d'entre eux, peut-être, avaient l'air un peu troublé. Les autres montraient des visages abattus et inquiets. Mais un bonheur aussi assuré chez le capitaine et son lieutenant — sans parler des acclamations spontanées de la moitié d'entre eux — contribua à modifier leur état d'esprit. Quand Jack se tut et qu'ils se dispersèrent, ils n'étaient plus que quatre ou cinq pour afficher un air sinistre. Les autres auraient pu aussi bien se préparer pour une kermesse.

Désormais gréé en carré, le *Cacafuego* opéra un large mouvement de rotation vers l'ouest, pour se placer contre le vent au large de la *Sophie*. Celle-ci était tournée au plus près du vent. Quand ils furent à un peu plus d'un demi-mille l'un de l'autre, elle se trouva donc directement exposée à une bordée large de cette frégate de trente-deux canons...

« Le plus agréable, quand on se bat contre les Espagnols, monsieur Ellis, dit Jack en souriant devant les yeux ronds et l'air solennel de l'aspirant, ce n'est pas qu'ils soient lâches. Ce qui n'est d'ailleurs pas le cas. C'est qu'ils ne sont pas... Ils ne sont *jamais* prêts à se battre... »

Le *Cacafuego* avait presque atteint la position décidée par son capitaine. Il tira un coup de semonce et hissa les couleurs espagnoles.

« Le pavillon américain, monsieur Babbington, dit Jack. Cela les fera réfléchir. Prenez note de l'heure, monsieur Richards. »

La distance diminuait très vite, maintenant. Ce n'était plus une question de minutes, mais de secondes. La *Sophie* pointait vers l'arrière du *Cacafuego*, comme si elle avait l'intention de couper son sillage, et elle ne pouvait pointer le moindre canon vers lui. Un silence total régnait sur le navire, tout l'équipage attendant l'ordre de virer de bord... Un ordre qui pouvait ne pas venir avant la salve.

« Soyez paré, avec le pavillon », dit Jack presque à voix basse. Puis, plus haut : « Allez-y, monsieur Dillon !

— Envoyez ! La barre dessous ! » Le bosco répéta les ordres, en écho, presque simultanément. La *Sophie* vira sur son axe, hissa le drapeau anglais, se stabilisa et prit son nouveau cap : elle fonça au plus près vers le flanc de l'Espagnol. Le *Cacafuego* lâcha immédiatement une bordée furieuse qui déchira pas moins de quatre fois les perroquets de la *Sophie*. Les Sophies se mirent à hurler dans un bel ensemble, et se tinrent près de leurs pièces à triple charge, tendus et impatients.

« Hausse au maximum ! Ne tirez pas avant d'être à bout portant, s'écria Jack d'une voix terrible, en regardant les cages à poules, les caisses et le bric-à-brac que les hommes de la frégate jetaient par-dessus bord. À travers la fumée, il vit des canards s'éloigner à la nage et un chat, sur une caisse, pris de panique. L'odeur de la poudre lui parvint, avec la brume s'effilochant. Plus près, toujours plus près. Le sloop finirait par être abreyé sous le vent de l'Espagnol, mais il aurait assez d'erre... Jack voyait distinctement le trou noir de la gueule des canons, qui crachèrent le feu au moment où il les fixait... Les éclairs jaillirent dans la fumée, dont le nuage immense cacha le côté de la frégate. « Encore trop haut », se dit-il. Mais il n'avait pas le temps de savourer cette satisfaction. En scrutant à travers les volutes de la fumée, il cherchait le moyen d'amener le sloop juste contre les chaînes de la frégate.

« Sur lui ! » hurla-t-il. Puis ce fut le choc, les grincements... « Feu ! »

La frégate-chébec était basse sur l'eau, mais tout de même moins que la *Sophie*. Les vergues engagées dans le gréement du *Cacafuego*, celle-ci avait ses canons audessous du niveau des sabords de la frégate. Elle fit feu, droit à travers le pont de son adversaire. Sa première salve, à bout portant, fit des dégâts épouvantables. Une brève accalmie suivit les applaudissements des Sophies. Durant cette demi-seconde, Jack entendit des cris confus sur la plage arrière de l'Espagnol. Puis les canons de la frégate rugirent à nouveau, plus irréguliers mais incroyablement forts. Les projectiles passèrent à moins d'un mètre au-dessus de sa tête.

La bordée de la *Sophie* était d'une régularité exceptionnelle — un, deux, trois, quatre, cinq, six, sept —, chaque coup suivi d'un demi-silence et du grondement des essieux. À la quatrième ou cinquième pause, James saisit le bras de Jack et s'exclama : « Ils ont donné l'ordre de nous aborder !

— Tenez-la éloignée, monsieur Watt ! cria Jack en dirigeant son porte-voix vers l'avant. Soyez prêt, sergent ! » Un galhauban tombé du *Cacafuego* s'était emmêlé dans l'affût d'un canon. Il le passa autour d'un chandelier. Lorsqu'il leva les yeux, une nuée d'Espagnols venait d'apparaître sur le bord du *Cacafuego*. Les fusiliers, aidés de marins munis de mousquets, leur réservèrent une salve violente qui les fit hésiter. L'équipe du bosco (à l'avant) et celle de Dillon (à l'arrière) poussaient sur leurs espars : les deux navires s'éloignèrent l'un de l'autre. Au milieu du crépitement des pistolets, quelques Espagnols essayèrent de sauter, d'autres tentèrent de jeter des grappins. Certains atteignirent le sloop, d'autres furent repoussés. Les canons de la *Sophie*, à dix pieds maintenant de la muraille de la frégate, tirèrent droit au milieu des indécis, dessinant dans leurs rangs sept terribles éclaircies.

Le *Cacafuego* avait viré — il pointait presque droit au sud — et la *Sophie* disposait de tout le vent nécessaire pour revenir le long de la frégate. Le tonnerre des canons emplit à nouveau le ciel. Les Espagnols tentèrent de pointer leurs canons vers le bas, ils déchargèrent leurs pistolets et leurs mousquets à l'aveuglette, par-dessus le bord, vers les canonniers de la *Sophie*. Leurs efforts ne manquaient pas de courage — l'un d'eux tira jusqu'à ce qu'il eût reçu trois balles dans le corps — mais ils semblaient désorganisés. Par deux fois encore, ils essayèrent d'aborder le sloop. Par deux fois, celui-ci fit une embardée (provoquant des pertes nombreuses), puis resta hors de portée durant cinq ou six minutes, harcelant l'accastillage de la frégate. Il revenait ensuite les tailler en pièces. Les canons étaient si chauds qu'on pouvait à peine les toucher. Ils ruaient furieusement, une bordée après l'autre. Les éponges chuintaient et fumaient, et les pièces finirent par devenir presque aussi dangereuses pour leurs servants que pour l'ennemi.

Entre-temps, les Espagnols n'avaient pas cessé de tirer — de façon irrégulière, intermittente, mais inlassablement. Le grand hunier de la *Sophie*, maintes fois touché, était en ruines — d'énormes pièces de bois tombaient sur le pont, sur les chandeliers, sur les hamacs. Sa vergue de misaine ne tenait plus que par ses chaînes. Les gréements pendaient misérablement, les voiles montraient d'innombrables déchirures. La bourre enflammée volait en tous sens et les tribordais libres faisaient la navette avec leurs seaux d'eau. Mais malgré toute cette confusion, le pont de la *Sophie* offrait le spectacle d'une organisation magnifique — la poudre qu'on faisait venir du magasin ; les projectiles ; les pelotons de pièces et leurs gestes répétés Haler-Relâcher-Cogner-Haler ; un blessé, un mort, qu'on emportait en bas ; le poste où il était immédiatement remplacé, sans un mot ; chaque homme attentif se faufilant dans l'épaisse fumée — pas de collisions, pas de bousculades, presque pas d'ordres ni de cris.

« Nous n'aurons bientôt plus que notre coque », se dit Jack. Il était incroyable qu'il n'ait perdu encore aucun mât ni aucune vergue. Cela ne pouvait durer. Il se pencha vers Ellis et lui glissa à l'oreille : « Filez à la coquerie. Que le cuistot retourne toutes ses poêles et ses casseroles sales. Pullings, Babbington, cessez le feu. Maintenez-le à distance, maintenez-le à distance ! Coiffez les huniers. Monsieur Dillon, que les tribordais aillent se noircir le visage à la coquerie, dès que je leur aurai parlé. »

« Messieurs, messieurs ! cria-t-il, alors que le *Cacafuego* poussait lentement de l'avant. Nous allons devoir passer à l'abordage et nous emparer de ce navire. Le moment est venu ! C'est maintenant ou jamais ! Maintenant, ou ils ne feront pas de quartiers ! Maintenant, tant qu'ils chancellent ! Cinq minutes valeureuses, et il est à nous. Prenez vos haches et vos sabres d'abordage, et allons-y ! Que les tribordais se noircissent le visage à la coquerie et partent à l'avant avec M. Dillon. Les autres, à l'arrière avec moi ! »

Il se rua en bas. Stephen avait deux blessés légers et

deux morts. « Nous allons l'aborder, dit Jack. J'ai besoin de votre assistant... J'ai besoin de tous les hommes du bord. Vous venez ?

— Non, dit Stephen. Je tiendrai la barre, si vous le désirez.

— Oui, c'est cela... D'accord. Allons-y. »

Stephen monta sur le pont dévasté. Malgré la fumée, il aperçut la poupe chancelante du chébec, à quelque vingt mètres par bâbord devant. L'équipage de la *Sophie* était scindé en deux groupes. Les uns, le visage noirci, remontaient de la coquerie en courant, avec leurs armes, pour se rassembler à la proue. Les autres se trouvaient déjà à l'arrière, alignés le long de la lisse. Il vit le commissaire, pâle et mécontent, affolé. Le canonnier, clignant des yeux après l'obscurité du bas. Le coq, armé de son couperet. Jack, en chair et en os. Le barbier. Et son propre assistant, l'infirmier. Stephen remarqua le rictus que lui faisait son bec de lièvre ; il caressait la pointe incurvée d'une hache d'abordage en répétant : « Je vais les cogner, ces salopards, je vais les cogner, ces salopards... » Quelques canons espagnols continuaient de tirer dans le vide.

« Brassez les vergues ! » ordonna Jack. Les vergues vinrent au vent, les huniers se gonflèrent. « Vous savez ce que vous avez à faire, cher docteur ? » Stephen hocha la tête et agrippa les rayons de la barre, qu'il sentit vivre sous ses doigts. Le quartier-maître s'éloigna, saisit un coutelas avec une grimace de plaisir. « Docteur, comment dit-on en espagnol : cinquante hommes de plus ?

— *Otros cincuenta.*

— *Otros cincuenta* », répéta Jack en le regardant bien en face, avec un sourire affectueux. « C'est le moment de nous mener à côté de lui, je pense... » Il lui fit un dernier signe de tête, puis se dirigea vers le bastingage, son timonier sur les talons. Il se hissa, agile malgré son poids, et s'accrocha au hauban le plus exposé, en balançant le long et lourd sabre de cavalerie qui lui servait d'épée.

Déchirés ou pas, les huniers remplirent leur fonction.

La *Sophie* s'approcha de son adversaire. Stephen bloqua la barre vers la frégate. Il y eut à nouveau les grincements bien connus, le son de corde à violon d'un cordage qui lâche, une secousse, puis les deux navires furent l'un contre l'autre. Les Sophies sautèrent sur la frégate dans un hurlement collectif exalté.

Jack franchit le bastingage fracassé pour tomber droit sur un canon encore fumant, dont le graisseur se jeta sur lui avec son refouloir. Il cogna le graisseur sur le côté de la tête. Celui-ci s'écroula, et Jack monta sur son épaule pour accéder au pont du *Cacafuego*. « Allons-y, allons-y ! » rugit-il. Il fonça, frappant brutalement les canonniers qui s'enfuyaient, puis les piques et les épées qui se dressaient devant lui.. Ils étaient des centaines, remarqua-t-il — des centaines ! —, rassemblés sur ce pont... Et il rugissait toujours : « Allons-y ! »

Tout d'abord, les Espagnols reculèrent, comme frappés de stupeur, ce qui permit aux hommes et aux garçons de la *Sophie* de s'introduire sur la frégate jusqu'au dernier, par le milieu et la proue. Les Espagnols cédèrent à l'arrière du grand-mât et se réfugièrent dans le parc. Mais là, ils reprirent le dessus. Cela donna lieu à un combat violent où s'échangèrent des coups terribles, vicieux et cruels... Une foule informe d'hommes en lutte, trébuchant sur les espars (ils avaient à peine la place où tomber), frappant, taillant, se tirant dessus mutuellement. Des combats isolés, mettant aux prises deux ou trois hommes, hurlant comme des bêtes fauves, vers les bords du navire. Là où le gros du combat était le plus confus, Jack avait pu avancer de trois mètres. Un soldat apparut devant lui, leurs épées se croisèrent si haut qu'un hallebardier le frappa sous le bras droit, à hauteur des côtes, puis retira son arme pour donner un second coup. Juste derrière lui, Bonden fit feu de son pistolet, arrachant le bas de l'oreille de Jack et tuant le hallebardier pour le compte. Jack feinta le soldat, l'entailla à deux reprises et lui donna un violent coup d'épée à l'épaule. Le combat était fini. Le soldat tomba. Jack tira son épée qu'il avait enfoncée jusqu'à l'os, et jeta un coup d'œil autour de lui. « Ça ne va pas », dit-il.

Sous le gaillard d'avant, trois cents Espagnols à moitié revenus de leur surprise repoussaient les Sophies — du simple fait de leur nombre et de leur poids — et enfonçaient un coin entre le groupe de Jack et celui de Dillon, à la proue. Dillon avait besoin de soutien. Le rapport de forces pouvait s'inverser d'une seconde à l'autre. Jack sauta sur un canon, et poussa un rugissement qui lui râpa la gorge : « Dillon, Dillon, le passavant de tribord ! Frayez-vous un chemin par le passavant de tribord ! » Il y eut un moment de flottement. Au bord de son champ de vision, il devina la présence de Stephen, loin au-dessus, sur le pont de la *Sophie* — il tenait sa barre, l'air concentré, le regard fixé vers le haut. « *Otros cincuenta !* » hurla-t-il, pour faire bonne mesure. Stephen acquiesça et cria quelque chose en espagnol, et Jack se jeta à nouveau dans la mêlée, l'épée haute, le pistolet vigilant.

Il y eut sur le gaillard d'avant des cris effrayants, une poussée violente et désespérée vers le passavant. Quelque chose céda, et la foule des Espagnols rassemblés dans le parc se retourna pour voir les visages noirs venus de l'arrière, qui se ruaient sur eux : un grouillement confus près de la cloche de la frégate, des cris de toutes sortes, les Sophies noircis qui tentaient en hurlant comme des déments de rejoindre leurs camarades, des coups de feu, les chocs des armes, une lamentable retraite précipitée, tous les Espagnols paralysés, écrasés par leur propre nombre, incapables de se battre. Ceux, peu nombreux, qui se trouvaient sur la plage arrière coururent vers l'avant par bâbord et tentèrent de rallier les leurs afin de les aider à retrouver un peu d'ordre, du moins pour dégager les fusiliers devenus inopérants.

Quand son ultime adversaire, un marin de petite taille, s'enfuit derrière le cabestan où il resta à se tordre de douleur, Jack s'éloigna à grand-peine de la cohue. Il balaya du regard l'espace ouvert du pont. « Bonden ! s'écria-t-il, en le tirant par le bras. Amenez ces couleurs ! »

Bonden courut à l'arrière, enjamba le cadavre du

capitaine espagnol. Jack poussa un grand cri pour attirer l'attention et fit un geste du bras. Des centaines de regards, fugitifs ou curieux, stupéfaits ou incertains, virent descendre le pavillon du Cacafuego. Ses couleurs étaient amenées.

Tout était fini. « Un combat terrible ! » s'exclama Jack. Les ordres firent le tour du pont. Les Sophies refluèrent de la foule entassée dans le parc et leurs adversaires jetèrent leurs armes, soudain déprimés, apeurés, indifférents, trahis. L'officier espagnol du grade le plus élevé se fraya un chemin dans la foule où il s'était trouvé immobilisé. Il remit son épée à Jack.

« Parlez-vous anglais, monsieur ? lui demanda Jack.

— Je comprends, dit l'officier.

— Les hommes doivent descendre dans la cale, immédiatement. Les officiers sur le pont. Les hommes, dans la cale. Dans la cale. »

L'Espagnol donna un ordre. L'équipage de la frégate, en rangs, commença à franchir les écoutilles. Cela permit de découvrir les morts et les blessés — une masse embrouillée au milieu du navire, beaucoup plus encore sur l'avant, des corps isolés un peu partout — et puis, bien entendu, le nombre réel des agresseurs fut évident.

« Vite, vite ! » cria Jack. Ses hommes pressèrent le mouvement des prisonniers qu'on entassa sommairement en bas. Autant que leur capitaine, ils avaient conscience du danger. « Monsieur Day, monsieur Watt, allez me chercher deux ou trois canons — ces caronades, par exemple — et pointez-les dans les écoutilles. Chargez-les avec de la mitraille. Il y en a plein dans les guirlandes, à l'arrière. Mais où est donc M. Dillon ? Qu'on appelle M. Dillon ! »

James Dillon ne répondit pas aux appels. Il gisait près du passavant de tribord, là où s'était tenu le combat le plus désespéré, à quelques pas du jeune Ellis. Jack le souleva, croyant qu'il était seulement blessé. Quand il le retourna, il vit la grande plaie à hauteur du cœur.

Chapitre XI

« H.M. sloop *Sophie*, au large de Barcelone
« Monsieur,
« J'ai l'honneur de porter à votre connaissance
que le sloop que j'ai le privilège de commander,
après une chasse réciproque et une vive bataille,
a capturé une frégate-chébec de trente-deux pièces
(vingt-deux douze-livres, huit neuf-livres et deux
lourdes caronades), *vide licet* le *Cacafuego*,
commandé par Don Martin de Langara et portant
un équipage de 319 officiers, marins et fusiliers
marins. Vu la disparité des forces en présence,
il fallait prendre des mesures radicales. J'ai donc
décidé de l'aborder. L'opération a été couronnée
de succès, avec des pertes minimes, à l'issue d'un
violent combat rapproché au cours duquel les couleurs espagnoles ont dû être amenées. Je dois
néanmoins déplorer la perte du lieutenant Dillon,
tombé au plus fort de la bataille à la tête de son
peloton d'abordage, et de M. Ellis, un surnumé-
raire. Par ailleurs, M. Watt, notre maître d'équipage, et cinq marins ont été blessés grièvement.
Je ne sais comment rendre le juste hommage que
méritent la bravoure et l'impétuosité de
M. Dillon. »

« Je le voyais depuis un moment, avait raconté Ste-

377

phen. Je le voyais à travers une brèche ouverte à hauteur des sabords. Ils se sont battus près du canon puis, quand vous avez crié en haut de ces marches, dans le parc. Il était en avant — les faces noires derrière lui. Je l'ai vu tirer au pistolet sur un homme armé d'une pique, tuer d'un coup d'épée le type qui venait de mettre le bosco à terre. Puis il s'est trouvé en face d'un autre, en manteau rouge, un officier. Après quelques passes rapides, il s'est emparé de l'épée de son adversaire et la lui a plongée dans le corps. Mais l'épée a dérapé sur le sternum de l'autre (ou sur un objet métallique), elle s'est pliée et brisée sur le coup. Avec le fragment de six pouces qui lui restait dans la main, il a frappé à nouveau, plus rapide que l'éclair — avec une force et une vitesse inimaginables. Il avait l'air supérieurement heureux. Cette lueur qui éclairait son visage ! »

« Qu'on me permette d'insister sur le fait que l'équipage de la *Sophie* a fait preuve d'une attitude irréprochable et froidement déterminée. Je suis particulièrement redevable des efforts admirables et de la conduite exemplaire de M. Pullings — aspirant agréé et lieutenant suppléant, que je permets d'attirer à l'attention de Leurs Excellences — ainsi que du maître d'équipage, du charpentier, du canonnier et des autres officiers auxiliaires.

« J'ai l'honneur d'être, etc.

« Forces de la *Sophie* au début de la bataille : 54 officiers, hommes d'équipage et mousses. 14 pièces de quatre livres. 3 morts et 8 blessés.

« Forces du *Cacafuego* au début de la bataille : 274 officiers, marins et surnuméraires. 45 fusiliers marins. 32 canons. Le capitaine, maître d'équipage et 13 hommes tués. 41 blessés. »

Il relut le tout, remplaça le premier « J'ai l'honneur » par « J'ai le plaisir », signa Jno. Aubrey et l'adressa à M. Harte, Esq. — et non pas à Lord Keith, hélas : l'amiral se trouvait à l'autre bout de la Méditerranée, et tout devait passer par le commandant.

Une lettre passable. Pas très bonne, malgré ses efforts et ses corrections. Il n'était pas à l'aise avec une plume. Mais son rapport restituait les faits — en partie, du moins — et sauf le traditionnel en-tête, « Au large de Barcelone » (alors qu'il l'avait rédigée à Port Mahon, le lendemain de son arrivée), il n'y avait rien d'inexact. Et il pensait avoir rendu justice à chacun. Il avait fait ce qu'il avait pu, en tout cas, parce que Stephen Maturin avait insisté pour ne pas être cité. Mais même si Jack avait été un parangon d'éloquence navale, son rapport aurait été totalement inapproprié, n'importe quel officier de marine le savait bien. Par exemple, il évoquait l'engagement comme un événement isolé dans le temps, observé froidement, mené raisonnablement et reconstruit fidèlement par la mémoire... Mais presque tout ce qui avait une importance réelle était antérieur ou postérieur au flamboiement de la bataille. Et même, il aurait eu du mal à restituer l'ordre des événements. Sans l'aide du journal de bord, il était incapable de retrouver la chronologie des heures qui avaient suivi la victoire. Cela avait été une période grise, marquée par un labeur incessant et une tension et un épuisement extrêmes. Deux douzaines de marins avaient dû maîtriser trois cents hommes furieux, mais aussi conduire une prise de six cents tonneaux à Minorque, en luttant contre une mer assez mauvaise et quelques vents contraires. La quasi-totalité du gréement du sloop, vertical et horizontal, devait être remis à neuf, les mâts jumelés, les vergues remplacées, des voiles neuves enverguées, et son maître d'équipage était grièvement blessé. Un voyage clopin-clopant aux limites du désastre, sans l'aide de la mer ni du ciel. Un brouillard confus, et un sentiment d'oppression. Le sentiment d'avoir assisté à la défaite du *Cacafuego* plutôt qu'à la victoire de la *Sophie*. Tout le monde lessivé par une précipitation de tous les instants, comme si leur vie en dépendait. Un brouillard interminable, seulement ponctué par quelques rares épisodes lumineux.

Pullings, sur le pont ensanglanté du *Cacafuego*, criant dans son oreille sourde que les canonnières revenaient de Barcelone. Sa décision de leur tirer dessus avec la bordée indemne de la frégate. Son soulagement et son incrédulité, finalement, en les regardant faire demi-tour puis disparaître derrière l'horizon menaçant... Mais pourquoi ?

Le bruit qui le réveilla pendant le quart de minuit. Un cri rauque s'élevant par quarts de ton, augmentant en puissance jusqu'à devenir un hurlement perçant, suivi d'une suite rapide de mots parlés ou chantés. Puis le cri de nouveau, et le hurlement. Les Irlandais de l'équipage veillaient le corps de James Dillon. On lui avait placé une croix entre les mains, et des lanternes étaient disposées à sa tête et à ses pieds.

Les funérailles. Le jeune Ellis, dans son hamac, le pavillon cousu par-dessus, avait l'air d'un pudding... À ce souvenir, les yeux de Jack se voilèrent. Il avait pleuré, pleuré interminablement, le visage déchiré par les larmes, quand les corps étaient passés par-dessus bord et que les fusiliers marins avaient tiré leurs salves.

« Mon Dieu, se dit-il. Mon Dieu ! » L'écriture de la lettre et le rappel de ces souvenirs avaient réactivé sa tristesse... Ce sentiment ne l'avait pas quitté entre la fin de la bataille et le moment où le vent était tombé, les laissant en panne à quelques milles du Cap Mola. Il avait dû tirer des salves de détresse pour qu'on lui envoie un bateau pilote et de l'aide. Mais la tristesse avait fini par céder du terrain devant l'exaltation. Il tenta de se souvenir du moment précis où la joie s'était imposée. Il leva les yeux, caressant de sa plume son oreille blessée. Par la fenêtre de sa cabine, il aperçut la preuve formelle de sa victoire, amarrée devant l'arsenal. Sa bordée de tribord, intacte, était tournée vers la *Sophie*, et l'eau pâle de ce jour d'automne reflétait le rouge et or rutilant de ses peintures... La frégate était aussi belle et aussi fière que la première fois qu'il l'avait vue.

C'était peut-être arrivé lorsqu'il avait reçu les compliments (stupéfaits, incrédules) de Sennet, du *Bel-*

lephoron, dont le youyou fut le premier à atteindre la *Sophie*. Ce furent ensuite Butler, de la *Naiad*, puis le jeune Harvey, Tom Widdrington et quelques aspirants, accompagnés de Marshall et Mowett — à qui le regret de n'avoir pas participé au combat faisait presque perdre la tête, même si la gloire de leur capitaine rejaillissait déjà sur eux. Leurs canots remorquèrent la *Sophie* et sa prise. Leurs hommes assurèrent la relève des fusiliers épuisés et des hommes de jour qui surveillaient les prisonniers. Il s'écroula sous le poids accumulé des dernières semaines, flotta dans un doux et irrésistible nuage... et s'endormit au milieu de leurs questions. Il y eut ce sommeil merveilleux, puis son réveil dans le port tranquille quand on lui remit, sous double enveloppe, un bref message non signé de Molly Harte.

Ce fut peut-être à ce moment-là. La joie avait certainement déjà envahi son âme à l'instant où il s'éveilla. Il souffrait, bien sûr, il souffrait amèrement de la perte de ses camarades — il aurait donné son bras droit pour les sauver — et son chagrin pour Dillon s'aggravait d'un sentiment de culpabilité dont la cause et la nature lui échappaient. Mais chez un officier d'active, en temps de guerre, la douleur est plus intense que durable. La raison objective et sereine lui disait que des duels (victorieux) opposant des navires de forces aussi inégales étaient rarissimes. À moins de commettre quelque action spectaculairement idiote, les prochaines nouvelles qui lui viendraient de l'Amirauté devraient être l'annonce d'une mention dans *la Gazette*. Sa nomination au grade de capitaine de vaisseau.

Avec un peu de chance, il recevrait une frégate. Il vit défiler les vaisseaux les plus racés et les plus glorieux — l'*Emerald*, le *Seahorse*, le *Terpsichore*, le *Phaëton*, le *Sibylle*, le *Sinus*, les heureux *Ethalion, Naiad, Alcmène* et *Triton*, le rapide *Thetis*. L'*Endymion*, le *San Fiorenzo*, l'*Amelia*... Des dizaines. Plus d'une centaine sous commission. Est-ce qu'il pouvait revendiquer une frégate ? Pas vraiment. Un *post-ship* de vingt canons, un navire de sixième rang, correspondait mieux à son niveau. Pas vraiment le droit à une frégate. Mais il n'avait pas eu vraiment le droit, non plus, de s'en prendre au *Cacafuego*. Pas plus que de faire l'amour à Molly Harte. C'est pourtant ce qu'il avait fait. Dans une chaise de poste, dans une tonnelle, puis dans une autre, et cela avait duré toute la nuit. C'était peut-être pour cela qu'il avait tellement de mal à ne pas s'assoupir, plissant les yeux vers l'avenir comme si c'était un feu de charbon. Et c'est peut-être pour cela que ses blessures étaient si douloureuses. La plaie de son épaule gauche s'était rouverte. Il ignorait comment il l'avait reçue, il l'avait découverte après la bataille. Stephen l'avait recousue, il avait pansé la blessure occasionnée par le coup de pique en travers de son torse (un seul bandage avait suffi pour les deux) et appliqué une sorte de pâte sur ce qui restait de son oreille.

Mais ce n'était pas le moment de dormir. C'était le moment de chevaucher le flot, de foncer pour obtenir une frégate, de saisir la fortune tant qu'elle était à sa portée. Il devait écrire sur-le-champ à Queeney, et puis six ou sept autres lettres l'après-midi même, avant de se rendre à la soirée... Peut-être aussi à son père, ou bien le vieux allait encore une fois en faire toute une histoire. Il était le dernier sur qui l'on pouvait compter pour les complots, les intrigues et la défense de leurs intérêts vis-à-vis des membres influents de la famille. Il n'aurait jamais dû, en toute justice, atteindre le rang de général... Mais la lettre la plus importante était celle qui contenait son rapport. Jack se leva avec précaution, toujours le sourire au lèvres.

C'était la première fois qu'il se montrait ouvertement à terre, et bien qu'il fût très tôt, il ne pouvait pas ne pas être conscient des regards, des murmures et des gestes que provoquait immanquablement son passage. Il porta sa lettre au bureau de Harte. Les premiers mots du commandant firent disparaître les scrupules et les remords (dictés par la pudeur, sinon par la conscience ou les principes) qui avaient perturbé Jack durant sa traversée de la ville puis dans l'antichambre.

« Eh bien, Aubrey, lui dit-il sans se lever, je crois qu'il faut vous féliciter une fois de plus pour votre chance prodigieuse !

— Vous être trop aimable, monsieur. J'ai apporté mon rapport officiel.

— Ah, oui ! » Le capitaine Harte prit la lettre distraitement et y jeta un coup d'œil avec un manque d'intérêt délibéré. « Je le ferai suivre à qui de droit. M. Brown me dit que notre arsenal est incapable de satisfaire à la moitié de vos désirs... Il est étonné que vous puissiez lui réclamer autant de choses. Comment diable vous y êtes-vous pris pour subir tous ces dégâts ? Et laisser s'abîmer une telle quantité de gréement ? Même vos avirons sont détruits ! Nous n'en avons point, ici. Vous êtes sûr que votre maître d'équipage n'exagère pas un peu ? M. Brown affirme qu'aucune frégate de la station, aucun navire de ligne, même, ne lui a jamais réclamé autant de cordages...

— Si M. Brown connaît un moyen de s'emparer d'une frégate de trente-deux canons sans casser quelques espars, je lui serai reconnaissant de me le faire connaître.

— Oh, vous savez, dans ces attaques-surprises... Tout ce que je puis vous dire, c'est que la plupart de vos exigences ne pourront être satisfaites qu'à Malte. Le *Northumberland* et le *Superb* ont fait table rase, ici. » Son désir d'être désagréable était trop évident pour que ses paroles produisent de l'effet. Mais le coup suivant trompa la garde de Jack et toucha un point sensible. « Avez-vous écrit aux parents d'Ellis ? Tout le monde peut faire ce genre de choses... » Il tapota le rapport. « C'est facile. Mais pour le reste, je ne vous envie pas. J'ignore ce que je dirais, moi-même... » Il se mordillait l'articulation du pouce, et jeta un regard furieux sous ses gros sourcils. Jack eut à cet instant la certitude que ses revers financiers, ou l'infortune, ou le désastre, ou quoi que ce fût, l'affligeaient beaucoup plus que les infidélités de sa femme.

En fait, Jack avait déjà écrit la lettre, ainsi que quelques autres — à l'oncle de Dillon et aux familles des marins tués. Il y pensait en traversant le patio, le regard noir. Une silhouette s'immobilisa sous le large portail. De toute évidence, l'homme l'observait. Sous la tonnelle qui menait à la rue, Jack ne vit qu'une forme vague et deux épaulettes qui suggéraient un capitaine de vaisseau ou un officier supérieur. Il se prépara à saluer, mais il fut interloqué lorsque l'homme s'avança dans la lumière en lui tendant la main. « Capitaine Aubrey, je présume ? Keats, du *Superb*. Mon cher monsieur, permettez-moi de vous féliciter de tout cœur, voilà vraiment une splendide victoire. J'ai fait le tour de votre capture, à bord de ma vedette, et je suis étonné, monsieur... *Étonné*, je vous prie de le croire ! Est-ce qu'il vous a fort endommagé ? Je me mets à votre disposition... Voulez-vous mon bosco, mon charpentier, mes voiliers ? Me ferez-vous le plaisir de dîner à mon bord, ou êtes-vous pris ? Mais j'imagine que c'est le cas... Toutes les femmes de Mahon vont vouloir vous exhiber. Quelle victoire !

— Eh bien, monsieur, je vous remercie sincèrement ! » s'exclama Jack. Il rougit, sous l'effet d'un plaisir sincère et non déguisé, et serra la main du capitaine Keats avec un tel enthousiasme qu'il lui fit craquer les doigts. « Je vous suis infiniment reconnaissant pour l'aimable opinion que vous avez de moi. Aucune autre n'a plus de valeur à mes yeux, monsieur. À dire vrai, je suis invité à dîner chez le gouverneur, et je dois assister au concert qui suivra. Mais j'accepte avec plaisir de vous emprunter votre bosco et quelques hommes. Mon équipage est épuisé... Tout à fait éreinté... Ce serait vraiment bienvenu, comme un bienfait du Ciel.

— Eh bien, je serai très heureux de vous satisfaire, dit le capitaine Keats. Dans quelle direction allez-vous, monsieur ? Vers le haut de la ville ?

— Je descends, monsieur. J'ai rendez-vous avec... une certaine personne, à la Couronne.

— Nos chemins sont donc parallèles ! » Le capitaine Keats prit Jack par le bras. Alors qu'ils traversaient la route pour aller marcher à l'ombre, il héla un de ses amis : « Tom, venez voir qui j'ai en remorque ! Le capitaine Aubrey, de la *Sophie* ! Je suis sûr que vous connaissez le capitaine Grenville, n'est-ce pas ?

— Je suis vraiment ravi de vous rencontrer ! » s'exclama Grenville, un homme sévère, couvert de cicatrices, en lui adressant un sourire en coin. Il serra la main de Jack, et l'invita sur-le-champ à dîner.

Lorsque Aubrey et Keats se séparèrent, devant la Couronne, Jack avait eu le temps de refuser cinq autres invitations. Des hommes qu'il respectait avaient fait des remarques comme « C'est la plus belle bataille que je connaisse ! », « Nelson appréciera cela ! » et « S'il y avait une justice, le gouvernement achèterait cette frégate et en confierait le commandement au capitaine Aubrey ! » Dans les rues encombrées, il avait vu des signes de bienveillance, d'admiration et de respect non feints dans le regard de marins et d'officiers. Et deux commandants, ses supérieurs en ancienneté, chasseurs de prises malchanceux pourtant réputés pour leur jalousie, s'étaient précipités pour le congratuler, avec générosité et de bonne grâce.

Il pénétra dans l'auberge, monta les marches qui menaient à sa chambre, se débarrassa de son manteau et se jeta sur un siège. Un sentiment indéfinissable — heureux, frémissant, poignant, presque religieux et pas très éloigné des larmes — envahissait son cœur et ses entrailles. « C'est sans doute ce qu'on appelle les vapeurs ! » se dit-il. Il resta assis : la sensation dura, se fit plus forte. Et lorsque Mercedes fit irruption dans la pièce, il la contempla avec une douce tendresse, un regard aimable et fraternel. Elle entra, le serra passionnément dans ses bras, et lâcha à son oreille un flot catalan qui se concluait par ces mots : « Brave, brave capitaine... Bon, *joli* et brave capitaine !

— Merci, merci, ma chère ! Je vous suis infiniment obligé. »

Un peu plus tard, il essaya de trouver une position plus confortable — la fille était plutôt dodue, pas loin de cent quarante livres — et reprit : « Mercy, dites-moi, *diga mi*, auriez-vous l'extrême gentillesse, *bona creatura*, de m'apporter un peu de négus glacé ? De la *sangria colda* ? Soif, très soif, ma chère, je vous prie de le croire. »

« Votre tantine avait totalement raison, ajouta-t-il encore un peu plus tard, reposant la cruche ornée de perles avant de s'essuyer les lèvres. Le navire de Vinaroz était là à la minute près, et nous avons trouvé le faux Ragusain. Alors voici, *ac-qui, aqui* la récompense de Tantine, la *recompenso de tua tia*, ma chère... » Il tira une bourse de cuir de la poche de son pantalon. « Y *aqui...* » Il produisit un beau petit paquet fermé à la cire. « ... Voici un petit *regalo para vous*, mon ange !

— Cadeau ? » s'exclama Mercedes. Le regard brillant, elle s'en empara, défit promptement la soie, le papier et le coton du joaillier, et trouva la jolie petite croix de diamant au bout de sa chaîne. Elle poussa un cri, embrassa Jack, se rua sur le miroir, cria derechef — hi, hi, hi ! — et revint vers lui, le bijou étincelant sur sa gorge. Elle se baissa, se rengorgea comme un paon et approcha un peu plus sa poitrine gonflée — les diamants clignant au creux de ses seins. « Qu'en dites-vous ? Qu'en dites-vous ? Alors, qu'en dites-vous ? »

Le regard de Jack se fit moins fraternel — beaucoup moins fraternel —, sa glotte se raidit et son cœur s'emballa. « J'aime beaucoup ça... » dit-il d'une voix rauque.

Une grosse voix résonna soudain à la porte. « Timely, monsieur, bosco du *Superb* ! Oh, je vous demande pardon, monsieur...

— Pas du tout, monsieur Timely, dit Jack. Je suis très heureux de vous voir. »

« C'était peut-être aussi bien, finalement », se dit-il en accostant une fois de plus aux marches de Rope-Walk. Il laissait derrière lui une équipe de marins compétents du *Superb*, qui s'activaient dans les haubans qu'on venait de mettre en place. « Il y a tant à faire ! Mais il est vrai que cette fille est si douce... » Il se rendait au dîner du gouverneur. Telle était du moins son intention. Mais son humeur nostalgique (qui le faisait vagabonder dans le passé), à laquelle s'ajoutait sa répugnance à parader sur ce que les marins appelaient High Street, l'entraîna vers des rues écartées et obscures, pleines des odeurs du vin nouveau, où la lie déversait sa pourpre dans les caniveaux... Il parvint ainsi à la chapelle des franciscains qui dominait le sommet de la colline. Il y reprit ses esprits et tenta de faire le point. Puis il regarda sa montre avec inquiétude, contourna rapidement l'armurerie, dépassa la porte verte de la maison de M. Florey en jetant un coup d'œil vers le haut du bâtiment, et prit enfin la direction du nord-ouest — vers la Résidence.

Derrière la porte verte, mais quelques étages plus haut, Stephen et M. Florey faisaient déjà honneur à un repas improvisé, disposé là où il y avait de la place sur les tables et les chaises dépareillées. Après leur retour de l'hôpital, ils avaient disséqué un dauphin dans un bel état de conservation. L'animal se trouvait sur un banc près de la fenêtre, à côté d'un objet recouvert d'un drap.

« Certains capitaines, dit M. Florey, estiment qu'il vaut mieux y inclure la moindre effusion de sang, la moindre incapacité temporaire, car une longue « note de boucherie » fait de l'effet dans *la Gazette*. D'autres n'y mentionneront que les morts avérées, car des pertes légères plaident pour la prudence de l'officier. Il me semble que votre liste est proche du juste milieu, quoique peut-être un peu timorée... Si on la considère du point de vue de l'avancement de votre ami, bien entendu...

— Précisément.

— Oui... Je vous sers une tranche de ce bœuf froid. Donnez-moi un couteau bien aiguisé... Le bœuf, plus que tout, *doit être coupé fin,* si l'on veut apprécier son goût.

« — Celui-ci ne coupe pas. Essayez avec le bistouri. » Stephen se retourna vers le dauphin. « Ah non, dit-il en regardant sous une nageoire. Où est-il donc ? » Il souleva le drap. « En voici un autre. Quelle lame magnifique ! De l'acier suédois, sans doute. Je vois que vous commencez vos incisions au point d'Hippocrate ? » Il avait encore un peu dégagé le drap, et contemplait la jeune dame qui reposait dessous.

« Il faudrait peut-être le laver.

— Il suffit de l'essuyer, dit Stephen qui utilisa un coin du drap. De quoi est-elle morte ? » Il laissa retomber la toile.

M. Florey tailla une première tranche, qu'il donna au vautour griffon attaché par une patte dans un coin de la pièce. « C'est une question intéressante. Je tends à penser que les coups ont fait leur œuvre, bien avant l'eau. Ces faiblesses de l'amour, des folies... Ah, oui... L'avancement de votre ami... » M. Florey se tut, contempla le long bistouri droit à double tranchant et l'agita solennellement au-dessus du rôti. « Si vous donnez des cornes à un homme, il risque de vous éventrer, ajouta-t-il d'un air détaché, en regardant du coin de l'œil pour juger de l'effet produit.

— C'est parfaitement vrai, dit Stephen en jetant au vautour un morceau de nerf. *Fenum habent in cornu*, souvent. » Il sourit à Florey. « Mais j'imagine que ceci n'est pas une remarque générale sur les cocus ? Vous ne voulez pas être plus précis ? Ou bien faites-vous allusion à la jeune personne qui gît sous ce drap ? Je sais que seul votre cœur a pu vous dicter ces mots, et je vous assure qu'en aucun cas la franchise ne pourrait m'offenser.

— Eh bien, dit M. Florey, le problème c'est que votre jeune ami... Notre jeune ami, devrais-je dire, car je fais de lui beaucoup de cas, et je considère que son action est hautement profitable au service, donc à nous tous... Notre jeune ami, donc, a été très indiscret. Et la femme, pas moins que lui. Je pense que vous me suivez ?

— Bien sûr.

— Le mari prend cela très mal, et sa position lui permet de satisfaire son désir de vengeance. À moins que notre ami ne soit très prudent... Extraordinairement prudent. Le mari ne le provoquera pas en duel, car ce n'est pas du tout son style. Pauvre type. Mais il pourrait essayer de le prendre au piège d'un acte d'insoumission, et l'envoyer pour cela en cour martiale. Notre ami est plus connu pour son impétuosité, son culot et sa chance, que pour son respect de la hiérarchie et de la règle. Et ses succès navals provoquent une jalousie, un malaise, chez certains des officiers supérieurs. Par ailleurs, c'est un tory. Sa famille l'est, en tout cas. Et il se fait que le mari et l'actuel Premier Lord de l'Amirauté sont des whigs enragés, des whigs fanfarons et excités. Vous me suivez toujours, docteur Maturin ?

— Oui, parfaitement. Et je vous remercie d'avoir eu la franchise de me dire cela. Je m'en doutais, bien entendu. Je ferai l'impossible pour lui faire prendre conscience de la délicatesse de sa position. Mais ma parole... je me demande parfois si la solution du problème, dans un cas semblable, ne réside pas dans l'ablation pure et simple du membre viril.

— C'est généralement par là que l'on pèche, dit M. Florey. »

David Richards, le secrétaire, était lui aussi à table. Mais il prenait quant à lui son dîner en famille. « Chacun sait, expliquait-il à son auditoire attentif, que sur un navire de guerre, le secrétaire du capitaine occupe le poste le plus dangereux. Il doit se tenir en permanence sur la plage arrière près du capitaine, avec son ardoise et sa montre, pour prendre note de ses remarques. C'est donc sur lui que les hommes armés de mousquets et une bonne partie des grosses pièces concentrent leur tir. Il doit toutefois rester là pour soutenir le capitaine de sa présence et de ses conseils.

— Oh, Davy ! s'exclama sa tante. Et il vous a demandé conseil ?

— S'il m'a demandé conseil, madame ? Ha, ha, ha ! Je vous le jure devant Dieu !

— Ne jurez pas, Davy chéri, dit machinalement sa tante. Ce n'est pas convenable.

— « Ah, vous êtes là, monsieur Richards ! », m'a-t-il dit lorsque la grande hune s'est mise à folâtrer au-dessus de nos têtes et qu'on a commencé à recevoir une pluie d'éclisses, comme autant de laine à broder. « Je ne sais que faire. J'avoue que je suis très embarrassé. » « Il n'y a qu'une chose à faire, monsieur ! lui ai-je dit. Prenez-la d'abordage. Abordez-la à l'avant et à l'arrière, et je vous jure devant Dieu que la frégate sera à nous en cinq minutes ! » Eh bien, madame ma tante, mesdemoiselles mes cousines, je n'aime pas me vanter : je dois avouer que cela nous a pris dix minutes. Mais le jeu en valait la chandelle, car cela nous a rapporté la plus jolie frégate-chébec, chevillée de cuivre et doublée à neuf, que j'aie vue de ma vie. Quand je suis venu à l'arrière après m'être débarrassé, d'un coup de poignard, du secrétaire du capitaine espagnol, le capitaine Aubrey m'a serré la main. « Richards, m'a-t-il déclaré les larmes aux yeux, nous vous devons une fière chandelle ! » « Vous êtes trop bon, monsieur, lui ai-je répondu. Je n'ai rien fait qui ne soit du ressort de n'importe quel secrétaire digne de ce nom. » « Bien, a-t-il fait... C'est très bien. »

Richards se servit un demi de porter.

« J'ai bien failli lui dire : « Écoutez, Boucles d'Or... » — car nous l'appelons Boucles d'Or dans le service, vous savez, tout comme ils m'appellent Davy du Feu de l'Enfer, ou Richards le Fracassant — « Écoutez, Boucles d'Or, vous me nommerez aspirant sur le *Cacafuego*, quand le gouvernement l'aura acheté, et nous serons quittes. » Je le lui dirai demain, peut-être. Car je sens que j'ai la fibre du commandement. Elle devrait bien rapporter entre douze et treize livres le tonneau, monsieur, vous ne croyez pas ? demanda-t-il à son oncle. Nous n'avons pas beaucoup abîmé sa coque.

— Oui, dit lentement M. Williams. Si elle était achetée par le gouvernement, elle pourrait rapporter ce que vous dites, et ses magasins valent autant. Le capitaine A devrait en tirer cinq sacs, net, sans compter la prime. Et votre part devrait se monter à, voyons... Deux cent soixante-trois livres, quatorze shillings, deux pence... Si elle était achetée par le gouvernement.

— Que voulez-vous dire, mon oncle, avec vos « si » ?

— Je veux dire que *quelqu'un* décide des achats au nom de l'Amirauté. Et que *quelqu'un* a une femme qui n'est pas farouche. Et que *quelqu'un* pourrait piquer une colère épouvantable. Boucles d'Or, Ô Boucles d'Or, Pourquoi Es-Tu, Boucles d'Or ? demanda M. Williams, à l'indicible stupéfaction de ses nièces. S'il s'était occupé de ses affaires, au lieu de jouer les Yardo, ce séducteur de paroisse, il...

— C'est elle qui s'est jetée sur lui ! » s'écria Mme Williams, qui n'avait jamais laissé son mari achever une phrase depuis qu'il avait répondu « Oui », à l'église Trinity de Plymouth Dock, en 1782.

« Oh, la friponne ! » s'exclama sa sœur, une vieille fille. Les yeux des nièces s'élargirent encore et se tournèrent vers elle.

« La traînée, oui ! hurla Mme Thomas. C'est le cousin de ma Paquita qui conduisait la chaise de poste qu'elle a prise pour descendre au quai. Et vous ne croiriez jamais...

— Elle devrait être fouettée, sur un chariot, à travers la ville... Et elle a intérêt à ce que je ne tienne pas le fouet.

— Allons, ma chère...

— Je sais à quoi vous pensez, monsieur W ! cria sa femme. Et vous allez cesser immédiatement ! La sale chienne ! La scélérate ! »

La réputation de la « scélérate », en fait, avait déjà beaucoup souffert — on l'avait beaucoup égratignée ces derniers mois —, et la femme du gouverneur la recevait aussi froidement qu'elle pouvait se le permettre. Mais Molly Harte avait changé, au point d'en être presque méconnaissable. Elle avait été une jolie femme ; elle était devenue une véritable beauté. Elle arriva au concert avec Lady Warren. Une petite armée de soldats et de marins avaient attendu dehors pour ne pas manquer l'arrivée de leur voiture. Ils s'attroupèrent autour d'elle, grognant et se hérissant avec une concurrence agressive. Leurs épouses, leurs sœurs, leurs maîtresses, parfois, attendaient à quelque distance dans leurs oripeaux gris et sans chic, silencieuses, en contemplant la robe écarlate qui disparaissait au milieu du troupeau d'uniformes.

Quand Jack fit son apparition, les hommes refluèrent. Certains rejoignirent leurs compagnes, qui les interrogèrent : n'avaient-ils pas trouvé Mme Harte un peu vieillie, mal fagotée, une vraie rombière ? Quelle dommage, à son âge, la pauvre femme ! Elle doit avoir au moins trente, quarante, quarante-cinq ans. Des mitaines à lacets ! On n'avait pas idée de porter des mitaines à lacets. Et cette lumière crue qui ne lui convenait pas. Et puis n'était-ce pas un peu exagéré, de porter toutes ces énormes perles ?

« Elle a tout de la putain », se disait Jack en la couvant d'un regard approbateur. Elle était là, la tête haute, parfaitement consciente des conversations des autres femmes, et elle les défiait. Elle avait tout de la putain, mais le fait de le savoir excitait l'appétit de Jack. Cette femme se réservait à ceux qui réussissaient. Et depuis que la *Sophie* avait amené le *Cacafuego* enchaîné jusqu'au port de Mahon, Jack trouvait cela parfaitement acceptable.

Après quelques minutes de conversation inepte — un numéro de faux-semblant que Jack était persuadé d'accomplir, hélas, avec un talent particulier —, tout le monde se dirigea d'un pas traînant vers la salle de musique. Molly Harte, magnifique, s'installa près de sa harpe. Les autres se partagèrent les petits fauteuils dorés.

« Que donne-t-on, ce soir ? » demanda une voix derrière Jack. Il se retourna : Stephen était là, poudré, l'air respectable (sauf qu'il avait oublié sa chemise), impatient de jouir du spectacle.

« Du Boccherini — un air pour violoncelle — et le

trio de Haydn que nous avons arrangé. Et Mme Harte jouera de la harpe. Asseyez-vous à côté de moi.

— Eh bien, je suppose que je n'ai pas le choix, tellement cette salle est bondée. J'espère pourtant que le concert sera bon. Nous n'en verrons plus d'autre avant longtemps.

— Que dites-vous là ? dit Jack d'un air distrait. Et la soirée de Mme Brown ?

— Nous serons en route pour Malte. On est en train de rédiger vos ordres en ce moment même.

— Le sloop n'est pas prêt à appareiller, dit Jack. Vous devez vous tromper. »

Stephen haussa les épaules. « Je le tiens du secrétaire en personne.

— Le fieffé coquin ! s'écria Jack.

— Chut ! » leur souffla-t-on de tous côtés. Le premier violon donna le signal, baissa son archet. Quelques instants plus tard, ils se lançaient tous ensemble, et la salle s'emplit de sons d'une délicieuse complexité, en attendant le chant méditatif du violoncelle.

« Malte est un endroit plutôt décevant, dit Stephen. Au moins ai-je découvert sur le rivage une quantité considérable de squilles. Je les conserve dans un panier d'osier.

— Sans doute, dit Jack. Dieu sait pourtant qu'à part l'affaire de ce pauvre Pullings, je ne me plains pas. Il ont été très généreux, sauf pour ce qui concerne les avirons — on n'aurait pu être plus prévenant que ce Maître Magasinier — et ils nous ont divertis comme des monarques en visite. Est-ce qu'un de vos... squilles ne serait pas efficace pour me retaper ? Je me sens comme un chat coupé... Tout à fait hors d'état... »

Stephen l'observa attentivement. Il prit son pouls, regarda sa langue, lui posa quelques questions intimes, l'examina. « Une de mes blessures a empiré ? lui demanda Jack, alarmé de sa soudaine gravité.

— Oui, c'est une blessure, si l'on veut. Mais celle-ci, vous ne l'avez pas reçue en combattant le *Caca-*

fuego. Une dame de votre connaissance a dû être trop prodigue de ses faveurs. Un peu trop... universelle, peut-être.

— Oh, mon Dieu ! » cria Jack. Cela ne lui était jamais arrivé.

« Ne vous en faites pas ! Nous allons vous remettre très vite sur pied. Si l'on s'y prend tôt, il n'y a pas grand risque. Rester sous surveillance et n'absorber que de l'orgeat émollient et du gruau, du gruau fin — ni bœuf ni mouton, ni vin ni alcool — ne peut vous faire que du bien. Si ce que m'a dit Marshall sur la traversée vers l'ouest à cette époque de l'année est vrai, sans parler de notre escale à Palerme, vous serez sur pied, prêt à ruiner de nouveau votre santé, vos projets, votre raison, vos organes et votre bonheur avant que nous ne touchions le Cap Mola. »

Il sortit de la cabine — Jack fut choqué par son absence totale, inhumaine, d'inquiétude et descendit sur-le-champ. Il dilua un peu d'une poudre dont il avait toujours un stock sous la main, à l'instar de n'importe quel bon médecin naval. Le vent qui soufflait en rafales de Delamara Point fit faire une embardée à la *Sophie*, et il en versa deux fois trop.

« En voilà deux fois trop ! », se dit-il en se balançant comme un matelot aguerri. Il versa le surplus dans une fiole de vingt drachmes. « Tant pis. C'est juste ce qu'il faut au jeune Babbington. » Il boucha la fiole, la rangea sur une étagère bloquée par un rail, fit le compte de ses récipients aux goulots étiquetés et revint à la cabine. Il savait que Jack était fidèle à la vieille croyance des marins selon laquelle « la quantité fait la qualité », et qu'il serait capable de s'infliger une surdose si l'on ne le surveillait pas de près. Il médita sur les rapports d'autorité dans ses relations avec Jack (en théorie, du moins, car ils n'avaient jamais eu l'occasion de se heurter de front). Jack, lui, suffoquait et avait des haut-le-cœur en contemplant son ignoble potion. Même depuis que leur première prise l'avait un peu enrichi, Stephen Maturin disposait en permanence d'*asafetida*, d'huile de castor et de quelques autres substances particulières qui contribuaient à ce que le goût, l'odeur et la texture de ses remèdes soient les plus dégoûtants de la flotte. Il savait que c'était efficace : ses intrépides patients *savaient* ainsi, de tout leur être, qu'on prenait soin d'eux.

« Les blessures du capitaine le gênent, dit-il à l'heure du dîner. Il ne pourra donc pas accepter l'invitation du carré pour demain. Je l'ai confiné dans sa cabine et condamné au bouillon.

— Est-ce qu'il a été gravement blessé ? » demanda respectueusement M. Dalziel.

M. Dalziel était l'une des déceptions de Malte. Tout le monde à bord souhaitait que Thomas Pullings fût nommé lieutenant, mais l'amiral avait envoyé son propre candidat, un sien cousin, M. Dalziel d'Auchterbothie et Sodds. Il avait tempéré l'effet de sa décision par une note promettant « de ne pas oublier M. Pullings, et de le signaler tout particulièrement à l'Amirauté », mais le fait était là. Pullings restait second du bosco. Il n'avait pas été « promu ». C'était la première ombre à leur victoire. M. Dalziel le sentait, et il s'efforçait d'être conciliant. Ce n'était d'ailleurs pas du tout nécessaire, car Pullings était l'homme le moins prétentieux du monde, et douloureusement timide — sauf sur le pont d'un navire ennemi.

« Oui, répondit Stephen, avec quelque gravité. Par l'épée, par balle et par un coup de pique. Et en sondant la plus profonde de ses plaies, j'ai trouvé un bout de métal, une balle qu'il a reçue à la bataille d'Aboukir.

— Il y a de quoi gêner n'importe qui, en effet. » Sans que cela fût de sa faute, M. Dalziel n'avait jamais assisté à une effusion de sang, et il en souffrait.

« Corrigez-moi si je me trompe, docteur, dit le quartier-maître. Est-ce que les blessures ne s'ouvrent pas plus facilement quand on se fait de la bile ? Et le capitaine doit s'en faire cruellement, de ne point être sur notre terrain de chasse, car la saison avance...

— Oui, bien sûr ! », dit Stephen. Jack avait certainement de bonnes raisons de se faire de la bile, comme n'importe qui à bord du sloop. Il était très dur, en effet, d'être envoyé à Malte alors qu'ils avaient droit à une croisière dans des eaux plus riches en gibier. Plus grave encore : une rumeur persistante faisait état d'un galion désigné par le sort et par les services de renseignement privés de Jack — un galion, ou même des galions, un troupeau de galions longeant la côte espagnole —, et eux se trouvaient à cinq cents milles de là.

Ils étaient impatients de retourner à leur croisière, aux trente-sept jours qu'on leur devait, trente-sept jours pour continuer leur moisson. Il est vrai que la plupart des hommes de la *Sophie* possédaient plus de guinées à bord qu'ils n'avaient jamais eu de shillings à terre. Mais aucun ne voulait renoncer à accroître son bien. Selon une estimation courante, la part d'un matelot breveté s'élevait à près de cinquante livres. Même ceux qui avaient été écorchés, piétinés, brûlés et roués de coups au combat pensaient que c'était bien payé pour une matinée de travail — beaucoup plus intéressant que le salaire incertain d'un shilling par jour qu'ils pourraient gagner derrière la charrue ou le métier à tisser, et même que les huit livres mensuelles que les capitaines de la marine marchande, disait-on, leur offraient.

Les victoires communes, une discipline impitoyable et une compétence élevée (à l'exception de Mad Willy, l'idiot de la *Sophie*, et de quelques autres cas désespérés, tous les hommes et mousses du bord connaissaient les manœuvres élémentaires) les avaient soudés en un corps remarquablement uni, parfaitement familiarisé au navire et à ses habitudes. C'était d'ailleurs nécessaire, car leur nouveau lieutenant n'était pas un fameux marin. Ils durent lui éviter quelques grosses gaffes quand le sloop fit route vers l'ouest aussi vite qu'il pouvait, traversa deux grosses tempêtes, des mers démontées et des accalmies à rendre fou — quand il dansa sur la grande houle, que sa proue faisait le tour du compas et que le chat du bord était malade comme un chien. Aussi vite qu'il pouvait, vraiment. Non seulement l'équipage avait hâte de s'approcher de la côte ennemie, mais tous les officiers étaient plus impatients encore de recevoir des nouvelles de Londres, de lire *la Gazette* et de prendre connaissance de la réaction officielle à leur exploit — une commission de capitaine de vaisseau pour Jack, et peut-être de l'avancement pour tous les autres.

Cette traversée plaida en faveur de l'arsenal de Malte autant que pour l'excellence de l'équipage. C'est dans les mêmes eaux, en effet, qu'un sloop de seize canons, l'*Utile*, sombra pendant la deuxième tempête. (Il cinglait vent arrière, à moins de vingt milles au sud de la position de la *Sophie*. Il n'y eut aucun rescapé.) Mais le dernier jour, le temps s'adoucit. Ils trouvèrent une belle et régulière tramontane qui leur permit de filer sous huniers à un ris. Ils passèrent les hauts fonds de Minorque dans la matinée, s'identifièrent un peu après le dîner et doublèrent le Cap Mola avant que le soleil ne soit à mi-chemin de l'horizon.

Une fois de plus, Jack avait survécu — même si sa réclusion lui avait coûté un peu de son bronzage. Il regarda avec impatience les nuages au-dessus du Mont Toro, promesses d'un vent du nord persistant. « Dès que nous aurons passé le goulet, monsieur Dalziel, mettez les canots à l'eau et faites monter les barriques sur le pont. Nous pourrons commencer à embarquer l'eau douce dès ce soir, et serons prêts à appareiller le plus tôt possible demain matin. Nous n'avons pas une minute à perdre. Mais je vois que vous avez déjà fixé les gaffes aux vergues et aux étais... Très bien ! » conclut-il avec un petit rire, et il entra dans sa cabine.

C'était la première fois que M. Dalziel en entendait parler. Les hommes, qui connaissaient bien mieux que lui les habitudes du capitaine, avaient sans rien dire anticipé les ordres. Le pauvre lieutenant se contenta de secouer la tête avec toute la philosophie dont il était capable. Il se trouvait dans une situation difficile. C'était un officier respectable et consciencieux, mais il ne pouvait soutenir la moindre comparaison avec James Dillon. Leur ancien lieutenant — son autorité énergique, ses compétences techniques et son habileté de navigateur — était encore merveilleusement présent à la mémoire de cet équipage qu'il avait contribué à former.

Jack pensait à lui quand la *Sophie* glissa dans le long accès au port, et commença de doubler l'une après l'autre les criques et les îles familières. Ils se trouvaient à la hauteur de l'île de l'hôpital — il se remémorait combien James Dillon était peu bruyant — quand il entendit l'appel « Ohé, du canot ! » résonner sur le pont et un cri lointain, annonçant en réponse la venue d'un capitaine. Il ne saisit pas le nom du visiteur. Quelques minutes plus tard, un Babbington inquiet frappait à sa porte. « La vedette du commandant s'apprête à nous accoster, monsieur ! »

Il y eut quelque remue-ménage sur le pont — Dalziel entreprit de faire trois choses à la fois, et ceux qui devaient décorer le flanc du sloop essayèrent avec une hâte excessive de se donner l'air convenable. Peu de capitaines auraient osé surgir de cette façon de derrière une île. Peu auraient eu l'idée d'inquiéter un navire qui s'apprête à mouiller. Et la plupart, même dans une situation d'urgence, leur auraient donné une chance, leur auraient accordé quelques minutes de répit. Mais pas le capitaine Harte, qui monta le flanc du navire aussi vite qu'il pouvait. Les ordres sifflèrent et hurlèrent. Les rares officiers correctement vêtus se tenaient raides, tête nue. Les fusiliers présentèrent les armes, et l'un d'eux laissa tomber son mousquet.

« Bienvenue à bord, monsieur ! » cria Jack. Il vivait dans un tel état de sympathie avec le monde présent qu'il fut heureux de revoir ce visage mal embouché, mais familier. « Je crois que c'est la première fois que nous avons l'honneur... »

Le capitaine Harte salua le pont supérieur d'un geste vague vers son chapeau, et contempla avec un dégoût explicite les mousses à la propreté douteuse, les fusiliers au ceinturon de travers, le tas de barriques et la petite chienne de M. Dalziel (une bête grasse et timide, de couleur crème) qui profitait au même instant du seul espace à ciel ouvert qui fût disponible. Sans s'excuser le moins du monde, les oreilles et tout le reste de sa personne tendus vers le bas, elle était en train de produire une mare de dimensions infinies.

« Est-il dans vos habitudes de maintenir votre pont dans cet état, capitaine Aubrey ? demanda-t-il. Par l'enfer, ça ressemble plus à une boutique de prêteur sur gages de Wapping qu'au pont d'un sloop de Sa Majesté.

— Non, monsieur », répondit Jack, toujours d'excellente humeur. L'enveloppe toilée et cachetée de l'Amirauté que Harte avait sous le bras ne pouvait contenir qu'un avis de commission au grade de capitaine de vaisseau adressé à J.A. Aubrey, Esq., et délivré avec une délicieuse diligence. « Vous avez surpris la *Sophie* en plein ménage, je le crains. Voulez-vous entrer dans la cabine, monsieur ? »

L'équipage était passablement occupé, puisqu'il fallait diriger le sloop à travers le trafic portuaire et le préparer au mouillage. Mais ils connaissaient les opérations de mise à l'ancre de leur navire. C'était d'ailleurs préférable, car une partie de leur attention se concentrait sur les voix qui leur venaient de la cabine.

« Le voilà, le vieux Jarvie », chuchota Thomas Jones à William Witsover en ricanant. De fait, l'ironie était générale à l'arrière du grand-mât. Ceux qui se trouvaient à portée de voix avaient bien vite compris qu'on était en train de réprimander le capitaine. Certes, ils l'aimaient bien, et l'auraient suivi en enfer. Mais la pensée qu'on lui passe un savon leur était amusante...

« Quand je donne un ordre, je veux qu'on l'exécute sur-le-champ, signifia Robert Jessup à William Agg d'un mouvement des lèvres silencieux.

— Taisez-vous, là-bas ! » cria le quartier-maître, qui ne pouvait pas entendre.

Mais bientôt les ricanements disparurent — d'abord chez les hommes les plus futés et les plus proches de la lucarne, puis chez ceux qui pouvaient saisir leurs regards, leurs gestes et leurs grimaces. Quand l'ancre de bossoir fut à l'eau, un murmure circulait sur le sloop : « Pas de croisière ! »

Le capitaine Harte réapparut sur le pont. On le

reconduisit en grande pompe jusqu'à sa vedette, dans un silence soupçonneux que renforçait l'impassibilité exagérée du capitaine Aubrey.

On voua immédiatement le cotre et la chaloupe aux provisions d'eau. La yole débarqua le commissaire pour le ravitaillement et la poste. Les canots d'approvisionnement déchargèrent les délices habituels. Et M. Watt, suivi des Sophies qui avaient survécu à leurs blessures, se précipita dans le houari de l'hôpital pour voir ce que ces bougres de couillons de Malte avaient bien pu faire à ses gréements.

Leurs compagnons les appelèrent : « Vous connaissez la nouvelle ?

— Quoi, camarade ?

— Alors vous ne savez pas ?

— Dites-nous, camarade !

— Il y a que nous n'avons plus de croisière, voilà ce qu'il y a !

— On en a eu, dit le vieux Whoreson Prick, on a eu notre temps.

— Nous l'avons utilisé en allant à Malte.

— Nos trente-sept jours !

— Nous allons escorter cette damnée malle-poste jusqu'à Gibraltar, voilà ce que nous allons faire. Et merci bien pour nos efforts sur la ligne !

— Le *Cacafuego* n'a pas été acheté.

— On l'a vendu à ces satanés Maures pour dix-huit pence et une poignée de main. Le foutu chébec le plus rapide qu'on ait jamais mis à l'eau !

— On est rentré trop lentement... « Pas la peine de le dire, monsieur, je le sais mieux que vous ! »

— Rien sur nous dans *la Gazette*, et Gros Pet n'a pas apporté la promotion que Boucles d'Or attendait.

— On raconte que la frégate n'était pas en règle, que son capitaine n'avait pas de commission... Fadaises !

— Si je tenais ses bourses au creux de ma main, je pourrais le payer de retour, non ? Il suffirait de... »

Ils furent interrompus par un message péremptoire de la plage arrière, délivré par un second du bosco armé d'un bout de cordage. Leur indignation se manifestait peut-être plus bruyamment qu'ils le souhaitaient... Si le capitaine Harte était revenu à cet instant, ils auraient été capables de déclencher une mutinerie et de le jeter à l'eau. Ils étaient furieux pour leur victoire, furieux pour eux-mêmes, furieux pour Jack. Ils savaient que les réprimandes de leurs officiers étaient totalement dénuées de conviction. Le bout de cordage aurait pu être aussi bien un mouchoir qu'on agitait devant eux. Dalziel lui-même, le nouveau venu, était choqué par la manière dont on les traitait, du moins si l'on en croyait la rumeur, les indiscrétions, les déductions, les bavardages sur les canots de ravitaillement et l'absence du cher *Cacafuego*.

On les traitait de manière plus minable encore que la rumeur le dit. Le capitaine de la *Sophie* et son médecin se trouvaient dans la cabine, au milieu d'un monceau de papiers. Stephen Maturin avait apporté son aide pour le travail administratif, répondu à quelques messages et rédigé des lettres personnelles. Il était trois heures du matin. La *Sophie* se balançait doucement sur ses amarres, et son équipage entassé pouvait ronfler toute la nuit (un des rares plaisirs du quart en mouillage portuaire). Jack n'était pas allé à terre. Il n'avait pas l'intention d'y aller du tout. Le silence, l'absence de véritable mouvement, la longue station assise avec l'encre et les plumes, tout cela semblait les isoler du monde, dans une tour d'ivoire. C'est ce qui fit que leur conversation — indécente à tout autre moment — leur sembla normale et naturelle. « Connaissez-vous un certain Martinez ? demanda Jack. C'est le propriétaire de la maison dont les Harte occupent une partie.

— J'en ai entendu parler, dit Stephen. C'est un spéculateur, une sorte d'arriviste assez hypocrite.

— Eh bien, c'est lui qui a obtenu le contrat pour l'acheminement du courrier — un fichu boulot, j'en suis sûr —, et il a acheté un rafiot minable, le *Ventura*, pour en faire une malle-poste. Un sabot qui n'a jamais navigué plus de six milles d'affilée depuis son baptême. Nous sommes chargés de l'escorter jusqu'au

Rocher. C'est assez normal, direz-vous. Oui, mais c'est *nous* qui devrons prendre le sac et le lui remettre quand nous serons juste à l'extérieur de la digue, et nous rentrerons ici immédiatement, sans accoster ni communiquer avec Gibraltar. Et je vais vous dire autre chose. Il n'a pas acheminé mon rapport par le *Superb*, qui est parti vers le sud de la Méditerranée deux jours après notre départ, ni par le *Phoebe*, qui rentrait directement à la maison. Je vous parie qu'il est là, dans ce sac gris... Je suis certain, d'autre part — comme si je l'avais lue —, que sa lettre d'accompagnement est pleine de ces sottises sur le commandement du *Cacafuego*, de ces arguties sur le statut de l'officier. Insinuations calomnieuses, retards délibérés. Voilà pourquoi il n'y a rien dans *la Gazette*. Voilà pourquoi il n'y a pas de promotion. Dans l'enveloppe de l'Amirauté, il n'y avait rien d'autre que ses propres instructions... Pour le cas où j'aurais exigé des ordres écrits.

— Ses motivations sont parfaitement limpides. Il espère vous pousser à commettre une bévue. Il espère que vous désobéirez afin qu'il puisse ruiner votre carrière. Je vous supplie de ne pas vous laisser aveugler par la colère.

— Oh, je n'ai pas l'intention de faire l'idiot, dit Jack en souriant. Mais pour·ce qui est de me provoquer, j'avoue qu'il a réussi au-delà de ses espérances. Je ne suis pas sûr de pouvoir jouer la moindre gamme, tellement ma main tremble quand j'y pense. »

Il prit son violon. Tandis qu'il ajustait l'instrument à son épaule, quelques pensées égoïstes traversèrent son esprit. En grappe, plus qu'en succession... Toutes ces semaines et ces mois de précieuse ancienneté qui s'écoulaient en pure perte... Douglas, du *Phoebe*, Evans, de la station des Antilles, et un certain Raitt, qu'il ne connaissait pas, avaient déjà été promus. Leur nom figurait dans la dernière livraison de *la Gazette*, et ils se trouvaient désormais avant lui sur la liste immuable des capitaines de vaisseau. Il leur serait à jamais inférieur en ancienneté. Du temps perdu. Et ces rumeurs inquiétantes sur la fin de la guerre. Et un soupçon intolérable, qu'il osait à peine s'avouer, la terreur à l'idée que tout pourrait mal tourner. Pas de promotion. L'avertissement de Lord Keith s'avérant prophétique. Il glissa le violon sous son menton, serra les dents, leva la tête. Le fait de serrer les dents suffit pour libérer un flot d'émotion. Jack rougit, son souffle se fit saccadé, ses yeux s'écarquillèrent et (à cause de l'extrême contraction de ses pupilles) leur bleu s'éclaircit. Il serra les dents, puis les doigts de la main droite. « Pupilles se contractent symétriquement, diamètre un dixième de pouce env. », nota Stephen au coin d'une page. Il y eut un fort craquement, un bruit confus de cordes détendues. Avec une expression ridicule de doute, d'incertitude et de détresse, Jack montra le violon, tout disloqué, bizarre avec son manche cassé. « Il s'est brisé ! s'exclama-t-il. Il s'est brisé ! » Il ajusta les morceaux avec soin, et les maintint en position. « Pour rien au monde je ne voulais faire ça, dit-il d'un ton faible. Je connais ce violon depuis que je porte culotte ! »

L'indignation provoquée par le sort de la *Sophie* dépassait les limites du sloop, mais c'est à son bord, bien entendu, qu'elle était la plus violente. En halant le cabestan pour lever l'ancre, l'équipage entonna un chant inédit, un chant qui ne devait rien à la chaste muse de M. Mowett.

« Vieux Harte, ô vieux Harte,
Grosse face rouge née d'un pet d'Français !
Ohé ohé, faudrait pas t'marcher d'sus,
Marcher d'sus, marcher d'sus,
Ohé ohé, faudrait pas t'marcher d'sus. »

Le joueur de fifre accroupi sur le chapeau de cabestan posa son instrument, et chanta le couplet.

« Vieux Harte dit un jour à sa dame
Je n'en crois pas mes yeux !
L'hardi commandant d'la *Sophie*
T'a donné du manche à violon ! »

Et toute l'équipe reprenait en rythme :
    « Vieux Harte, ô vieux Harte,
    Étron né d'un pet d'Français ! »

James Dillon n'aurait jamais permis cela. Mais M. Dalziel ne remarqua rien. Le chant continua donc jusqu'au moment où le câble fut enroulé jusqu'au bout, plein de la puanteur de la vase de Mahon. On hissa les focs, on brassa la vergue de petit hunier. La *Sophie* passa juste en face de l'*Amelia*, qu'elle n'avait pas vue depuis le combat contre le *Cacafuego*. M. Dalziel remarqua que les gréements de la frégate étaient pleins d'hommes. Quand la *Sophie* les doubla, chacun tenait son chapeau à la main.

« Monsieur Babbington ! dit-il, presque à voix basse (il n'avait vu cela qu'une seule fois, et il craignait de se tromper). Veuillez dire au capitaine, avec mes hommages, que je crois bien que l'*Amelia* veut nous saluer. »

Jack apparut sur le pont en clignant des yeux, à l'instant où éclatait la première ovation — une formidable vague sonore d'un rayon de plus de vingt-cinq mètres. On entendit le sifflet du bosco de l'*Amelia*, puis la seconde ovation, aussi précise que sa bordée. Puis la troisième ovation. Jack et ses officiers étaient debout, raides, chapeau bas. Dès que les derniers cris se dissipèrent au-dessus du port, revenant en écho, Jack ordonna : « Trois ovations pour l'*Amelia* ! » Pourtant concentrés sur les manœuvres, les Sophies répondirent comme un seul homme. Ils étaient écarlates, autant sous l'effet du plaisir que de l'énergie déployée pour produire des hourras dignes de ce nom — une énergie énorme, car ils connaissaient les bonnes manières. Pour finir, quelqu'un cria « Encore une ! » sur l'*Amelia*, maintenant loin derrière eux. Puis le silence se fit.

C'était un joli compliment, un vœu de départ généreux et fort agréable à recevoir. Mais cela n'empêcha pas les Sophies de ressentir une immense frustration. Cela ne les empêcha pas de faire de l'appel « Rendez-nous nos trente-sept jours ! » une sorte de slogan (ou de mot de passe) qui résonna longtemps dans l'entrepont — voire sur le pont proprement dit, quand ils osaient. Cela ne les rappela pas totalement à leur devoir, et durant les jours et les semaines qui suivirent, ils furent plus que simplement distraits.

Le bref intermède dans le port de Mahon avait été extraordinairement nocif pour la discipline. L'équipage n'était plus qu'un simple corps qu'on avait maltraité, et qui se rebellait. En conséquence, le respect de la hiérarchie, dans ses nuances les plus subtiles, avait pratiquement disparu. Une raison parmi d'autres : quand les blessés étaient revenus à bord, le caporal les avait laissés embarquer des outres pleines de brandy espagnol, d'anisette et d'un breuvage incolore qu'ils appelaient du gin. Un nombre non négligeable d'hommes d'équipage avaient sombré sous l'empire de ces boissons, y compris le capitaine du mât de misaine (paralysé) et les deux seconds du bosco. Jack dégrada Morgan et nomma à sa place le Noir Alfred King pour mettre à exécution sa menace de jadis — un second de bosco *muet* serait certainement plus terrible, plus dissuasif. Surtout s'il était aussi costaud que King.

« Nous allons finalement installer le caillebotis au passavant, monsieur Dalziel. Ils se fichent comme d'une guigne d'être fouettés au cabestan, et je suis décidé à mettre fin à cette ivrognerie infernale. Par tous les moyens.

« Oui, monsieur », dit le lieutenant. Il hésita. « ... Wilson et Plimpton m'ont fait savoir qu'ils trouveraient très déplaisant d'être fouettés par King.

— Bien sûr, que ce sera extrêmement déplaisant ! Je souhaite sincèrement que ce soit déplaisant ! Pourquoi les fait-on fouetter, selon eux ? Ils étaient ivres, oui ou non ?

— Ivres morts, monsieur. Ils prétendent que c'était Thanksgiving.

— Mais par le diable, à qui veulent-ils donc rendre grâce ? Le *Cacafuego* a été vendu aux Algériens...

— Ils viennent des colonies, monsieur, d'Amérique, et il semble que ce soit une fête célébrée là-bas. Quoi qu'il en soit, ils ne contestent pas le fait d'être fouettés, mais la couleur de l'homme qui tient le fouet. »

Jack se pencha et regarda sur le côté, par la fenêtre de la cabine.

« Bah ! Si ça continue, il y a quelqu'un d'autre que je ferai fouetter avec plaisir ! C'est le capitaine de cette satanée malle. Donnez-lui un coup de canon, monsieur Dalziel, voulez-vous ? Un coup de semonce, pas trop loin de sa poupe. Et qu'on lui ordonne de garder sa position. »

La pauvre malle avait terriblement souffert, depuis le départ de Port Mahon. Elle s'était attendue à ce que la *Sophie* mette le cap droit sur Gibraltar, bien au large, hors de vue des corsaires, et certainement hors de portée des batteries côtières. Malgré ses améliorations, le sloop ne pouvait prétendre au titre d'Aigle des Mers, mais il filait deux fois plus vite que la malle. Il profita de sa supériorité pour longer la côte et examiner la moindre baie, la plus petite crique, contraignant la malle à se tenir côté large, à faible distance... Dans un état de terreur permanente.

Cette quête impatiente, digne d'un fox-terrier, n'avait amené jusqu'alors que quelques vifs échanges de feu avec des batteries côtières, car les ordres de Jack, formels, lui interdisaient de se livrer à la chasse — ce qui voulait dire, presque à coup sûr, que le sloop se passerait de prises. Mais cette préoccupation était tout à fait secondaire. Ce qu'il recherchait avant tout, c'était la bataille. Et dans ces circonstances, pensait-il, il donnerait n'importe quoi pour un combat frontal direct, tout simple, avec n'importe quel vaisseau d'une taille comparable à celle du sloop.

En réfléchissant à tout cela, il monta sur le pont. La brise du large, qui avait baissé tout l'après-midi, ne soufflait plus qu'en rafales irrégulières. La *Sophie* la sentait encore, mais la malle était presque totalement ababouinée. Sur tribord, la côte rocheuse haute, brune, s'étendait au nord et au sud. À près d'un mille de là, sur le travers du sloop, il y avait une sorte d'avancée, un cap, un promontoire que surplombait un château maure en ruines.

« Vous voyez ce cap ? » lui demanda Stephen. Il l'examinait depuis un moment, un livre à la main, le pouce marquant sa page. « C'est Cabo Roig, qui marque la limite de la zone catalane. Orihuela se trouve à quelque distance, à l'intérieur. Plus loin, on ne parle plus le catalan. On arrive à Murcia, et au jargon barbare des Andalous. Même au village qui se trouve de l'autre côté de la pointe, on parle comme les Mauresques... Bafouillis, charabia et salamalecs. » Stephen Maturin, qui était un authentique libéral dans tous les autres domaines, ne supportait pas les Maures.

— Il y a un village ? » Les yeux de Jack brillèrent.

« Plutôt un hameau. Vous le verrez bientôt. » Un silence. Le sloop glissa en murmurant sur les eaux calmes, et le paysage pivota imperceptiblement. Stephen montra son livre. « Strabo raconte que les anciens Irlandais considéraient comme un honneur le fait d'être mangé par des membres de sa famille. Une forme de funérailles qui permettraient à l'âme de rester dans le clan, selon lui.

— Monsieur Mowett, veuillez m'apporter ma lunette... Je vous demande pardon, docteur. Vous me parliez de Strabo.

— Peut-on parler d'*Ératosthène ressuscité*, dans ce cas-là, ou simplement de *rafraîchir les voiles* ?

— Oh oui, certainement. Il y a là-haut un type qui cavale au triple galop, sur la falaise, au-dessous du château.

— Il se dirige vers le village.

— En effet. Je le vois, ce village, maintenant, le voilà derrière les rochers... Et je vois aussi autre chose... » ajouta-t-il, presque pour lui-même. Le sloop glissait toujours, doucement. La baie peu profonde pivota, une grappe de maisons apparut, au bord de l'eau. Il y avait là trois navires à l'ancre, un peu à l'écart, à un quart de mille au sud du village. Deux houaris et une pinque. Des navires marchands. Pas de grande taille, mais lourdement chargés.

Avant même que le sloop ne se tourne vers eux, il y eut beaucoup d'animation sur le rivage. Quiconque disposant d'une lunette put apercevoir des gens courir en tous sens, mettre des canots à la mer et ramer à toute force vers les navires à l'ancre. Un peu plus tard, on vit des hommes s'activer sur les vaisseaux, et le son de conversations animées franchit l'espace au-dessus de l'eau. Puis vinrent d'autres cris, rythmés ceux-là, révélant qu'ils tiraient sur les treuils pour lever l'ancre. Ils délièrent leurs voiles et se dirigèrent droit vers la terre.

Jack observa longuement la côte, d'un air réfléchi, concentré. Si la mer ne se levait pas, il serait facile de haler ces vaisseaux — mais ce serait aussi facile pour les Espagnols que pour lui. Bien sûr, ses instructions ne l'autorisaient pas à se lancer dans une expédition militaire. Mais l'ennemi survivait grâce à son commerce côtier — ses routes étaient exécrables : il était absurde d'essayer de transporter à dos de mule des marchandises en gros, inutile de parler de chariots —, Lord Keith avait été catégorique à ce sujet. Bref, il était de son devoir de s'en emparer, de les brûler, de les couler ou de les détruire. Les Sophies avaient les yeux fixés sur Jack. Ils savaient très bien ce qu'il avait en tête, mais ils avaient aussi une idée précise de ce que prévoyaient les ordres — il ne s'agissait pas d'une croisière mais d'une mission d'escorte, exclusivement. Ils l'observaient si intensément qu'on ne vit point s'écouler le sable du temps. Le fusilier Joseph Button avait pour tâche de retourner le sablier des demi-heures et de frapper la cloche. Mais il était si absorbé dans la contemplation du capitaine Aubrey qu'il ne sentit pas les coups de coudes, les pincements et les cris étouffés : « Joe, Joe, réveille-toi, Joe, espèce de gros fils de pute ! » — jusqu'à ce que résonne la voix de M. Pullings lui-même, criant à son oreille : « Retournez ce sablier, Button ! »

Le son du dernier coup de cloche se dissipa. « Virez de bord, monsieur Pullings, s'il vous plaît ! »

La *Sophie* négocia son virage sans le moindre

heurt, dans les cris et les coups de sifflets assez familiers pour passer presque inaperçus (« Prêt à virer ! », « Envoyez ! La barre dessous ! », « Halez amures et écoutes ! », « Changez derrière ! »). Elle vint au vent, gonfla ses voiles et mit le cap vers la malle qui attendait au loin, sur la surface pourpre et immobile.

Elle perdit elle-même son vent à quelques milles du petit cap, et elle resta en panne dans le crépuscule et la rosée tombante, les voiles avachies, informes.

« Monsieur Day, dit Jack, veuillez préparer quelques barriques enflammées — disons une demi-douzaine. À moins que le vent ne se lève, monsieur Dalziel, je crois que nous pourrons rentrer les canots vers minuit. Docteur Maturin, réjouissons-nous, prenons du bon temps.

Prendre du bon temps consistait à tracer des portées et à y reproduire un duo qu'ils avaient emprunté, plein de triples croches. « Bon Dieu, dit Jack au bout d'une heure, en levant de son cahier ses yeux rougis, je deviens trop vieux pour cela. » Il appliqua ses mains sur ses yeux, les y laissa longtemps. Puis il reprit, d'une voix changée : « J'ai pensé à Dillon toute la journée. Toute la journée, j'ai pensé à lui, par intermittence. Vous ne pouvez imaginer à quel point il me manque. Quand vous me parliez de ce type, cet auteur classique, ça me l'a remis en mémoire... Parce qu'il s'agit de l'Irlande, sans doute. Et Dillon était irlandais. Encore que ce fût difficile à croire... Jamais saoul en public, n'élevait presque jamais la voix sur quelqu'un, s'exprimait comme un vrai chrétien, l'homme le mieux élevé du monde, rien d'une brute autoritaire... Oh bon Dieu ! Mon cher ami, mon cher Maturin, je vous demande pardon. Je dis encore ces choses horribles... Je le regrette, vraiment.

— Je vous en prie », dit Stephen. Il prit un peu de tabac, et secoua la main dans un geste d'excuse.

Jack sonna. Au milieu des bruits du navire, très calme en l'absence de vent, il entendit le trottinement de son maître d'hôtel. « Killick, dit-il, apportez-moi une ou deux bouteilles de Madère, celui avec le sceau jaune, et quelques-uns des biscuits de Lewis. Il est incapable de faire un gâteau au carvi décent, expliqua-t-il à Stephen. Mais ces petits fours sont convenables. Ils relèvent un peu le goût du vin.

— C'est notre agent qui m'a donné ce vin, à Mahon, dit-il en examinant son verre en transparence. Il a été mis en bouteille l'année où Éclipse, ma jument, a mis bas. Je le produits en sachant que c'est un péché, en toute conscience... À votre bonne santé, monsieur.

— À la vôtre, mon cher. Ce vieux vin est excellent. Sec, mais onctueux. Remarquable.

— Je répète ces choses terribles, poursuivit Jack en méditant, tandis qu'ils vidèrent les bouteilles, sans toujours m'en rendre compte. Les gens me jettent des regards noirs, mes amis me font *Psst, psst !*, et je me dis "Jack, tu t'es encore jeté sur un récif !" Générale-ment, je finis par comprendre ce qui va de travers, avec le temps, mais c'est trop tard. J'ai bien peur d'avoir souvent vexé Dillon... » Il baissa les yeux avec tris-tesse. « Mais je ne suis pas le seul, vous savez. Ne pensez pas que je veuille le dénigrer. Je voulais simple-ment citer un exemple, pour montrer que même un homme bien élevé peut commettre ces bévues. Car j'en suis sûr, je n'en avais pas l'intention... Mais Dillon m'a blessé plus d'une fois, lui aussi. Quand nous nous disputions au sujet des prises, il employait le mot *commercial*. Je suis certain qu'il n'avait pas plus que moi l'intention de me blesser. Mais cela m'est toujours resté en travers de la gorge. C'est une des raisons pour lesquelles je suis heureux... »

On frappa à la porte. « Vous demande pardon, Votre Honneur. L'infirmier est dans tous ses états, monsieur. Le jeune M. Ricketts a avalé une balle de mousquet, et ils ne peuvent pas l'extirper. Il suffoque à mort, si vous me permettez.

— Pardonnez-moi », dit Stephen. Il posa soigneuse-ment ses lunettes et les recouvrit d'un mouchoir à pois rouges, une sorte de bandana.

« Tout va bien ? lui demanda Jack quand il revint, cinq minutes plus tard. Êtes-vous parvenu...

— La médecine ne nous permet pas toujours de parvenir à nos fins, dit Stephen avec une calme satisfaction. Mais avec les émétiques, le résultat est presque toujours garanti. Que disiez-vous, monsieur ?

— *Commercial*, c'est le mot qu'il employait. Commercial. Voilà pourquoi je suis si heureux d'avoir cette petite expédition en canot, cette nuit. Mes ordres ne m'autorisent pas à m'emparer de ces vaisseaux, c'est vrai, mais je dois attendre que la malle nous rejoigne, et rien ne m'empêche de les incendier. Je ne perdrai pas de temps. Et le critique le plus scrupuleux ne pourra nier qu'il s'agit de la moins "commerciale" des entreprises. Il est trop tard, bien entendu... Ces choses-là arrivent toujours trop tard. Mais j'en tire une immense satisfaction. Comme James Dillon aurait apprécié cela ! C'est ça qui comptait, pour lui ! Vous vous souvenez de lui, à Palamos, avec les canots ? Et à Palafrugell ? »

La lune se coucha. Le ciel étoilé tourna autour de son axe, amenant doucement les Pléiades à leur apogée. C'était un ciel d'hiver, mais il faisait doux et calme. La chaloupe, le cotre et la yole se placèrent le long du sloop et embarquèrent les hommes du groupe d'attaque, dans leurs vestes bleues aux brassards blancs. Ils se trouvaient à cinq milles de leur proie, mais aucune voix ne dépassait le chuchotement — il y avait seulement quelques rires étouffés et le cliquetis des armes qu'on se passait. Ils fondirent en silence dans l'obscurité, tirant sur leurs avirons assourdis. En moins de dix minutes, malgré sa concentration, Stephen les avait perdus de vue.

« Vous les voyez toujours ? » demanda-t-il au bosco. Celui-ci, qui boitait un peu des suites de sa blessure, était responsable du sloop.

« Je distingue seulement la lanterne sourde dont le capitaine se sert pour consulter le compas. Légèrement sur l'arrière du bossoir.

— Essayez avec ma lunette, monsieur. » Lucock était le seul aspirant resté à bord.

« J'aimerais que tout cela soit fini, dit Stephen.

— Moi aussi, docteur, lui répondit le bosco. Et j'aimerais bien être de la partie. C'est bien pire quand on reste à bord. Les copains sont tous ensemble, ils s'amusent comme des fous, et le temps passe comme à la foire de Horndean. Mais nous, nous sommes là, abandonnés à notre sort... Nous n'avons rien à faire sinon attendre, et le temps n'avance pas. Ça va nous sembler long, vous allez voir... »

Des heures, des jours, des semaines, des années, des siècles... Très haut, au-dessus de leurs têtes, il y eut un grand bruit qui ne présageait rien de bon : des flamants prenaient le chemin du Mar Menor — à moins qu'ils n'aillent jusqu'aux marais du Guadalquivir. Mais dans l'ensemble, il n'y avait que l'obscurité, sans aucun point de repère. Le temps semblait s'être arrêté.

Les éclairs des mousquets et le crépitement qui suivit ne vinrent pas du petit arc de cercle sur lequel Stephen concentrait son regard, mais d'assez loin sur sa droite. Est-ce que les canots s'étaient égarés ? Et s'ils s'étaient jetés dans la gueule du loup ? Regardait-il dans la mauvaise direction ? « Sont-ils au bon endroit, monsieur Watt ?

— Non, monsieur, dit le bosco, qui n'avait pas l'air inquiet. Si je comprends bien, le capitaine est en train de les mener en bateau... »

Le crépitement continua, longtemps. Et dans les intervalles, on entendait des cris, presque indistincts. Soudain, sur la gauche, il y eut un embrasement rouge foncé. Puis un second, puis un troisième. Ce dernier prit tout de suite une tournure incroyable : une langue de feu monta dans le ciel, toujours plus haut — une prodigieuse fontaine de lumière. Une cargaison entière d'huile d'olive...

« Seigneur tout-puissant, murmura le bosco, frappé de stupeur.

— Amen », répondit quelqu'un. L'équipage observait le spectacle, silencieux, les yeux écarquillés.

L'incendie se développa rapidement. Bientôt il fut assez puissant pour éclairer les autres foyers (pâles en comparaison), la fumée, toute la baie, le village. Le cotre et la chaloupe qui s'éloignaient du rivage. La yole qui coupait au plus court pour les rejoindre. Et tout autour, derrière, les collines brunes se découpant nettement sur le ciel clair.

La colonne, d'abord, était parfaitement verticale, droite comme un cyprès. Au bout d'un quart d'heure, sa pointe pencha vers le sud, vers les collines, et le gros nuage chargé de pluie qui la surplombait se déchira en un long voile éclairé par-dessous. La luminosité était extraordinaire, et Stephen vit des mouettes se diriger vers l'incendie. « Cela va attirer tout ce qui vit dans la région, se dit-il avec inquiétude. Comment vont réagir les chauves-souris ? »

Un peu plus tard, les hunes se mirent à donner de la bande. La *Sophie* commença à rouler, les vagues frappèrent sa muraille bâbord.

M. Watt se remit de sa stupeur pour donner les ordres qu'il fallait, et revint vers la lisse. « Si ce temps continue, dit-il, ils vont avoir du mal à rentrer.

— Ne peut-on aller les chercher, très vite ? demanda Stephen.

— Pas avec ce vent qui nous vient à trois points, et ces hauts-fonds au large du cap. Non, monsieur. »

Un autre groupe de mouettes les survola. « Le feu attire tous les êtres vivants à des lieues à la ronde, dit Stephen.

— Ne vous inquiétez pas, monsieur. Il fera jour avant une heure ou deux, et ils n'y prendront plus garde.

— Tout le ciel est éclairé », dit Stephen.

L'incendie éclaira aussi le pont du *Formidable*, un très beau navire de ligne français de quatre-vingts canons, commandé par le capitaine Lalonde, et portant à l'artimon la flamme du vice-amiral Linois. Le bâtiment se trouvait à sept ou huit milles au large, en route de Toulon à Cadix. Devant lui, en ligne, cinglait le reste du groupe : l'*Indomptable* (quatre-vingts pièces, capitaine Moncousu) ; le *Desaix*, un vaisseau magnifique (soixante-quatorze pièces, capitaine Christy-

Pallière) ; et le *Muiron*, une frégate de trente-huit pièces qui avait appartenu jusqu'à une date récente à la République de Venise.

« Relâchons, et allons voir ce qui se passe », déclara l'amiral. C'était un petit gentilhomme brun à tête ronde, en culottes rouges, qui semblait un excellent marin. Quelques instants plus tard, on fit monter les signaux de lanternes colorées. Les navires tirèrent des bords, chacun son tour, avec une calme efficacité qui aurait fait la fierté de n'importe quelle flotte. Leurs équipages, en effet, se composaient pour l'essentiel d'hommes de Rochefort : les meilleurs marins au monde, dirigés par des professionnels de talent.

Ils cinglèrent vers la côte sur tribord amures, avec le vent à un point de largue. Leur manœuvre accompagna la naissance du jour. Lorsqu'on les vit du pont de la *Sophie*, les hommes laissèrent éclater leur joie. Les canots venaient de rejoindre le sloop, après une longue et épuisante traversée, et les navires de guerre français ne furent pas repérés aussi vite qu'ils auraient dû. Mais on les repéra tout de même. Tous les hommes de la *Sophie* oublièrent bien vite leur faim, leur fatigue, leurs bras douloureux, le froid et l'humidité, car le bruit s'était répandu sur le sloop : « Nos galions arrivent ! Les voilà ! » Toute la richesse des Antilles, de la Nouvelle Espagne et du Pérou... Des lingots d'or en guise de lest ! Depuis que les hommes savaient que Jack recevait de source privée des informations sur les mouvements des navires espagnols, la rumeur évoquait avec insistance la présence d'un galion. Et la voilà qui se vérifiait.

L'immense langue de feu jaillissait encore contre les collines, bien qu'elle semblât beaucoup plus pâle depuis que l'aube perçait aux franges du ciel, à l'est. Mais chacun était pris dans l'animation qui régnait à bord — il fallait tout mettre en ordre, tout préparer dans la perspective de la chasse — et personne n'y accordait plus la moindre attention. Si d'aventure un homme levait les yeux de son travail, c'était pour jeter des regards impatients, exaltés, au-delà des trois ou quatre milles qui les séparaient du *Desaix*, ou bien vers le *Formidable*, assez loin derrière maintenant.

Il est difficile de savoir à quel moment leur enthousiasme prit fin. Le maître d'hôtel du capitaine était certainement absorbé par les calculs des investissements pour l'ouverture de son pub sur la route de Hunstanton lorsqu'il apporta une tasse de café à Jack sur la plage arrière. En tout cas, il l'entendit dire : « Terrible situation, monsieur Dalziel ! » et remarqua que la *Sophie* ne pointait plus le nez vers les soi-disant galions. Elle s'en éloignait aussi vite et aussi près du vent que possible, toute sa toile déployée, y compris ses bonnettes maillées.

Désormais, la coque du *Desaix* était visible, tout comme celle du *Formidable*. Derrière le navire-amiral, on apercevait les perroquets et les huniers de l'*Indomptable*, et au large, à quelques milles contre le vent de celui-ci, les voiles de la frégate coupaient la ligne du ciel. Terrible situation. Mais la *Sophie* avait l'avantage du vent, la brise était incertaine, et elle pouvait passer pour un brick de commerce sans importance — un navire qui n'intéresserait pas bien longtemps une escadre fort occupée par ailleurs. La situation n'était pas désespérée, conclut Jack en baissant sa lunette d'approche. L'attitude des groupes de marins qui s'activaient sur le gaillard d'avant du *Desaix*, sa surface de voile (pas du tout extraordinaire) et quantité de détails indéfinissables l'avaient persuadé qu'il ne se comportait pas comme un navire qui s'apprête à se lancer dans une chasse sans merci. Cela dit, comme il était beau à voir ! Grâce à sa proue ronde à la française — claire, haute, spacieuse et élégante — et à ses voiles joliment découpées, tendues et plates, il filait sans le moindre heurt, aussi uniment que le *Victory*. Et il était conduit de main de maître. Il semblait se déplacer sur un sentier rectiligne tracé à la surface de la mer. Jack espérait pouvoir croiser sa proue avant qu'il satisfasse sa curiosité quant à l'incendie, et lui donner suffisamment de fil à retordre pour qu'il abandonne... Pour que l'amiral donne l'ordre de repli...

« Holà, du pont ! cria Mowett au ton de mât. La frégate s'est emparé de la malle ! »

Jack hocha la tête, fit pivoter sa lunette vers le misérable *Ventura* et revint sur le navire-amiral, au-delà du soixante-quatorze canons. Il attendit. Cinq minutes, peut-être. C'était le moment crucial. Les signaux se multipliaient sur le *Formidable* — des signaux soulignés d'un coup de canon. Mais ce n'était pas, hélas, l'ordre de repli. Le *Desaix* se désintéressa tout à fait de ce qui se passait sur la côte et lofa sur-le-champ. Ses cacatois firent leur apparition, bordés si vivement que Jack arrondit les lèvres en un sifflement silencieux. Le *Formidable* déploya sa voilure à son tour. Puis l'*Indomptable* s'élança, toutes voiles dehors, majestueux sous le vent fraîchissant.

Il était évident que la malle leur avait dit qui ils étaient. Il était non moins évident que le lever du soleil allait rendre le vent encore plus incertain, voire l'engloutir tout à fait. Jack leva les yeux vers ses propres voiles. Elles étaient toutes déployées, bien sûr. Et elles agissaient à plein, maintenant, malgré le vent problématique. M. Marshall était au poste de commandement. Pram, l'autre quartier-maître, tenait la barre, et prenait tout ce que le pauvre vieux sloop était capable de donner. Et chaque homme était à son poste — paré, silencieux, attentif. Il n'y avait rien à dire, rien à faire. Mais le regard de Jack restait fixé sur la toile fournie par l'Amirauté, défraîchie et affaissée. Il s'en voulut d'avoir perdu du temps, de n'avoir pas envergué ses propres huniers, tout neufs et découpés dans de la toile à voile convenable (mais non autorisée).

Un quart d'heure plus tard, il vit au loin les nappes brillantes qui signalaient un calme plat. « Monsieur Watt, soyez prêt à sortir les avirons ! »

Puis le *Desaix* hissa ses couleurs et fit cracher ses chasseurs de proue. Comme si le double coup de tonnerre avait frappé de stupeur l'air environnant, ses voiles cambrées s'affaissèrent, flottèrent légèrement et enflèrent quelques instants avant de se relâcher à nouveau. La *Sophie*, quant à elle, garda le vent encore dix minutes, avant qu'il se couche tout à fait. Mais la totalité des avirons qu'on leur avait donnés à Malte (il en manquait quatre, hélas) étaient parés depuis longtemps. Elle progressa d'un pas régulier, les longs avirons ployant dangereusement sous les efforts des hommes alignés par rangées de cinq — dans ce qui aurait été l'œil du vent, s'il avait continué de souffler... La tâche était difficile, très difficile. Stephen réalisa qu'il y avait un officier à chaque aviron, ou presque. Il s'installa à l'une des rares places vacantes. Quarante minutes plus tard, ses paumes n'avaient plus un lambeau de peau.

« Monsieur Dalziel, que les tribordais prennent le petit déjeuner. Ah, vous voilà, monsieur Ricketts. Je crois qu'on peut leur servir une double ration de fromage — ils n'auront rien de chaud avant longtemps.

— Si vous me permettez, monsieur, dit le commissaire, très pâle et le regard mauvais, j'ai l'impression que tout à l'heure, ce n'est pas la chaleur qui va manquer. »

Sommairement rassasiés, les tribordais prirent le relais aux avirons tandis que leurs camarades avalèrent leur biscuit, leur fromage et leur grog, avec quelques jambons apportés du carré. Un repas bref et inconfortable... Car le vent s'était levé, et il avait varié de deux points. Les Français en bénéficièrent les premiers. Jack fut stupéfait en voyant comment leurs voiles hautes, tendues vers le ciel, les faisaient filer sous une simple brise. L'avance que la *Sophie* s'était si difficilement ménagée fut anéantie en vingt minutes. Avant que ses voiles ne soient tendues, le *Desaix* avait déjà une lame de proue, véritable moustache qu'on voyait depuis la plage arrière de la *Sophie*. Enfin, les voiles du sloop prirent l'air, mais son allure minable ne la mènerait nulle part.

« Aux rames ! dit Jack. Monsieur Day, qu'on jette les canons par-dessus bord !

— À vos ordres, monsieur ! » dit le canonnier d'un ton sec. Lorsqu'il arracha les amorces, ses mouvements étaient étrangement lents, contraints, aussi peu naturels que ceux d'un homme qui se déplace au bord d'une falaise par la seule force de sa volonté.

Stephen revint sur le pont, les mains proprement emmitouflées. Il vit les serveurs du quatre-livres de cuivre de tribord, armés de leviers et d'anspect. Tous montraient le même air inquiet, presque effrayé. Ils attendirent que le roulis leur soit favorable, puis poussèrent doucement leur canon rutilant, si soigneusement astiqué... Ils jetèrent à la mer leur beau numéro quatorze. Le bruit qu'il fit en frappant l'eau coïncida avec la gerbe que produisit à moins de dix mètres de là un boulet du chasseur de proue du *Desaix*. Le canon suivant fut jeté à l'eau avec beaucoup moins de cérémonie. Quatorze gerbes, une demi-tonne à chaque fois. Puis ce fut le tour des lourds affûts. De part et d'autre des sabords béants, il ne resta plus que les haussières tailladées et les palans décrochés. Un spectacle d'une rare désolation.

Stephen regarda à l'avant, puis à l'arrière. Il comprit ce qui se passait. Il fit une grimace et se rendit à la lisse de couronnement. Allégée, la *Sophie* gagnait de l'erre à chaque minute. Son centre de gravité se trouvant désormais bien au-dessus de la ligne de flottaison, elle se tenait plus droit qu'auparavant, plus raide au vent.

Le premier tir du *Desaix* traversa le perroquet, les deux suivants furent trop courts. Ils avaient encore assez de temps pour la manœuvre — pour beaucoup de manœuvres. Jack pensa qu'il serait fort surpris si la *Sophie* n'était pas capable de virer deux fois plus vite que le soixante-quatorze pièces. « Monsieur Dalziel, dit-il, nous allons virer de bord, autant de fois que nécessaire. Monsieur Marshall, donnons-lui un maximum d'erre. Si la *Sophie* empanne lors du second changement de bord, ce sera une catastrophe... Ce vent de presque-calme, ce n'est pas ce qu'elle préfère... Elle ne donne le meilleur d'elle-même que lorsque la mer est agitée, avec au moins un ris dans les huniers...

— Prêt à virer !... » Les sifflets pépièrent, le sloop lofa, prit le vent, se dressa joliment et fila sur bâbord amures. Ses boulines étaient aussi tendues que des cordes de harpe, avant même que le vaisseau de soixante-quatorze n'ait entamé son changement de bord.

Le mouvement de balancier commença, pourtant. Le *Desaix* avait vent devant. Ses vergues se cambrèrent. Son flanc strié fut visible. Jack vit dans sa lunette les premiers signes de la bordée à venir, et il appela Stephen. « Vous feriez mieux de descendre, docteur ! » Stephen obtempéra, mais n'alla pas plus loin que la cabine. Il se pencha par la fenêtre de tableau. Il vit la coque du *Desaix* disparaître dans la fumée, de la proue à la poupe, une quinzaine de secondes après que la *Sophie* eut commencé son second changement d'amure. Les projectiles de la gigantesque bordée — neuf cent vingt-huit livres d'acier — troublèrent une immense surface de mer sur leur flanc tribord. Tir plutôt court, sauf pour les deux boulets de trente-six qui traversèrent le gréement avec un grondement sinistre, laissant derrière eux une traînée de cordages sectionnés, ballants. Pendant quelques instants, il sembla que la *Sophie* allait manquer son changement d'amure — qu'elle allait abattre, impuissante, au risque de perdre son avantage et de s'exposer à une autre salve, plus précise celle-là. Mais un souffle d'air coiffa ses voiles d'avant, la fit pivoter, et elle se retrouva sur l'amure précédente. Elle prit de l'erre avant que les lourdes vergues du *Desaix* ne soient solidement brassées — avant la fin de sa première manœuvre.

Le sloop avait peut-être gagné un quart de mille. « Mais il ne me laissera jamais le refaire », se dit Jack.

Le *Desaix* était de nouveau sur tribord amures, et il rattrapait son retard. Pendant tout ce temps, ses chasseurs de proue avaient fait feu sans interruption, avec une précision qui s'améliorait à mesure qu'il s'approchait de la *Sophie*. Il la manquait de peu, ou bien il égratignait ses voiles. À intervalles réguliers de quelques minutes, le sloop devait faire des sauts de carpe, et perdre à chaque fois un peu de sa vitesse.

Le *Formidable* filait sur bâbord amures pour empêcher la *Sophie* de s'esquiver tandis que l'*Indomptable* cinglait vers l'ouest (pour la même raison), avec l'intention de lofer un demi-mille plus loin. Les poursuivants de la *Sophie* formaient une ligne de front plus ou moins nette, et progressaient très vite. Bientôt le navire-amiral aux quatre-vingts canons fit une embardée pour lâcher une salve à distance raisonnable. Et le sinistre *Desaix*, qui avait des bords plus courts, fit de même à chaque amure. Sur la *Sophie,* le bosco et ses hommes avaient beaucoup à faire à réparer les cordages, et les voiles montraient maintes déchirures. Mais aucune pièce vitale n'avait été touchée, et personne n'était blessé.

« Monsieur Dalziel, veuillez jeter les réserves à l'eau, je vous prie. »

On retira les capots d'écoutille. Le contenu des cales passa par-dessus bord — tonneaux de porc et de bœuf salé, biscuit à la tonne, pois, flocons d'avoine, beurre, fromage, vinaigre. Poudre, munitions. Ils pompèrent leur provision d'eau douce pour l'évacuer dans la mer. Lorsqu'un boulet de vingt-quatre livres perça la coque de la *Sophie* bien au-dessous de sa voûte, les pompes se mirent sur-le-champ à recracher un mélange d'eau de mer et d'eau douce.

« Voyez où en est le charpentier, monsieur Ricketts.

— Les réserves sont évacuées, rapporta le lieutenant.

— Très bien, monsieur Dalziel. Les ancres, maintenant, et les espars. Nous ne garderons que l'ancre à jet.

— Selon M. Lamb, il y a deux pieds et demi d'eau dans le puisard, dit l'aspirant, essoufflé. Mais la brèche est colmatée. »

Jack hocha la tête et se remit à observer l'escadre française. Il n'y avait plus aucun espoir de leur échapper en naviguant au plus près. Mais s'il virait rapidement et se plaçait contre le vent en jouant sur l'effet de surprise, il pourrait peut-être changer deux fois de bord et couper leur ligne de front. Alors, avec le vent à un ou deux points sur sa hanche, et avec l'aide du courant, sa légèreté et sa vivacité lui permettraient peut-être... Eh bien, il se pourrait que le sloop survive assez longtemps pour revoir Gibraltar. Il était si léger, maintenant — une vraie coque de noix —, qu'il pouvait les semer avec vent arrière. Et en virant brusquement, avec un peu de chance, il gagnerait un bon mille avant que les bâtiments en ligne de bataille aient le temps de prendre de l'erre sur leur nouvelle amure. Bien entendu, il devrait essuyer deux ou trois salves quand il couperait la ligne... Mais c'était son seul espoir. Et tout résidait dans l'effet de surprise.

« Monsieur Dalziel, dans deux minutes nous allons nous placer contre le vent, border les bonnettes et foncer entre l'amiral et le soixante-quatorze. Nous devons procéder très vite, sans leur donner le temps de comprendre ce qui se passe. » Ces mots s'adressaient au lieutenant, mais tout l'équipage comprit sur-le-champ. Chacun se rua à son poste, prêt à habiller promptement les bouts-dehors de bonnettes. Les nombreux marins qui se tenaient sur le pont étaient sur le qui-vive, parés à l'action. « Attendez... Attendez... » murmura Jack. Il regardait le *Desaix* qui approchait, sur son travers tribord. C'était de lui qu'il fallait se méfier. Il était terriblement vif, et Jack était impatient de le voir s'engager dans une manœuvre avant de donner son ordre. A bâbord se trouvait le *Formidable*, surpeuplé comme c'est toujours le cas des navires-amiraux, et par conséquent moins efficace en cas d'urgence. « Attendez... Attendez ! », répéta-t-il, les yeux fixés sur le *Desaix*. Mais rien ne se passait, et l'autre s'approchait toujours. Jack compta jusqu'à vingt et cria : « Allez-y ! »

La barre tournoya, la *Sophie* pivota aussi légèrement qu'une girouette et sa proue se tourna vers le *Formidable*. Le vaisseau-amiral fit feu, mais son artillerie n'était en rien comparable à celle du *Desaix* : la salve, trop précipitée, toucha l'eau à l'endroit précis où le sloop se trouvait deux minutes plus tôt. L'envoi du *Desaix*, quoique plus réfléchi, fut gêné par la crainte des ricochets dans la direction de l'amiral : une demi-douzaine de boulets seulement touchèrent au but. Le reste des tirs étaient trop courts.

La *Sophie* avait passé la ligne de front sans être trop malmenée — en tout cas sans avaries majeures. Elle avait bordé ses bonnettes et filait d'un bon pas, avec le vent qu'elle préférait. La surprise avait été complète, et les deux bâtiments s'éloignaient assez vite l'un de l'autre — un mille durant les cinq premières minutes. La seconde salve du *Desaix*, lâchée à plus de mille mètres de distance, exprimait la mauvaise humeur et la précipitation de ses officiers. Un craquement à l'avant signala la destruction de la pompe en orme, mais ce fut tout. Le navire-amiral avait renoncé à tirer sa seconde bordée, et il continua quelque temps sans modifier sa route, comme si la *Sophie* n'existait pas.

« Nous y sommes parvenus ! » se dit Jack. Il s'appuya sur la lisse de couronnement et suivit des yeux le sillage qui s'allongeait derrière la *Sophie*. Son cœur restait sous l'effet de la tension provoquée par l'attente, et de la terreur de ce que ces salves auraient pu infliger à sa *Sophie*. Maintenant, il battait aussi pour d'autres raisons. « Nous y sommes parvenus ! » se répétait-il. Mais les mots s'étaient à peine formés dans son esprit qu'il vit éclater un signal à bord du vaisseau-amiral. Le *Desaix* s'apprêta à virer pour se placer contre le vent.

Le soixante-quatorze pièces manœuvra aussi vivement qu'une frégate. Ses vergues se déplacèrent comme un mouvement d'horlogerie. Il était évident que tout cela était réglé par un équipage nombreux et minutieusement entraîné. La *Sophie* avait elle aussi un excellent équipage, aussi qualifié et attentif à son devoir que Jack pouvait le souhaiter. Mais il n'était pas en son pouvoir, avec ce vent, de déplacer le sloop à plus de sept nœuds. Au bout d'un autre quart d'heure, le *Desaix* fonçait, lui, à beaucoup plus de huit nœuds — *sans ses bonnettes*. Il n'allait pas perdre de temps à les border ! Comprenant cela — les minutes se succédaient, et il était clair qu'il n'avait pas la moindre intention de les border —, les Sophies se sentirent défaillir.

Jack leva les yeux vers le ciel. Il semblait assez bas — une vaste étendue parsemée de quelques nuages isolés, et qui ne lui apportait aucune information. Le vent ne se coucherait pas cet après-midi. Et le soir était encore loin, à des heures et des heures de là.

Mais combien ? Il regarda sa montre. Dix heures et quatorze minutes. « Monsieur Dalziel, dit-il, je vais dans ma cabine. Appelez-moi, quoi qu'il arrive. Monsieur Richards, ayez la bonté de dire au docteur Maturin que je veux lui parler. Et vous, monsieur Watt, faites-moi apporter quelques longueurs de ligne de loch, et trois ou quatre de vos chevillots. »

Dans la cabine, il empaqueta son livre des signaux à couverture métallique et quelques autres documents secrets. Il plaça les chevillots de cuivre dans le sac de courrier, le ficela proprement, se fit apporter son meilleur manteau et glissa sa commission dans sa poche intérieure. « À ceci ni vous ni personne ne pourra manquer, au risque d'y répondre à ses risques et périls » : ces mots, merveilleusement clairs, flottaient encore devant ses yeux. Stephen entra. « Vous voilà, cher ami ! lui dit Jack. À moins d'un événement totalement imprévisible, je crains que nous ne soyons pris ou coulés dans la demi-heure.

— Parfaitement », dit Stephen.

— Si vous possédez quelque objet auquel vous tenez particulièrement, il serait donc plus sage de me le confier.

— Ils volent leurs prisonniers ?

— Oui. Parfois. Quand le *Leander* a été pris, je me suis vu totalement dépouillé, et ils ont dérobé les instruments de notre médecin avant qu'il puisse soigner nos blessés.

— Je vous apporte mes instruments sur-le-champ.

— Et votre bourse.

— Oh oui, ma bourse.

Jack retourna en toute hâte sur le pont, et regarda vers l'arrière. Il n'aurait jamais cru que le soixante-quatorze puisse être sur lui aussi vite. « Holà, du ton de mât ! Vous voyez quelque chose ? »

Sept navires de ligne, juste devant ? La moitié de la flotte de la Méditerranée ? « Rien du tout, monsieur ! répondit lentement la vigie, après une vérification des plus consciencieuse.

— Monsieur Dalziel, si par hasard j'étais assommé, ceci doit être jeté par-dessus bord... Au dernier moment, bien entendu. » Il montra le paquet et le sac.

La discipline de l'équipage, à bord du sloop, se relâchait déjà. Les hommes étaient tranquilles et attentifs. Quatre coups sonnèrent dans le quart d'après-midi avec une singulière netteté, mais un mouvement se produisit — un mouvement que personne ne tenta de réprimer — au-dessus et au-dessous de l'écoutille d'avant. Des hommes enfilaient leurs meilleurs habits (deux ou trois gilets l'un sur l'autre, et une veste de permission par-dessus), confiaient leur argent ou quelque trésor bizarre à leur officier de division, dans l'espoir feint qu'il pourrait les préserver. Babbington avait dans la main une dent de baleine sculptée, tandis que Lucock tenait un pénis de taureau sicilien. Deux hommes étaient déjà parvenus à se saouler. De l'épargne bien camouflée, sans aucun doute.

« Mais pourquoi ne tire-t-il pas ? » se demandait Jack. Les chasseurs de proue du *Desaix* se taisaient depuis vingt minutes, quoique la Sophie se trouvât à leur portée. De fait, elle était maintenant à portée de mousquet, et les hommes placés à la proue pouvaient aisément se parler d'un navire à l'autre : marins, fusiliers, officiers... On apercevait même un homme avec une jambe de bois. Que ces voiles sont admirablement coupées, se dit-il. Au même instant, surgit la réponse à sa question. « Bon Dieu, il veut nous cribler de mitraille ! » C'est la raison pour laquelle il était venu si près. Jack se déplaça vers le côté du sloop. Il se pencha au-dessus du filet à hamacs, jeta ses paquets à l'eau et les regarda couler.

À la proue du *Desaix*, il y eut soudain du mouvement, en réaction à un ordre donné. Jack se dirigea vers la barre, prit les rayons des mains du quartier-maître et regarda derrière lui, par-dessus son épaule gauche. Sous ses doigts, il sentait vivre le sloop. Le *Desaix* commençait à dévier de sa route. Il répondait à sa barre aussi vivement qu'un cotre, et en deux temps trois mouvements, son flanc armé de trente-sept canons vint au vent. Jack leva la barre avec force. Le rugissement de la salve fut presque simultané à la chute du mât de perroquet et de la vergue de petit hunier de la *Sophie*. Ce fut un formidable bruit de tonnerre, puis une grêle de poulies, de longueurs inouïes de cordages, d'éclats de bois. Le fracas de la mitraille frappant la cloche du sloop. Puis le silence. La plupart des boulets du *Desaix* étaient passés à quelques mètres à l'avant de la poupe. Mais la mitraille dévastatrice avait gravement endommagé les voiles et le gréement... En fait, tout était réduit en pièces. La prochaine bordée détruirait totalement la *Sophie*.

« Serrez les voiles ! » ordonna Jack, en achevant le changement d'amure qui placerait la *Sophie* contre le vent. « Bonden, amenez les couleurs ! »

Chapitre XII

La cabine d'un vaisseau de ligne est plus grande que celle d'un sloop de guerre, mais elle a les mêmes courbes plaisantes, les mêmes fenêtres obliques penchées vers l'intérieur. Celle du *Desaix*, en l'occurrence, jouissait de la même atmosphère d'agréable sérénité que la cabine de la *Sophie*. Jack, assis, regardait par les fenêtres de tableau du navire français, vers l'élégant passage menant à Green Island et Cabrita Point. Le capitaine Christy-Pallière cherchait dans un portfolio un croquis qu'il avait réalisé lors d'un récent séjour à Bath, où il était prisonnier sur parole.

Les ordres de l'amiral Linois l'avaient enjoint de rallier la flotte franco-espagnole à Cadix. Il les aurait exécutés sans attendre s'il n'avait appris, en atteignant le détroit, qu'au lieu d'un ou deux vaisseaux de ligne et une frégate, Sir James Saumarez épiait l'escadre alliée avec pas moins de six navires de soixante-quatorze et un de quatre-vingts pièces. Cela donnait à réfléchir : c'est pourquoi il avait mis ses vaisseaux en panne dans la baie d'Algésiras, sous la protection des grandes batteries espagnoles adossées au Rocher de Gibraltar.

Jack savait tout cela — c'était d'ailleurs évident. Tandis que le capitaine Pallière marmonnait en parcourant ses gravures et ses croquis — « Une autre vue de Landsowne Terrace... Clifton... La buvette... » —, il imaginait les messagers qui se rendaient au triple galop d'Algésiras à Cadix. (Les Espagnols, en effet, n'utilisaient pas le sémaphore.) Il continua d'observer le paysage, vers Cabrita Point, à l'extrémité de la baie. Tout à coup, il aperçut les mâts de perroquet et la flamme d'un navire qui passait derrière l'isthme. Il resta quelques secondes sans réagir, puis son cœur fit un bond. Avant d'avoir eu le temps de s'interroger, il avait reconnu la flamme aux couleurs britanniques.

Il jeta un regard furtif au capitaine Pallière, qui s'écria : « Le voilà ! Laura Place. 16, Laura Place. C'est là que logent mes cousins Christy quand ils résident à Bath. Et ici, derrière cet arbre — on verrait beaucoup mieux sans cela —, c'est la fenêtre de ma chambre ! »

Un maître d'hôtel entra, qui se mit à dresser la table. Le capitaine Pallière, non content de posséder des cousins anglais et de maîtriser presque parfaitement leur langue, avait une idée assez précise de ce qui constituait, pour un marin britannique, un petit déjeuner correct. On avait préparé deux canards, un plat de rognons et un turbot grillé de la taille d'une roue de charrette moyenne, en sus des traditionnels œufs, jambon, toasts, marmelade et café. Jack se concentra autant qu'il put sur l'aquarelle. « La fenêtre de votre chambre, cher monsieur ? Comme c'est étonnant ! »

Le petit déjeuner en compagnie du docteur Ramis était une tout autre affaire — le menu était austère, sinon pénitentiel. Il consistait en un bol de cacao sans lait et d'un morceau de pain frotté d'*un tout petit peu* d'huile. « Un tout petit peu d'huile ne peut pas faire de mal », dit le docteur Ramis, que son foie faisait souffrir le martyre. C'était un homme à l'air sévère, maigre et fané, avec un teint gris-jaune et de grands cernes violets sous les yeux. Il semblait incapable d'exprimer une émotion positive... Quoiqu'il ait rougi et minaudé lorsque Stephen s'était exclamé — on l'avait confié à sa garde, en qualité de prisonnier-invité — : « Comment ? L'illustre docteur Juan Ramis, l'auteur de *Specimen Animalium* ? » Ils venaient d'achever la visite de l'infirmerie du *Desaix*, peu fréquentée à cause de l'entêtement du docteur Ramis à soigner le foie des autres comme le sien, avec un régime maigre d'où le vin était exclu. Il y avait une douzaine de patients atteints des maux habituels, une quantité raisonnable de vérole, les quatre malades de la *Sophie* et les Français blessés durant la récente bataille — trois hommes mordus par la petite chienne de M. Dalziel, qu'ils avaient essayé de caresser. Ils étaient tenus en isolement, sous présomption de rage. Stephen pensa que le raisonnement de son collègue était erroné : un chien écossais qui mord un matelot français n'est pas nécessairement enragé. Encore qu'il ait pu, dans ce cas précis, manquer étrangement de discernement. Mais il garda ses réflexions pour lui et déclara : « Je pensais à l'émotion.

— L'émotion, dit le docteur Ramis.

— Oui. L'émotion, et son *expression*. Dans votre cinquième livre et dans une partie du suivant, vous abordez la question de l'émotion telle que l'exprime le chat, par exemple, ou le taureau, ou l'araignée. J'ai moi-même remarqué l'apparition, par intermittence, d'une lueur étonnante dans les yeux des lycoses. Avez-vous jamais détecté cet éclat dans l'œil d'une mante ?

— Jamais, mon cher collègue. Bien que Busbequius l'ait mentionné, répondit le docteur Ramis en se rengorgeant.

— Mais il me semble que l'émotion et son expression sont presque la même chose. Prenons l'exemple de votre chat. Supposons qu'on lui rase la queue, pour qu'il ne puisse plus se hérisser. Supposons qu'on lui attache une planche, pour l'empêcher de faire le gros dos. Supposons enfin qu'on lui présente une image désagréable — un chien en train de folâtrer, par exemple. Bon, il est incapable d'exprimer pleinement ses émotions. D'où la question : est-ce qu'il les ressent pleinement ? Il les ressentira, bien sûr, nous n'en avons supprimé que les symptômes les plus visibles. Mais les ressentira-t-il pleinement ? Le gros dos, la queue en rince-bouteille ne seraient-ils pas une émotion en soi, et pas simplement une expression ostentatoire ?... Même s'ils sont *aussi* cela ? »

Le docteur Ramis inclina la tête, plissa les yeux, serra les lèvres. « Mais comment en prendre la mesure ? C'est impossible. C'est un concept. Un concept tout à fait valable, j'en suis sûr. Mais mon cher monsieur, où est la mesure ? Cela ne se mesure point. La science, c'est la possibilité de mesurer... Il n'est pas de connaissance sans mesure.

— Mais bien sûr, qu'on le peut, s'écria Stephen avec impatience. Je vous en prie. Prenons notre pouls. » Le docteur sortit sa montre, une belle Bréguet avec une aiguille centrale pour les secondes. Ils se mirent à compter tous les deux, l'air grave. « Eh bien, cher collègue, ayez la bonté de supposer — d'imaginer fortement — que j'ai saisi votre montre et que je l'ai écrasée sur le sol sans aucune raison. Quant à moi, j'imaginerai que vous êtes le plus haïssable des hommes. Allons, simulons les gestes et les expressions d'une violente colère. »

Le visage du docteur Ramis devint horrible à voir. Ses yeux s'étaient rétrécis presque au point de disparaître. Il tremblait et tendait le cou en avant. Les lèvres de Stephen frémirent de dégoût. Il serra le poing, bafouilla un peu. Un serviteur entra dans la cabine avec une chope d'eau chaude (ils n'avaient pas droit à un second bol de cacao).

« Maintenant, dit Stephen Maturin, reprenons notre pouls, et comparons...

« Ce toubib du sloop anglais, il est complètement fou, déclara un peu plus tard le serviteur du médecin au second coq. Fou, tourmenté, tordu. Et le nôtre ne vaut guère mieux. »

« Je ne dirais pas que c'est probant, dit le docteur Ramis. Mais c'est très intéressant. Il faudrait tenter l'expérience avec des mots durs et agressifs, des insultes et de méchants sarcasmes, mais sans aucun mouvement physique pouvant contribuer à accélérer le pouls. Je suppose que vous voyez là une preuve *ab absurdio* de ce que vous avancez, c'est cela ? Renversée, inversée, ou comme vous dites en anglais, *arsyversy*. Très intéressant.

— N'est-ce pas ? C'est le spectacle de notre reddition — et de quelques autres auxquelles j'ai assisté — qui m'a amené à réfléchir à la question. Mais votre expérience de marin est immensément plus grande que la mienne, monsieur, et je suis certain que vous avez maintes fois participé à ces situations intéressantes.

— Sans doute, dit le docteur Ramis. Moi-même, j'ai eu l'honneur par quatre fois d'être prisonnier des vôtres. C'est une des raisons pour lesquelles nous sommes si heureux de vous avoir parmi nous, ajouta-t-il en souriant. Cela n'arrive pas aussi souvent qu'on le souhaiterait. Permettez-moi de vous offrir un autre morceau de pain... Un *demi-morceau*, avec un tout petit peu d'ail ? Une petite miette de cet ail, salubre et anti-phlogistique ?

— Vous êtes trop bon, cher collègue. Vous aurez sans doute remarqué les visages impassibles de ces hommes, au moment où on les capturait ? C'est un phénomène assez ordinaire, je crois ?

— Cela se passe invariablement ainsi. Zénon d'Élée, suivi de toute son école...

— N'avez-vous pas le sentiment que cette occultation, ce refus des signes extérieurs — et, comme je le crois, des renforcements sinon des éléments qui sont à l'origine de la détresse... N'avez-vous pas le sentiment que cette indifférence apparemment stoïque atténue l'impact réel de la douleur ?

— Oui, peut-être bien. Oui.

— C'est mon avis. Je connaissais intimement certains de ces hommes, et je suis persuadé que sans ce phénomène que j'appellerai le *rituel de la diminution*, cela leur aurait brisé le...

— Monsieur, monsieur ! cria le serviteur du docteur Ramis. Les Anglais envahissent la baie ! »

À l'arrière, le capitaine Pallière et ses officiers observaient les manœuvres des navires qui arrivaient en effet, portés par des vents d'ouest légers et incertains, et luttant contre les forts courants capricieux qui reliaient l'Atlantique à la Méditerranée : le *Pompée*, le *Venerable* et l'*Audacious* et, derrière eux, le *Caesar*, l'*Hannibal* et le *Spencer*. C'étaient tous des soixante-quatorze pièces, sauf le *Caesar*, le navire-amiral de Sir James, qui portait quatre-vingts canons. Jack, un peu à l'écart, observait la situation d'un air détaché. Ses officiers se trouvaient un peu plus loin, derrière la lisse, et s'efforçaient aussi, par souci des convenances, de ne point trop manifester leur enthousiasme.

« Vous pensez qu'ils vont nous attaquer ? demanda le capitaine Pallière en se tournant vers Jack. Ou bien vont-ils simplement jeter l'ancre au large de Gibraltar ? »

Jack regarda l'imposant Rocher, de l'autre côté de l'eau. « À dire vrai, monsieur, je suis presque certain qu'ils attaqueront. Et pardonnez-moi de vous dire qu'au vu du rapport de forces, il me semble évident que nous serons tous à Gibraltar avant la nuit. Je vous avoue que j'en suis fort heureux : cela me permettra de vous rembourser un peu des amabilités dont on m'a gratifié. »

Il y avait eu beaucoup d'amabilités réciproques, en effet, depuis l'instant où les deux hommes avaient échangé des saluts officiels sur la plage arrière du *Desaix*. Jack s'était avancé pour rendre son épée. Le capitaine Pallière l'avait refusée. Avec les commentaires les plus obligeants sur la résistance héroïque opposée par la *Sophie*, il avait insisté pour que Jack continue de la porter.

« En tout cas, dit le capitaine Pallière, ce n'est pas une raison pour sacrifier notre petit déjeuner.

— Un signal de l'amiral, monsieur, vint dire un lieutenant. « *Halez-vous au plus près des batteries.* »

— Accusez réception, et obtempérez, Dumanoir ! Allons-y, monsieur, allons nous sustenter tant que c'est encore possible. »

Le geste était élégant. Ils bavardèrent tous les deux avec une belle assurance, élevant la voix lorsque les batteries, sur Green Island et sur le continent, se mirent à tonner, et que les salves rugissantes commencèrent à se croiser au-dessus de la baie. Mais Jack réalisa bientôt qu'il étalait de la marmelade sur son turbot, et qu'il répondait machinalement aux questions de son hôte. Brusquement, les fenêtres de tableau du *Desaix* volèrent en éclat, dans une explosion suraiguë. Le caisson capitonné qui se trouvait là — c'était dans ce coffre que le capitaine Pallière rangeait ses meilleurs vins — sauta jusqu'au centre de la cabine en projetant un flot de champagne, de Madère et de verre brisé. Un boulet égaré du HMS *Pompée* roula au beau milieu du désastre.

« Nous devrions peut-être monter sur le pont », dit le capitaine Pallière.

La situation était peu ordinaire. Le vent était presque complètement tombé. Le *Pompée* était passé doucement devant le *Desaix* avant de jeter l'ancre tout près du flanc bâbord du *Formidable* qu'il martelait furieusement, tandis que le vaisseau-amiral français progressait à travers les hauts-fonds, halé depuis la côte. Faute de vent, le *Venerable* avait jeté l'ancre à près d'un demi-mille du *Formidable* et du *Desaix*, et il les assaisonnait de sa bordée bâbord. Pour autant que Jack pouvait en juger (la fumée rendait la vision difficile), l'*Audacious* était de front avec l'*Indomptable*, à quelque trois ou quatre cents mètres au large. Le *Caesar*, l'*Hannibal* et le *Spencer*, entre les accalmies et les rafales irrégulières du vent d'ouest-nord-ouest, avaient beaucoup de mal à s'approcher. Les navires français tiraient sans désemparer. Et pendant tout ce temps, les batteries espagnoles, de Torre del Almirante au nord à Green Island au sud, tonnaient à l'arrière-plan. Quant aux grosses canonnières espagnoles, que leur mobilité et leur parfaite connaissance des récifs et des changements de courants rendaient inappréciables dans l'accalmie, elles se déployèrent pour harceler les navires ennemis à l'ancre.

Les rouleaux de fumée s'éloignaient de la côte, dérivant çà et là, cachant parfois le Rocher, à l'autre bout de la baie, ainsi que les trois navires encore au large. Mais un vent régulier se leva enfin, et l'on vit se déployer au-dessus de la pénombre les cacatois et les perroquets du *Caesar*. Il arborait le pavillon de l'amiral Saumarez et affichait le signal « *À l'ancre, et couverture mutuelle* ». Jack le vit dépasser l'*Audacious* et pivoter pour aligner sa bordée dans l'axe du *Desaix*, à portée de voix. Le nuage de fumée s'approcha encore, cachant toute la scène. L'obscurité fut déchirée par un éclair éblouissant. Un boulet projeté à hauteur d'homme faucha un groupe de fusiliers alignés à la poupe du *Desaix*, dont la puissante ossature frissonna sous l'impact. La moitié de la bordée avait touché au but.

« Ceci n'est pas la place d'un prisonnier » se dit Jack. En guise d'adieu, il jeta au capitaine Pallière un regard plein d'estime, et courut vers la plage arrière. Il vit Babbington et le jeune Ricketts, qui se tenaient près du bastingage, l'air dubitatif. Il leur cria : « Allez en bas, vous deux ! Ce n'est pas le moment de jouer aux héros... Vous auriez l'air malin, coupés en deux par les chaînes que nous envoient les nôtres... » Car c'était de la chaîne qui leur parvenait maintenant, hurlant et mugissant au-dessus de l'eau. Il les escorta jusqu'à la soute aux câbles, puis se rendit dans la galerie de la grande chambre — le refuge privé des officiers. Ce n'était pas l'endroit le plus sûr du monde, mais l'entrepont d'un navire de guerre au combat offrait peu d'emplacements capables d'accueillir un observateur, et il voulait désespérément assister au déroulement de la bataille.

L'*Hannibal* était ancré un peu à l'avant du *Caesar*, après avoir franchi la ligne des Français pointant vers le nord. Pour l'heure, il harcelait le *Formidable* et la batterie de Santiago. Le *Formidable* avait presque totalement cessé le feu car le *Pompée*, qui, pour une raison ou une autre, avait laissé le courant (ou le recul de ses tirs) le faire pivoter, se trouvait maintenant devant lui : il ne pouvait s'en prendre aux batteries côtières et aux canonnières qu'avec ses pièces de tribord. Le *Spencer* était encore assez loin dans la baie. Mais même dans ces conditions, le rapport était de cinq bâtiments en ligne contre trois — tout allait bien, très bien, en dépit de l'artillerie espagnole. Le vent déchira le voile de fumée : Jack vit l'*Hannibal* lever l'ancre, faire voile vers Gibraltar et virer de bord dès qu'il eut assez d'erre — puis il fila vers la côte et se glissa entre le navire-amiral français et la terre afin d'arracher ses chaînes d'ancrage et le balayer. « Exactement comme à Aboukir », se dit Jack. Au même instant, l'*Hannibal* s'échoua, profondément, et s'immobilisa juste en face des canons lourds de Torre del Almirante. Le nuage de fumée se reforma. Un peu plus tard, quand il se fut enfin dissipé, des canots faisaient la navette avec les autres navires anglais. L'*Hannibal* bombardait furieusement trois des batteries côtières, les canonnières et le *Formidable* (ce dernier, avec ses pièces avant bâbord et ses chasseurs de proue). Jack réalisa qu'il serrait ses mains l'une contre l'autre avec une telle énergie qu'il dut faire un effort de volonté pour les écarter. La situation n'était pas désespérée... Elle n'était pas mauvaise du tout. Le vent d'ouest avait tout à fait disparu. Une brise franche du nord-est dissipait l'épaisse fumée des canons. Le *Caesar* leva l'ancre, contourna le *Venerable* et l'*Audacious*, et se mit à harceler l'*Indomptable*, à l'arrière du *Desaix*, avec le feu le plus soutenu auquel Jack ait jamais assisté. Il était incapable de déchiffrer le signal qu'il lançait de tous côtés, mais il était persuadé qu'il s'agissait de « *Coupez et lofez* » et de « *Attaquez l'ennemi au plus près* ». Le navire-amiral affichait lui aussi un signal, « *Coupez et échouez* » : vu les circonstances, avec un vent qui permettrait aux Anglais de revenir, il valait mieux risquer le naufrage que le désastre total. De plus, ce signal était plus facile à suivre que celui de Sir James : non seulement les Français pouvaient encore se servir du vent (qui laissait les Anglais ababouinés), mais ils avaient déjà préparé leurs amarres de halage et disposaient de dizaines de canots venus de la côte.

Jack entendit les ordres résonner au-dessus de lui, et

le martèlement des pieds. La baie pivota lentement devant ses yeux, y compris la fumée et les décombres flottants, tandis que le *Desaix* lofait pour faire route vers la côte. Il s'échoua sur un récif, juste en face de la cité, dans une embardée spectaculaire qui le déséquilibra. L'*Indomptable*, qui avait perdu son petit mât de hune, était déjà amarré à Green Island, ou très près de là. D'où il était, Jack ne pouvait pas voir le vaisseau-amiral français, mais il se doutait qu'il avait lui aussi accosté.

Soudain, la situation prit un tour inattendu. Contrairement à l'attente, on ne vit pas les navires anglais faire leur entrée, balayer les Français, et encore moins les incendier ou les envoyer par le fond. Car non seulement le vent tomba complètement, privant ainsi le *Caesar*, l'*Audacious* et le *Venerable* de leur vitesse minimale de manœuvre, mais presque tous leurs canots étaient occupés à remorquer vers Gibraltar le *Pompée* éreinté. Les batteries espagnoles livraient depuis quelque temps un feu nourri, ce qui permettait aux navires français échoués d'envoyer à terre, par centaines, leurs excellents pelotons de pièces. Dans les minutes qui suivirent, le feu des batteries augmenta encore considérablement en volume et en précision. Même le pauvre *Spencer*, qui n'était jamais parvenu à se lever, souffrit cruellement, immobilisé au milieu de la baie. Le *Venerable* avait perdu son mât de flèche d'artimon. Et un incendie, apparemment, s'était déclaré au beau milieu du *Caesar*. Jack ne put en supporter davantage. Il se précipita sur le pont, juste pour voir qu'un vent de terre venait de se lever. L'escadre anglaise mit à la voile sur tribord amures et cingla vers l'est — vers Gibraltar — en abandonnant à son sort le pauvre *Hannibal* démâté, impuissant sous le feu des canons de Torre del Almirante. Il se défendait encore, mais cela ne durerait pas longtemps. Son dernier mât tomba. Un peu plus tard, son pavillon tremblant fut amené.

« Une matinée fort agitée, capitaine Aubrey, dit le capitaine Pallière en l'apercevant.

— Oui, monsieur, dit Jack. J'espère que nous n'avons pas perdu trop de nos amis. » La plage arrière du *Desaix* était dévastée par endroits, un abondant flot de sang coulait vers le dalot sous les décombres de l'échelle de dunette. Le filet aux hamacs était en pièces. Quatre canons gisaient désarçonnés à l'arrière du grand-mât, et l'immense filet anti-éclats placé au-dessus de la plage arrière s'affaissait sous le poids des morceaux de gréements. Le navire était presque couché sur son récif, à la merci de la mer dont le moindre mouvement pouvait le mettre en pièces.

« Beaucoup plus que je ne le craignais, hélas, dit le capitaine Pallière. Mais le *Formidable* et l'*Indomptable* ont encore plus souffert... Et leurs capitaines ont été tués. Mais que se passe-t-il donc sur le navire captif ? »

On levait à nouveau les couleurs de l'*Hannibal*. C'était sa propre enseigne, et non le pavillon français. Mais elle flottait à l'envers, l'Union Jack en bas. « Je suppose qu'ils ont oublié de se munir d'un drapeau tricolore quand ils sont allés s'en emparer », dit le capitaine Pallière. Il se tourna, et donna ses ordres pour qu'on hale son navire hors du récif. Puis il revint près de la lisse défoncée, montra la flottille de canots qui, de Gibraltar et du sloop le *Calpe*, se dirigeaient vers l'*Hannibal* de toute la force de leurs rames. « Vous ne pensez tout de même pas qu'ils ont l'intention de reprendre le navire, n'est-ce pas ? demanda-t-il à Jack. Mais que font-ils donc ? »

Jack savait parfaitement ce qu'ils faisaient. Dans la Royal Navy, une enseigne renversée était le signal catégorique de détresse. Sur le *Calpe* et à Gibraltar, on avait supposé que l'*Hannibal* était de nouveau à flot et qu'il demandait à être remorqué. Ils avaient rempli tous les canots disponibles de tous les hommes disponibles — de tous les marins sans affectation et, surtout, des charpentiers et artificiers hautement qualifiés de l'arsenal. « Oui, c'est cela, répondit-il avec l'air sincère du marin qui tente de bluffer un confrère. Je crois bien. C'est exactement ce qu'ils s'apprêtent à faire, bien sûr.

436

Mais si vous tirez un seul coup dans la proue du canot de tête, ils feront demi-tour... Ils s'imaginent que tout est fini !

— Ah, c'est donc cela ! » dit le capitaine Pallière. Un dix-huit-livres se mit en position et pointa franchement sur l'embarcation la plus proche. Mais Pallière posa sa main sur le loch, et adressa un grand sourire à Jack. « Allons, peut-être vaut-il mieux ne pas tirer », dit-il. Il annula l'ordre aux canonniers. Un par un, les canots atteignirent l'*Hannibal* — un par un, les équipages furent enfermés dans les cales par les Français qui les attendaient. « Ne vous en faites pas, dit à Jack le capitaine Pallière, en lui donnant une tape sur l'épaule. L'amiral nous envoie des signaux. Venez à terre avec moi. Nous essaierons de vous attribuer des quartiers décents, à vous et à vos gens, jusqu'à ce que nous puissions nous faire haler et réparer. »

Les quartiers alloués aux officiers de la *Sophie* consistaient en une maison sur les hauteurs, à l'arrière d'Algésiras. Une immense terrasse surplombait la baie, avec Gibraltar à gauche, Cabrita Point à droite et la terre d'Afrique en face, à peine distincte. La première personne que Jack y rencontra était le capitaine Ferris, de l'*Hannibal*. Les mains derrière le dos, il observait, en bas, son navire démâté. Jack et lui avaient navigué ensemble sous deux commissions, et ils avaient dîné ensemble moins d'un an auparavant. Mais Jack eut peine à le reconnaître. Ferris avait vieilli d'un coup, et semblait s'être ratatiné. Ils retracèrent la bataille qui venait de se dérouler, reconstituant les mouvements des navires, les coups de malchance et les espoirs déçus. Ferris parlait lentement, d'un curieux ton hésitant, comme si ces événements n'étaient pas réels, ou en tout cas ne le concernaient pas.

« Ainsi, vous étiez à bord du *Desaix*, Aubrey, dit-il au bout d'un moment. Est-ce qu'il a beaucoup souffert ?

— Pas assez pour être désarmé, pour autant que je sache. Peu de voies d'eau au-dessous de la ligne de flottaison, et aucun mât inférieur durement touché. S'il n'est pas crevé, tout sera très vite remis en ordre... Son équipage et ses officiers sont d'excellents marins.

— Combien de pertes déplore-t-il, à votre avis ?

— Pas mal, je crois... Mais voici mon médecin, qui en sait certainement beaucoup plus là-dessus. Puis-je vous présenter le docteur Maturin ? Voici le capitaine Ferris. Mon Dieu, Stephen ! » cria-t-il brusquement, avec un mouvement de recul. Il avait l'habitude du carnage, mais n'avait jamais rien vu de tel. Stephen aurait pu sortir d'un abattoir. Ses manches et le devant de son manteau, cravate comprise, étaient infects, souillés, raides de sang séché. De même que son pantalon. Et pour ce qu'on en voyait, son linge était rouge-brun foncé.

« Je vous demande de m'excuser, dit-il. J'aurais dû me changer, mais mon coffre a souffert... Il est complètement détruit.

— Je peux vous procurer une chemise propre et des pantalons, dit le capitaine Ferris. Nous sommes de la même taille. » Stephen s'inclina.

« Vous avez donné un coup de main aux médecins français ? demanda Jack.

— Précisément.

— Il y avait beaucoup à faire ? s'enquit le capitaine Ferris.

— Près de cent morts et de cent blessés.

— Nous, nous avons eu soixante-quinze morts et cinquante-deux blessés.

— Vous êtes de l'*Hannibal*, monsieur ?

— Je l'étais... J'ai amené mes couleurs », dit-il, d'un ton pensif. Il se mit soudain à sangloter, sans cesser de les regarder, l'un après l'autre.

« Dites-moi, capitaine Ferris, dit Stephen, de combien d'assistants votre médecin dispose-t-il ? Est-ce que tous possèdent leurs instruments ? Dès que j'aurai pu avaler un morceau, je descendrai au couvent pour visiter vos blessés. Et j'ai deux ou trois jeux complets.

— Deux assistants, monsieur. Pour les instruments,

j'ai bien peur de ne pouvoir vous répondre. C'est bien aimable à vous... Un geste chrétien. Je vais vous chercher une chemise et une paire de pantalons... Vous devez être très mal à l'aise. » Il revint avec un tas de vêtements propres enveloppés dans une robe de chambre, et suggéra que le docteur Maturin la porte pour opérer, comme il l'avait vu faire après le Premier Juin — lorsqu'il y avait eu pénurie de linge propre. Au cours du repas étrange, incomplet, qu'ils prirent ensuite — ils furent servis par des servantes pitoyables, tandis que des sentinelles vêtues de rouge et jaune gardaient la porte —, Ferris déclara : « Lorsque vous aurez examiné mes pauvres camarades, docteur Maturin... S'il vous reste après cela quelque bienveillance, veux-je dire, je vous serais reconnaissant de me prescrire quelque chose comme du pavot ou de la mandragore. Je dois avouer que j'ai été bizarrement indisposé, toute la journée, et j'ai besoin de... De raccommoder un esprit effiloché ? Je ne sais pas... Et puisqu'il paraît qu'on va nous échanger, dans les jours qui viennent, j'aurai droit par-dessus le marché à une cour martiale.

— Oh, pour cela, monsieur, n'ayez aucune crainte ! s'exclama Jack. Je ne connais pas de cas aussi évident de...

— N'en soyez pas si sûr, jeune homme, dit le capitaine Ferris. La cour martiale présente toujours un gros risque, que vous soyez ou non dans votre droit... La justice n'a rien à y voir. Rappelez-vous le pauvre Vincent, du *Weymouth*. Rappelez-vous Byng... Fusillé à cause d'une erreur de jugement, et pour avoir été impopulaire... Et pensez à l'opinion qui prévaut en ce moment à Gibraltar et au pays... Six vaisseaux de ligne défaits par trois Français, et un autre pris ! Une défaite, et l'*Hannibal* pris... »

Jack eut le sentiment que l'inquiétude du capitaine Ferris était la marque d'une blessure intérieure... Il était resté échoué sous le feu de trois batteries côtières, d'un vaisseau de ligne et d'une douzaine de canonnières lourdes. Son navire, démâté, impuissant, avait été durement harcelé pendant des heures. La même idée, quoique sous une forme différente, préoccupait Stephen. « Quel est donc ce procès dont il parle ? demanda-t-il un peu plus tard. Est-ce fondé, ou pure imagination de sa part ?

— Oh, c'est fondé, dit Jack.

— Mais il n'a rien fait de mal, c'est évident ! Personne ne peut l'accuser d'avoir fui, ou de ne pas s'être battu assez énergiquement.

— Il a perdu son navire. Dans la Royal Navy, un capitaine qui perd son navire doit comparaître devant une cour martiale.

— Je vois. Sans doute une simple formalité, dans ce cas.

— Dans *son* cas, oui. *Son* angoisse est injustifiée... Une sorte de cauchemar éveillé, si je puis dire. »

Mais le lendemain, quand il rendit visite à l'équipage de la *Sophie* en compagnie de M. Dalziel — dans l'église désaffectée où les hommes étaient détenus —, pour leur parler des négociations qui se déroulaient, cela lui sembla un peu plus réaliste... Ce n'était pas tout à fait le fantasme d'un esprit malade. Il informa les Sophies qu'ils feraient l'objet, avec les hommes de l'*Hannibal*, d'un échange de prisonniers. Qu'ils seraient tous à Gibraltar pour le dîner. Qu'ils pourraient enfin se régaler, après tous ces plats exotiques, de pois secs et de bœuf salé. Il accueillit leurs acclamations en souriant et en agitant son chapeau, mais au fond de lui-même, il restait une zone d'ombre.

Elle s'épaissit encore quand il traversa la baie sur la vedette du *Caesar*. Et encore plus, quand il attendit d'être reçu par l'amiral, à qui il devait présenter directement son rapport. Incapable de rester assis, il faisait les cent pas dans l'antichambre, conversant avec d'autres officiers, tandis que des hommes venus pour affaires urgentes étaient introduits par le secrétaire. Il était surpris de recevoir tant de félicitations pour la bataille contre le *Cacafuego*... Elle lui semblait si éloignée dans le temps qu'elle aurait pu se dérouler dans une vie antérieure. Mais les félicitations (pourtant généreuses et fort aimables) lui semblaient un peu artificielles. À Gibraltar, l'atmosphère penchait plutôt vers la sévérité, le découragement, le respect le plus strict du devoir, et des spéculations stériles sur ce qui aurait dû être fait.

Quand on l'appela enfin, il trouva Sir James presque aussi changé et vieilli que le capitaine Ferris. Tandis qu'il faisait son rapport, il lui sembla que les yeux étranges, aux paupières lourdes, de l'amiral, étaient quasiment dénués d'expression. Il n'eut pas un mot pour l'interrompre, pas un signe d'encouragement ni de blâme. Jack était si mal à l'aise que sans les notes recopiées sur un carton qu'il tenait au creux de sa main, comme un écolier, il se serait égaré dans des excuses et des explications décousues. L'amiral était très fatigué, c'était évident, mais son esprit vif dégageait les faits importants, dont il prenait note sur une feuille de papier. « À votre connaissance, capitaine Aubrey, dans quel état se trouvent les navires français ? demanda-t-il.

— Le *Desaix* est à flot, et encore très solide. De même pour l'*Indomptable*. J'ignore ce qu'il en est pour le *Formidable* et l'*Hannibal*, mais il n'est pas question de les désarmer. À Algésiras, le bruit court que l'amiral Linois a envoyé trois officiers à Cadix, hier, et un autre ce matin, pour demander aux Espagnols et aux Français de venir le sortir d'ici. »

L'amiral Saumarez porta la main à son front. Il avait cru, sincèrement, qu'ils étaient hors d'état de naviguer, et avait rédigé son rapport en ce sens. « Je vous remercie, capitaine Aubrey », dit-il. Jack se leva. « Je vois que vous portez toujours votre épée.

— Oui, monsieur, dit Jack. Le capitaine français a eu la bonté de me la rendre.

— Très généreux de sa part... Je suis sûr que vous méritez ce compliment. Et il est probable que la cour martiale pensera comme lui. Quant à la porter jusque-là, c'est tout de même peu conforme aux usages, vous le savez... Nous arrangerons votre affaire dès que possible. Le pauvre Ferris devra rentrer en Angleterre, bien sûr, mais vous, vous comparaîtrez ici. Vous êtes libéré sur parole, je crois ?

— Oui, monsieur. Jusqu'à l'échange.

— Quel ennui ! J'aurais bien besoin de votre aide. L'escadre est dans un tel état... Eh bien, je vous souhaite une bonne journée, capitaine Aubrey, dit-il avec l'amorce d'un sourire (ou du moins une vague lueur dans le regard). Vous savez que, théoriquement, vous êtes en état d'arrestation, alors soyez discret, je vous en prie. »

Il le savait parfaitement, bien entendu. En théorie... Mais ces mots concrets étaient autant de coups portés au cœur. Il retrouva les rues de Gibraltar, encombrées et animées, dans un état d'esprit proche de la tristesse. De retour à la maison, il déboucla son ceinturon, emballa maladroitement son épée et expédia le paquet, avec une note, au secrétaire de l'amiral. Puis il sortit marcher un peu. Il avait le sentiment bizarre d'être nu, et n'avait pas envie qu'on le reconnaisse.

Les officiers de l'*Hannibal* et de la *Sophie* étaient libérés sur parole. Cela signifiait qu'ils s'étaient engagés à ne rien entreprendre contre la France ou l'Espagne jusqu'à leur échange officiel contre des prisonniers français d'un rang identique au leur... Ils restaient des prisonniers, même si l'environnement était plus agréable.

Les jours suivants furent singulièrement sinistres et solitaires, malgré ses promenades en compagnie du capitaine Ferris, ou de ses aspirants, voire de M. Dalziel et de sa chienne. Il était étrange et peu naturel d'être tenu éloigné de la vie du port et de l'escadre dans un moment pareil — alors que tous les hommes valides et beaucoup d'autres qui auraient dû garder la chambre travaillaient d'arrache-pied pour remettre leurs navires en état. En bas, c'était l'essaim, la fourmilière. Là-haut, sur l'herbe épaisse ou le roc nu, entre la muraille des Maures et la tour qui se dressait au-dessus de Monkey's Cove, c'était la réflexion, le doute, le reproche et l'angoisse. Il avait passé en revue tous les numéros de *la Gazette*, sans y trouver la moindre allusion au triomphe de la *Sophie* ou à sa défaite. Un ou deux comptes rendus déformés dans les journaux, plus un paragraphe dans le *Gentleman's Magazine*, qui en parlait comme d'une attaque-surprise, voilà tout. *La Gazette* avait annoncé au moins une douzaine de promotions, mais aucune mention de Jack ni de Pullings. Il était probable que la nouvelle de la capture de la *Sophie* était parvenue à Londres en même temps que le rapport sur le *Cacafuego*. Sinon avant. Car les bonnes nouvelles (à supposer qu'elles se soient perdues : il était persuadé qu'elles se trouvaient dans le sac qu'il avait jeté à l'eau, par quatre-vingt-dix brasses de fond, au large du Cap Roig) ne pouvaient être confirmées que par un envoi de Lord Keith, qui se trouvait chez les Turcs, à l'autre bout de la Méditerranée. Il n'y aurait donc pas de promotion avant que la cour martiale ne rende son verdict. Les prisonniers ne bénéficiaient jamais d'une promotion. Jamais. Et que se passerait-il si les choses tournaient mal ? Il était loin d'avoir la conscience tranquille. Si c'est cela que Harte avait souhaité, sa réussite était totale. Jack avait été drôlement immature, un fameux imbécile. Mais une telle malveillance était-elle imaginable ? Une telle ingéniosité chez un pleutre ordinaire et cocu ? Il aurait aimé en parler à Stephen, car ce dernier ne manquait pas de cervelle. Et Jack, peut-être pour la première fois de sa vie, doutait de son propre entendement, de son intelligence naturelle et de sa perspicacité. L'amiral ne l'avait pas complimenté. Cela pouvait-il signifier que selon le point de vue officiel... Mais Stephen ne pouvait pas imaginer une liberté conditionnelle qui l'empêcherait d'aller à l'hôpital naval. Il y avait plus de deux cents blessés dans l'escadre, et il y passait l'essentiel de son temps. Il l'enjoignait de marcher. « Pour l'amour de Dieu, marchez, empruntez des sentiers escarpés... Allez d'un bout à l'autre du Rocher. Faites le trajet aussi souvent que possible, l'estomac vide. Vous êtes obèse. Vos cuisses vacillent quand elles doivent vous porter... Vous devez peser au moins deux cent vingt ou deux cent trente livres. »

« Ce qui est sûr, se dit-il, c'est que je transpire comme une jument pleine. » Il s'assit à l'ombre d'un gros rocher, desserra sa ceinture et s'épongea. Pour se changer les idées, il se remémora une ballade sur la bataille d'Aboukir.

« On a mouillé auprès d'eux, lions libres et auda-
cieux.
Spectacle magnifique, leurs gréements s'effon-
drant !
Le hardi Leander *vint alors, noble vaisseau de*
cinquante-quatre,
Sur la proue du Franklin *crachèrent ses gueules*
hurlantes,
Une terrible raclée, des plaies et des bosses
Qui firent mander quartier et amener les couleurs
de la France. »

L'air était joli, mais l'imprécision le mettait hors de lui. Le pauvre vieux *Leander* portait cinquante-deux canons ! Il le savait parfaitement, car il avait dirigé le feu de huit d'entre eux. Un autre classique des chants de marins lui revint en mémoire.

« Il arriva jadis un terrible combat,
Qui commença le jour de la St James,
Avec un boum, boum, boum-boum, boum
Boum, boum et boum, boum... »

Assis sur un rocher, à quelques pas de lui, un singe lui jeta un étron sans raison apparente. Jack se leva à demi en signe de protestation, mais l'animal le menaça de son petit poing desséché et baragouina si furieusement qu'il retomba en arrière. Il se sentit très déprimé.

« Monsieur, monsieur ! » cria Babbington en montant la côte à toute allure. Ses cris et son essoufflement le rendaient écarlate. « Regardez le brick ! Monsieur, regardez, au-delà de la pointe ! »

C'était le *Pasley*. Ils le reconnurent sur-le-champ. Le brick affrété *Pasley*, un bon navire de croisière. Il faisait force de voiles, sous une brise vigoureuse de nord-ouest capable de tout arracher.

« Regardez, monsieur ! » dit Babbington. Il s'écroula dans l'herbe, au mépris de toute discipline, et lui tendit une petite lunette de cuivre. Elle avait un faible pouvoir d'agrandissement, mais Jack vit tout de suite le signal qui flottait, clair et net, au ton de mât du *Pasley*. « *Ennemi* en *vue* ».

« Les voilà, monsieur ! » Babbington lui montra le miroitement des huniers, sur la courbe sombre de la terre, au-delà de l'extrémité du détroit.

« Allons-y ! » Jack se mit à escalader la colline, haletant et râlant, courant de toutes ses forces vers la tour — vers le point le plus élevé du Rocher. Il y avait des maçons, qui travaillaient là. Il y avait aussi un officier d'artillerie de la garnison muni d'un énorme télescope, et quelques soldats. L'artilleur lui prêta aimablement sa lunette. Jack la posa sur l'épaule de Babbington, fit soigneusement le point, et regarda dedans. « C'est le *Superb*. Et le *Thames*. Puis deux trois-ponts espagnols. Dont le *Real Carlos*, j'en suis presque sûr. Portant pavillon du vice-amiral, en tout cas. Deux navires de soixante-quatorze. Non ! Un soixante-quatorze et probablement un quatre-vingts.

— L'*Argonauta*, dit un des maçons.

— Un autre trois-ponts. Et trois frégates... Deux Français. »

Ils observèrent en silence le défilé régulier. Le *Superb* et le *Thames* prirent position à moins d'un mille en avant de l'escadre alliée, en remontant le détroit, et les navires espagnols, magnifiques, énormes, avancèrent dans le soleil. Les maçons partirent dîner. Le vent vira à l'ouest. L'ombre de la tour pivota de vingt-cinq degrés.

Après avoir doublé Cabrita Point, le *Superb* et la frégate continuèrent d'avancer dans la direction de Gibraltar, tandis que les Espagnols lofèrent pour pointer sur Algésiras. Jack constata que leur vaisseau-amiral était bel et bien le *Real Carlos* — cent douze canons, un des navires les plus puissants du monde.

Qu'un autre des trois-ponts était de la même taille. Que le troisième était un quatre-vingt-seize. C'était une escadre formidable — quatre cent soixante-quatorze grosses pièces, sans compter les cent et quelques des frégates —, et ces navires étaient gouvernés de main de maître. Ils jetèrent l'ancre, sous la protection des batteries espagnoles, aussi coquets que si le Roi lui-même devait les passer en revue.

« Bonjour, monsieur ! dit Mowett. Je pensais bien vous trouver ici ! Je vous apporte un gâteau.

— Eh, merci, merci beaucoup ! s'exclama Jack. J'ai une faim de loup ! » Il s'en coupa une tranche, qu'il avala sur-le-champ.

C'était extraordinaire, à quel point la Navy avait changé, pensa-t-il en en découpant un deuxième morceau. Lorsqu'il était aspirant, il n'osait pas s'adresser directement à son capitaine... Sans parler de lui apporter du gâteau ! Et si d'aventure cela avait été nécessaire, il n'aurait jamais procédé ainsi, par crainte pour sa vie.

« Puis-je occuper un bout de votre rocher, monsieur ? demanda Mowett en s'asseyant. Ils viennent récupérer le Français, je suppose. Vous croyez qu'on va essayer de les arrêter, monsieur ?

— Le *Pompée* sera incapable de reprendre la mer avant trois semaines, dit Jack d'un ton incertain. Le *Caesar* est salement touché, et il faut qu'on change tous ses mâts. Même s'il était prêt avant que l'ennemi lève les voiles, le rapport de forces serait encore de cinq de ligne contre dix... Neuf si vous laissez l'*Hannibal* hors du coup. Trois cent soixante-seize canons contre sept cents et quelques pour eux, en tenant compte de leurs deux escadres. Et puis nous manquons d'hommes.

— Mais *vous*, vous pourriez essayer de les arrêter, n'est-ce pas, monsieur ? » demanda Babbington. Les deux aspirants éclatèrent de rire.

Jack hocha la tête d'un air pensif. Mowett reprit : « *Comme le cercle des harponneurs assaille, Dans les mers boréales la baleine endormie !*... Ces vaisseaux espagnols sont énormes ! Les hommes du *Caesar* ont pétitionné pour pouvoir travailler jour et nuit, monsieur. Le capitaine Brenton dit qu'ils peuvent travailler tout le jour — mais que la nuit, ils doivent seulement tenir les quarts. Ils empilent du bois de genévrier sur la digue, pour s'éclairer. »

C'est à la lueur des feux de genévrier que Jack tomba sur Keats. Le capitaine du *Superb* était accompagné de deux de ses lieutenants et d'un homme en civil. Après le premier mouvement de surprise, les échanges de saluts et les présentations, le capitaine Keats l'invita à souper à son bord. Ils s'apprêtaient à y retourner... À la fortune du pot, bien sûr, mais il y avait tout de même du véritable chou du Hampshire, que l'*Astraea* apportait directement du jardin de Keats.

« C'est très aimable à vous, monsieur. Je vous en remercie, mais vous devrez m'excuser. J'ai eu la mauvaise fortune de perdre la *Sophie*, et je crois que je comparaîtrai bientôt devant vous... Devant vous et d'autres capitaines...

— Oh ! » Keats eut soudain l'air embarrassé.

« Le capitaine Aubrey a entièrement raison », dit l'homme en civil d'une voix sentencieuse. À cet instant, un messager vint les informer que l'amiral réclamait d'urgence le capitaine Keats.

« Quel est donc ce fils de pute en manteau noir ? demanda Jack à un autre de ses amis, Heneage Dundas, du *Calpe*, qui venait d'arriver.

— Coke ? C'est le nouvel assesseur auprès du tribunal », dit Dundas avec un drôle d'air. Était-ce vraiment un drôle d'air ? Les flammes donnaient un drôle d'air à n'importe qui. L'Article X du Code lui revint spontanément à l'esprit. « *Quiconque, par traîtrise ou par lâcheté, se rendra à l'ennemi ou lui demandera quartier — et en sera reconnu coupable par une cour martiale, sera puni de mort.* »

« Allons boire une bouteille de porto au Blue Posts, Heneage, dit-il en se passant la main sur le visage.

— Jack, je vous jure que j'en serais ravi. Mais j'ai promis à Brenton de lui donner un coup de main. Je m'y rendais lorsque je vous ai rencontré... Le reste de mon groupe m'attend. » Il se dirigea en toute hâte vers les feux, le long du môle, et Jack partit à la dérive. Ruelles sombres et escarpées, bordels mal famés, odeurs infectes, tavernes sordides.

Le lendemain, à l'abri de la muraille de Charles Quint, grâce à un télescope installé sur une grosse pierre, Jack observait le *Caesar* (qui ne portait plus la flamme de l'amiral) non sans le sentiment d'être un voyeur et un espion. Le navire était en panne à côté de la bigue, pour la mise en place de la partie basse de son nouveau grand mât : cent pieds de long, plus d'un mètre de diamètre. L'opération fut rondement menée. Avant midi, la hune était en place, le bas mât et le pont étaient invisibles, noyés sous la foule qui s'activait dans les gréements.

Le lendemain, toujours depuis sa mélancolique tour d'ivoire — comparée à sa propre oisiveté, l'intense activité qui se déployait en bas (surtout à bord du *Caesar)* l'emplissait d'un sentiment de culpabilité —, il assista à l'arrivée du *San Antonio*, un soixante-quatorze français, qui venait de Cadix avec quelque retard. Il se mit au mouillage au milieu de ses amis, à Algésiras.

Le lendemain, Jack repéra de l'animation du côté le plus éloigné de la baie : canots faisant la navette entre les douze navires de la flotte ennemie, envergage de nouvelles voiles, embarquement de fournitures, émissions de multiples signaux par les navires-amiraux. La même animation semblait se produire au même instant à Gibraltar, où se déployait une énergie encore plus grande. Pour le *Pompée*, c'était hors de question — mais l'*Audacious* était presque prêt, tandis que le *Venerable*, le *Spencer* et, bien entendu, le *Superb* étaient parés au combat. Sur le *Caesar*, enfin, les réparations progressaient si vite qu'il n'était pas impossible qu'il fût prêt à reprendre la mer sous vingt-quatre heures.

Un vent d'est se leva pendant la nuit. Les vœux des Espagnols étaient comblés : il pouvait les sortir du détroit s'ils franchissaient Cabrita Point sans encombres, et les emmener à Cadix. À midi, le premier des trois-ponts relâcha son petit hunier et s'éloigna de la zone encombrée. Les autres le suivirent. Ils levaient l'ancre et sortaient à intervalles de dix ou quinze minutes, et se dirigeaient vers leur rendez-vous au large de Cabrita Point. Le *Caesar* était encore amarré au môle. On embarquait la poudre et les munitions, tandis qu'officiers, hommes d'équipage, civils et soldats de la garnison s'activaient en silence, graves et concentrés.

Finalement, toute la flotte alliée fut en route. Même le navire capturé, l'*Hannibal*, équipé d'un gréement de fortune et remorqué par la frégate française l'*Indienne*, se traîna jusqu'à la pointe. Puis le cri aigu du fifre et du violon éclata à bord du *Caesar*. Les hommes forcèrent sur les barres du cabestan pour le haler hors du môle — le navire était tendu, propre, prêt à la bataille. Un tonnerre d'acclamations courut le long de la côte, aux batteries, sur les murailles et les flancs des collines couverts de spectateurs. Quand ils se turent, on entendit la fanfare de la garnison jouer aussi fort que possible un air martial, auquel les hommes du *Caesar* répondirent par un « *Britons strike home !* ». Au milieu de la cacophonie, on discernait toujours le son du fifre. L'émotion était à son comble.

Au moment où il dépassa la poupe de l'*Audacious*, le *Caesar* hissa une fois de plus la flamme de Sir James. Immédiatement, apparut le signal « *Levez l'ancre ! Parés au combat !* » L'exécution de cet ordre donna lieu à la plus belle manœuvre navale que Jack ait jamais vue. Chacun attendait le signal, chacun était paré, les câbles en position. En un laps de temps incroyablement bref, les ancres furent caponnées, les mâts et les vergues se couvrirent d'immenses pyramides de toile blanche. L'escadre — cinq navires de ligne, deux frégates, un sloop et un brick — quitta l'abri du Rocher et forma une ligne de front, sur bâbord amures.

Jack se fraya un chemin dans la foule qui se tassait sur la digue. Il était à mi-chemin de l'hôpital — il voulait convaincre Stephen de l'accompagner au sommet du Rocher — lorsqu'il vit son ami qui dévalait les rues désertes.

« Il a quitté le môle ? Est-ce que le combat a commencé ? »

Jack le rassura. « Pour cent livres, je ne voudrais pas manquer ça. Et ce type, au pavillon B, avec ses fantaisies mal venues... Ce n'est pas le jour pour se couper la gorge !

— Inutile de se précipiter, dit Jack. Personne ne touchera à un canon avant des heures. Mais je regrette que vous ayez manqué le départ du *Caesar*. Un spectacle splendide ! Venez avec moi sur la colline. De là-haut, nous aurons une vue parfaite sur les deux escadres. Venez, je vous en prie. Je vais envoyer quelqu'un chez moi, chercher une paire de télescopes. Et une cape. La nuit tombée, il fait froid.

— Parfait, dit Stephen après avoir réfléchi un instant. Je peux laisser un message. Remplissons nos poches de jambon. Et j'espère que c'en est fini de vos regards ironiques et vos remarques sibyllines... »

« Ils sont là, dit Jack, en s'arrêtant pour reprendre son souffle. Toujours sur bâbord amures.

— Je les vois parfaitement, dit Stephen, qui avait une centaine de mètres d'avance. Mais je vous en supplie, ne vous arrêtez pas si souvent. Allons !

— Oh mon Dieu, mon Dieu ! » Jack arriva enfin, et s'écroula sous son rocher habituel. « Comme vous allez vite ! Eh bien, nous y sommes !

— Oui, oui, les voilà. Un beau spectacle, en effet. Mais pourquoi restent-ils ainsi, la proue tournée vers l'Afrique ? Et pourquoi ne bordent-ils que leurs basses voiles et leurs huniers, avec cette brise légère ? Celui-là est même en train de coiffer son hunier...

— C'est le *Superb*. Il fait cela pour garder sa position et ne pas distancer l'amiral. C'est un navire *superbe*, vous savez, le meilleur de la flotte. Vous avez entendu ce que je viens de dire ?

— Oui.

— Je croyais que c'était drôle... Un bon mot.

« — Pourquoi ne mettent-ils pas à la voile ? Pourquoi ne se placent-ils pas contre le vent ?

— Oh, il n'est pas question d'une rencontre frontale... Peut-être même n'y aura-t-il pas de combat en plein jour. Il serait franchement stupide d'attaquer leur ligne de bataille à cette heure-ci. L'amiral veut que l'ennemi sorte de la baie et s'introduise dans le détroit. Ainsi personne ne pourra revenir sur ses pas, et il disposera de l'espace nécessaire pour se précipiter sur lui. Dès qu'ils seront bien au large, je pense qu'il essaiera de couper leurs arrières, si ce vent se maintient. D'ailleurs on dirait bien qu'il s'agit d'un de ces levants qui durent trois jours. Regardez ! L'*Hannibal* ne passe pas la pointe ! Vous voyez ? Il va droit vers la côte. La frégate va avoir beaucoup de mal à l'en sortir. Ils le remorquent. Quelle élégance... Nous y voilà ! Il fait servir... Borde ton foc, camarade ! C'est ça, oui... Ça y est, il est reparti. »

Ils étaient assis, observant en silence, et ils entendaient tout autour d'eux les voix d'autres groupes qui se dispersaient sur toute la surface du Rocher... Des remarques sur le durcissement du vent, la stratégie qu'il fallait adopter, le poids exact de métal projeté par une bordée dans chacun des camps, le haut niveau de l'artillerie française, les courants qu'on rencontrait au large du Cap Trafalgar...

À force de coiffer et faire servir, la flotte alliée (neufs navires de ligne et trois frégates) avait fini par former sa ligne de bataille, les deux gros Espagnols de première catégorie restant à la traîne. Ils utilisaient maintenant la brise fraîchissante et se plaçaient vent derrière.

Un peu plus tôt, toute l'escadre britannique avait lofé de concert, au signal donné. Elle se trouvait donc sur tribord amures, sous voilure réduite. Le télescope de Jack restait braqué sur le navire-amiral. Il vit soudain qu'on s'apprêtait à hisser un pavillon. Il murmura : « Nous y voilà ! »

Le signal fut bientôt visible de tous. Immédiatement, la surface de voile se trouva presque doublée. Quelques minutes plus tard, l'escadre filait à la poursuite des Français et des Espagnols, et diminuait à vue d'œil dans le télescope de Jack.

« Bon Dieu, comme j'aimerais être avec eux », dit-il avec un grognement de désespoir. Puis, dix minutes plus tard : « Regardez ! Le *Superb* passe devant... L'amiral a dû le héler. » Les bonnettes de perroquet du *Superb* apparurent, comme par magie, à bâbord et tribord. « Comme il file ! » dit Jack. Il essuya sa lunette. Mais le flou ne venait ni de ses larmes, ni de la poussière sur le verre. C'était le jour qui baissait. Au-dessous d'eux, il faisait déjà noir. Un soir fauve se couchait sur la ville, qui se couvrit peu à peu de points lumineux. Bientôt, ils virent des lanternes monter le long des flancs du Rocher, vers les emplacements les plus élevés d'où l'on pouvait apercevoir la bataille. De l'autre côté de la baie, tout en bas, l'arc de cercle d'Algésiras commença à scintiller.

« Que diriez-vous d'un peu de jambon ? » demanda Jack.

Stephen lui répondit que selon lui, le jambon pouvait se révéler une protection efficace contre l'humidité qui tombait. Ils mangèrent quelque temps dans le noir, leurs mouchoirs de poche dépliés sur leurs genoux. Soudain, Stephen déclara : « On m'a dit que je serais jugé pour la perte de la *Sophie*. »

Jack était parvenu à oublier la cour martiale depuis l'aube, depuis qu'il était apparu que la flotte alliée allait sortir de la baie. On la rappelait maintenant à son bon souvenir, et le choc fut si désagréable que son estomac se bloqua. Mais il répondit simplement : « Qui vous a dit cela ? Ces messieurs les docteurs, à l'hôpital, je suppose ?

— Oui...

— Ils ont raison en théorie. Officiellement, il s'agit du procès du capitaine, des officiers et de la compagnie du navire. On demande formellement aux officiers s'ils ont des plaintes à formuler contre le capitaine, et au capitaine s'il veut en formuler contre les officiers. Mais il est évident que c'est ma conduite, et elle seule, qui est en cause. Vous ne devez pas vous inquiéter, je vous assure. Aucune raison à cela.

— Oh, je plaiderai coupable d'emblée ! Et j'ajouterai qu'au moment crucial je me trouvais dans la poudrière avec une lampe ouverte, souhaitant la mort du roi, gaspillant mes réserves médicales, fumant du tabac et... Mais quelle idiotie ! » Il éclata de rire. « Je m'étonne qu'un homme de votre intelligence puisse y attacher la moindre importance.

— Oh, cela ne m'inquiète pas !

— Comme vous savez mentir ! » répondit Stephen, *in petto*.

Après un long silence, Jack reprit : « Dans la hiérarchie des êtres intelligents, vous n'accordez pas une place très élevée aux capitaines de vaisseaux et aux amiraux, n'est-ce pas ? Ne le niez pas. Je vous ai entendu proférer des mots plutôt sévères à l'égard des amiraux, et des grands hommes en général.

— Eh bien, il est vrai qu'assez souvent, avec l'âge, vos grands hommes et vos amiraux semblent affectés d'un mal assez sinistre. Même vos capitaines de vaisseaux... Une sorte d'atrophie, de dessèchement de la tête et du cœur. Je suppose que cela vient du... »

Jack posa sa main sur l'épaule de son ami, à peine visible à la lueur des étoiles. « Aimeriez-vous, alors, que votre vie, votre métier et votre réputation soient à la merci d'un groupe d'officiers supérieurs ?

— Oh !... » cria Stephen. Mais personne n'entendit ce qu'il avait à dire : loin sur l'horizon, dans la direction de Tanger, il y eut une série d'éclairs fort semblables à ceux que produit l'orage. Ils se levèrent et tendirent l'oreille, dans le vent, pour tenter de déchiffrer le vacarme lointain. Mais le vent était trop fort. Quelques instants plus tard, ils se rassirent et scrutèrent la mer, vers l'ouest, dans leurs télescopes. Ils distinguaient clairement deux sources lumineuses, à vingt ou vingt-cinq milles de là. Puis trois. Puis une quatrième et une cinquième. Et enfin, une lueur rougeoyante s'étendit, qui semblait immobile.

« Un navire est en feu ! » dit Jack, horrifié. Son

cœur battait si fort qu'il pouvait à peine tenir sa lunette dans l'axe de l'incendie. « Dieu veuille que ce ne soit pas l'un des nôtres. Dieu veuille qu'ils aient noyé les poudrières... »

Un éclair gigantesque illumina le ciel, occulta les étoiles, et leur blessa les yeux. Presque deux minutes plus tard, le long grondement solennel de l'explosion leur parvint, prolongé par son propre écho que renvoyait la côte africaine.

« Que se passe-t-il ? demanda enfin Stephen.

— Le navire a explosé. » Jack pensa à la bataille d'Aboukir, et à cet instant où l'*Orient* avait explosé — présent dans sa mémoire avec une extraordinaire vivacité : des centaines de détails, parfois horribles, qu'il croyait avoir oubliés. Il était encore perdu dans ses souvenirs lorsqu'une seconde explosion déchira l'obscurité, peut-être plus violente encore que la précédente.

Puis plus rien. Pas la moindre lueur, pas l'éclair d'un canon. Le vent augmenta peu à peu, et la lune qui se levait effaça les étoiles les plus petites. Au bout d'un moment, les lanternes entamèrent leur redescente. Certaines restèrent, d'autres essayèrent d'aller plus haut. Jack et Stephen ne bougèrent pas. L'aube les trouva sous leur rocher. Jack balayait le détroit (désormais calme et désert) avec son télescope. Stephen dormait profondément, un sourire aux lèvres.

Pas un mot, pas un signe. Une mer silencieuse, un ciel silencieux, et le vent qui était à nouveau perfide... Il faisait le tour du compas. À sept heures et demie, Jack escorta Stephen jusqu'à l'hôpital, se requinqua avec du café, et retourna sur la colline.

Au cours de ses nombreuses allées et venues, il avait appris à connaître chaque coude du sentier, et le rocher auquel il s'adossait lui était aussi familier qu'un vieux manteau. Alors qu'il remontait une fois de plus, le jeudi, après le thé, son souper enveloppé dans un morceau de voile, il vit Dalziel, Marshall, et Boughton, de l'*Hannibal*. Ils dévalaient la pente à une telle vitesse qu'ils furent incapables de s'arrêter. Ils lui crièrent :

« Le *Calpe* rentre au port, monsieur ! » et continuèrent leur descente. La petite chienne gambadait autour d'eux, risquant à tout moment de les jeter à terre, aboyant avec délice.

Heneage Dundas, du sloop rapide le *Calpe*, était un aimable jeune homme, fort apprécié de ses connaissances pour ses nombreuses qualités, y compris ses talents en mathématiques. Mais jamais auparavant, il n'avait été l'homme le plus choyé de Gibraltar. Jack se jeta dans la foule qui l'assiégeait, avec beaucoup de brutalité et en usant sans scrupule de sa corpulence et de ses coudes. Cinq minutes plus tard, il se faufilait à nouveau, cette fois pour s'éloigner de l'attroupement. Il courut comme un gamin à travers les rues de la ville.

« Stephen ! » cria-t-il en ouvrant la porte avec fracas, plus exalté que jamais. « Victoire ! Venez tout de suite boire à notre victoire ! Réjouissez-vous de cette nouvelle formidable, vieille branche ! » Il lui secoua brutalement le bras. « Quel combat magnifique !

— Eh bien, que s'est-il passé ? » Stephen essuya tranquillement son scalpel et recouvrit la hyène des sables sur laquelle il travaillait.

« Allons-y, je vous raconterai tout devant un verre », dit Jack en l'entraînant dehors. Les rues étaient pleines de gens qui parlaient avec enthousiasme, riaient, se serraient les mains et se tapaient mutuellement dans le dos. En bas, à proximité de la nouvelle digue, on entendait des acclamations. « Allons-y ! J'ai une soif digne d'Achille... Non, d'Andromaque ! Keats est le héros du jour. Keats, qui a fait sauter la baraque ! Ah, ah, ah ! Elle est bien bonne, non ? Hé ! Pedro ! Par ici ! Du champagne, Pedro ! À la victoire ! À Keats et au *Superb* ! À l'amiral Saumarez ! Pedro, une autre bouteille ! À la victoire, derechef ! Trois fois trois ! Hourra ! »

« Vous m'obligeriez, dit Stephen, en me donnant simplement les nouvelles. Avec tous les détails.

— Je ne les connais pas tous, dit Jack, mais voici l'essentiel. Keats, cet excellent garçon... Vous vous souvenez comment nous l'avons vu partir devant ?

Keats a rejoint leurs arrières, les deux Espagnols de première catégorie, juste avant minuit. Il a choisi son moment, a envoyé la barre dessous, et s'est jeté entre eux en faisant feu des deux bordées. Un soixante-quatorze qui s'en prend à deux navires de première ! Il tirait un feu d'enfer, en prenant soin de laisser entre eux un nuage de fumée épais comme de la purée de pois... Et les deux autres, le *Real Carlos* et l'*Hermenegildo*, se sont mis à tirer dans la fumée, dans le noir... Et ils se sont touchés mutuellement ! Quelqu'un — le *Superb* ou l'*Hermenegildo*, qui sait ? — avait abattu le petit mât de hune du *Real Carlos* : c'est son hunier, en tombant sur les canons, qui a pris feu. Un peu plus tard, le *Real Carlos* a percuté l'*Hermenegildo* et y a mis le feu à son tour... Voilà pour les deux explosions que nous avons vues. Tandis qu'ils se consumaient, Keats a poussé en avant et attaqué le *San Antonio*, qui a lofé et s'est défendu comme un beau diable. Mais le pauvre a dû renoncer au bout d'une demi-heure car, voyez-vous, le *Superb* tirait trois salves quand il en tirait deux, et il visait juste ! Keats s'en est donc emparé. Le reste de l'escadre s'est mis en chasse, aussi vite que possible, vers le nord-nord-ouest, sous un vent de tempête. Ils ont presque rattrapé le *Formidable*, mais il est finalement entré dans Cadix. Et puis nous avons failli perdre le *Venerable*, qui s'est démâté et échoué. Mais ils l'ont sorti de là : il est sur le chemin du retour, avec un gréement de fortune — un bout-dehors de bonnette en guise d'artimon ! Ha, ha, ha ! Hé, voilà Dalziel et Marshall ! Hé, Dalziel ! Marshall ! Par ici ! Venez boire à la victoire ! »

Le pavillon flotta au-dessus du *Pompée*. Le canon tonna. Les capitaines de vaisseau se rassemblaient pour siéger en cour martiale.

L'événement était grave. Malgré l'éclat de cette journée, malgré la joie qui s'était répandue dans la ville et l'exaltation qui régnait à bord des navires, les capitaines mirent leur gaieté en réserve et se firent aussi solennels que des juges en embarquant sur le *Pompée*.

Chacun fut accueilli avec la pompe qui convenait, et conduit à la grande cabine par le premier lieutenant.

Jack était déjà à bord, bien sûr. Mais son affaire ne serait pas plaidée la première. Un aumônier attendait aussi, dans un coin de la salle à manger isolé par un paravent. L'air terrifié, il faisait inlassablement les cent pas en proférant des exclamations qu'il était le seul à comprendre, et en claquant violemment des mains. Ses habits faisaient pitié, et il s'était rasé jusqu'au sang. Si la moitié de ce qu'on lui reprochait était vrai, il n'avait aucun espoir de s'en sortir.

Lorsque le canon retentit à nouveau, le maître d'armes emmena l'aumônier. Il fallut attendre — ce fut l'un de ces moments interminables où le flot du temps semble s'immobiliser. Les officiers de la *Sophie* conversaient à voix basse. Ils s'étaient habillés avec un soin particulier, dans le confort et l'élégance que procurent les meilleurs costumiers de Gibraltar à ceux qui disposent d'abondantes parts de prises. Fallait-il y voir une marque de respect envers la cour ? Envers le caractère exceptionnel de l'événement ? Un reste de sentiment de culpabilité, une tentative pour apaiser le destin ? Ils parlaient calmement, d'un ton égal, jetant de temps en temps un regard vers Jack.

Ils avaient reçu la veille une convocation officielle, et, pour une raison ou pour une autre, chacun l'avait apportée avec lui, pliée ou roulée. Au bout d'un moment, Babbington et Ricketts commencèrent à remplacer chaque mot, discrètement, par une obscénité. Mowett écrivait au dos de la sienne, puis corrigeait, comptant les syllabes sur ses doigts, déclamant ses vers en silence. Lucock avait les yeux fixés devant lui, le regard vide. Stephen observait avec une vive attention la quête toujours insatisfaite d'un énorme insecte rouge vif, sur la toile quadrillée qui recouvrait le sol.

La porte s'ouvrit. Jack revint brutalement sur terre, prit son chapeau à galon et se dirigea vers la grande cabine — il baissa la tête en entrant —, suivi de ses officiers. Il s'arrêta au centre de la pièce, mit son chapeau sous son bras et salua la cour : le président, les capitaines placés à sa droite, puis ceux placés à sa gauche. Le président inclina légèrement la tête et invita le capitaine Aubrey et ses officiers à s'asseoir. Un fusilier plaça la chaise de Jack à quelques pas devant les autres. Il s'installa, sa main cherchant machinalement à sa ceinture l'épée qui ne s'y trouvait pas. L'assesseur fit lecture du document autorisant l'assemblée à siéger.

Ce fut très long. Stephen eut le temps de regarder tranquillement autour de lui, et d'examiner la cabine d'un bout à l'autre. C'était une version agrandie de la grande cabine du *Desaix* — comme il se réjouissait que ce navire fût sauf ! —, aussi belle et aussi inondée de lumière. La même ligne de fenêtres de tableau, les mêmes murailles inclinées vers l'intérieur et, au-dessus de leurs têtes, les même barrots massifs peints en blanc, dessinant de longues courbes extraordinairement pures d'un côté à l'autre du navire. Une pièce où la géométrie classique, terrienne, était déplacée. Au fond, à l'opposé de la porte d'entrée, on avait installé une grande table parallèlement aux fenêtres. C'est là que siégeaient les membres de la cour, dos à la lumière : le président au centre, l'assesseur en manteau noir derrière un petit bureau en face de lui, et trois capitaines de vaisseau de chaque côté. Un secrétaire était installé à une petite table sur la gauche, et on avait prévu du même côté, pour les spectateurs, un espace délimité par une corde.

L'atmosphère était tendue. Les visages, au-dessus des uniformes bleu et or, derrière la longue table rutilante, étaient graves. L'affaire précédente et le verdict qui l'avait conclue avaient été affreusement pénibles.

Ces visages retenaient toute l'attention de Jack. Comme ils se trouvaient à contre-jour, il était difficile de bien les distinguer. Mais la plupart d'entre eux étaient sombres, et tous se tenaient en arrière. Il connaissait Keats, Hood, Brenton, Grenville. Est-ce que Grenville n'était pas en train de lui faire un clin d'œil, ou était-ce un tic ? C'était un tic, bien sûr. Le moindre signe en direction d'un accusé aurait été grossièrement indécent. Le président semblait avoir rajeuni de vingt ans depuis la victoire, mais son visage était toujours impassible. Derrière les paupières tombantes, son regard était indéchiffrable. Jack ne connaissait les autres capitaines que de nom. L'un d'eux, un gaucher, dessinait... Ou gribouillait. Jack lui jeta un regard noir.

La voix de l'assesseur ronronnait encore dans l'indifférence générale. « ... de l'ex-sloop de Sa Majesté, la *Sophie*, avait reçu l'ordre de siéger... Étant bien établi qu'au point 40' ouest et 37°40' nord ou aux environs, au large du Cap Roig... »

« Cet homme aime ce qu'il fait, pensa Stephen. Mais quelle voix lamentable ! On comprend à peine ce qu'il dit. Le charabia... Une déformation professionnelle des avocats. » Il pensait aux maladies du travail, aux effets corrosifs de la droiture chez certains juges, quand il remarqua que Jack avait renoncé à se tenir droit. Plus les préambules se prolongeaient, plus il était évident qu'il se détendait. Il avait l'air maussade, bizarrement calme, dangereux. Le léger affaissement de sa tête et la manière dont il avançait les jambes faisaient un contraste singulier avec la perfection de son uniforme. Stephen eut le pressentiment qu'ils étaient à deux doigts du désastre.

L'assesseur parlait toujours. « ... Pour examiner la conduite de John Aubrey, commandant de l'ex-sloop de Sa Majesté, la *Sophie*, et celle de ses officiers et de sa compagnie, ayant provoqué la perte du sloop susmentionné, capturé le trois courant par une escadre française placée sous le commandement de l'amiral Linois... » Et la tête de Jack s'affaissait toujours plus. « Jusqu'à quel point a-t-on le droit de manipuler ses propres amis ? » se demanda Stephen. Il écrivit rapidement, sur un coin de sa convocation, *« Rien ne ferait plus plaisir à H, en cet instant précis, qu'une explosion de colère de votre part. »* Il passa le bout de papier au quartier-maître, avec un geste vers Jack. Marshall le fit passer, via Dalziel. Jack lut le message, regarda Stephen sans avoir l'air de bien comprendre, et hocha la tête.

Quelques secondes plus tard, Charles Stirling, officier supérieur et président de la cour martiale, s'éclaircit la gorge. « Capitaine Aubrey, veuillez nous décrire les circonstances de la perte de l'ex-sloop de Sa Majesté, la *Sophie*. »

Jack se leva, jeta un regard peu amène aux juges alignés devant lui, inspira profondément et prit la parole. Il s'exprimait d'une voix beaucoup plus forte qu'à l'ordinaire, à un rythme assez rapide, saccadé, avec une intonation un peu forcée — une voix dure, agressive, comme s'il s'adressait à un auditoire hostile. « Le trois, à six heures du matin environ, à l'est et en vue du Cap Roig, nous avons aperçu trois grands navires apparemment français, et une frégate. Un peu plus tard, ils ont pris la *Sophie* en chasse. La *Sophie* se trouvait entre la côte et les navires qui la pourchassaient, c'est-à-dire contre leur vent. Nous nous sommes efforcés de rester contre le vent de l'ennemi en déployant toute notre voile, et en utilisant nos avirons — car le vent était très léger. Mais nous avons constaté que nonobstant nos efforts pour rester contre le vent, les Français nous gagnaient de vitesse. Nous avons tiré plusieurs bords pour essayer de tirer profit de la moindre variation dans le souffle du vent. Nous avons compris que celui-ci ne nous permettrait pas de nous échapper. Vers neuf heures, nous avons largué les canons et autres objets se trouvant sur le pont. Nous avons cru trouver une occasion, au moment où le Français le plus proche se trouvait sur notre hanche : nous sommes revenus contre le vent, et avons bordé nos bonnettes. Mais les navires français nous ont rattrapés une fois de plus, sans même avoir besoin de border les leurs. Quand le navire le plus proche s'est trouvé à portée de mousquet, j'ai donné l'ordre d'amener les couleurs. Il était environ onze heures du matin. Le vent soufflait de l'est, et nous avions essuyé plusieurs bordées de l'ennemi. Il avait abattu notre grand perroquet et notre petit hunier, et sectionné quantité de cordages. »

Bien que parfaitement conscient de la singulière imbécillité de son témoignage, Jack se tut, serra les

lèvres et regarda droit devant lui. La plume du secrétaire grinça en traçant les derniers mots, *« sectionné
quantité de cordages »*. Il y eut une pause, durant
laquelle le président regarda des deux côtés et toussota
à nouveau avant de parler. Le secrétaire fit un bref
paraphe après *« cordages »*, et se dépêcha de copier :

« Question de la cour. — Capitaine Aubrey, avez-
vous motif à formuler des reproches contre un de
vos officiers ou tout autre membre de la compagnie du navire ?

« Réponse. — Non. Tout le monde à bord a fait
preuve du plus grand dévouement.

« Question de la cour. — Officiers et compagnie
de la *Sophie*, avez-vous motif à formuler des
reproches contre la conduite de votre capitaine ?

« Réponse. — Non. »

« Que tous les témoins se retirent, à l'exception du
lieutenant Alexander Dalziel », dit l'assesseur. Les
aspirants, le quartier-maître et Stephen se retrouvèrent
dans la salle à manger. Ils s'assirent en désordre, dans
un silence total. D'un côté, les cris de l'aumônier leur
parvenaient depuis le cockpit (il venait de manquer une
tentative de suicide), de l'autre se poursuivait le ron-
ronnement de l'audience. Tous étaient affectés par l'inquiétude de Jack, par son angoisse et sa colère. Ils
l'avaient vu si souvent impassible — et dans de telles
circonstances — que son émotion, ce jour-là, les ébran-
lait et troublait leur jugement. Ils entendaient sa voix
ampoulée, dure, beaucoup plus forte que celles des
autres intervenants. « Est-ce que l'ennemi n'a pas tiré
plusieurs salves ? À quelle distance étions-nous lorsqu'il a tiré la dernière ? » M. Dalziel répondait en murmurant, inaudible de l'autre côté de la cloison.

« Cette angoisse est tout à fait irrationnelle, dit Stephen Maturin en regardant ses paumes moites. Ce n'est
qu'un exemple de plus du... Mais bon Dieu, bon Dieu...
S'ils avaient voulu le démolir, ils auraient commencé
par lui demander : « Pour quelles raisons étiez-vous là-

bas ? » Mais il est vrai que je connais très mal les questions navales. »

Il chercha du réconfort sur le visage du quartier-maître, mais n'en trouva pas. La sentinelle ouvrit la porte.

« Docteur Maturin, s'il vous plaît ! »

Stephen entra dans la pièce et prêta serment avec une lenteur calculée, essayant de sentir l'atmosphère de l'audience. Cela donna au secrétaire le temps de rattraper la fin du témoignage de Dalziel. Sa plume courut sur le papier en grinçant.

« Question de la cour. — Est-il exact qu'il gagnait sur la *Sophie*, même sans ses bonnettes ?

« Réponse. — Oui.

« Question de la cour. — Est-ce qu'ils avaient l'air de filer beaucoup plus vite que vous ?

« Réponse. — Oui.

« On appelle le docteur Maturin, médecin de la *Sophie*. Il prête serment.

« Question de la cour. — La déclaration faite par votre capitaine au sujet de la perte de la *Sophie* est-elle correcte, selon vous ?

« Réponse. — Je le pense.

« Question de la cour. — Votre connaissance des questions navales vous permet-elle de savoir si tous les efforts nécessaires ont été consentis pour échapper aux poursuivants de la *Sophie* ?

« Réponse. — Je connais très peu les questions navales, mais il m'apparaît que chaque homme présent à bord a consenti les efforts qu'exigeait la situation. J'ai vu le capitaine à la barre, et les officiers et la compagnie du navire aux avirons.

« Question de la cour. — Étiez-vous sur le pont au moment où les couleurs ont été amenées, et à quelle distance de l'ennemi se trouvait la *Sophie* lorsqu'elle s'est rendue ?

« Réponse. — Oui, j'étais sur le pont. Le *Desaix* était à portée de mousquet de la *Sophie*, et il nous tirait dessus. »

Dix minutes plus tard, on évacuait la salle d'audience. Retour à la cabine-salle à manger, sans hésitation cette fois pour les questions de préséance : Jack et M. Dalziel étaient là. Ils étaient tous là, et personne ne prononçait un mot. On entendit des rires. Se pouvait-il qu'ils viennent de la pièce voisine, ou le son leur parvenait-il du carré du *Caesar* ?

Un long silence. Un très, très long silence. Puis la sentinelle ouvrit la porte.

« Messieurs, s'il vous plaît. »

Ils entrèrent à la file, et malgré les années passées en mer, Jack oublia de baisser la tête. Son crâne heurta si violemment le linteau de la porte qu'il laissa sur le bois un peu de peau et quelques cheveux blonds. Presque aveuglé par le coup, il avança et se tint à côté de sa chaise, très raide.

Le secrétaire leva les yeux en entendant le choc, au moment où il inscrivait le mot « Sentence ». Mais il retourna promptement à son cahier pour restituer les paroles de l'assesseur. « Lors d'une cour martiale réunie pour tenir audience à bord du navire de Sa Majesté, le *Pompée*, Rosia Bay. (...) La cour (après avoir dûment prêté serment) a siégé dans l'exécution d'un ordre de Sir James Saumarez Bart, vice-amiral *of the blue*, et (...) après avoir recueilli les témoignages en cette occasion, et examiné mûrement et sereinement toutes les circonstances (...) »

La voix ronronnante et sans relief poursuivit son discours, et elle s'accordait si bien aux tintements qui résonnaient dans le crâne de Jack qu'il n'entendait absolument rien, tandis que les larmes lui interdisaient de voir le visage de l'assesseur...

— (...) L'opinion de la cour est que le capitaine Aubrey, ses officiers et la compagnie du navire ont consenti tous les efforts possibles pour empêcher le sloop de Sa Majesté de tomber entre les mains de l'ennemi. Et décide donc de les acquitter avec les honneurs. Conséquemment, nous les déclarons acquittés », conclut l'assesseur. Mais Jack ne l'entendait pas.

La voix inaudible s'interrompit. À travers ses larmes,

Jack vit que la forme noire s'asseyait. Il secoua la tête (toujours tintinnabulante), serra les dents et fit de son mieux pour retrouver ses facultés. Car le président de la cour martiale se levait à son tour. Le regard de Jack s'éclaircit : il repéra le sourire de Keats, et vit le capitaine Stirling saisir une épée un peu usée mais ô combien familière. Il la lui présenta en la tenant par la garde, tandis que de la main gauche, il défroissait un morceau de papier posé près de l'encrier. Dans un silence absolu, le président toussota. Il s'adressa à Jack d'une voix claire, une voix de marin qui mêlait la gravité, la raideur et la bonne humeur. « Capitaine Aubrey, ce n'est pas un mince plaisir que de recevoir de la cour que j'ai l'honneur de présider l'ordre de vous remettre votre épée. Je vous félicite que sa valeur soit reconnue aussi bien par vos amis que par vos ennemis. En espérant qu'avant longtemps, vous aurez l'occasion de vous en servir derechef, dans le devoir et l'honneur, pour le bien et la défense de votre pays. »

ÉGALEMENT CHEZ POCKET
LITTÉRATURE GÉNÉRALE

Achevé d'imprimer sur les presses de

BUSSIÈRE
GROUPE CPI

à Saint-Amand-Montrond (Cher)
en septembre 2003

POCKET - 12, avenue d'Italie - 75627 Paris Cedex 13
Tél. : 01-44-16-05-00

— N° d'imp. : 35419. —
Dépôt légal : octobre 1998.

Imprimé en France